Les courants de la psychologie

Les Éditions de la Chronique Sociale se veulent un champ d'expression libre où des pensées et des pratiques sociales différentes peuvent s'exprimer.

Elles ne sont inféodées à aucune institution, parti, Église, syndicat et ne vivent que de leurs productions. Leur orientation est déterminée par ceux qui participent à leur fonctionnement.

Elles souhaitent donner à chaque personne, à chaque organisation, des outils accessibles de connaissance, d'analyse et de compréhension d'elles-mêmes et de la société en évolution.

Chacun pourra s'approprier ces outils et les utiliser tant pour son développement personnel que pour une action collective efficace.

Responsable des Éditions : André Soutrenon

Correction : Gil Mozzo

Composition : Christine Comte

Relations avec l'imprimeur : Catherine Roche

Imprimeur : Imprimerie Darantiere
21801 Quétigny Cedex

Chronique Sociale, Lyon, Dépôt légal : novembre 1998
Imprimerie Darantiere – N° d'impression : 98-1098

Michel Richard

Les courants de la psychologie

3e édition augmentée

EVO
Rue d'Anderlecht 4
1000 Bruxelles

Chronique Sociale
7, rue du Plat
69002 Lyon

Les courants de la psychologie

Un plan détaillé est disponible au début de chaque chapitre.

A tous ceux qui ont besoin de connaître la psychologie et ses courants pour leur vie personnelle et sociale, pour qu'ils soient conscients de leur choix.

A tous les travailleurs sociaux, les étudiants, les enseignants, les universitaires et tous les praticiens de la psychologie qui ont à choisir des méthodes de travail qui aient un sens.

Comment s'est constituée la psychologie ?

Peut-on s'y reconnaître ?

Rares sont aujourd'hui les individus, les groupes et les institutions qui ne sont pas concernés par la psychologie : le magazine féminin qui donne, clefs en main, votre avenir sentimental et professionnel en utilisant une caractérologie sommaire, la consultation d'un psychologue pour votre enfant ; étant en recyclage ou postulant un emploi vous passez des tests, si vous êtes en dépression vous entreprenez une psychothérapie. Par ailleurs le marketing politique comme la publicité économique relèvent eux aussi de la psychologie. Les psychologues proposent également des week-ends de recyclage, de dynamique de groupe, de relaxation, de psychodrame, etc. La psychologie est partout séduisante, se voulant efficace !... Comment se repérer dans cette jungle et ce foisonnement ? Comment savoir si le "psy" que vous allez consulter est effectivement un "psy", qu'il appartient à telle "Ecole" qui repose elle-même sur un ensemble de principes, voire sur un mouvement qui a son fondateur, ses disciples, son histoire ? Comment en effet ne pas "subir" la psychologie et les psychologues ? La première raison de ce livre est de tenter de répondre à cette première question : qu'est-ce qui différencie un psychanalyste d'un béhavioriste, une thérapie systémique de la Gestalttherapie, Madame Soleil de Freud, la caractérologie de la psychologie expérimentale ? Comment en effet se reconnaître dans la multiplicité des méthodes, des pratiques, et des enjeux sociaux qui en découlent ?

Une mosaïque de pratiques et de méthodes

Il est très difficile, voire impossible, de définir ce qu'est la Psychologie et ce livre n'en donne pas de définition : science de la "psyché", de l'âme pour les Anciens, elle est devenue en un siècle un arbre gigantesque avec des ramifications nombreuses, des variétés multiples, des produits diversifiés, des théories éclatées et des pratiques toujours plus nombreuses et différentes. Cette véritable poussée de printemps semble aller dans tous les sens et pourtant il faut se rappeler que la "science psychologique" est relativement neuve (elle n'a pas plus de cent ans), qu'une licence de psychologie n'existe en

France que depuis 1948 et que le titre de psychologue n'est légal que depuis 1986 dans notre pays.

Le psychologue lui-même, le "psy de base", ne retient de sa formation universitaire qu'une mosaïque de méthodes et de pratiques, de concepts et de principes et il se pose lui aussi les questions que se pose le grand public. Faut-il se spécialiser en psychologie en ignorant les principes qui fondent votre travail quotidien ? Faut-il méconnaître les "Ecoles" auxquelles appartiennent vos collègues, minimiser les découvertes et l'évolution actuelle des théories et des mouvements ? Le spécialiste en psychologie a lui-même besoin de repères, ce livre lui en donne quelques-uns afin que, se tenant à l'écart des débats stériles et fratricides ou étant pris au contraire dans la violence de ces querelles, il puisse, lui aussi, y voir plus clair afin de conserver sa liberté de pensée et de jugement. Pour cette nécessaire oxygénation intellectuelle, le spécialiste doit se déspécialiser.

Les tendances fondatrices

En tant que science, la psychologie est très jeune. En tant que connaissance de l'homme, elle est vieille comme le monde, aussi vieille en tout cas que la philosophie qui lui a souvent servi de fondement et qui l'a mise en tutelle jusqu'à ce que soit recherchée une véritable "science du psychisme" au XIXe siècle. Au cours de l'histoire s'est posé le problème, soulevé par Platon au IVe siècle av. J.-C., puis par Descartes au XVIIe siècle, des rapports entre l'âme et le corps, la raison et l'imagination, l'esprit et les images. Chaque système philosophique impliquait une psychologie qui rendait compte de ce qu'était l'intelligence, la sensation, la mémoire, la volonté, l'instinct, la vie animale, les mœurs d'un groupe, les données d'une culture, etc. Dans sa période philosophique, la psychologie découlait des grands systèmes métaphysiques.

Puis une querelle a éclaté au milieu du XIXe siècle, à propos de l'origine de la perception : fallait-il l'expliquer en termes de causalité physique d'après laquelle elle s'organisait mécaniquement ? ou bien en termes de "conscience" selon laquelle le tout organise les parties, le global structure les éléments ? Cette querelle au sujet de la perception a donné naissance à des courants en psychologie qui se sont toujours violemment opposés :

1. Un courant "gestalthéoricien" qui affirme le primat de la conscience dans l'étude des mécanismes psychologiques, dont le fondateur est le père de la Gestalttheorie, Brentano.

2. Un courant phénoménologique qui affirme la prépondérance de la relation conscience-monde comme fondatrice de toute connaissance psychologique dont les fondateurs sont Husserl et Heidegger. A l'encontre de traditions philosophiques qui faisaient du sujet une substance isolée, et de courants scientifiques qui faisaient de l'objet et du monde un univers de choses, la phénoménologie relie, dans l'expérience du sujet et dans un apparaître commun, sujet et monde se constituant mutuellement dans une relation ouverte, et, pour cela, dite intentionnelle. Il fallait en effet démontrer que si la science pose l'homme comme objet, cet "objet" a la particularité première et irréductible d'être une conscience – et donc pas un objet comme les autres.

3. Un courant "scientifique", voire "scientiste", qui ne concevait la psychologie qu'en termes de science, c'est-à-dire d'observation et d'expérimentation dont le fondateur est le père de l'expérimentalisme, Wundt.

4. Un courant positiviste qui a comporté deux mouvements :
- Le cercle de l'Ecole de Vienne qui renouvelle la logique et qui fait de la vérité une représentation formelle.
- Les inventeurs des "machines à calculer" qui fondent la représentation comme spéculation, calcul, et production complexe de signes, autonomes par rapport à l'homme.

5. Un courant clinicien naissait au début de ce XIXe siècle, se réclamant à la fois de la science et de la philosophie, à la frontière du normal et du pathologique. Ce courant clinique en effet voulait concilier les exigences de l'observation et celles de la compréhension, se tenant en dehors du manichéisme théorique initial. L'ère des praticiens s'ouvrait par la naissance d'une clinique psychologique qui accordait le primat au vécu, au ressenti, à un "je" sur les considérations théoriques. Une psychologie en première personne s'élaborait à partir des observations de Ribot, Charcot et Dumas qui, non seulement voulaient comprendre et expliquer, mais désiraient surtout soigner et guérir. Avec elle la psychopathologie était née, elle allait fonder les "nouvelles thérapies".

6. Un courant psychanalytique
C'est de ce courant clinique que devait partir la dernière tendance qui bouleversa de fond en comble la psychologie naissante. A l'hôpital de la Salpêtrière à Paris, le docteur Freud émet l'hypothèse qu'il existe un refoulement des traumatismes de l'enfance s'exprimant dans les symptômes hystériques d'un adulte. Clinicien et théoricien rigoureux, Freud inventait une psychologie nouvelle qui ne devait rien aux autres tendances fondatrices. C'est pourquoi la psychanalyse représente, dans l'ordre du savoir psychologique, quelque chose d'absolument inédit, inconnu, une sorte de commencement premier qui ne se réclame ni de la science, ni de la philosophie. Tandis que cette découverte scandaleuse révolutionnait le savoir médical, psychiatrique et psychologique, se posait la question de la nature du psychisme en des termes nouveaux : pour l'essentiel l'homme ne se maîtrise pas, il est pris dans un déterminisme constitué par des pulsions, des fan-

tasmes, par des forces irrationnelles dont il n'a ni la maîtrise, ni la connaissance. Avec l'invention de la psychanalyse une vieille idole philosophique était déboulonnée : la croyance cartésienne en une conscience et en un "je" totalement clair et transparent à lui-même. Une blessure était ouverte au cœur des rapports de l'homme avec lui-même. Cette théorie psychanalytique eut du mal à se maintenir dans les voies strictes fixées par Freud. Une multitude de mouvements, d'Ecoles, de dissidences (dont les plus importantes sont celles de Jung et de Reich), faisaient voler en éclats l'unité de la théorie et de la pratique psychanalytiques autour de cette question centrale : la place de la sexualité dans la construction de la personnalité enfantine.

A partir de ces tendances, opposées mais peut-être complémentaires dans l'élaboration d'une science dont l'enjeu était l'autonomie de la psychologie, tant à l'égard de la philosophie que de la science expérimentale, quel était l'objet spécifique de la psychologie ? Pouvait-il y avoir une vérité théorique, un accord sur les méthodes, une clarification des concepts ? En fait, à travers cette querelle à propos de la perception, la psychologie était née. De ces tendances fondatrices allait surgir une multiplicité d'Ecoles, de méthodes, de mouvements qui, les uns sans les autres, le plus souvent les uns contre les autres, s'organiseraient et édifieraient non pas "la Psychologie", mais des psychologies qui comportent autant de théories que de fondateurs.

Sur la provenance qui situe chacun des cinq courants dans le cadre d'une critique de la connaissance (épistémologie), on peut déceler trois tendances :
- ***une tendance philosophique*** qui met l'accent sur la conscience ;
- ***une tendance théoricienne*** qui a recours à une conceptualisation rigoureuse ;
- ***une tendance scientifique*** qui opère systématiquement par l'expérimentation.

A partir de cette classification se pose la question du mot "science" appliqué à la psychologie. Le lecteur rencontrera souvent ce mot qui est pris dans le livre selon trois acceptions différentes :
- le mot science a le sens qu'on lui connaît de connaissance scientifique dans la psychologie expérimentale ;
- le mot science a le sens de théorie et de conceptualisation comme dans la psychanalyse ;
- enfin, il a le statut d'un "savoir" rigoureux comme dans la phénoménologie et la tradition philosophique.

Ces différentes acceptions sont entièrement discutables, mais elles ont le mérite d'ancrer globalement tel type de "science" psychologique dans telle région de la connaissance puisque la psychologie fait appel à des principes et à des méthodes très variés et souvent opposés.

L'ère des thérapeutes

Puis c'est à partir de 1940, et ce phénomène dure encore, que sont venus des Etats-Unis les mouvements thérapeutiques qui se sont constitués contre les courants scientifiques et psychanalytiques. Dotée désormais d'un ensemble conceptuel, méthodologique et technique, la psychologie apparaissait à beaucoup comme une nouvelle forme d'aliénation de l'homme contemporain par son pouvoir technocratique. Ces mouvements thérapeutiques sont nés de la prise de conscience du caractère profondément humain et mystérieux de la relation du thérapeute à son patient, et de ce que le pouvoir de soigner est indissociable de la recherche de soi dans la liberté ; le thérapeute n'étant là que comme aide et soutien dans la recherche d'un sens à trouver à l'existence. Ces courants (existentiel et phénoménologique, la Gestalttheorie, la bioénergie, la non-directivité, l'art-thérapie, le mouvement humaniste, etc.) représentent le retour en force de la spiritualité, de la philosophie, voire de la religion dans la psychologie, dont F. Dolto a été en France le symbole. A l'agnosticisme freudien, au scientisme de Pavlov et Watson, on oppose désormais ce que Jung, en son temps déjà, préconisait : l'appartenance de l'individu à un ordre et à une harmonie universelle, à un cosmos qui le relie par mille liens mystérieux aux autres, à la nature, aux objets et à l'univers. Loin d'être l'analogue du rat ou du singe, loin d'être le prisonnier de lois implacables de son inconscient, l'être humain peut libérer un réservoir d'amour et de dons que la psychologie scientifique méconnaît profondément. Ainsi succède à la génération des pères fondateurs et théoriciens (Brentano, Freud, Pavlov, Watson), celle des fils rebelles. En contestant le pouvoir des théories, ils remettaient en cause l'aptitude de la psychologie à se poser comme science.

A la recherche de valeurs sûres

Face à cette vague des thérapeutes actuelle qui déferle dans notre Occident, envoûté par l'empirisme des méthodes américaines et obsédé par l'efficacité thérapeutique, une interrogation fort ancienne refait surface : quels sont les rapports qu'entretiennent la liberté et le destin ? Notre caractère, notre écriture, nos gènes, ne sont-ils pas "donnés" à la naissance et le pouvoir du psychologue ne réside-t-il pas dans sa capacité à lire, à anticiper notre potentiel psychologique ? A dévoiler ce qui est inné et qui nous "destine" à avoir tel type de comportement, à vivre tel événement selon notre bagage génétique, caractérologique et astrologique ? Ce regain de faveur pour les méthodes de connaissance de l'avenir est le signe qu'il existe en psychologie des valeurs sûres qui apparentent le psychologue au devin : la caractérologie, la typologie, la morphopsychologie, la graphologie, l'analyse du destin sont des théories psychologiques qui inspirent confiance dans un monde où beaucoup ont perdu leur boussole ; le psychologue est alors perçu, à tort ou à raison, comme celui qui sait encore où est le nord.

A côté de ces valeurs sûres, la psychologie génétique de Piaget a découvert les lois du développement de l'intelligence chez l'enfant : quelle est la nature de l'intelligence, quels sont les lois et les mécanismes qui règlent le destin de nos principales acquisitions ? L'école de Genève a donné à ces questions des réponses neuves et précises qui bouleversent notre conception du monde enfantin, notre vision de la connaissance et l'origine des "idées". Enfin notre destin c'est aussi ce qui concerne notre relation à autrui et au groupe : la psychologie moderne, par le biais des découvertes de Moreno et de Lewin sur la nature groupale de l'homme, a bouleversé notre vieille croyance en l'individualité. Ils ont démontré que, sans le groupe et ses lois d'organisation, l'individu n'existe pas s'il ne prend conscience de son déterminisme social. C'est pourquoi la découverte du groupe est l'une des données essentielles de la psychologie actuelle.

Un voyage à l'intérieur de la psychologie

Nous pouvons maintenant revenir à notre première question. Qu'est-ce que la psychologie ? Le lecteur aura compris qu'il y a autant de réponses que d'Ecoles, de mouvements et de fondateurs. Que chacune d'entre elles soulève le voile de l'énigme de la psyché et qu'il n'y a pas "Une" mais "des" vérités en psychologie. Elle est partagée en effet entre la nécessité de devenir une science sans préjugés et celle de ne jamais oublier que son "objet" est le psychisme humain par lequel chacun pense, agit, sent, éprouve en première personne, ce qui était précisément l'intuition centrale des gestaltthéoriciens du XIXe siècle. La psychologie est partagée entre le nécessaire impératif d'expliquer les phénomènes psychiques et la non moins nécessaire exigence de comprendre l'être humain auquel elle s'adresse et apporte de l'aide.

C'est à la découverte des Ecoles et des mouvements de la psychologie (depuis leur fondation il y a un siècle jusqu'aux nouvelles théories et pratiques) que le lecteur est convié. C'est à une sorte de voyage à l'intérieur de la psychologie qu'invite ce livre. Une Ecole se définit par l'invention d'une nouvelle théorie et la cohérence explicative qu'elle propose, par le génie d'un grand maître qui a des disciples, par le fondement d'une pratique nouvelle, de concepts et de méthodes qui s'analysent et se repèrent. Une "Ecole psychologique" correspond aussi à une mode intellectuelle, à un goût culturel à un moment donné du développement de la société (Lacan était à la mode en France il y a quelques années, l'analyse transactionnelle plus récemment, le néo-béhaviorisme made in USA ensuite, et ce n'est pas fini).

Au lecteur de se laisser guider par ce livre, dans ce véritable labyrinthe du savoir qu'est la psychologie aujourd'hui, afin qu'il se fasse une meilleure idée de ce qu'elle est, de sa richesse et de sa diversité, en vue d'en user avec sagesse et clairvoyance.

Structure du livre

Il est toujours délicat de faire entrer des pratiques psychologiques et des théories dans des catégories précises et définitives. Néanmoins, en tenant compte des présupposés philosophiques de chaque courant, on aboutit à une sorte de généalogie qui a pu servir de base à l'organisation de ce livre, même si, sur le fond, des critiques pertinentes peuvent être faites à cette généalogie. Elle m'a simplement aidé à "mettre de l'ordre" dans un domaine où règnent des pratiques et des théories qui sont parfois hétérogènes et éclatées.

Voici donc comment il est possible de lire ce livre d'après l'organigramme de la page suivante.

Les différents "psy"

- **Psychiatre :** médecin spécialiste de la maladie mentale qui conçoit les phénomènes psychopathologiques d'un point de vue médical. Il analyse les symptômes, pose un diagnostic et traite la maladie par des médicaments.
- **Psychologue :** spécialiste de l'étude du psychisme à partir de la psychologie. Actuellement, il est spécialisé dans la psychologie clinique, la psychologie du travail, la psychologie scolaire. Utilise les tests comme moyen de mesure des capacités des individus.
- **Psychanalyste :** spécialiste de l'inconscient se référant exclusivement à la théorie psychanalytique de Freud. Il conçoit les symptômes et la psychopathologie du point de vue de l'histoire d'un individu dans son rapport à son inconscient et traite la "maladie mentale" à partir d'une écoute et dans le cadre d'une cure analytique qui libère le patient de ce qu'il a refoulé dans son enfance.
- **Psychothérapeute :** spécialiste du soin psychologique et de la guérison se référant à différentes théories psychologiques. Il conçoit la "maladie mentale" d'un point de vue exclusivement psychologique et amène le patient à la guérison en lui donnant un "cadre thérapeutique" qui lui permet une découverte de soi, un affrontement avec sa souffrance en vue de la dépasser pour trouver son équilibre.
- **Psychomotricien** : spécialiste des phénomènes de temporalisation et de spatialisation. Rééduque les déficits moteurs et soigne à partir du corps vécu les troubles du temps et de l'espace.

Les courants de la psychologie

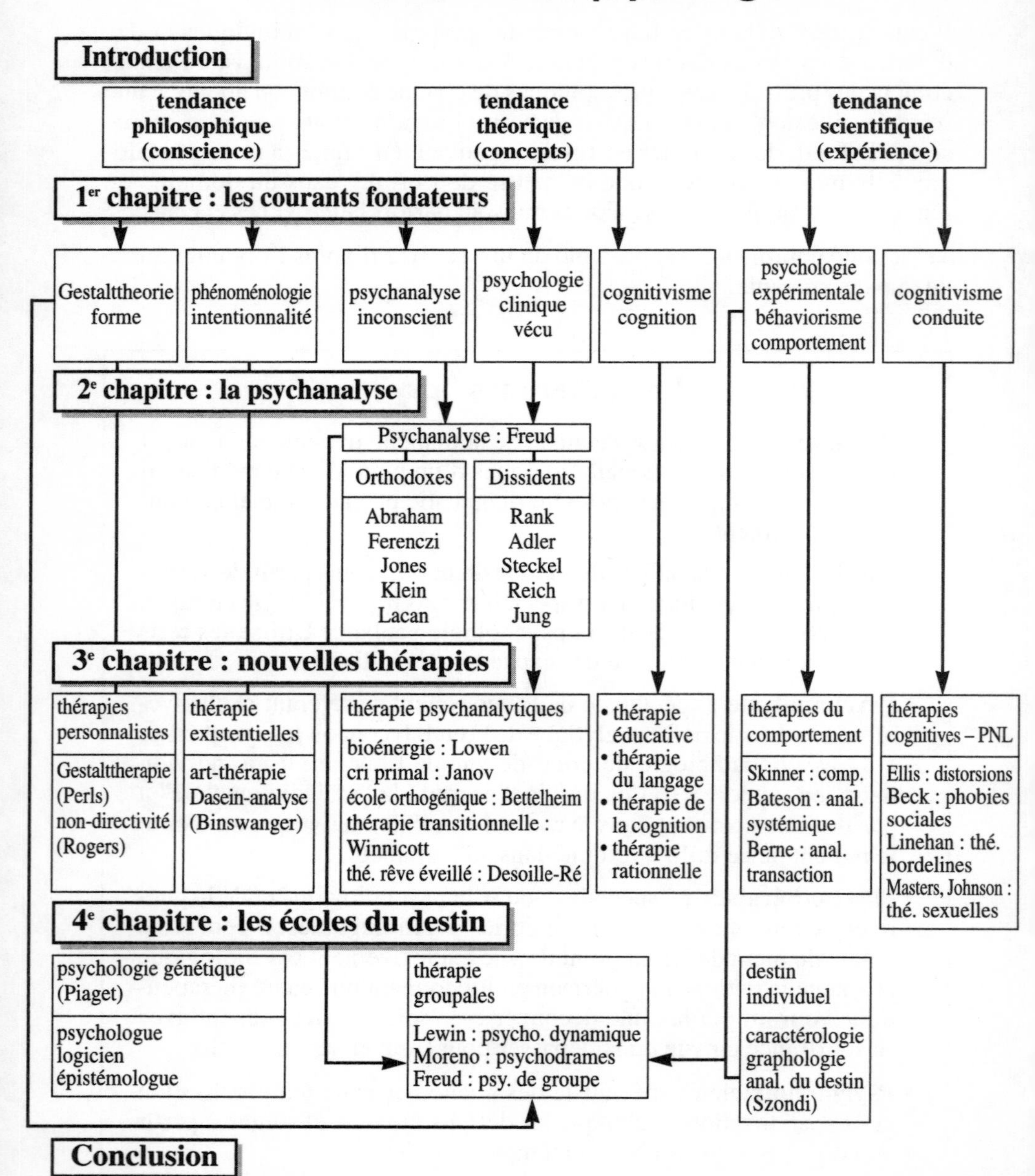

La psychologie au carrefour des sciences humaines

Intra-disciplinaires : pédagogie, etc. | Extra-disciplinaires : sociologie, etc.

Les courants fondateurs

Le courant gestaltthéoricien (psychologie de la forme)

La question de la perception

L'étude de la perception a focalisé dans la deuxième moitié du XIXe siècle beaucoup de recherches et d'interrogations autour d'une célèbre école autrichienne, l'Ecole de Graz.

Deux tendances ont existé qui ont toutes deux prétendu faire l'analyse de la perception :

- **Une tendance associationniste et élémentariste** (scientifique) qui établit les lois de la perception selon les règles de la psychophysique : quand je vois un paysage, ce que je vois est le résultat de stimulations qui parviennent à l'œil et se localisent dans certaines zones du cerveau. Le fait que ce paysage soit perçu comme un tout, vient de la capacité psychophysiologique de l'ensemble œil-cerveau à associer (associationnisme) et à organiser des éléments (élémentarisme) dont le résultat est une homogénéisation de stimuli (association d'éléments identiques) grâce au système d intégration qu'est le cerveau. Le tout homogénéisé est donc un résultat de parties rassemblées mais ce tout n'existe pas au départ.
- **Une tendance gestaltthéoricienne** fait l'hypothèse inverse : si mon paysage est unifié au moment où je le vois (vision globale) cette unité perceptive, au lieu d'être un résultat, est, au contraire, un principe premier qui agit simultanément à l'instant même d'une perception. Ce principe d'unité immanente (en soi) à la perception les gestaltthéoriciens l'appelleront "forme" ou Gestalt (en allemand). Cette unité ne saurait être le produit d'associations cérébrales, mais le travail d'un acte mental, indépendant du cerveau, et qu'il faut de ce fait appeler acte psychologique, puisqu'il n'est pas un produit mais, qu'au contraire, il produit la vision unifiée du paysage.

Ces deux tendances se sont affrontées car, outre que la nature de la perception en était l'enjeu immédiat, était posée la question de la spécificité et de l'autonomie d'un psychisme par rapport au conditionnement psychophysiologique.

Les précurseurs : W. Wundt (1832-1920), F. Brentano (1838-1917)

W. Wundt : contre l'introspection

Wundt, qui est le premier gestaltthéoricien, veut élaborer une psychologie des "états de conscience" sur des bases scientifiques et expérimentales. Ce parti pris scientifique est en réaction contre ce qui dominait à son époque en psychologie : l'introspection. Celle-ci était un fait de civilisation où convergeaient le romantisme (qui observait les états d'âmes et envahissait l'art de sentiments, d'émotions et de passions) et l'individualisme, c'est-à-dire l'exaltation de l'individu pris comme être subjectif dont le vécu intérieur était la valeur suprême... on se souvient de Verlaine... : "Les sanglots longs des violons de l'automne..." Le romantisme a donné naissance à une psychologie qui reposait sur le principe d'une connaissance directe et intuitive de soi. Wundt met en doute la légitimité d'une telle démarche car il considère à juste titre qu'on ne peut à la fois vivre et être observateur de son vécu : l'intuition directe de soi est toujours suspecte pour la science dans la mesure où ce qui est observé n'a qu'une valeur subjective de témoignage. Par contre Wundt retient de l'introspection sa valeur de contenu psychique (états de conscience) et émet l'hypothèse qu'un observateur peut élaborer les lois objectives de ces états. Par conséquent, une science du vécu, c'est-à-dire une psychologie, peut être un ensemble d'observations et d'expérimentations. Il avait été précédé dans cette voie par l'un des premiers psychologues, Max Wertheimer, qui publiait en 1812 une *Etude expérimentale sur la perception du mouvement* qui jetait les premières bases d'une psychologie expérimentale.

Ainsi l'œuvre de Wundt est le résultat d'une option méthodologique : obtenir en psychologie, par l'étude expérimentale des états de conscience, une rigueur comparable à celle des sciences de la nature. De ce fait il élabore deux approches différentes : par l'objet de ses approches, les états de conscience, il est le précurseur de la Gestalttheorie, par sa méthode (scientifique) il est le précurseur de la psychologie expérimentale.

F. Brentano

L'œuvre de Brentano a été beaucoup plus décisive que celle de Wundt car il est le véritable précurseur de deux courants fondamentaux de la psychologie : la Gestalttheorie avec la question de la perception, et la phénoménologie avec l'importance à accorder à la conscience dans la genèse des états psychologiques. Le Brentano phénoménologue est présenté p. 25.

Brentano et la perception
Plus les recherches sur la perception avançaient, plus la scission était grande entre ceux qui la concevaient comme étant le produit du cerveau et ceux qui y voyaient un phénomène de psychologie pure. Brentano fonde le débat sur la perception en le centrant autour d'une question : d'où vient l'unité, immanente à la perception, puisqu'elle n'est pas le produit de l'organisme psychophysiologique ? Il oriente ses travaux en distinguant dans l'acte perceptif deux dimensions : une forme et un fond.

Le fond est le produit d'associations cérébrales car, quand je vois un paysage, il est vrai que l'image unifiée que j'en ai provient d'une organisation cérébrale qui associe des éléments divers en un tout unifié. Mais Brentano voit dans cette organisation une unité qui ne peut à elle seule rendre compte de l'activité du sujet lui-même dans l'acte perceptif puisque, selon les associationnistes, il n'a qu'un rôle passif, n'étant que réceptacle du paysage qu'il perçoit. Il faut donc découvrir les lois non plus du fond, mais de la forme qui, elle, est produite par le sujet et qui seule explique l'unité au départ, c'est-à-dire *a priori*, de l'objet perçu.

La forme est le propre de l'activité du sujet qui perçoit, elle est spécifiquement psychologique car elle tient à la nature psychique de l'homme. N'étant pas le produit d'un fond neurophysiologique, la forme est structurante et non pas structurée. C'est elle qui est la condition première de la perception car elle organise le fond à partir de l'activité structurante de la forme. Il y a donc le primat de la forme sur le fond par un pouvoir structurant qui lui est propre. Cette origine de la forme ne peut être expliquée par l'activité cérébrale, elle est à rechercher dans la conscience du sujet percevant, elle transcende l'objet perçu.

Cette activité structurante, à l'œuvre dans la perception, Brentano l'appelle Gestalt (forme). Elle est l'acte de naissance de la Gestalttheorie dans la mesure où Brentano élabore une théorie de la perception qu'il articule sur une psychologie de la conscience. Désormais le problème de la Gestalt ne pourra plus être éludé dans les recherches sur la perception. En outre le principe selon lequel la psychologie est une psychologie des actes de conscience se révélera être le point central de la réflexion philosophique, avec Husserl notamment et de la méthodologie : psychologie avec ou sans conscience ? Wundt et Brentano ont été les précurseurs de la psychologie de la forme dans la mesure où la conscience (états de conscience pour le premier, actes de conscience pour le second) leur paraît le fondement des actes psychologiques. Mais deux méthodes divergent pour l'étude d'un même objet : alors que Wundt pose les bases d'une approche expérimentale des phénomènes psychiques, Brentano ouvre la voie à une psychologie de l'intentionnalité de la conscience, c'est-à-dire à une phénoménologie de la perception. C'est cette double approche qui fait la richesse de l'Ecole de Graz qui fonde le courant gestalthéoricien. La psychologie a désormais de beaux jours devant elle !

Les fondateurs, l'Ecole de Graz : science et phénoménologie

Né en Autriche dans la deuxième moitié du XIXe siècle où se multiplient laboratoires, méthodologies, objets étudiés, questions fondamentales, recherches théoriques et pratiques, le mouvement gestalthéoricien se constitue autour d'une Ecole avec des chercheurs et des philosophes qui tirent les conséquences des recherches de Wundt et de Brentano. Par son rayonnement et l'ampleur de ses travaux elle mérite le nom d'Ecole de la ville de Graz dans laquelle elle est née.

Mach publie en 1886 *L'analyse des sensations et la relation du physique au psychique*. Les sensations sont les données de base de toute expérience, y compris dans le domaine de la connaissance qui n'est donc jamais purement intellectuelle. Mais il distingue dans la sensation deux ordres de réalité :
- la sensation comme élément physique, découverte par les associationnistes ;
- la sensation comme élément psychique qui contient des formes (Gestalt) temporelles et spatiales.

Mach conclut que les qualités physiques ne sont pas identiques aux qualités formelles. Il a établi dans une expérience célèbre que l'on peut modifier la couleur et la grandeur d'un cercle (éléments physiques) sans que la "forme" du cercle se modifie dans la perception. Il existe donc une indépendance de la forme perçue par rapport aux modifications physiques de l'objet. Il découvrait une des lois essentielle de la Gestalt : l'autonomie de la forme sur le fond.

Ehrenfels publie en 1887 *La connaissance et l'erreur*. Il y relate l'expérience faite de la perception du triangle. Celui-ci, bien que composé de trois éléments qui constituent les qualités sensorielles, est toujours perçu comme un ensemble. La forme apparaissant ainsi n'est jamais décomposable en éléments dans la perception. Il appelle cette forme "Gestalt Qualität" car elle est immanente à la sensation elle-même et il n'est donc pas besoin de faire appel à une organisation mentale pour en donner l'explication. Il énonçait une des lois essentielles de la psychologie de la forme : l'immanence (du latin "demeurer", habiter à l'intérieur) de la forme dans l'expérience des sensations, c'est-à-dire son pouvoir unifiant.

Meinong fait faire un pas dans le même sens : son étude sur l'intelligence lui fait découvrir que la forme n'est pas uniquement à l'œuvre dans les sensations, mais qu'elle agit au niveau de l'intelligence. Logicien et épistémologue, il émet l'hypothèse que les lois de la raison suivent des organisations formelles, elles aussi indépendantes des contenus de connaissance. Il découvrait ainsi une autre loi de la Gestalttheorie : l'intellect ne procède pas par association d'éléments, mais fonctionne par des processus de totalisations successives où le tout organise les éléments... il découvrait le concept de structures avant le structuralisme.

Karl Stumpf emploie pour la première fois le mot "phénomène" et non plus celui de Gestalt. Il distingue les phénomènes primaires, liés à la sensation et à la perception, qui se vivent dans l'immédiateté, et les phénomènes secondaires que sont les images et les concepts à l'œuvre dans la mémoire et la réflexion, traduisant des capacités de symbolisation.

Aussi distingue-t-il deux types de phénoménologie :
- **Une phénoménologie descriptive** et empirique qui étudie les lois des qualités perceptives qui relèvent de la psychologie.
- **Une phénoménologie fondamentale** qui étudie les structures logiques de la connaissance et qui relève de l'épistémologie.

Stumpf découvrait aussi une autre loi de la psychologie de la forme : la distinction entre structures de la sensation et formes de la connaissance.

Enfin Husserl, philosophe et logicien cherche les conditions de la connaissance dont le premier moment est celui de la perception (rien n'est connu intellectuellement qui ne soit d'abord perçu par les sens) dont il distingue deux moments :
- L'objet visualisé qui est une délimitation du champ perceptif.
- La conscience visualisante qui agit par unification de la perception sous le mode de ce qu'il appelle une "configuration", c'est-à-dire la mise en relation dans le champ perceptif d'une forme abstraite propre à la conscience. Il tire les mêmes conclusions pour l'étude du mouvement qui est à la fois déplacement dans l'espace et structuration unifiée d'une forme spatiale qui représentent deux moments simultanés. Husserl travaille aussi sur l'élaboration des processus mathématiques dont il dégage la notion moderne d'ensemble : chacun des nombres d'une série 1, 2, 3, 4, etc. présuppose l'ensemble mathématique qui le rend possible. Husserl énonce lui aussi une des lois de la Gestalt qui sera aussi au fondement de la phénoménologie : la prévalence du tout sur la partie et la distinction entre le monde perçu et connu (noème) et la conscience percevante et connaissante (noèse).

D. Katz prouve que dans l'audition les sons émis parviennent non pas sous la forme d'une multiplicité mais sont perçus de manière unifiée. Il démontre également que dans l'apprentissage des lettres chez l'enfant la lettre P n'est jamais perçue dans la lettre R bien qu'elle y soit incluse comme élément. Ce qui est donc perçu en premier c'est la totalité et non pas les éléments qui la composent. Il mène des expériences identiques à propos de l'apprentissage des mathématiques et prouve la globalité de la forme abstraite par rapport aux éléments qui la constituent. Il a fondé une méthode qui est l'ancêtre de la méthode globale qui sert à l'apprentissage des mathématiques et de la lecture actuellement.

En 1920, Kohler travaille sur les singes supérieurs et remarque l'émergence de structures d'adaptation qui organisent les solutions qu'ils trouvent en réponse à des tests. Kohler prouve que l'animal, loin de n'obéir qu'à des stimuli, organise son champ perceptif à partir de "formes" comportementales. Il étend donc la Gestalttheorie à l'étude de la psychologie animale. Il est à l'origine également de la notion de système quand il découvre qu'une modification locale sur une ligne de courant électrique a un retentissement global sur l'ensemble du réseau.

Enfin un médecin physiologiste, Goldstein, publie en 1934 *Structure de l'organisme*, ouvrage qui met en évidence que la réaction des différents organes dans le corps n'est jamais isolée : quand un organe est malade il se produit une affectation d'ensemble qui influence tous les autres et ce retentissement s'étend à la totalité de l'organisme.

La Gestalt et ses conséquences

Les travaux de l'Ecole de Graz et les disciples qui en sont issus ont permis progressivement l'élaboration d'une théorie de la forme d'après les principes suivants :

- La perception n'est pas un phénomène purement physiologique car on distingue dans le champ perceptif la présence d'une organisation *a priori* d'éléments que seule l'hypothèse d'une forme structurante explique.
- Cette forme structurante, appelée Gestalt, ne peut provenir de l'objet perçu puisqu'elle ne découle pas du champ perceptif mais lui est au contraire antécédente. Se pose alors la question de son origine.
- Celle-ci est à rechercher du côté de la conscience ou du psychisme, elle vient du sujet lui-même et requiert donc l'hypothèse d'une activité psychologique propre au sujet.
- Cette forme a comme caractéristique essentielle de ne pas provenir de l'expérience empirique, mais d'organiser toute expérience et donc d'en être la condition de possibilité (*a priori*). C'est pourquoi on ne peut la déduire de l'expérience.
- La forme est donc indépendante des contenus de la perception, immanente au sujet, forme unificatrice de la diversité, force totalisatrice par rapport aux éléments qui la constituent.

D'autre part la Gestalttheorie, partie originairement avec Wundt et Brentano de la nécessité de fonder la psychologie, a multiplié ses secteurs d'activité : elle sert de modèle à Köhler en psychologie animale, à Katz en physique et dans les phénomènes d'apprentissage, à Husserl dans le domaine de l'épistémologie, à Goldstein en physiologie, à Katz encore pour les mathématiques, etc. La possibilité d'une telle diversification a prouvé la fécondité de la démarche gestalthéoricienne et le bien-fondé de l'hypothèse de départ selon laquelle il n'y a pas analogie, confusion possible, entre les phénomènes physiques et les expériences psychologiques. Mais était-il nécessaire pour autant, de postuler comme Wundt et Brentano, l'existence d'une conscience qui produirait les Gestalten ? La suite des travaux de la théorie de la forme infirme cette hypothèse : nulle trace de conscience chez les singes supérieurs, en physique pour l'électricité, en physiologie pour Goldstein. La forme ne "prouve" donc pas l'existence d'une conscience même si celle-ci existe. Cette question centrale de l'origine de la forme fait de ce concept une notion extrêmement polyvalente puisque notre définition moderne de concepts analogues comme ceux de "système" pour les systémiciens ou de "structure" (dans le structuralisme de Lévi-Strauss, par exemple dans *Les structures élémentaires de la parenté*) sont très proches du concept de Gestalt en ce qu'ils expriment tous la primauté du tout sur la partie, la prééminence du phénomène structurant sur ce qui est structuré. Cette question de l'origine de la forme reste entièrement ouverte actuellement. L'on peut affirmer qu'elle est le produit d'une représentation, du moins pour ce qui relève de l'homme et de l'animal où il y a existence d'un psychisme. La notion de système ou de structure, bien que se définissant par la primauté du tout sur la partie, exclut totalement le concept de conscience.

Synthèse de la Gestalttheorie

1. **Le concept :** la forme
2. **Origine**
   – Philosophie de la conscience du XVIIe siècle
   – Observation et expérimentation de la science du XIXe siècle
3. **Définition**
   – La forme percevante permet d'unifier les contenus perçus
   – Elle est une totalité organisatrice qui agit indépendamment de ce qui est perçu
   – Cette forme ne peut être expliquée en termes de causalité scientifique mais posée rigoureusement comme expérience première de la conscience
   – On ne peut dissocier cette forme percevante des contenus perçus
4. **Fonction**
   – Rend impossible la seule explication physique de la perception
   – Permet de comprendre l'existence d'une globalité de la perception
   – Fonctionne comme concept limite entre la philosophie et la psychologie
5. **Destination**
   – Permettre la réintroduction de la conscience dans les phénomènes psychologiques
   – Poser les limites d'une psychologie qui se voudrait purement scientifique
   – Supposer que tout acte psychique est un acte en première personne, c'est-à-dire posé par un sujet.

Actualité du courant de Gestalt

Un courant psychologique a été fondateur dès lors qu'il peut être opératoire bien après que les principes aient été définis. Tel est le cas de la Gestalt :

- La psychologie génétique de Piaget pose le principe de deux formes structurantes dans le développement de l'enfant : l'assimilation et l'accommodation, organisatrices de son évolution psychomotrice et intellectuelle. Elles s'apparentent à la Gestalt dans la mesure où elles ne sont pas le produit des acquisitions mais leurs conditions de possibilité : tout se passe comme si l'enfant accède à son développement à partir de ces deux formes organisatrices.
- La psychologie dynamique de K. Lewin repose sur l'hypothèse que le groupe se définit non par l'addition de comportements individuels, mais comme totalité organisatrice ; il en est de même pour le concept de champ social qui se structure selon les lois d'une dynamique, celle-ci n'étant pas le résultat de la vie en société mais sa condition de possibilité. C'est en ce sens que la société et l'individu sont irréductibles l'un à l'autre, bien qu'ils entretiennent des rapports constants : tout se passe comme si les groupes suivaient dans leur développement les lois d'une Gestalt qui préside à leurs dynamiques propres.
- La Gestalttherapie de Perls repose explicitement sur le principe d'une totalisation des expériences psychologiques propres au sujet humain : la névrose est le résultat de l'impossibilité de réaliser totalement les Gestalten qui sont le principe moteur de la dynamique psychique et pathologique.
- L'analyse du destin de Szondi fait du moi pontifex la forme totalisatrice qui concilie les pulsions opposées et les conflits psychiques inconscients. Principe d'harmonie et d'unité de l'expérience psychologique, ce moi permet le dépassement des antagonismes et s'apparente à la Gestalt dans la mesure où il intègre la diversité pour se poser comme unité de ce qui nous divise (forces pulsionnelles contraires et division de la personnalité). Quand le moi pontifex perd sa transcendance l'individu devient l'enjeu d'un rapport de forces inconscientes et sombre dans la psychose.

Voici donc quelques exemples très importants de la fécondité méthodologique du concept de Gestalt. L'on peut y ajouter la mise en œuvre du concept de structure en ethnologie par Lévi-Strauss et en psychanalyse par Lacan ; celui de système pour le systémicien Bateson et celui de transaction dans l'analyse transactionnelle de Berne.

Conclusions

Et aujourd'hui ? Nous assistons sans doute à un retour en force de la psychologie expérimentale sous sa forme béhavioriste, même si elle se déguise sous d'autres noms. Nous serions donc à l'opposé du courant gestaltthéoricien. Néanmoins, après le dessèchement apporté par trop de pratiques et de méthodes psychologiques déshumanisantes, le courant gestaltthéoricien réapparaît sous sa forme phénoménologique et existentielle dans les courants cliniciens pour une double raison :

- **La Gestalttheorie n'est pas en opposition avec la psychologie expérimentale** puisque nous avons vu que les fondateurs ont fait leurs découvertes à propos de la perception sur des bases expérimentales clairement élaborées par Wundt. Cette conjugaison de l'expérimentalisme et de la Gestalttheorie est à l'œuvre actuellement en psychologie animale dans le néobéhaviorisme et en éthologie.
- **La Gestalttheorie s'accommode fort bien d'une psychologie de la conscience** inventée par Brentano et Husserl qui donne naissance à une psychologie phénoménologique mise en œuvre actuellement dans un renouveau de la psychiatrie comme dans le Dasein (présence), analyse de Binswanger. Plus personne ne croit sérieusement aujourd'hui que la complexité du psychisme animal et humain puisse s'organiser mécaniquement d'après le schéma béhavioriste : stimulus –> réponse.

D'où l'actualité de la psychologie de la forme qui a su relier en psychologie les exigences scientifiques d'une psychologie expérimentale et celles, tout aussi nécessaires pour l'homme, d'une psychologie de la conscience.

Ce dernier concept, Husserl l'a fait rebondir, mais dans une perspective radicalement phénoménologique, sous la forme d'une interrogation radicale de ce qu'est la relation conscience-monde. De même que Heidegger en 1930 interrogera ce qu'il en est pour l'être humain d'être Dasein (présence).

Par-delà la généalogie historiquement établie entre la psychologie de la forme et la phénoménologie, notamment par les travaux de Husserl, une liaison est à faire peut-être entre les concepts de Gestalt, phénomène et présence : la Gestalt, le phénomène et la présence ne sont pas les produits du comportement psychologique mais en sont au contraire les conditions. La forme, l'apparaître et le Dasein sont des entités qui ne sont pas produites de quelque chose d'extérieur mais qui s'autoproduisent (pour cela elles sont dites *sui generis*). Non pas produites mais se produisant elles-mêmes et, par extension, produisant tout acte psychologique. Il est donc nécessaire de découvrir le deuxième courant fondateur, le courant phénoménologique.

Le courant phénoménologique

Le précurseur : F. Brentano (1838-1917)

Brentano et le refus de l'empirisme

Brentano fait la charnière entre la Gestalttheorie et la phénoménologie : ce que Husserl développera à propos de la perception, Brentano l'a déjà établi : il ne peut exister de psychologie sans la conscience. Husserl, à la fin du XIXe siècle, et Heidegger en 1930 reprennent ce concept qui change de sens, le premier par celui d'intentionnalité, le second par celui de Dasein (présence). A eux trois ils constituent les fondateurs du courant phénoménologique.

Tirant les conséquences des recherches sur la perception, Brentano reprend la question de la "forme" constitutive de ce qui est perçu pour définir les caractéristiques de la psychologie basée désormais sur l'hypothèse d'une conscience. Dès lors il réfute dans son ouvrage de 1890 *La psychologie du point de vue empirique* ceux qui établissent la psychologie sur les lois des sciences de la nature : observation des faits, expérimentation en laboratoire, induction de lois générales. Il réfute par là les tenants d'une psychologie expérimentale sur la base de l'argumentation suivante : on ne peut traiter l'homme comme l'animal, il ne peut être objet de science car ce qui le spécifie, le caractérise comme être humain, c'est sa conscience. Par conséquent la psychologie ne peut s'élaborer que si elle prend la conscience pour fondement de ses recherches. Sinon ce n'est pas de la psychologie mais de la science naturelle. Cet argument est fort méthodologiquement parce qu'il refuse l'analogie qui est faite par les scientifiques de l'époque entre science de la nature et science de l'homme : à la nature ses propres lois, à la psychologie des lois qui lui soient propres estime en effet Brentano.

La psychologie : quel type de scientificité ?

Brentano développe son argument et en tire les rigoureuses conséquences : la conscience n'est ni un épiphénomène ni un phénomène parmi d'autres en psychologie, elle est le phénomène premier, de ce fait il est légitime du point de vue de la connaissance qu'elle fonde la psychologie. Les expériences psychologiques ne sont pas à prouver mais à observer et à comprendre en tant que telles. C'est pourquoi Brentano pense que la légitimité d'une observation ne vient pas de son caractère expérimental (prouvé par la raison scientifique) mais expérientiel (déduite de l'expérience). Il en conclut que sa méthode n'est pas moins scientifique que celle des expérimentalistes, à condition de s'entendre sur ce concept de science : pour lui est scientifique ce qui est rigoureux c'est-à-dire ce qui fonde la psychologie (la conscience) alors que pour les expérimentalistes est scientifique ce qui se prouve et peut être reproduit en laboratoire (objectivable). La conscience ne se prouve pas mais elle peut fonder ce qui est objectivable alors qu'à l'inverse un comportement peut être prouvé, mais n'est pas fondateur pour autant : fondation et expérimentation ne relèvent pas des mêmes principes épistémologiques (conditions de la connaissance).

C'est pourquoi, si la psychologie prétend être une "science", ce ne sera que par sa capacité à être fondée sur les seuls phénomènes de conscience. Cette question épistémologique peut paraître abstraite, en fait elle est décisive car elle oriente la psychologie vers un courant phénoménologique qui lui sera d'un apport essentiel : quelles sont les caractéristiques de la conscience et comment peut-on la saisir à travers ses manifestations ? Quel est le lien entre la conscience et la psychologie ?

La dualité de la conscience

La conscience dont parle Brentano n'est pas celle des moralistes et des philosophes. Parti du concept de forme ou Gestalt il s'en tient d'abord à l'analyse de la perception puis l'étend à toutes les activités psychiques, puisque d'aucune on ne peut exclure la conscience, elle est partout présente : dans la perception (ce qu'il a déjà démontré), mais aussi dans le rapport de l'homme à son corps, à sa mémoire, à sa volonté, à ses facultés intellectuelles, dans sa perception d'autrui et de soi-même.

La conscience se manifeste dans un mouvement duel : d'un côté elle va vers les objets, le monde, les autres, elle est mouvement c'est-à-dire conscience percevante du monde. De l'autre elle est retour à soi, ré-flexion, perception intérieure de soi, c'est-à-dire évidence de soi-même. Le philosophe Hegel au XIXe siècle dans *La Phénoménologie de la conscience* avait déjà analysé ce double mouvement qui est pour lui dialectique : c'est parce qu'elle va toujours vers le monde que la conscience fait retour à soi, mais elle ne peut retourner vers soi que si elle va vers le monde.

Ce double mouvement est fondamental dans la mesure où l'homme, dans son expérience du monde et de lui-même exprime son rapport authentique et vrai. C'est donc sur cette vérité et cette authenticité que la psychologie peut et doit se fonder : tout acte psychologique est dirigé par ce double mouvement de conscience qui est fondateur, c'est-à-dire relevant de l'expérience la plus originaire.

Les caractéristiques de la conscience

La représentation : par la conscience l'homme se représente le monde et lui-même. Cette capacité de symbolisation est ce qui spécifie la psychologie puisque la symbolisation est le propre de l'homme. Elle est un des attributs de la conscience qui éprouve le réel par la représentation qu'il en a.

La relation : la conscience est relationnelle fondamentalement puisqu'elle rapporte le monde et les objets à elle-même et qu'elle est reliée constamment au monde. C'est pourquoi elle est communication. Ce caractère communicationnel, Brentano l'appelle "intentionnalité" qui est, comme nous le verrons, le concept central de la phénoménologie de Husserl.

Le fondement des objets et du monde : on ne peut séparer la conscience du monde qu'elle vise. C'est pourquoi le monde et les objets ont toujours une dimension de conscience. Cela ne veut pas dire que les objets n'existent pas en eux-mêmes, mais cet en-soi de l'objet nous ne le connaissons jamais puisque la conscience se le donne toujours comme objet.

Le fondement de soi : on ne peut séparer la conscience de nous-mêmes puisque c'est par elle que nous sentons, percevons, connaissons, que nous nous constituons comme sujet. Nous n'existons pas hors de notre conscience.

L'unité de notre expérience : enfin la conscience se caractérise par sa capacité à unifier notre expérience. Sans cette unification nous serions des êtres multiples. C'est à travers la diversité de nos expériences et la pluralité de nos actions que nous sommes cependant un et le monde est un lui aussi.

Conclusion

L'hypothèse d'une conscience est essentielle à l'élaboration de la psychologie car c'est elle qui nous montre ce qu'il y a d'authentique et de vrai dans ce que nous éprouvons du monde et ce que nous percevons de nous-mêmes. Brentano est le précurseur de la phénoménologie dans la mesure où il fonde la psychologie sur cette relation réciproque englobée de conscience et de monde. Son disciple Husserl reprend les concepts de forme et d'intentionnalité pour asseoir encore davantage la psychologie sur le courant phénoménologique.

Les fondateurs : Husserl et Heidegger

Husserl

Disciple de Brentano, Husserl fait partie de l'Ecole de Graz, et c'est à ce titre qu'il a élaboré une phénoménologie de la perception dans laquelle il reprend la théorie de la globalité et de l'unité des phénomènes perçus. Mais Husserl ne s'en tient pas à la question des fondements de la psychologie car il se pose le problème de l'origine de la connaissance et de l'expérience et de ce qui peut les fonder. C'est donc en philosophe qu'il pose le problème de la perception.

La conscience percevante et le monde perçu

Le je n'est pas solitaire : Descartes au XVIIe siècle avait fait du je une substance purement spirituelle et intérieure radicalement opposée en nature au monde qui était matérialité et extériorité pure. Husserl critique ce dualisme dans ses *Méditations cartésiennes* car ce dualisme a abouti à faire de la conscience une entité métaphysique fermée et repliée en elle-même et à faire du monde un concept philosophique d'où est évacuée l'expérience humaine puisque Descartes le sépare de la conscience : conscience et monde sont isolés, irréductibles l'un à l'autre et étrangers. Husserl critique ce dualisme cartésien en démontrant que, loin d'être de natures opposées et séparées, le je et le monde sont en relation permanente et que la solitude de l'un et de l'autre est une abstraction philosophique car l'expérience humaine enseigne que je et monde sont en communication et donc se constituent réciproquement. Pour arriver à cette conclusion et à cette critique du cartésianisme, Husserl reprend le concept d'intentionnalité en lui donnant sa dimension philosophique.

Le concept : l'intentionnalité

Elle est la caractéristique de la conscience car sans elle il n'y aurait ni monde ni sujet. Ce concept d'intentionnalité exprime que la conscience est ouverture et direction vers le monde dans tous les actes de l'homme. Loin d'être une substance existant par soi et en soi (Descartes) la conscience n'existe que par le monde qu'elle se donne toujours et vers lequel elle va. Le principe qui la constitue est l'ouverture : percevoir en effet c'est être constamment ouvert aux objets, être à leur rencontre. Il en est de même pour le monde qui ne peut être cette chose en soi, extérieure à la conscience, puisqu'il n'y a de monde que pour autant que la conscience va toujours vers lui. L'intentionnalité de la conscience est un mouvement qui précipite la conscience vers le monde et le monde vers la conscience. C'est pourquoi la psychologie se doit de décrire ce qu'est le monde pour la conscience et ce qu'est la conscience pour le monde. Le concept d'intentionnalité permet de comprendre que conscience et monde sont mouvement et ouverture l'un à l'autre.

Les caractéristiques de l'intentionnalité

Cette ouverture propre à la conscience lui vient de sa capacité liée à un double mouvement de transcendance et d'immanence.

La transcendance (du latin monter par-delà) marque la possibilité pour la conscience d'être première, c'est-à-dire originelle à dévoiler le monde : aucune chose ne lui échappe et elle est de ce fait antérieure et "supérieure" à tout ce qui existe. Elle pré-existe en quelque sorte au monde car si elle a besoin du monde pour apparaître, ce n'est pas du monde qu'elle découle.

Elle existe toujours et partout avant lui et c'est cela la transcendance. Elle n'est pas un attribut de l'homme parmi d'autres : ici Husserl infléchit la théorie de la conscience de Brentano car elle est plus qu'une ouverture au monde elle est un principe permanent que l'on ne peut ni déduire ni produire du monde ; elle est à elle-même sa propre origine (*sui generis*).

L'immanence exprime la deuxième caractéristique de l'intentionnalité qui consiste à percevoir, pratiquer et connaître le monde. La transcendance n'est pas un repli sur soi car, en étant origine d'elle-même, la conscience habite en même temps le monde, le comprend de l'intérieur, l'amène à la clarté de la perception et de la connaissance. Elle élève les choses à l'état de phénomène. L'immanence est donc aussi ce principe permanent de l'intentionnalité de se donner le monde comme objet et de lui être intérieur.

L'intentionnalité telle que la conçoit Husserl permet de comprendre le mouvement transcendant et immanent de la conscience qui demeure dans le monde sans se perdre en lui. Mais que gagnent le monde et la conscience à être intentionnels ? Ils produisent de l'apparaître, de la manifestation, ils se phénoménalisent mutuellement.

Qu'est-ce que le phénomène ?

Dans phénoménologie il y a "logos" et "phénoménon", deux mots grecs que l'on traduit par "connaissance de ce qui apparaît". La phénoménologie est donc la science de l'apparaître que Husserl oppose à l'ontologie qui est la connaissance de ce qui est en soi. Pour lui, comme pour Sartre, ce qui est en soi est par définition non connaissable.

Par contre, si la conscience et le monde s'intentionnalisent ils se font apparaître mutuellement : par la conscience le monde devient lumineux, intelligible, compréhensible, par le monde la conscience s'ouvre, s'éclaire comprend et connaît. La phénoménologie n'est donc pas une connaissance comme les autres, elle est la connaissance première, celle qui dévoile les phénomènes et, dévoilant, permet à la conscience de se dévoiler à elle-même.

Précisément Husserl fonde toute connaissance sur la phénoménologie qui comporte deux branches :

- Une phénoménologie "empirique", qui vient de l'expérience, appelée aussi descriptive. Qu'est-ce qui se passe et quelles sont les lois de notre expérience vues sous l'angle phénoménologique ?

- Une phénoménologie transcendantale qui part de la mise entre parenthèses de tout ce qui existe, dans laquelle deux choses demeurent : la conscience intentionnelle et le monde intentionné. Faisant la même expérience que Descartes de douter de toute chose, Husserl aboutit à deux principes fondateurs : la transcendance de la conscience et la transcendance du monde. Je peux douter de tout sauf de ces deux réalités dont je ne peux douter puisqu'elles sont toujours là. Ainsi conscience et monde sont transcendants, fondateurs du réel. La phénoménologie transcendantale est la connaissance philosophique de cette transcendance conscience-monde.

Conclusion

Dans l'ordre de la connaissance Husserl fait de la phénoménologie une "science première" puisqu'elle est la théorie de ces deux entités transcendantales que sont la conscience et le monde. L'on ne peut donc concevoir une psychologie légitime que si elle est phénoménologique : le comportement, l'affectivité, la mémoire, la conscience, la perception, etc., toutes les lois du psychisme doivent être comprises dans une psychologie phénoménologique. Il en est ainsi d'ailleurs pour toute autre science : la phénoménologie a valeur de fondement, elle est pour cela la théorie première de tout le savoir humain, ce qui n'exclut pas pour Husserl l'autonomie de chaque science.

Pour la conscience la phénoménologie exclut tout isolement car si elle est transcendance, la conscience ne peut jamais se couper de la réalité et de l'expérience puisqu'elle est intentionnelle. Elle rompt par Husserl son splendide isolement métaphysique car elle n'est pas un élément spirituel en lui-même puisqu'elle ne peut être transcendante que si elle est immanente simultanément. Husserl a fait la critique d'une métaphysique de la conscience qui l'élevait tellement de manière idéale qu'elle était isolée, coupée du réel.

Pour le monde la phénoménologie pose le primat du rapport vécu, de l'expérience sur son objectivité. Avant d'être objet (jeté devant), c'est-à-dire ce qui est objectif, le monde est phénoménalité, tout à la fois apparaître et manifestation. Le monde des scientifiques s'établit précisément sur la négation de cette phénoménalité première. Le monde ne peut être isolable de la conscience puisqu'il est en permanence l'objet de son intentionnalité.

Husserl a fondé la psychologie sur cette science première qu'est la phénoménologie. Reprenant cette perspective, Heidegger en fait la critique pour en exclure la dimension idéaliste.

Heidegger

De la conscience à la présence

Dans la phénoménologie de Husserl la conscience et le monde sont essentiellement deux catégories de la connaissance, à cause de leur caractère conceptuel et transcendantal. Etant parti de l'intentionnalité la plus concrète, ce philosophe aboutit néanmoins à idéaliser monde et conscience.

C'est cette idéalité de la phénoménologie qui amène Heidegger à rompre partiellement avec elle en l'infléchissant dans un sens existentiel (expérience spécifique d'être un existant). Dans *L'être et le temps* il médite lui aussi sur ce qui est premier en l'homme : la conscience et le monde ne sont pas la base de notre expérience car ce qui caractérise l'homme n'est pas sa conscience mais son existence. Heidegger rompt avec la philosophie de la conscience qui lui paraît une démarche intellectuelle pour l'orienter vers cette expérience première qu'est, pour l'homme, le fait d'exister. Ainsi l'existence en l'homme précède et fonde la conscience. Elle est une expérience d'être (ontologique) avant d'être une connaissance (phénoménologie).

Cette différence entre ontologie et phénoménologie infléchit la démarche husserlienne dans une direction existentielle typique de la démarche de Heidegger.

Si le propre de l'homme est d'être présence, tous ses actes psychologiques se fondent en elle comme structure d'être et c'est donc l'être qui est premier et qui permet l'apparaître. Pour Heidegger il y a simultanéité entre être et apparaître car l'existence comporte d'emblée ces deux dimensions. Ce n'est qu'en élucidant ce que veut dire exister, être présent, qu'on peut légitimer la démarche philosophique et psychologique.

Le Dasein (l'être-là)

Heidegger appelle Dasein (Dasein en allemand veut dire "être-là"), le fait pour l'homme d'exister. Le mot présence traduit le mieux en français le mot allemand Dasein.

Ex-ister veut dire être soi hors de soi (ex en latin indique la provenance, le mouvement). L'homme n'existe pas comme les choses et les objets, il se définit et se réalise comme mouvement hors de son être, c'est-à-dire comme présence à soi et au monde, ce qu'il traduit par être-là.

Dans "être-là" Heidegger insiste sur le "là" c'est-à-dire que l'homme est situé dans une double dimension de temps et d'espace. Le là indique un ici et un maintenant hors desquels l'homme ne peut exister. Le temps et l'espace n'existent pas hors de l'homme mais sont les deux modalités de son existence. Nous existons toujours quelque part et à un moment donné. Si bien qu'être-là, exister, être présent (ce sont des mots à peu près équivalents) définissent notre enracinement dans le monde. Celui-ci n'est plus, comme pour Husserl, un objet intentionnel de la conscience, il est une dimension propre à la présence, catégorie première d'existence. Temps et espace indiquent que l'existence se déroule sur fond de finitude, ils sont tous deux des dimensions inséparables de notre être (catégories existentiales universelles), ils sont des modes d'être.

Le savoir qui permet l'analyse des catégories de l'existence, Heidegger l'appelle "analytique existential", philosophie qui permet de comprendre ce qu'est l'homme. Dans son ouvrage *L'être et le temps,* Heidegger définit les grandes catégories qui permettent de saisir les caractéristiques fondamentales de la présence.

Les modes de la présence

La mondanéité : le monde n'est en premier ni l'objet du savoir scientifique des savants (monde objectif) ni l'objet intentionnel (monde phénoménologique) des philosophes, il est structure d'être, c'est-à-dire en simultanéité avec l'acte d'exister car exister veut dire être au monde. Dès lors le monde ne préexiste pas à notre existence puisqu'il en est sa dimension première. Pour Husserl la conscience était dans le monde, pour Heidegger l'existence est "au-monde" car être au monde et être présent relèvent de la même réalité existentielle. La mondanéité du monde lui vient de ce qu'il est notre enracinement existentiel, il est notre expérience première et originaire. Le monde n'est pas un attribut de la conscience mais une catégorie de l'existence.

L'être pour soi : si l'homme est un être au monde il est aussi un être pour soi. Non pas seulement conscience qui fait retour à soi (réflexion), mais présence à soi non séparable de la présence au monde. Le pour soi indique le double mouvement de l'homme qui est un paradoxe : l'homme n'est lui-même que hors de lui (au monde), mais il ne peut être au monde que s'il existe pour lui-même.

L'être-avec : il n'y a pas de conscience solitaire ni transcendante car exister c'est être d'emblée en communication avec les autres êtres. Il ne saurait s'agir ici de la communication au sens moderne de média et de langage, mais d'une dimension originaire de l'être qui existe avec les autres qui ne sont pas seulement les autres personnes, mais tout ce qui existe. Le terme "rencontre" exprime mieux que ceux de relation ou de communication la valeur existentielle des autres qui constituent notre être-avec.

L'horizon-temps : le temps existentiel n'est ni celui du calendrier ni celui de la montre. Ce n'est pas un temps qui existerait en lui-même en dehors de l'homme. C'est pourquoi celui-ci ne saurait être dans le temps abstrait des scientifiques, et définir l'homme comme présence c'est admettre que le temps est une des modalités de l'être, une catégorie existentiale. Le présent, le passé et l'avenir sont les dimensions d'un temps abstrait pensé par les philosophes. Heidegger articule le temps sur la présence : être présent c'est être temporel avec un maintenant qui tire son origine du Dasein. Mais ce maintenant n'est pas une durée pure (Bergson), il ne peut être maintenant que dans la mesure où il l'est par rapport à un passé qui s'en va et à un avenir qui s'ouvre déjà. Il n'existe pas en lui-même car il ouvre toujours aux dimensions du passé et du futur : tel est le temps existentiel qui n'est ni attribut d'une conscience ni produit d'une science.

L'horizon-espace : il en est de même pour l'espace. L'homme est toujours situé. Il déploie un ici qui n'est pas l'espace des géomètres ou celui des physiciens, comme s'il avait la capacité d'exister en dehors de l'homme. Le ici en effet n'est jamais un lieu statique car en étant ici l'être humain est par anticipation déjà là-bas. L'ici de la présence n'a pas de réalité en soi car il indique qu'un lieu est déjà quitté et qu'un là-bas pointe à l'horizon. Heidegger a fait du temps et de l'espace deux catégories existentiales immanentes à la présence elle-même : être ici et maintenant et être présent est une manière identique de parler de la mondanéité de l'homme. Si le Dasein est-au-monde il l'est en structurant à partir de sa présence son temps et son espace.

L'être-pour-la-mort : le temps est la dimension de l'être-là mais il est aussi la dimension de la mort. Etre temporel et être mortel sont deux modalités d'une même réalité. S'il n'y avait pas la mort comme horizon dernier de l'être-là il n'y aurait pas de temps. La mort confère au temps sa dimension de finitude, et par là même la finitude même de l'homme. Mais la mort n'est pas seulement un événement qui arrivera après la vie car elle est immanente à la présence. Tout être présent est un être mortel et ce n'est que par rapport à la présence que la mort existe. Aussi, loin de n'être qu'un événement final isolable de la vie, la mort est une catégorie existentielle puisqu'elle est une dimension de l'homme. En ce sens de fondement elle n'est pas dernière mais première car elle existe simultanément à la présence. Etre homme et être mortel sont identiques.

Le comprendre

A partir de ces catégories (mondanéité, être-pour-soi, être-avec, être-temporel, être-espace, être-pour-la-mort) l'homme se comprend et comprend le monde. Com-prendre c'est prendre-avec en latin. Ce n'est donc pas en premier un acte intellectuel qui relèverait de la conscience (Husserl), de la raison (les philosophies) de la science (les faits objectivables des savants). La relation de compréhension est immanente à la présence, en ce sens l'homme comprend d'emblée sa situation et ce qu'il est. La mort, le temps, l'espace, l'autre, etc., autant de réalités existentiales qui sont des prises directes de compréhension : quand je vois un paysage je le comprends au sens où il se donne d'emblée à ma perception, quand je marche je me comprends comme déployant mon espace. Le sens d'une situation ne se fonde pas dans un acte intellectuel ou de jugement mais dans l'articulation même par laquelle l'homme se saisit en saisissant le monde. Heidegger emploie les mots de dévoilement (proche cette fois de l'apparaître de Husserl) par lequel les choses et l'homme se découvrent, se révèlent dans la présence.

Conclusions

La philosophie de Heidegger n'est pas une philosophie de la conscience comme celle de Brentano et Husserl. En la fondant sur le Dasein, l'être-là de l'homme, il lui donne une autre dimension : celle d'être une philosophie de l'existant singulier qu'est l'homme et une philosophie de l'existence dans son universalité. D'où l'importance de la distinction entre existential et existentiel :

- Existential veut dire ce qui spécifie les catégories de l'être en tant qu'il existe universellement. Sont existentiales les structures de l'être, être étant à prendre ici au sens fondamental que tout ce qui existe est et relève de ce fait pour être connu d'une science de l'être, c'est-à-dire d'une ontologie.
- Existentiel est ce qui spécifie les catégories de l'existant en tant qu'être singulier et unique et n'a de valeur que par cette singularité.

Synthèse du courant phénoménologique

Pour Brentano les concepts de conscience et de Gestalt permettent de saisir ce qui permet de fonder la psychologie comme étant une science de la conscience, c'est-à-dire de la représentation. Par conséquent la conscience et la forme sont des concepts fondateurs.

Pour Husserl le concept d'intentionnalité exprime la transcendance de la conscience et du monde qui sont intentionnels c'est-à-dire phénoménalisables. En tant que science de l'apparaître, la phénoménologie fonde la psychologie dans ce concept d'intentionnalité. En ce sens elle sera vraie.

Pour Heidegger le concept de Dasein exprime la situation originaire de l'homme et du monde qui se dévoilent dans la présence. Ce concept, à la fois existential et existentiel, permet lui aussi de fonder la psychologie sur les dimensions existentiales de l'être humain. En ce sens elle sera authentique.

Le lecteur aura compris la difficulté de la démarche philosophique s'il a saisi l'importance décisive de la conception philosophique pour la psychologie, avec celle de Heidegger en particulier. Et que dit-elle ? Qu'une psychologie scientifique et expérimentale peut être légitime dans l'ordre du savoir. Mais nous avons vu avec le courant phénoménologique que le savoir n'est pas premier. Plus exactement ce savoir psychologique ne s'établit que s'il abolit la conscience, l'intentionnalité et l'existence. Il n'y a par conséquent de science que de l'objet. Mais l'homme, nous l'avons vu, est un être double : par son appartenance au règne animal il est objectivable, objet parmi les objets. Mais ce que dit la phénoménologie revient à comprendre, et à ressaisir toujours, que la science est seconde par rapport à ce qui fonde le rapport de l'homme au monde. Seconde ici ne veut dire ni moins importante ni secondaire mais signifie que la science, enfermée dans des spécialités, des champs d'études et des méthodes particulières, ne saurait parler du fondement. En outre la démarche phénoménologique n'est pas moins légitime que la science car l'homme a cette particularité de ne pas être qu'un objet mais aussi sujet de son expérience. C'est sur ces dimensions, opposées mais peut-être complémentaires, de subjectif et d'objectif, que repose l'ambiguïté de la psychologie.

Pour ce qui la concerne elle a une double appartenance épistémologique : par la nécessité de formuler scientifiquement les lois du psychisme elle relève entièrement de la science et par la nécessité d'être authentique (la plus proche possible de l'expérience de l'homme) d'être fondée dans une démarche philosophique.

Actualité du courant phénoménologique

Le deuxième courant fondateur n'a pas eu, il faut le dire, la postérité qu'il mérite :

La Dasein-analyse du psychiatre Binswanger a articulé les phénomènes pathologiques en les recentrant sur l'expérience du malade et non pas sur les concepts de sa maladie. La Dasein-analyse obéit à cette démarche : elle est la mise en œuvre en psychologie de concepts heideggeriens tels que l'espace propre, le temps propre, le vécu authentique, le sens du symptôme, la compréhension du malade, etc.

L'art-thérapie part également du principe que la création peut être source de guérison. Elle a un lien avec la phénoménologie dans la mesure où elle pose comme principe que l'expression est un des moments fondamentaux de l'expérience humaine. Mais le courant phénoménologique et existentiel est né à une époque étrange pour lui : dernier sursaut du principe selon lequel l'homme se spécifie par sa conscience et sa présence (en ce sens il boucle trois siècles de psychologie de la conscience depuis Descartes au XVIIe siècle) il est confronté à la découverte de l'inconscient par Freud qui, lui aussi, gouverne l'homme à sa manière. C'est pourquoi ce courant a été occulté par "l'impérialisme" psychanalytique. Ce fait explique probablement la position de retrait de la phénoménologie en psychologie actuellement. Elle demeure néanmoins sous deux formes : en épistémologie la question des rapports entre comprendre et expliquer, en psychologie, comme fond idéologique aux psychologies dites “humanistes”. Il se pourrait que le trop-plein psychanalytique et néo-béhavioriste actuel, ouvre de nouveaux horizons à la phénoménologie : après la domination de la psychologie de l’inconscient une psychologie de la conscience s’avérera peut-être indispensable dans l’avenir.

Le courant expérimental qui est notre étape suivante, n’a pu s’élaborer qu’en dehors de toute démarche philosophique, en rompant avec une partie de la Gestalttheorie, de la phénoménologie et de la philosophie existentiale.

Synthèse de la phénoménologie

1. Concepts
Intentionnalité et présence (Dasein)

2. Origine
Intentionnalité
– philosophie de la conscience du XVIIe siècle
– philosophie et logique des mathématiques du XIXe siècle
Présence
– phénoménologie transcendantale de Husserl
– philosophie existentielle (Saint Augustin, Pascal, Kierkegaard)

3. Définition
Intentionnalité
– mouvement de la conscience qui va vers le monde et monde qui fait retour à la conscience
– fondement de la relation conscience-monde
– caractère transcendant de cette relation
Présence
– expérience fondatrice de l'être humain
– spécificité existentielle de l'homme et des objets
– caractère originaire de la présence

4. Fonction
Intentionnalité
– permet une explication fondatrice de la psychologie
– marque le caractère indissociable de la philosophie et de la psychologie
– critique toutes les tendances (scientifiques ou psychologiques) qui feraient de l'homme et du monde un objet
Présence
– permet de comprendre que conscience et intentionnalité ne sont pas ce qu'il y a de plus originaire en l'homme
– fonctionne comme concept central de l'être de l'homme de manière non idéaliste
– amène à une authenticité et par conséquent à une compréhension essentielle de l'être humain

5. Destination
Intentionnalité
– primat du comprendre sur l'expliquer
– pose la question du fondement de la psychologie
– servira de base à une conception plus authentique de l'expérience de la folie
Présence
– la présence est le sans quoi il ne pourra jamais y avoir de psychologie totalement scientifique
– permettra d'éclaircir la dualité du comprendre et de l'expliquer en psychologie
– ouvre un débat sur la possibilité d'une épistémologie (conditions de la connaissance) en psychiatrie et en psychologie.

Le courant expérimental : béhaviorisme et réflexologie

Chapitre I

Les précurseurs : Fechner et Wundt

L'origine de la psychologie scientifique

Les deux grandes Ecoles expérimentales, le béhaviorisme et la réflexologie, sont nées de la volonté des psychologues de fonder la psychologie sur des bases scientifiques obéissant à deux principes méthodologiques, l'observation et l'expérimentation. Cette exigence de scientificité est le résultat d'une tradition qui s'enracine dans des courants philosophiques (Descartes et le corps machine, Hume et l'empirisme des sensations).

C'est pourquoi au XIXe siècle, se développent les sciences physiques, chimiques et médicales qui offrent un terrain conceptuel sur lequel se fonde peu à peu la psychologie scientifique elle-même, lui permettant progressivement d'accéder à son autonomie et de se libérer des conceptions métaphysiques de l'homme (notamment celle, établie par Platon, qui postulait en l'homme un principe immatériel, l'âme, et un principe matériel, le corps). On assiste au siècle dernier à une transposition des méthodes et des concepts des sciences expérimentales dans le domaine de la psychologie. Cette transposition ne va pas sans poser de délicats problèmes d'ordre à la fois méthodologique et philosophique sur la définition du "fait psychique" et sur le sens du mot "expérimental". Nous avons vu comment les fondateurs de la Gestalttheorie étaient eux-mêmes partagés entre les expérimentalistes comme Wundt et les psychologues de la conscience comme Brentano et Husserl. C'est pourquoi, très vite, la psychologie scientifique se distingue des autres courants par une option méthodologique de base : poser l'hypothèse que le psychisme doit être soumis à l'épreuve des faits établis objectivement de telle manière que l'on puisse les vérifier, voire les reproduire en laboratoire. Cette orientation de méthode postulait en conséquence qu'on ne puisse plus parler du psychisme en termes de conscience, sujet, cogito, mais d'organisme et de comportement.

Les pionniers de la psychologie expérimentale : Fechner et Wundt

Nombreux sont les pionniers de cette psychologie scientifique, mais parmi eux, ce sont deux Allemands qui en ont fourni les bases :

– G.T. Fechner (1801-1887) est physiologiste, physicien et mathématicien. Sa recherche porte sur l'étude de l'excitation sensorielle physique (œil, ouïe) et la sensation produite par cette excitation. Dans son ouvrage *Eléments de psychophysique*, il utilise les résultats de son maître Weber (1795-1878) et cherche la relation entre la mesure de l'excitation et la mesure de la sensation. Il introduit les mathématiques en psychophysique, dont la notion clef est celle de mesure des seuils sensoriels. Un physicien H. von Helmholtz (1821-1894) accumule et accentue la recherche expérimentale sur les mécanismes de la vision des couleurs et sur la perception de la hauteur des sons. La méthode mathématique nouvelle permet les recherches de Weber et Fechner par distribution des différences qualitatives de couleurs et de sons dans des localisations cérébrales.

– W. Wundt (1832-1920) est à la fois gestalthéoricien et le véritable fondateur de la psychologie expérimentale. Il crée le premier laboratoire de psychologie en 1879 et ses nombreux élèves accèdent par son enseignement à une nouvelle conception de la psychologie dans son rapport à la science. Il publie en 1862 *La perception sensorielle* où il établit la distinction entre sensation (simple stimulation d'un organe sensoriel) et perception (prise de conscience des objets et événements extérieurs). Par ses études physiologiques sur la première il est fidèle à Fechner et à la psychophysique, et par la seconde, il a le souci des gestalthéoriciens, notamment de Brentano, de ne pas réduire la perception à n'être qu'un phénomène purement physique et causal. Ses observations portent sur la vision, le toucher, l'affectivité par une méthode : la mesure du temps de réaction qui consiste à quantifier de façon exacte le temps qui s'écoule entre un stimulus sensoriel (son, lumière) et la réaction motrice dont il est le signal. L'influence de Wundt est grande en Europe et aux USA où se multiplient les laboratoires de psychologie expérimentale et où se diversifient les champs de cette recherche scientifique.

Les fondateurs : Pavlov et Watson

La réflexologie : Pavlov (1849-1936), Russe

Qu'est-ce que l'introspection ?

Si Wundt a fondé l'Ecole expérimentale, il est demeuré cependant un scientifique soucieux de philosophie. D'ailleurs son appartenance à la Gestalttheorie l'a contraint à étudier les phénomènes de conscience. Sa conception de l'expérimentation repose sur un postulat philosophique classique, la dualité du corps et de l'esprit. C'est pourquoi se juxtaposent encore, dans son approche des phénomènes psychiques, deux méthodes : l'une expérimentale, qui repose sur les données de la science ; l'autre introspective, qui en appelle à la conscience. Dans ce second sens la psychologie est basée sur ce que le sujet dit de lui-même. On lui demande ce qu'il pense et ressent, d'être l'analyste de ses états subjectifs. La méthode introspective dissocie les états de conscience par un processus analytique et essaie de déterminer, à partir de ce qui est dit, les lois qui organisent leur mise en relation. Cette méthode "subjective" met l'accent sur le vécu, mais ne peut étudier des phénomènes plus complexes comme la sensation ou l'intelligence. Wundt pousse très loin cette méthode puisqu'il déclare que "*toute psychologie commence par l'introspection*". Le matériel d'étude utilisé est le recueil des témoignages du sujet lui-même, sur ses expériences immédiates et sur ses états de conscience. Mais les physiologues et les psychologues expérimentalistes soulignent la faiblesse de cette démarche qui leur apparaît comme étant la négation d'une méthode objective : comment en effet émettre des hypothèses et vérifier leur bien-fondé si le sujet est seul à pouvoir accéder à ses états de conscience, seul à connaître ses expériences immédiates ? Très vite se développe l'idée que la psychologie ne devrait pas avoir besoin du "sujet", de la "conscience" pour étudier les phénomènes psychiques. Ils soulignent au contraire le rôle d'une physiologie du système nerveux dans la constitution d'une psychologie expérimentale. C'est ce que penseront et feront les vrais fondateurs de la psychologie expérimentale, Pavlov et Watson.

La théorie du réflexe conditionné

La démarche du physiologiste russe Pavlov consiste d'abord à réagir contre l'anthropomorphisme (vision subjective de l'être humain) la subjectivité et la méthode de l'introspection de Wundt. Pavlov se donne comme objet l'étude du comportement animal qui réagit aux sollicitations du milieu. La notion clef de sa recherche est celle du réflexe conditionné : lorsqu'on associe un excitant extérieur (lumière, son) à un excitant naturel (aliment pour la sécrétion du suc digestif), cet excitant extérieur suffit au bout d'un certain temps à provoquer à lui seul le réflexe, en l'absence de l'excitant naturel. En 1897 Pavlov remarque que les bruits de pas des personnes qui amènent à manger aux chiens sont suffisants pour déclencher une secrétion gastrique, qu'il appelle "*sécrétion psychique*". Ce comportement du chien est le résultat d'associations par liaisons nerveuses établies dans l'écorce cérébrale entre le bruit de pas (stimulus sonore externe) et la sécrétion gastrique (réponse interne). A partir de 1900, Pavlov et ses élèves font une série d'études expérimentales sur le réflexe conditionné, les conditions de sa formation, de sa disparition, sur sa généralisation et sa spécification et sur les interférences de plusieurs réflexes. Quelles leçons tirer de cette expérience ? Le réflexe conditionné révèle l'importance de l'adaptation au milieu car sa modification sert de signal à une nouvelle adaptation physiologique. Il en résulte que pour l'homme le langage constitue un second système de signal pouvant se substituer aux sensations (premier système) directes, ce qui permet à l'être humain d'élargir son champ d'adaptation. A partir de 1937, l'ouvrage de Pavlov *Les réflexes conditionnés*, est traduit en français.

Fondation de la psycho-réflexologie

Le psychiatre et neurologue russe V.M. Bechterev (1857-1927), qui avait travaillé avec Wundt en Allemagne et Charcot à Paris, fonde avec Pavlov l'Ecole nouvelle appelée psycho-réflexologie. En 1889, H. Beaunis en France est le fondateur du premier laboratoire de psychologie expérimentale en Sorbonne. Puis H. Piéron (1881-1964) relie étroitement physiologie et psychologie, dirige des travaux sur les "réflexes psychiques" et fait des recherches sur le cortex cérébral. Les objectifs s'affinent de plus en plus car sont étudiés les comportements de peur, d'anxiété, d'agression sur les chiens. L'Italien Pagana en 1906 démontre que le cortex cérébral et les zones sous-corticales du cerveau jouent un rôle important dans la régulation des émotions et de l'affectivité. Cette Ecole de psycho-réflexologie n'est pas la seule à s'opposer à l'introspection puisqu'il y a un deuxième courant provenant des recherches sur la psychologie animale, courant qui se confond, quant à ses méthodes, avec celui de Pavlov.

Ce courant est représenté en France par Henri Piéron qui lance un véritable manifeste en 1908 en faveur d'une psychologie objective à partir d'études sur "l'évolution du psychisme". Il rejette lui aussi les phénomènes de conscience et se fonde uniquement sur l'observation de l'organisme et du milieu, ne retient que l'étude du seul comportement et lie psychologie animale et psychologie humaine. Tous ces travaux désormais s'orientent vers l'observation systématique et le travail en laboratoire. La psychologie rompt définitivement avec les présupposés philosophiques des gestaltthéoriciens, et surtout de ceux de Wundt. Ce pas est franchi non pas en France, où le poids des préjugés philosophiques est très fort, mais aux USA où les psychologues s'intéressent à l'interaction de l'organisme et du milieu. C'est de la psychologie animale et des travaux de Pavlov que naîtra une nouvelle doctrine : le béhaviorisme de Watson.

Le béhaviorisme : J.B. Watson (1878-1958), Américain

Pour une psychologie scientifique

1913 marque une ère nouvelle pour la psychologie. Si Pavlov a le premier étudié les comportements sans se référer à des concepts psychologiques, il n'a posé les bases d'une véritable expérimentation que dans le cadre d'une conception physiologique du cerveau, et en limitant son champ d'action à la psychologie animale. Watson au contraire revendique "*une psychologie telle que le comportementaliste la voit*". Le béhaviorisme qu'il fonde à cette date, repose sur une conception totalement scientifique de la psychologie. Il ne s'agit plus de reprendre les traditions expérimentales de Fechner et de Wundt, encore encombrées de lourds postulats philosophiques, où régnaient encore l'esprit, l'âme, le cogito, la psyché, la conscience, etc.

Mais le béhaviorisme est en même temps l'héritier de nombreux courants du XIXe siècle, qui concevaient l'être humain à partir d'une démarche la seule légitime à leurs yeux, celle de la science. Le béhaviorisme postule que l'étude du comportement doit mettre entre parenthèses, voire nier, toute subjectivité en l'homme, la démarche scientifique étant à ce prix. Watson se fonde tout à la fois sur l'héritage de la biologie de Darwin, de la psychologie animale américaine, des tests mentaux de Binet et du scientisme et positivisme d'A. Comte qui, au XIXe siècle, a érigé la science en vérité universelle.

Ce que le comportement des rats nous enseigne

Le béhaviorisme dont la méthode d'observation est d'expliquer l'homme de l'extérieur, analyse les réactions d'un organisme (comportement) et établit les lois qui permettent de prévoir quelles seront ses réactions à une modification du milieu. Watson travaille sur les rats à partir de 1907 et observe que cet animal arrive à distinguer le vert du bleu à l'issue d'un dressage qui consiste à lui envoyer des stimuli électriques répétés et renouvelables expérimentalement en laboratoire. C'est la preuve que le comportement n'est pas inné, mais qu'il peut être acquis et entièrement dirigé de l'extérieur. Ce qui vaut pour le rat sert d'enseignement pour connaître l'être humain. Il n'est nul besoin de postuler une conscience et une subjectivité pour rendre compte des phénomènes psychologiques puisque ces phénomènes peuvent être reproduits en laboratoire.

Les rats de Watson font des petits, car, à la même époque, aux USA, E.C. Tolman réalise lui aussi des travaux sur les rats, K.S. Lashley fait des recherches sur les localisations cérébrales et C.L. Hull introduit l'emploi en psychologie expérimentale de la formalisation mathématique. Nous sommes en présence d'une deuxième génération de psychologues qui reprennent les intuitions fondatrices de Fechner dans l'emploi de la mesure, celles de Sherrington dans l'étude des stimuli sur l'organisme et les recherches de von Helmholtz sur les localisations cérébrales. Le XIXe siècle a porté ses fruits scientifiques, mais la recherche systématique a changé de continent, car c'est l'empirisme américain qui permet d'établir les bases scientifiques d'une nouvelle psychologie. Ne portant pas le poids des traditions philosophiques de l'Europe, l'Amérique peut concevoir les relations entre la science et la psychologie d'un point de vue pratique et expérimental, entièrement libéré des querelles doctrinales et des préjugés philosophiques. L'analogie établie par Waston entre le comportement du rat et celui de l'homme allait se révéler féconde.

Le comportement

Le concept : Watson énonce que seules les techniques objectives sont sûres et que “*le temps semble venu où la psychologie doit rejeter toute référence à la conscience*". Méthodologiquement ce manifeste s'énonce de la façon suivante : toute proposition psychologique doit s'énoncer selon le schéma stimulus-réponse (S-R). D'où l'hypothèse de travail sur laquelle se fonde le béhaviorisme : étant donné tel stimulus on doit pouvoir prévoir la réponse, ou, une réponse étant donnée, on doit pouvoir repérer le stimulus. Le comportement n'est donc ni à comprendre, ni à interpréter, mais à observer et à reproduire.

Que veut dire ce schéma S-R ?

- **S** (stimulus) désigne une énergie physique, qui excite les récepteurs spécialisés, (œil, ouïe ou estomac par exemple)
- **R** (réponse) est un résultat qui se traduit par une contraction musculaire ou une sécrétion glandulaire.

Il y a entre S et R un lien de causalité comme en physique, selon lequel telle cause engendre automatiquement tel effet. Pour Watson S désigne l'ensemble des stimuli au sens large, d'influence du milieu, d'où S = situation ; tandis que R désigne une réponse qui peut être simple ou complexe et aboutit à un acte ou à une adaptation. Watson transpose ce schéma d'origine physiologique dans la psychologie. Toute psychologie n'a d'intérêt scientifique que dans la mesure où elle est l'étude des relations entre stimuli et réponses, situations et comportements. Watson pose ce postulat fondamental pour l'étude psychologique de l'être humain : le psychisme est sans conscience et sans intériorité, le psychisme est désigné alors comme "case vide".

L'apprentissage

Watson étend son schéma S-R à l'étude plus complexe des images et de la pensée qui étaient les domaines traditionnels de l'introspection. Les processus de la pensée ne sont que le reflet des réponses musculaires impliquées dans la parole et le comportement moteur. Cette formation des images et des idées se fait selon le schéma S-R : le mouvement musculaire est un stimulus qui induit en retour un autre mouvement par connexion innée ou par apprentissage. Watson construit ici la théorie du *feed-back* causal selon lequel les séquences de pensées ou d'images sont des comportements reliés entre eux par interactions. Il en est de même pour les émotions et les sentiments : le plaisir et le déplaisir sont des réponses à des inductions que l'on peut reproduire. L'émotion n'a pas d'intériorité, elle est une réaction type (*pattern-réaction*) qui se constitue à partir de phénomènes d'ordre physiologique. Ainsi Watson donne de la formation des idées, des images et des émotions une explication simple pour des phénomènes complexes. Non seulement pensées et images ne supposent aucune intériorité, mais sont de simples effets de mécanismes physiologiques élémentaires, faciles à reproduire en laboratoire.

On comprend alors que l'apprentissage occupe une place de choix dans le béhaviorisme, car Watson s'intéresse aux travaux de Pavlov et de Bechterev sur les réflexes conditionnés. Puisque les conduites en effet sont entièrement conditionnées, elles peuvent être produites par le milieu à partir d'un apprentissage (*learning*). En 1916, Watson recommande l'emploi des méthodes d'apprentissage du physiologiste russe par conditionnement des comportements moteurs et sensoriels. En 1924, ses travaux sur le conditionnement de la peur chez l'enfant l'amènent à concevoir des apprentissages entièrement conditionnés par le milieu éducatif et familial. Nous verrons que nous retrouvons cette démarche de nos jours dans le domaine de l'éducation et des thérapies comportementales.

Actualité du béhaviorisme

L'application stricte du schéma stimuli-réponse a pour conséquence de nier l'instinct, l'innéité ou les prédispositions des individus. Pour Watson le comportement est entièrement déterminé par conditionnement externe ou interne. Il ne s'explique pas par des structures appartenant à l'individu (qu'il soit homme ou animal) mais par l'environnement qui est la deuxième notion clef du béhaviorisme. Tout comportement peut être modifié par l'environnement de telle sorte que le contrôle des conduites est possible et les phénomènes psychiques sont prévisibles, donc reproductibles.

Si le béhaviorisme a connu et connaît encore tant de succès, il le doit à la simplicité de sa méthode et à la cohérence de ses présupposés : les actes complexes sont réductibles à leurs composantes élémentaires. La psychologie du système nerveux lui sert de modèle explicatif. Les émotions sont des réponses essentiellement corporelles, fondées sur des réactions de peur, d'amour ou de colère, elles sont des réponses adéquates à un conditionnement (par exemple, l'environnement maternel du petit enfant qui manifeste sa crainte et son sentiment d'insécurité lorsque son estomac se contracte dans l'attente du biberon). Dans un environnement normal, le comportement l'est aussi. Les conduites pathologiques sont le résultat d'un conditionnement aberrant. Le traitement consiste à utiliser des méthodes de déconditionnement et de reconditionnement pour faire disparaître les symptômes, angoisses ou phobies par exemple.

En adoptant ainsi les principes méthodologiques relevant de la neurophysiologie, Watson a cru échapper à toute tentative d'explication idéaliste en psychologie. Mais le béhaviorisme étant "physiologiste", Watson ne reconstitue-t-il pas une psychologie dualiste inversée en privilégiant le corps comme principe explicatif, se rendant par là inapte à expliquer des phénomènes complexes relevant de la "conscience" ou d'une "intériorité" qu'il a totalement exclue ? Nous verrons comment les néo-béhavioristes ont tenté d'échapper partiellement à ce nouveau dualisme.

Méthode expérimentale et méthode clinique

La cohérence du béhaviorisme, et ses présupposés violemment scientistes, ont permis à la psychologie de se revendiquer totalement comme science. Mais de quelle psychologie s'agissait-il ? En excluant le sujet méthodologiquement, de même que la conscience et la subjectivité, le béhaviorisme américain réduit l'individu à être objet de science parmi les autres objets. Peut-on assimiler à ce point l'animal et l'homme et réduire leur comportement à une simple causalité interne et exteme ? N'y a-t-il pas, dans le béhaviorisme, une tentative, partiellement réussie, d'exclure le vécu, ce qui est ressenti, la dimension symbolique de l'existence humaine ?

C'est à partir de ces questions, qui ont donné lieu à des débats théoriques et pratiques, qu'est née la psychologie clinique (observation directe du malade) qui réfute à la fois la psychologie en première personne de Wundt et de son Ecole et la psychologie expérimentale telle qu'elle s'exprime dans le béhaviorisme. L'homme en effet non seulement parle, sent, agit, éprouve des émotions, mais il a la conscience de son histoire et de sa situation. Il est certes déterminé par l'environnement, mais il n'y est que partiellement soumis car il modifie à son tour à la fois l'environnement et son rapport aux autres et à lui-même. Le béhaviorisme, s'il a permis à la psychologie une évolution décisive, a introduit une nouvelle dualité entre le comprendre et l'expliquer. Et c'est précisément en réduisant cette dualité, en faisant la synthèse des deux, que la méthode clinique aborde la psychologie sous un angle qui respecte la démarche expérimentale si nécessaire mais qui réintroduit en l'homme cette subjectivité sans laquelle on ne peut le comprendre. Mais la leçon béhavioriste aura porté ses fruits psychologiques en insistant sur le "devoir d'expérimentation" avec lequel se constitue toute science. C'est à partir des limites du béhaviorisme que s'est constitué le courant clinique qui tente une approche nouvelle elle aussi, de la complexité du psychisme.

Synthèse du béhaviorisme

1. Les concepts
Comportement
Environnement
Apprentissage

2. Origine
Philosophie positiviste et scientiste du XIXe siècle et philosophie empiriste américaine du début du XXe siècle

3. Définition
– Exclusion du je et de la conscience des expériences psychologiques
– Réduction du comportement humain à celui de l'animal
– Prédominance totale de l'acquis sur l'inné
– Le comportement est la conséquence de stimulations dont il est le résultat
– Le schéma stimuli-réponse est la base du comportement en même temps qu'il en est l'hypothèse scientifique

4. Fonction
– Seul le comportement est observable et expérimentable, on peut en élaborer les lois scientifiques
– Le comportement a une fonction de pure extériorité excluant une intériorité psychique
– Il est la synthèse organisatrice de tous les actes psychologiques
– Le comportement a une fonction de pure production psychique et peut-être reproduit, de ce fait, en laboratoire

5. Destination
– Donne naissance à une psychologie de l'extériorité
– Invente une conception entièrement scientifique de la psychologie
– Ouvre la voie aux études sur la psychologie animale, les apprentissages et la psychologie de l'adaptation

Les courants de la psychologie, M. Richard, Chronique Sociale

Le courant clinique

Le précurseur : Théodule Ribot (1839-1916)

A la recherche d'une méthode

Dans la deuxième moitié du XIXe siècle, se met en place par la recherche en psychiatrie et en psychopathologie, une nouvelle méthode d'analyse des faits psychiques vus sous l'angle de la maladie mentale et de la vie affective. Parmi les pionniers de l'Ecole française, Théodule Ribot est le plus important car il a posé les bases de la méthode clinique par l'observation de la vie psychologique et pathologique. Cette méthode ne pouvait être fondée que dans la mesure où la psychologie devait se séparer d'une part de la métaphysique qui la retenait prisonnière de la spéculation, de l'autre de la physiologie qui tentait de l'annexer à la science expérimentale alors en plein essor comme on vient de le voir.

Th. Ribot n'est pas médecin mais philosophe. Il analyse les faits psychiques à partir de l'observation qu'il tire des livres de médecine, des traités des maladies mentales et des écrits des psychologues. Cette compilation lui fournit un matériel d'observation qui l'amène au seul champ qui désormais l'intéressera, celui de la "désorganisation pathologique". Professeur à la Sorbonne à partir de 1895, il occupe ensuite, au Collège de France, la chaire de psychologie expérimentale. Il publie entre 1881 et 1885 trois ouvrages où il expose sa méthode et son orientation de clinicien : *Les maladies de la mémoire* 1881, *Les maladies de la volonté* 1883, *Les maladies de la personnalité* 1885. En 1896 son ouvrage *La psychologie des sentiments* ancre définitivement la psychologie dans l'observation du vécu affectif et accorde la primauté aux tendances du comportement partiellement inconscient qui joue un rôle capital dans la vie psychique. En mettant l'accent sur la psychopathologie, il précède Freud et devient le précurseur de la méthode clinique. Toute son œuvre est centrée sur l'étude du sujet dans son histoire individuelle et sa singularité (aucun individu n'est comparable à un autre).

Les disciples : P. Janet (1859-1947) et G. Dumas (1866-1946)

Pierre Janet : la méthode clinique expérimentale

Après la mort de Th. Ribot, c'est son disciple P. Janet qui enseigne la méthode clinique. Celui-ci est un chercheur pluridisciplinaire qui s'est orienté vers la philosophie mais étudie également la physiologie et la médecine. Il estime en effet que la psychologie est au cœur de multiples disciplines ; il privilégie très tôt la psychologie pathologique qu'illustre sa thèse de 1889 sur "l'automatisme psychologique". C'est du côté de la maladie mentale que s'orientent ses recherches de la maturité puisqu'il dirige un laboratoire de psychologie pathologique à l'hôpital psychiatrique de la Salpêtrière à Paris et enseigne la psychologie expérimentale à la Sorbonne. Comme Ribot il exige de ses disciples une formation à la fois médicale et philosophique, ce que feront ultérieurement les professeurs de Sorbonne comme G. Dumas, H. Wallon, G. Blondel, D. Lagache. Son élève le plus célèbre est H. Piéron.

On rencontre chez Janet les thèses de Ribot sur l'importance à accorder à la psychopathologie et celles de l'école médicopsychologique du XIXe siècle, dont Maine de Biran est la figure la plus importante. Ses travaux se basent sur la psychologie expérimentale et portent sur l'hystérie (1892), les névroses (1898), les obsessions (1903), l'angoisse (1926), la mémoire et le temps (1928) et l'intelligence en 1936. L'on voit à travers ces thèmes que la psychologie s'oriente vers l'étude des phénomènes cliniques. Mais l'originalité de Janet, par rapport à Freud, dont les thèmes de recherche seront analogues, réside dans l'emploi de la méthode d'observation des conduites pathologiques ; si bien que ses principes relèvent à la fois de l'expérimentation et de la clinique. Ses études sur la névrose l'apparentent au fondateur de la psychanalyse, mais il s'en distingue en parlant de la névrose en termes de forces, de tensions, de dynamique, contrôlables expérimentalement. Les travaux de Janet ont permis à la psychopathologie d'accomplir un pas décisif.

G. Dumas : le normal et le pathologique

L'autre disciple et élève de Th. Ribot est G. Dumas qui a lui aussi une formation médicale et philosophique. Il fonde avec Janet en 1904 le *Journal de psychologie normale et pathologique* et publie deux œuvres essentielles, *Le sourire et l'expression des émotions* en 1906 et le célèbre *Traité de psychologie* de 1923. Véritable animateur et partisan d'une pluridisciplinarité en psychologie, il associe à ses travaux des collaborateurs psychologues importants qui sont de tendances diverses. Contemporain de Janet, il contribue à la renommée de ce que l'on peut désormais appeler "L'Ecole française" qui fait autorité par le renouveau des méthodes en psychologie, la découverte de la dimension psychopathologique du psychisme et l'ampleur des domaines abordés. Il était ici nécessaire de le dire car la psychanalyse nous a fait oublier la richesse de cette "Ecole française" qui a orienté la psychologie vers l'expérimentation clinique et a permis d'explorer méthodiquement le vaste domaine de la psychopathologie, inconnu jusqu'alors ou laissé aux grands "aliénistes" comme Pinel.

Dans sa méthode Dumas postule une identité fondamentale entre les mécanismes psychiques normaux et pathologiques, héritée de la médecine de Cl. Bernard et de la méthode de Ribot qu'il perfectionne. Il utilise la physiologie à base d'observation scientifique (fonctionnement des centres nerveux, du système sympathique, du système endocrinien) tout en les confrontant aux observations des symptômes fournies par la clinique.

Le concept : la psychopathologie

Le courant clinicien fait naître une nouvelle discipline : la psychopathologie. Ce concept permet d'ouvrir la psychologie à un objet nouveau, l'étude des dépressions, des névroses et des psychoses comme étant des entités non plus médicales mais psychologiques, exprimant le malaise de l'homme dans son rapport à des forces irrationnelles qui lui viennent de sa constitution psychologique. De ce fait la folie n'est plus quelque chose d'extérieur à l'homme, une maladie, mais de profondément intérieur, c'est-à-dire une expérience.

La psychopathologie se fonde sur l'hypothèse que l'équilibre psychique oscille entre une stabilité et une instabilité extrême qui conduit l'être humain à faire l'expérience de ses limites. Est dit pathologique ce qui fonde une souffrance psychique qui fait basculer un être humain dans des états où il ne parvient plus à être lui-même. Ainsi le concept de psychopathologie permet de déverrouiller celui de maladie mentale qui avait une fonction explicative pour ouvrir la voie à une fonction nouvelle, compréhensive et interprétative qui est le propre de la psychologie clinique.

Cette nouvelle conceptualisation de la folie permet de réintroduire l'expérience et le vécu du sujet à travers la lecture de symptômes qui ont désormais un sens. Ce concept ouvre le psychisme à la dimension entièrement subjective de l'expérience de la folie.

Actualité de la psychologie clinique

Ce quatrième courant fondateur place les phénomènes psychopathologiques au centre des observations et des expérimentations. Rejetée jusqu'au milieu du XIXe siècle hors de l'étude psychologique, la maladie mentale était définie à partir de symptômes étudiés par la psychiatrie, ce qui a eu pour résultat d'enfermer le malade dans sa maladie et de ce fait de le rejeter lui-même. La folie était conçue comme une maladie relevant de la médecine.

Ce concept de psychopathologie a été fécond car il a permis le renouveau de la psychiatrie en réintégrant les actes irrationnels dans un champ d'observation. La médecine psychiatrique perdait son monopole de fait sur la maladie mentale et la pratique psychiatrique en a été totalement renouvelée.

Dans le domaine de la psychologie la méthode clinique fournit actuellement le champ pratique de toutes les initiatives psychothérapeutiques. Les nouvelles thérapies mettent l'accent sur le concept de "soin" complémentaire de celui de psychopathologie. Les hypothèses des nouvelles thérapies reposent toutes sur le postulat selon lequel le malade peut être guéri sur la base de ce qu'il exprime et dit à son thérapeute.

Conclusion sur le courant clinique

La distinction entre normal et pathologique a amené les cliniciens à concevoir le premier sous l'angle du second. Le parallélisme ainsi opéré légitimait un savoir et des pratiques à propos des conduites dites irrationnelles : on les réintégrait dans la sphère de la Raison dont elles étaient exclues depuis le XVIIe siècle comme l'ont montré les travaux de Michel Foucault sur la folie... ainsi le malade mental redevient un homme. En outre l'intérêt du courant clinicien a été de faire converger la méthode expérimentale et des options éthiques. De cette convergence d'après laquelle ce que dit le malade fonde l'expérience clinique, il s'ensuit une réhabilitation du sujet comme sujet de son expérience. Le courant psychanalytique allait donner à la méthode clinique une dimension qui l'ouvre au concept d'inconscient sous la forme d'une question : quelle est l'origine de la névrose ? La réponse à cette question nous introduit dans notre dernier courant fondateur, la psychanalyse.

Synthèse de la psychologie clinique

1. Le concept

La psychopathologie

2. Origine

- Psychiatrie de la fin du XIXe siècle
- Observation des conduites pathologiques

3. Définition

- Distinction et analogie entre le comportement normal et le comportement pathologique
- Etude du concept de force en psychologie, notamment dans les états dépressifs
- Compréhension de la "maladie mentale" non pas du point de vue de la "maladie" mais du point de vue du vécu du malade
- Singularité absolue de l'individu dans sa souffrance pour le comprendre tel qu'il se comprend lui-même
- La notion de compréhension (opposée à explication) devient le concept central de la psychologie clinique

4. Fonction

- Démédicalise la maladie mentale
- Donne une rigueur à l'étude des névroses
- Permet l'exploration des phénomènes psychopathologiques

5. Destination

- Ouvre la voie à l'étude des phénomènes inconscients
- Donne naissance à une psychologie clinique
- Accorde le primat au sens des symptômes dans l'expérience psychopathologique
- Renouvelle la notion de subjectivité (ce que produit l'homme à partir de lui-même) dans son expérience de la folie

Le courant psychanalytique

Le précurseur : Charcot (l'Ecole de la Salpêtrière)

Un lieu de rencontres

Parallèlement à l'Ecole française de psychologie clinique s'est développé un mouvement de recherche suscité à l'hôpital psychiatrique de la Salpêtrière à Paris, d'où le nom "d'Ecole de la Salpêtrière" qui aura une renommée mondiale par les hommes prestigieux qui l'incarnent : Charcot le grand psychiatre, Breuer l'homme des recherches sur l'hypnose, et Freud le fondateur de la psychanalyse.

L'Ecole de la Salpêtrière est un mouvement de recherche en médecine psychiatrique et en psychopathologie. Son précurseur, J.-M. Charcot (1825-1893), chef de service, donne des leçons, à partir de 1866, sur les maladies du système nerveux. C'est en 1878 qu'il commence une étude sur l'hypnotisme ; il accède à la chaire de clinique des maladies nerveuses créée par lui à la Salpêtrière de renommée internationale. Avec lui commence l'observation clinique de l'hystérie et des phénomènes d'hypnose qui seront rigoureusement développés par Breuer et Freud.

Cette Ecole n'est pas réservée aux seuls psychiatres puisqu'elle est fréquentée par des psychologues de renom comme P. Janet, A. Binet et S. Freud. Ce mouvement explique ce qu'est le dynamisme psychique, la suggestion et l'hypnotisme dans l'hystérie. Mais son intérêt théorique majeur porte sur le concept de forces psychiques qui comprend les motivations, les tendances, les pulsions, les états dépressifs. Cette notion de force est capitale dans la mesure où l'on sait maintenant qu'elle sera reprise à bien des égards par Freud dans sa théorie des pulsions et par Lewin dans sa théorie du champ psychique. L'autre centre d'intérêt porte sur l'hypnose qui met progressivement en évidence le caractère strictement psychologique des symptômes hystériques en démontrant l'absence de lésions organiques.

Les fondateurs de la psychanalyse : Breuer et Freud

Charcot avait perçu dès 1884, à propos de certaines maladies, qu'il existait des paralysies (paralysies hystériques) qui n'avaient aucune origine organique. La cause de la paralysie semblait être non seulement d'origine affective mais elle pouvait s'expliquer par le fait que le patient souffrait du souvenir qu'il gardait de certains traumatismes enfantins (réminiscence). P. Janet avait déjà fait les mêmes observations et pratiquait l'analyse psychologique des troubles hystériques en dissociant les souvenirs d'événements traumatisants de leurs conséquences organiques, ici la paralysie. Il était allé si loin dans cette analyse qu'il ne voit qu'une confirmation de ses propres thèses quand Freud et Breuer publient en 1895 une *Etude sur l'hystérie*, œuvre donnant naissance à la psychanalyse.

L'Ecole de Vienne

J. Breuer (1842-1925) : l'étude de l'hypnose

Breuer est un physiologiste viennois qui soigne entre 1880 et 1882 une jeune fille qui souffre de troubles hystériques graves (contractions, asthénie, toux nerveuse, troubles du langage, anorexie, etc.). Il remarque qu'au cours de ses absences cette malade prononce des mots. Il la met en état d'hypnose et lui répète les mots qu'elle a prononcés. Après une cure d'hypnose les troubles disparaissent le jour où sa malade parvient à lui faire le récit d'un événement traumatisant. Il en conclut que les symptômes hystériques ne sont pas d'origine organique mais affective. En effet, en permettant à sa malade de répéter les mots prononcés lors de ses absences, Breuer lui a permis de guérir par simple suggestion. De cette expérience il établit le lien entre le souvenir traumatisant lié au passé de la malade et l'hystérie dont elle souffre actuellement. Il met au point le "traitement par le récit", provoqué sous hypnose qu'on appellera "méthode hypnotique" que Freud nommera "méthode cathartique". Ainsi Breuer, avant Charcot et Janet, a découvert la dimension psychologique des symptômes hystériques.

S. Freud (1856-1939) : les débuts de la psychanalyse

Le concept : le refoulement

L'observation de cette résistance dans l'hystérie et de la remémoration des souvenirs traumatisants sous hypnose est essentielle dans la mesure où elle conduit Freud à expliquer que cette résistance permet au malade de rejeter hors de sa conscience des idées et des souvenirs qui lui échappent désormais.

Cette notion de résistance appelait une explication que ni Charcot ni Breuer n'ont donnée : Freud le premier émet l'hypothèse de l'existence d'un mécanisme de refoulement agissant à l'insu du patient. Nous sommes là au cœur de la méthode psychanalytique : l'observation appelle une conceptualisation qui agit comme principe explicatif de phénomènes psychiques (paralysie, amnésie, etc.) jusque-là inexpliqués. Freud comprend le symptôme hystérique comme étant le produit déguisé d'un refoulement, en même temps qu'il est l'expression de ce qui a été refoulé (que le malade ne peut ni connaître ni comprendre par lui-même). Restait à expliquer ce qui produit le refoulement et qu'exprime le rêve : le refoulement agit sous la contrainte d'une censure elle-même inconsciente qui est produite par l'ensemble de ce que le patient ne peut accepter dans sa conscience (actes, images, souvenirs, idées, etc.). Ce qui est rejeté s'appelle le refoulé, c'est le contenu inconscient de significations base de la souffrance et de la névrose du malade.

L'expérience de la Salpêtrière faite à partir de l'hypnose donne les premiers acquis de la psychanalyse :

- Il existe une censure qui porte sur des idées et des souvenirs insupportables au patient qui les refoule en un lieu qui sera ultérieurement nommé inconscient. Cette force refoulante s'oppose à ce que ces idées refassent surface, d'où la résistance du malade à parler et à se souvenir. Plus la censure est forte, plus le refoulement est lui-même très fort. C'est cette force refoulante qui provoque paralysie et amnésie, symptômes et angoisses.

- Il existe un refoulé qui est ce que le malade ne peut accepter et qu'il rejette. Le refoulé, à l'œuvre depuis la petite enfance, est une sorte de mémoire, d'accumulation dans laquelle tout est conservé. Ainsi plus la force refoulante est forte, plus le refoulé est enfoui, caché, inaccessible au malade. Ce refoulé s'exprime néanmoins sous des formes déguisées dans les rêves et les symptômes.

Il y a donc une logique du refoulement : la censure interdit, la conscience rejette, le refoulement s'exerce, et ce qui est refoulé reste dans une sorte de mémoire, en un lieu inconnaissable par le sujet qui est la base de l'hypothèse d'un inconscient en l'homme. Cette logique est celle d'un rejet et d'une occultation.

Viennois comme Breuer, Freud travaille en collaboration avec lui. Elève de Charcot en 1885-1886, il remarque lui aussi l'importance des souvenirs traumatisants dans les paralysies hystériques. D'ailleurs à cette époque Freud et Breuer sont influencés par les travaux de Charcot.

Freud revient en France (à Nancy) en 1889 et travaille avec le psychiatre Bernheim. Il remarque que les malades mentaux ne perdent pas complètement le souvenir des actes qu'ils ont accomplis en état d'hypnose et l'on peut même, après leur réveil, en obtenir le récit. C'est à ce moment que le maître de l'Ecole viennoise abandonne l'hypnose mais en retient la signification du point de vue de la méthode qui jouera un rôle décisif dans l'élaboration de la théorie psychanalytique. Son attention est attirée en effet par des résistances du malade et il se pose la question de savoir si ces forces psychologiques qui résistent et empêchent le malade de s'exprimer ne sont pas à l'œuvre à son insu en un lieu psychique inconnu jusqu'alors.

Actualité du courant psychanalytique

C'est à partir des observations sur l'hypnose et la découverte de la résistance, qu'il entreprend d'étudier l'hystérie, marquant véritablement les débuts de la psychanalyse. L'ouvrage qui symbolise la rupture décisive avec toutes les théories psychologiques porte sur le sens des rêves et la question de leur interprétation (Freud, *Interprétation des rêves*, 1900). Il part aux USA accompagné de ses premiers disciples (Jung de Zurich, Ferenczi de Budapest, Jones de Londres) et fait cinq conférences dans les milieux scientifiques. La psychanalyse s'énonce comme théorie de l'inconscient et au même moment naît le mouvement psychanalytique en Europe et aux USA. Mais on a pu voir, avec l'Ecole française clinique et l'Ecole de la Salpêtrière, que les premières hypothèses de Freud sur l'inconscient ne surgissent pas du néant, car elles sont l'aboutissement de longues recherches. La psychanalyse peut naître en se donnant son objet d'étude spécifique : l'inconscient.

L'hypothèse d'actes refoulés et oubliés par le patient, émise dans l'étude sur l'hystérie par Freud, contenait un développement théorique nouveau : le concept d'inconscient serait le point central.

La psychanalyse devait découvrir :
- l'origine des névroses consécutives à la censure et au refoulement,
- les stades de la sexualité infantile et leur aboutissement dans le complexe d'Œdipe,
- les instances de la personnalité sous la forme d'une triade, moi, surmoi, ça,
- l'hypothèse des pulsions comme origine des forces qui sous-tendent les actes psychologiques,
- la pulsion de mort et la scission du moi.

Même si ses origines se confondent avec celles de la psychologie clinique, le courant psychanalytique se développera en rupture avec les autres courants pour s'affirmer totalement autonome et ouvrir la voie à une nouvelle étape de la psychologie : celle de la psychanalyse qui est l'objet du deuxième chapitre.

Ainsi le XIXe siècle, se termine en donnant naissance à la psychologie dans la diversité de ses méthodes et de ses orientations que l'on peut considérer comme contradictoires mais aussi complémentaires. Ce premier chapitre peut se terminer sur une psychologie en pleine gestation, mais qui a découvert les tendances qui vont la fonder. Le docteur Freud est désormais à l'œuvre. Cette grande cathédrale de la psychologie qu'est la psychanalyse vient de naître et nous allons la découvrir.

Synthèse de la psychanalyse

1. Le concept
Le refoulement

2. Origine
– Vient de la tradition médicale de l'observation clinique
– N'a pas d'antécédent et sert de principe explicatif à l'hystérie

3. Définition
Force s'exerçant sous la pression d'une censure et qui consiste à rejeter hors de la conscience ce que le patient s'interdit involontairement.

4. Fonction
– Explique la non-maîtrise par l'homme de certains de ses états psychologiques
– Rend compte de phénomènes physiques et psychiques jusqu'alors inexpliqués
– Permet de comprendre les mécanismes inconscients de l'hystérie

5. Destination
– Servira de base à la théorie future de l'inconscient
– Sera une des explications essentielles du mécanisme de la névrose
– Est un concept central de la psychanalyse.

Le courant cognitiviste

Deux traditions et une impasse

Le cognitivisme reprend la question de la représentation sur des bases scientifiques et philosophiques nouvelles. Il s'est développé contre les réponses traditionnelles apportées à la fois par la science matérialiste et la philosophie idéaliste : d'où viennent les idées, quelle est l'origine du langage, d'où provient la pensée humaine ?

- Selon les philosophies et la psychologie du sujet et de la conscience, l'homme est un être spirituel et ses idées sont innées, produites par un "je" (Descartes) ou une "conscience" (Husserl) spécifique de l'humanité de l'homme. Le cerveau n'en est que le support matériel. L'appartenance à l'humanité a une valeur universelle, de même le langage, la pensée, toutes les représentations : c'est la transcendance de l'être humain pensant par rapport aux autres êtres.

- A l'opposé, les sciences, au XIXe, ont voulu prouver que les idées étaient produites par le cerveau, simple activité mentale obéissant à des causes extérieures à l'homme. C'est le cas dans le béhaviorisme de Watson qui explique que l'organisme est entièrement conditionné selon un schéma stimulus-réponse. Toute représentation (idée, mémoire, mot, etc.) est le résultat d'une intériorisation. L'homme ne se distingue pas de l'animal, le cerveau est passif, simple agent de transmission des signes extérieurs. Les idées ne sont pas innées mais acquises, conditionnées par le milieu. Cette conception matérialiste réduit les idées à son conditionnement matériel. Cette opposition entre la matière et l'esprit est-elle surmontable ? Peut-on poser autrement la question de la représentation ?

Un double refus

Les fondateurs du cognitivisme renvoient dos à dos idéalisme et matérialisme : la psychologie n'obéit pas à cette simplification. Ils renouvellent complètement la fonction de l'origine de la connaissance en réintroduisant les phénomènes psychiques comme problèmes d'expériences : la connaissance a une double origine, à la fois produite par le cerveau, mais également par une logique propre à la représentation elle-même. Le fonctionnement cérébral est la nature du signe. Il s'agit de tenir ensemble des réalités séparées mais pas opposées, à la fois la machinerie neuronale et la formalisation dans le langage.

C'est pourquoi le cognitivisme n'est pas issu d'une école et d'un fondateur. Les horizons de connaissance et d'expérience sont multiples, des courants et des mouvements très différents se complètent et s'opposent. En fait, le cognitivisme intègre aussi bien les découvertes de la biologie et des neurosciences que des nouvelles conceptions de la logique et du langage. C'est une mosaïque de recherches, de découvertes, de questionnements : on repère cinq apports différents.

- Celui de la logique ou de la philosophie de l'Ecole de Vienne (positivisme logique).
- Les découvertes de la neurobiologie et des neurosciences.
- La production de l'intelligence artificielle par la machine et l'ordinateur.
- Un renouvellement des théories du langage.
- Les découvertes qui conduisent à une théorie de l'information.

Les précurseurs : Leibniz et Boole

Le vrai et le faux

L'influence d'une réforme de la logique, aux XVIIIe et XIXe siècles, a été décisive pour le développement du cognitivisme, comme science de la connaissance, qui construit ses fondements sur la logique formelle et les mathématiques. C'est par la logique que les critères du jugement permettent la distinction du vrai et du faux. Qu'est-ce qui permet à l'homme de décider de la vérité d'une proposition ? C'est la raison par l'instrument des catégories logiques. On dit d'une chose qu'elle est "vraie" ou "fausse" dans le cadre d'une énonciation. Quand j'affirme : "la nature est belle", ce jugement est subjectif, mais il a également valeur d'universalité. La nature (sujet) est belle (prédicat). Le mot "nature" renvoie ici à une totalité formelle, non donnée dans l'expérience : le ciel, les arbres, les oiseaux sont connus. Mais la nature, elle, n'existe pas comme objet singulier. Elle est le produit d'une conceptualisation par la raison. C'est le passage du singulier à l'universel ou au général qui caractérise les possibilités de la logique.

Le vrai se décide à partir d'une formalisation de l'expérience, à partir du jugement : il n'y a pas de vrai dans le réel sans la raison qui en décide. La vérité est la conséquence d'un jugement.

Pour Leibniz, il y a deux sortes de vérités :

- Celles de la raison spéculative qui procède par liaisons nécessaires : "*Le carré a quatre angles droits*", qui implique une cohérence formelle. Ce sont des vérités nécessaires.

• Celles des faits : “*La cour est carrée*”, qui procède par vérification expérimentale, contrôlée et validée par l’expérience que la cour est vraiment carrée. Ce sont des vérités contingentes.

Les premières vérités sont dites formelles car non données par l’expérience, tandis que les secondes sont dites scientifiques car énoncées sur la base de faits vérifiables, donc reproductibles.

Calcul et formalisation : Boole

L’ambition philosophique de Leibniz a été de concevoir que la réalité pouvait être entièrement mathématisable, que seules les mathématiques étaient universelles. Au XIXe, Boole reprend le projet en lui donnant un contenu opératoire. Il pose les bases d’une mécanisation totale des mathématiques et de la logique et de tout objet formel. La vérité n’est pas issue de l’expérience, car Boole ne retient comme critère du vrai que ce qui relie des objets purement formels, à partir d’une science abstraite pure, indépendante de tout jugement et autonome par rapport à l’expérience. Plus on parvient à une pureté formelle, plus le vrai est certain.

Dans sa théorie du calcul, il démontre que l’algèbre et les nombres ont seuls cette capacité formelle. Les nombres peuvent être substitués aux signes et aux symboles et des opérations logiques simples peuvent être produites sous le mode du calcul binaire simple (1 et 2, 3 et 4, etc.). Le calcul peut être effectué par des machines car il relève d’une mécanique abstraite.

Dans sa théorie de la formalisation, Boole réduit toutes les opérations mentales abstraites (logique, symboles, signes) à un agencement de signes abstraits purs que sont l’algèbre et les figures géométriques :

éboulement, sens interdit. Il est l’inventeur de systèmes logiques purement formels qui sont transposés en calcul.

La formalisation chez Boole produit à la fois une mécanisation des activités mentales dont la base relève d’une logique binaire, un engendrement infini d’objets formels (symboles, mots, calculs) par leur combinaison en nombre fini.

Mécanisation et abstraction, simplification et formalisation permettent la substitution de l’homme à la machine. En ce sens Boole est le grand précurseur de la “machine cérébrale”.

Les fondateurs : l'école de Vienne

Frege : le langage formel

Frege est le grand logicien de l'Ecole de Vienne et le véritable fondateur de la logique moderne. Il rompt avec la logique traditionnelle en démontrant qu'une proposition est vraiment logique (son degré de vérité d'autant plus certain) si elle atteint une cohérence purement formelle. Il propose une logique axiomatisée (dont le contenu est à plusieurs variables) qui peut se substituer au langage, aux symboles et aux mathématiques. En ce sens, il procède à l'inverse de Boole : ce dernier mathématise la logique, alors que Frege soumet à la rigueur de la logique toutes les activités qui relèvent d'une symbolisation, y compris le calcul.

Ce "logicisme" exclut les références à un sujet et à un prédicat, de même qu'à tout contenu de sens. Frege en effet part du principe que le langage est assez riche pour exprimer tout ce qui se fait (par l'homme ou la machine) et se dit en termes mathématiques, inventant par là un langage entièrement formel, dépouillé du sens, des émotions, de toute subjectivité. Le souci constant dans son œuvre (l'idéographie conceptuelle) est de traiter la question de la représentation, indépendamment de toute référence aux réalités auxquelles il renvoie. Construire une logique dont l'efficacité consiste en sa capacité à tout formaliser et exclure dans les langages toute vérité aléatoire ou ambiguë, tel est le sens de cette réforme de la logique. Les sciences cognitives, comme sciences autonomes de la représentation, se développeront sur ce logicisme.

Wittgenstein : le refus des évidences

Comme Frege, Wittgenstein élabore une logique dont le but est de purifier le jugement de vérité des évidences et des présupposés métaphysiques qui encombrent les énoncés traditionnels d'équivoques et de confusion. Loin d'être rigoureuse, la logique philosophique énonce des propositions arbitraires. Peut-on établir la connaissance sur des bases sûres ? Du moins, est-il possible de construire des systèmes logiques qui marquent une frontière nette entre des propositions vraies et des propositions aléatoires, c'est-à-dire impliquant des questions propres à la philosophie ?

La réponse à cette question suppose une réforme de la logique dont le but est de faire reculer les évidences. Seul un langage rigoureux de signes, dont le fondement logique soit sans faille, permet que les énoncés n'aient pas plusieurs sens. C'est pourquoi la logique doit s'orienter vers l'analyse du langage et du sens. Il définit le monde comme un ensemble de faits et non pas de choses. Nous nous prononçons sur des “états de faits” où langage et choses sont indissociables dans les jugements. La représentation est à l’œuvre simultanément dans l’expérience.

Le plus sûr dans la connaissance est garanti dans les énoncés logico-mathématiques car ils ne doivent rien aux faits, c’est pourquoi ils forment un ensemble certain. Egalement sûrs sont les énoncés des propositions empiriques, c’est-à-dire celles qui relèvent d’une vérification expérimentale.

L’immanence de la vérité

Le vrai est contenu tout entier dans la représentation formelle des “états de faits”. De telle sorte que la représentation, l’acte de juger du vrai et du faux, fonctionne de lui-même dans sa propre expérience, sans avoir à en référer à des vérités dites supérieures et transcendantes à l’acte de juger – ce que Wittgenstein appelle “l’immanence de la vérité”.

Le langage, les mots, les signes, sont des variables intégrables au fonctionnement logique. Le vrai n’est pas donné *a priori*, ni contenu dans une faculté de la raison. Le vrai n’est pas antérieur au jugement. Il n’y a donc pas de logique transcendante ni de catégories formelles du jugement. Plus la logique parvient à énoncer des relations nécessaires, plus elle atteint un degré de perfection formelle, plus le vrai est vrai. Le degré de vérité est fonction de l’aptitude du logicien à purifier les énoncés. Wittgenstein assigne à la logique la fonction de rendre rigoureuse la formalisation de la représentation. Ni Raison avec un grand R, ni Vérité avec un grand V, la connaissance procède de sa propre aptitude à lier rigoureusement états de faits et représentation.

Le langage, les mots, les signes sont des objets de la logique dans la mesure où ils sont susceptibles d’être intégrés dans un processus logique. Les cognitivismes emprunteront à Wittgenstein l’idée d’une formalisation de l’acte de représentation. Cette négation que la vérité puisse être contenue avant l’acte de connaissance définit ce qu’on appelle le positivisme logique. Et l’application qui peut en être faite dans des domaines aussi variés que l’étude du langage, des signes, des informations, des symboles, fondera les sciences cognitives.

Les inventeurs : Jacquard (1805) et Babbage (1830)

Le cognitivisme est né aussi de l’industrialisation, c’est-à-dire de la nécessité dans la production de faire exécuter par des machines des tâches abstraites qu’effectuait le cerveau.

- **Jacquard** invente le premier automate sous forme de métier à tisser :
  - Il peut produire n'importe quel dessin.
  - Il peut progresser à l'infini dans la symbolisation.

Quoique machine simple, le métier à tisser permet de se passer de l'ouvrier dès lors qu'une machine effectue par elle-même des tâches relevant d'un agencement de symboles simples.

- **Babbage** invente la première "machine analytique" et innove par rapport à Jacquard :
  - Sa machine accomplit des opérations mathématiques, donc absolument disparates (combinatoire de symboles abstraits), opérations à la fois effectives (mécanisables) et abstraites (concevables à l'infini).
  - Elle peut s'auto-contrôler à partir d'une programmation. Elle se corrige elle-même d'où résulte sa possible complexification.
  - L'auto-contrôle et la mécanisation permettent l'effectuation d'opérations qui s'enchaînent systématiquement dans leur organisation.

La machine ne produit pas seulement de la force de travail mais des tâches abstraites, champs dans lequel elle peut concurrencer le cerveau humain.

Actualité du courant cognitiviste

La représentation est liée au complexe esprit/cerveau

– Les neurosciences en feront l'étude physique expérimentale.
– Les théories de l'information en définissent la fonction informationnelle.
Ces deux approches sont tout à la fois liées et indépendantes. Invention, en 1943, du concept de "neurone formel".

La représentation chez l'homme comporte deux dimensions

- Des états internes, mentaux, qui sont des prouesses de symbolisation (qui comportent le sens).
- Des états qui conduisent de l'un à l'autre (états dits "représentationnels"). Exemple : l'invention de "l'intelligence artificielle", en 1948, par von Neumann en fondant la neurobiologie (science de l'intelligence biologique et de l'intelligence produite par les machines).

La représentation renonce à la logique et au calcul par les états proches du langage

– Le langage, tout langage, est réductible à une formalisation logique.
– Ces états de langage peuvent se réduire à un petit nombre d'opérations.

Exemple : l'ordinateur qui effectue des tâches computationnelles, fait des "choix" entre deux procédures, théorie d'Herbert Simon. Passage du réel au virtuel.

Dans le cognitivisme actuel coexistent des façons opposées mais solidaires des différences de conception de la représentation :

– Un courant "représentationnel" qui défend la thèse d'une symbolisation qui suppose le sens (c'est le cas de la logique de l'Ecole d'Oxford et de la critique de l'empirisme logique).

– Un courant "computationnel" qui réduit les symboles au signe et au calcul abstraits (c'est le cas de Ch.W. Morris qui fonde, en 1940, la sémiotique, la théorie des signes).

Il n'y a donc pas d'unité théorique du cognitivisme, mais solidarité de théories mosaïques, qui, chacune dans leur champ, conceptualisent, inventent, questionnent, ce qu'est la représentation, son fonctionnement dans le cerveau humain comme dans les machines.

La psychologie en est renouvelée dans les champs qui relèvent du développement de l'intelligence et du langage. C'est Herbert Simon qui fonde la psychologie cognitive dont le principe consiste à traiter la cognition (apprentissages, éducation, scolarité, culture, etc.) comme production "matérielle" du cerveau et (simultanément mais séparément) comme production des systèmes de signes eux-mêmes. Plus d'opposition esprit/cerveau, mais les tenir ensemble pour comprendre comment ça se passe quand "il y a de la représentation".

La représentation

Définition : Capacité de l'homme à être en relation avec le monde, les autres, la réalité, sous le mode symbolique. Le réel nous est toujours donné dans une représentation : une forme non-produite par la réalité.

Moyens : images, figures, idées, concepts, mots, fantasmes, images, etc.

Synonymes

- Forme, formalisation : logique, mathématique, perception (ce qui unifie et rend cohérent)
- Symbole : rendre présent ce qui manque, ce qui est absent, à partir d'idées et d'images. Fonction de sens.
- Cognition : connaissance par l'expérience ou (et) le savoir, par nos capacités mentales et culturelles.
- Signe : forme abstraite des mots, des images, des idées, indépendante de leur réalité ou du sens qu'on leur donne.
- Idée : capacité d'observation de la raison d'après ses propres lois pour connaître le réel.

Principes fondateurs

1. Nous ne connaissons la réalité qu'à partir de notre capacité à nous représenter le réel.
2. Il n'y a pas de connaissance directe du réel, on dit qu'il est médiatisé par nos représentations.
3. Par conséquent l'origine de la représentation ne nous est pas donnée par le réel.

Problème : On ne peut connaître ou penser la représentation en dehors d'elle-même. Elle est toujours déjà là, y compris dans la perception. On ne peut donc dissocier la réalité et la représentation qu'on en a.

Dans le cognitivisme, la représentation est :

1. Formelle : la réalité se perçoit à partir de formes pures produites par l'activité mentale, notamment la logique et les mathématiques.

2. Logique : le comportement, les actes psychiques sont observés en termes d'erreur et de vérité, c'est-à-dire adéquation plus ou moins grande entre la réalité et le comportement des individus.

3. Productive : l'activité cérébrale et mentale de l'homme est simultanément produite et productrice de représentations. Mise entre parenthèse d'une origine créatrice de la représentation (auto-production) pour observer ses lois de production, d'effets, de résultat. Elle a un statut objectif.

4. Pragmatique : le but du cognitivisme consiste à étudier les lois de la représentation dans le fonctionnement cérébral et dans celui de la machine. La question du sens et de la nature de la représentation est peu importante.

L'intelligence

Humaine
- Aptitude intellectuelle à raisonner à partir d'images, de signes, de concepts.
- Aptitude intuitive à penser et créer à partir d'évidences intérieures sans médiation de signes ou de symboles.
- Aptitude abstraite à raisonner sur des signes ne renvoyant qu'à des êtres abstraits (mathématiques, algèbre, raisonnement conceptuel). La spéculation.
- Aptitude intellectuelle et intuitive à penser son expérience de la vie et du monde et à trouver ses propres règles de vie à partir d'une opinion. Le bon sens.

Animale
- Faculté d'émettre des signes, de les communiquer, de les intégrer, en vue d'une tâche à accomplir (fourmis, abeilles, etc.). L'information.
- Faculté d'émettre des signaux, d'en percevoir, pour éviter un danger ou obéir à un instinct (le rat dans le labyrinthe, trouver la solution). La communication.

De la machine
- Effectuation de tâches mentales par le traitement de signes abstraits (opérations logiques et mathématiques). La formalisation.
- Effectuation de tâches cérébrales qui aboutissent à une autorégulation et à un autocontrôle (autorectification d'erreurs, autonomie et complexification des tâches). L'interaction.
- Effectuation de décisions (choix simples) aboutissant à une autonomie telle que l'intervention humaine n'est plus nécessaire. Perfection de la tâche. L'autorégulation.

Distinction

1. L'homme comprend le monde, comprend qu'il comprend et se comprend lui-même. Son intelligence n'est pas seulement rationnelle ou intuitive car, en se rapportant à lui, il est aussi conscient de lui-même (présence et sens non réductible à des opérations abstraites, donc non reproductibles). Mais il est plus limité que la machine pour l'effectuation de calculs abstraits et de traitement de symboles.

2. La machine (intelligence artificielle) est douée dans le traitement de l'information à structure logico-mathématique. Si l'on part du principe que la représentation formelle est une aptitude essentielle de l'intelligence, on peut dire que la machine est intelligente par la nature formelle et arbitraire du signe.

3. L'animal obéit à des signes mais aussi à des codes sociaux, à des règles, mais sans conscience et sans degré de formalisation.

L'intelligence est une notion abstraite : il existe des types d'intelligence. Mais toute intelligence suppose :
- Le sens
- La représentation
- Les signes et les codes.

L'intelligence

Humaine

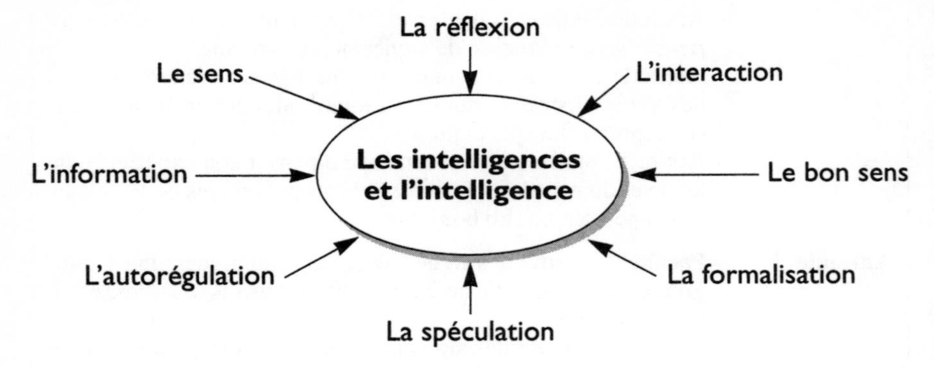

Animale

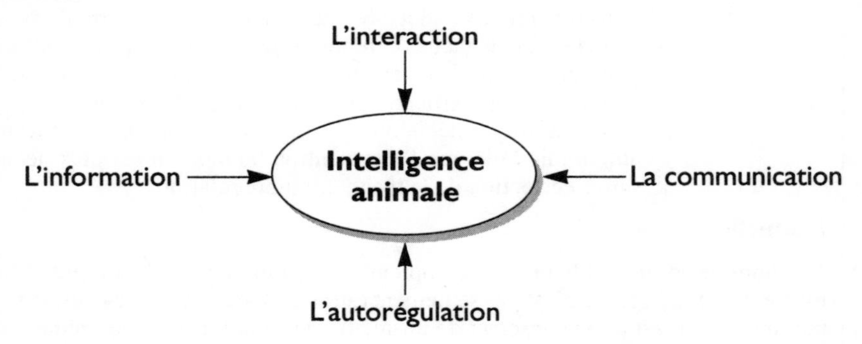

De la machine

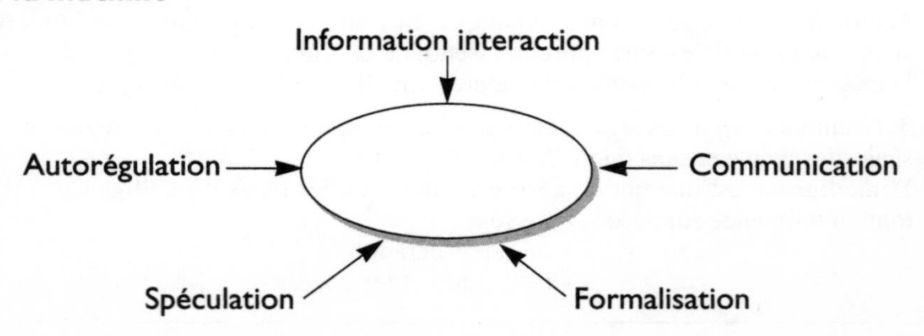

Synthèse du cognitivisme

1. Les concepts
- Formalisation
- Représentation
- Signe
- Automatisation
- Intelligence artificielle

2. Origine

– Philosophique
- positivisme logique du XIXe siècle
- démarche expérimentale du XIXe siècle
- philosophie analytique du XXe siècle

– Théorique
- théorie des signes (sémiotique)
- théorie du calcul
- linguistique

– Expérimentale
- théorie des automates
- théorie des neurones formels
- théorie du virtuel
- neurobiologie

3. Définition : signes, représentation
- Opération formelle qui n'inclut plus la catégorie métaphysique de "sujet d'énonciation"
- La représentation est une combinatoire, un agencement autonome, indépendante du sujet qui l'énonce
- Le signe est abstrait en ce sens qu'il fonctionne par lui-même comme totalité sans référence au sujet
- D'où caractère purement mécanique et fonctionnel des systèmes de signes. Son indépendance par rapport au sujet permet à la "machine" (cerveau, automate, ordinateur) d'effectuer ces opérations que l'homme, pensait-on, était seul capable d'effectuer

4. Fonction
- La symbolisation est reproductible par des machines
- La liaison entre le cerveau et la représentation peut se démontrer
- La notion d'intelligence n'est plus le monopole d'un sujet humain. Des machines complexes peuvent effectuer des opérations symboliques, "intelligentes" (ordinateur)

5. Destination
- Primauté du formel sur le réel
- Substitution d'un sujet d'énonciation ("l'esprit" humain) à son "sujet" de production (machine et ordinateur)
- Distinction et reformulation de la notion "d'intelligence"
- Mécanisation et complexification des opérations abstraites (calcul, traitement sémiotique, opérations mathématisables, contrôle et "décision") rendues opératoires et efficaces. Pas besoin de la pensée
- L'être humain peut être remplacé par des machines complexes pour les opérations abstraites. Or, la "pensée" a toujours procédé par abstraction
- La pensée, le langage, la culture s'expriment par des signes. Ils sont donc formalisables, c'est-à-dire abstraits. La machine peut se substituer à l'homme. En ce sens la machine est dite "intelligente"
- Qu'est-ce, alors, que l'intelligence ?

Synthèse du premier chapitre

Six courants sont ainsi dégagés qui serviront de fondement à toutes les découvertes futures qui en seront issues.

1. Courant gestaltthéoricien dont le concept clef est celui de "formes" avec une branche expérimentale (Wundt) et une branche phénoménologique (Brentano et Husserl) qui fondent la psychologie sur la conscience. La Gestalt s'est élaborée autour de la question de la perception qui relève à la fois de phénomènes physiques (expérimentaux) et de phénomènes psychologiques. C'est de la discussion au sein d'un grand mouvement, l'Ecole de Graz, qu'est apparue la primauté de la forme et qu'a été fondée la psychologie de la forme.

2. Courant phénoménologique dont le concept clef est celui "d'intentionnalité" avec une branche philosophique (Husserl), une branche psychologique (Brentano) et, plus tard (1930), une branche existentiale (Heidegger). L'intentionnalité s'est élaborée autour de la question de la relation fondatrice de la conscience et du monde. La phénoménologie a cherché à fonder la psychologie, et l'analyse existentiale de Heidegger a ouvert la voie à une psychologie existentielle.

3. Courant expérimental dont le concept clef est celui de "comportement" avec une branche de psychoréflexologie par la découverte du réflexe conditionné (Pavlov) et une branche béhavioriste par l'étude objective du comportement (Watson). Cette tendance a fondé la psychologie scientifique et expérimentale moderne en luttant résolument contre tout principe philosophique en psychologie.

4. Courant clinicien dont le concept clef est celui de "psychopathologie". Elle se constitue sur l'idée que ce qui compte c'est l'expérience et le vécu du sujet. Elle oriente la psychologie vers la clinique dont les fondateurs sont Ribot, Dumas et Janet et ouvre ainsi la voie à la psychopathologie.

5. Courant psychanalytique dont le concept clef est celui "d'inconscient" avec une branche française (l'Ecole de la Salpêtrière de Charcot) et une branche viennoise (Freud et Breuer). Elle se constitue sur l'observation que dans l'hystérie les symptômes sont le produit de refoulements inconscients enfouis dans la petite enfance. Cette tendance inaugure une approche radicalement nouvelle du psychisme en faisant de l'inconscient l'origine de tous les phénomènes psychologiques.

6. Courant cognitiviste dont le concept clé est celui de cognition, avec une tendance formalisatrice (caractère abstrait et formel du signe), et une tendance expérimentale combinent l'ensemble "cerveau-ordinateur-signe" (neurosciences). Le cognitivisme renouvelle le problème des rapports entre le signe, l'intelligence et le fonctionnement neuronal. La psychologie cognitive s'est élaborée sur cette conceptualisation.

Mais, au sein de ces six courants, des regroupements par affinités conceptuelles et méthodologiques sont possibles et l'on peut dégager trois tendances :

1. ***Une tendance philosophique*** composée de deux courants, la Gestalttheorie, la phénoménologie.
2. ***Une tendance scientifique et expérimentale*** constituée par le béhaviorisme.
3. ***Une tendance théoricienne*** composée de deux courants, la psychologie clinique et la psychanalyse.

Les concepts des courants fondateurs

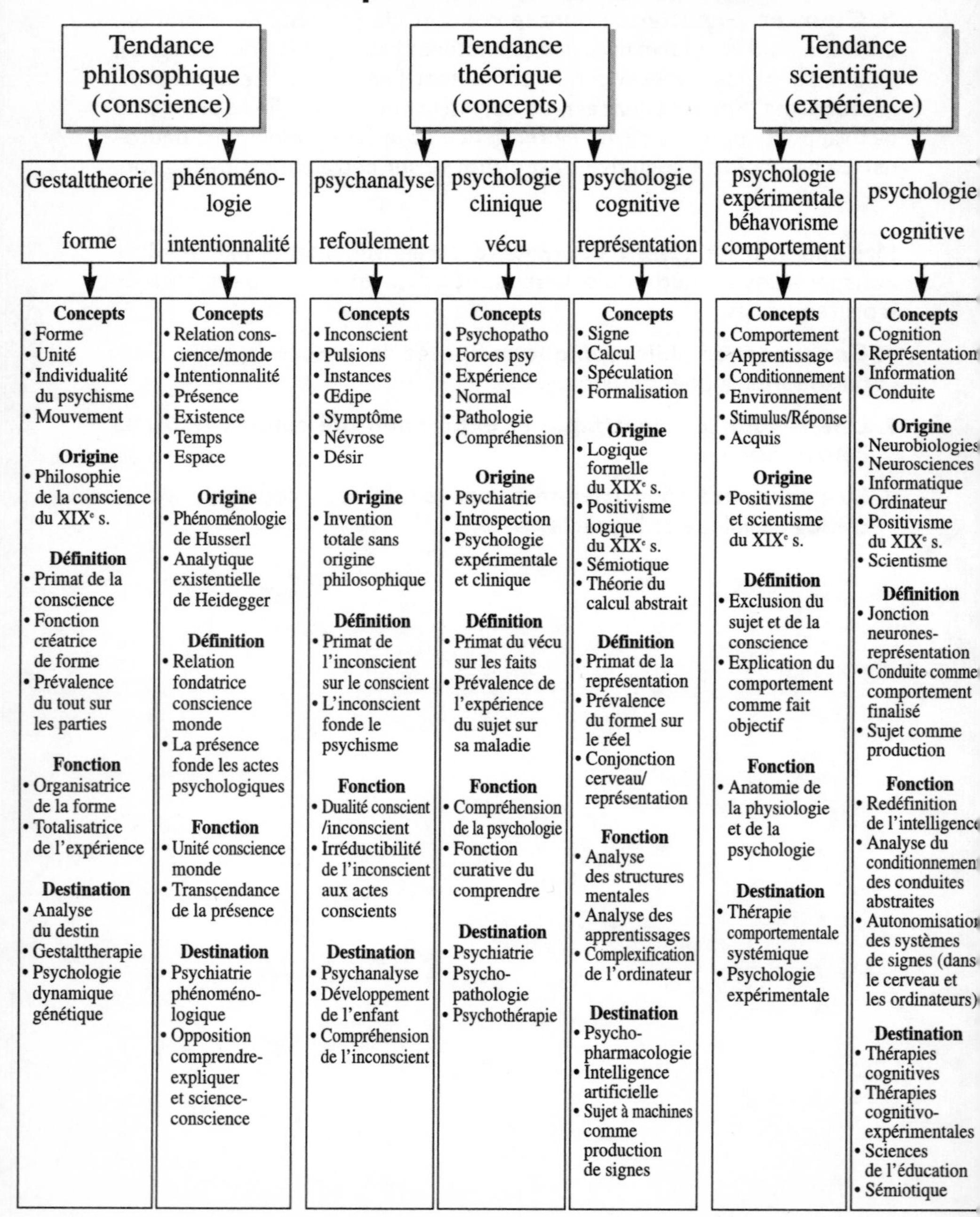

La psychanalyse : Freud

L'Ecole de Vienne : le fondateur S. Freud (1856-1939), Autrichien

Vie et grandes périodes de découvertes

Freud est d'origine juive, né à Freiberg en Moravie, il est l'aîné d'un deuxième mariage de son père Jacob. La famille s'installe à Vienne où Freud fait des études de médecine et de neurologie. Obtenant une bourse d'études, il vient à la Salpêtrière pour rencontrer Charcot connu mondialement pour ses recherches sur la maladie mentale. La psychanalyse étant jugée contraire aux principes du nazisme, Freud quitte Vienne après avoir vu brûler ses livres et se réfugie à Londres.

On peut distinguer trois grandes périodes de découvertes :

- De 1882 à 1900 l'importance est accordée à la sexualité dans le développement de l'enfant et l'origine des névroses avec la notion centrale de libido.
- De 1900 à 1920 Freud met en place le concept d'inconscient et élabore ceux de pulsion, de moi et de narcissisme.
- De 1920 à 1935 il remanie sa théorie des pulsions et pose l'existence d'une pulsion de mort. Il s'interroge aussi sur son époque dans *Malaise dans la civilisation* et *L'avenir d'une illusion*. Il applique la psychanalyse à d'autres secteurs qu'à la psychologie individuelle en étudiant la société, la culture, la religion et l'art.

Les découvertes du fondateur de la psychanalyse ne se sont faites qu'au fur et à mesure de ses observations cliniques dont il a théorisé les principes dans la “métapsychologie”. L'unité théorique s'est constituée progressivement en une science entièrement nouvelle lorsque Freud a eu à défendre contre ses détracteurs et ses disciples la légitimité de ses concepts.

Première période (1882-1900) : découverte de la libido et de la sexualité

Les mécanismes de la névrose

La théorie des névroses chez Freud s'élabore en même temps que les notions de conflits, censure et refoulement. En effet, il donne un statut particulier à la névrose par rapport à celui de la psychiatrie classique en en faisant le résultat d'un conflit intrapsychique. Le symptôme névrotique (angoisse, paralysie, idées obsessionnelles, etc.) se met en place lorsque quelqu'un s'interdit un désir lié à des souvenirs traumatisants de la petite enfance (inceste par exemple). Il est la réminiscence de cette interdiction et de la non-satisfaction pulsionnelle qui en résulte. C'est dans l'élaboration du complexe d'Œdipe que Freud donne la clef de toute névrose : l'enfant doit renoncer à l'objet de son désir inconscient, notamment à la composante érotique de la possession incestueuse du parent du sexe opposé. Ce désir est refoulé et devient donc inconscient : quand l'enfant sera devenu adulte le désir refoulé peut être réactivé par un événement et se traduire sous forme de symptôme névrotique qui est la conséquence du premier refoulement. L'angoisse envahit le champ de la conscience, elle est produite par une non satisfaction du désir sexuel inconscient. C'est pourquoi toute névrose est la réminiscence d'un conflit œdipien mal sublimé mais totalement oublié par le patient. La névrose adulte est donc la résurgence de la névrose infantile liée à l'œdipe et c'est en ce sens que Freud peut dire que tout le monde est névrosé à un moment donné de sa vie. Néanmoins, quand l'enfant a renoncé partiellement à son objet d'amour et y a trouvé des substitutions et des sublimations, il dépasse le conflit œdipien et permet une satisfaction partielle de son désir refoulé. L'élaboration de la névrose et des symptômes qui l'expriment n'est plus alors nécessaire.

Découverte de la sexualité enfantine

L'enfant se développe par "stades" caractérisés par une intense vie sexuelle qui a été cause de scandale lorsque Freud en a émis l'hypothèse. Cette théorie des stades explique le rapport que l'enfant entretient avec des parties privilégiées de son corps (zones érogènes) qui y fixent le plaisir qu'il en éprouve. Freud distingue cinq stades :

Stade oral (de 3 à 18 mois). Le plaisir est lié à la succion du sein maternel. La bouche est alors l'organe le plus sexualisé étant le lieu où se jouent les satisfactions et les frustrations matérialisées par l'absorption du lait et de la nourriture. C'est le moment de fusion avec la mère.

Stade anal (de 18 mois à 4 ans). Le plaisir est lié à la maîtrise sphinctérienne. L'enfant jouit de ses matières fécales et la zone la plus sexualisée est l'anus. C'est la phase "pipi-caca" qui comporte d'un côté le plaisir obsessionnel d'être propre et de l'autre le plaisir sadique et agressif de s'immerger dans les matières fécales et d'en revêtir les autres. Ce stade marque également une étape vers le don : donner c'est se maîtriser et "offrir" ses matières fécales tandis qu'être sale c'est garder, posséder. C'est le moment de l'agressivité.

Stade phallique (de 4 à 6 ans). La zone érogène devient le pénis et le vagin. La sexualité se concentre sur les organes génitaux dont la découverte (exploration, curiosité, attouchement, voyeurisme, exhibitionnisme) opère une prise de conscience de l'identité sexuelle (petits garçons et petites filles se découvrent comme différents et s'attachent aux parents du même sexe lors du complexe d'Œdipe). Cette phase est décisive dans la maturation sexuelle et affective car elle est constitutive d'angoisses provenant de la sexualité : le garçon a une peur inconsciente de la castration liée à la toute-puissance symbolique du père castrateur et à l'interdit de l'inceste avec la mère. La fille fait la découverte inconsciente du manque de pénis, sa peur est également liée à l'interdit de l'inceste avec le père. Ce stade est dit phallique car le plaisir se concentre sur les parties génitales et se problématise autour de la question d'avoir ou de ne pas avoir de phallus.

Stade de latence (de 5 à 11-12 ans). C'est une étape moins étudiée car les manifestations de la sexualité sont très fortement atténuées. C'est cependant une période importante car elle se caractérise par une personnalité qui peut se construire (après avoir franchi l'œdipe) au cœur d'une période stable où l'enfant devient de plus en plus conscient de son autonomie. C'est aussi la phase la plus longue, elle donne donc à l'enfant le temps de construire sa personnalité sans trop être affronté à des perturbations.

Stade génital (de 12 à 16 ans). Le plaisir est lié directement à la zone sexuelle. C'est l'âge de la puberté au cours duquel se mettent en place définitivement l'identité sexuelle et l'attirance pour le partenaire de sexe opposé. Il y a à cette époque une réminiscence du stade phallique mais avec le détachement progressif du lien névrotique qui liait l'enfant au parent du sexe opposé. Ce stade est crucial pour la maturation sexuelle qui s'opérera à l'adolescence.

Ce développement psychosexuel représente les étapes normales par lesquelles passe tout individu et indique l'importance de la sexualité dans la maturation affective. Chaque stade en effet est le signe d'un rapport privilégié à soi mais affecte également le type de rapport à autrui et au monde à travers lequel la personnalité se construit et l'enfant grandit. Freud propose également une nouvelle lecture de la sexualité : loin de ne se spécifier que dans la relation sexuelle entre adultes, elle est une dimension essentielle pour la construction de la personnalité. Avec la théorie des stades sexuels, la psychanalyse a changé radicalement le regard porté jusqu'alors sur l'enfance.

Le complexe d'Œdipe

Dans le développement de l'enfant le complexe d'Œdipe marque l'achèvement de la construction de la personnalité.

Avant cinq ans le petit enfant vit essentiellement dans une relation exclusive avec sa mère. Mais à partir de cet âge un attachement sexuel et affectif se produit à l'égard du parent du sexe opposé : la petite fille désire inconsciemment la relation incestueuse avec son père tandis que le garçon désire sa mère. Cette intense sexualisation des relations familiales bouleverse l'équilibre pulsionnel de la famille et suscite une "lutte à mort" pour la possession du parent du sexe opposé. Si l'enfant reste fixé à cet attachement œdipien, il ne peut grandir car il demeure dans l'impossibilité de dépasser une relation duelle et exclusive. Il noue de ce fait un lien névrotique au parent de sexe opposé tout en éliminant le parent du même sexe qui est l'obstacle à sa passion amoureuse. Ce conflit permet la découverte de l'identité sexuelle puisque le petit garçon, en rivalisant avec son père, accède à sa masculinité (possession du phallus comme papa) et éprouve la peur de la castration, tandis que la petite fille trouve son identité féminine à être comme maman. Normalement la rivalité œdipienne cessera par le refoulement partiel des pulsions incestueuses en interdisant à jamais le retour à la relation duelle avec la mère. L'œdipe ouvre ainsi la voie à une sexualité sublimée et clôt l'étape de la petite enfance.

Relation triangulaire et accès au symbolique

La relation œdipienne révèle un enchevêtrement affectif et sexuel qui mérite de ce fait d'être désigné par Freud comme un "complexe". En effet l'enfant doit opérer le passage d'une relation à deux à une relation à trois : c'est à ce stade qu'apparaît le père qui est vécu comme un rival insupportable car il vient s'interposer entre la mère et l'enfant et fait cesser la relation duelle.

C'est pourquoi son rôle est capital. S'il est lui-même dans l'impossibilité de faire accéder l'enfant par jalousie réelle, à ce que Lacan appelle l'ordre symbolique, il ne peut y avoir "meurtre symbolique" du père. Si, par contre, le père consent à mourir symboliquement il permet à l'enfant de sortir des conflits pulsionnels, sexuels et affectifs, sortie qui le pose dans un ordre nouveau qui est celui du langage, de la loi et de la société que le père représente. Freud (et notamment Lacan) fait de ce passage à la loi la clef de voûte de la maturation œdipienne car, par accès à l'ordre symbolique, l'enfant se constitue comme sujet, il n'est plus le simple produit de ses parents puisqu'il entre par la loi dans l'humanité. Si l'œdipe se résoud de manière satisfaisante l'enfant s'affirme, grandit et entre dans la communauté des hommes (par l'école et le groupe notamment), sinon il stoppe son développement, il est barré dans son désir d'être sujet et s'enferme dans la névrose ou la psychose.

Les symptômes ont un sens

Les recherches de Freud sur l'origine des symptômes dans la maladie mentale sont parties du traitement par Breuer d'une hystérique, Anne O. Il voulait répondre à cette question : comment expliquer que les symptômes physiques de l'hystérique (paralysie, pertes de mémoire), disparaissent lorsque, par l'hypnose, le malade arrive à se souvenir des événements traumatisants qui sont à l'origine de sa névrose ? C'est en tentant de répondre à cette question que Freud donne une "explication" :

L'hystérique produit un dédoublement de sa personnalité qu'on ne peut expliquer que parce qu'il a refoulé intérieurement des événements traumatisants. Les symptômes sont les symboles et les résidus d'événements refoulés au cours de l'enfance, *"nos malades*, écrit Freud, *souffrent de réminiscence, ils ne se libèrent pas du passé"*.

Le caractère traumatisant d'un événement tient à la pertubation psychoaffective qu'il cause et à l'incapacité qu'a le sujet de l'intégrer. En effet, s'il ne peut s'exprimer, il reste bloqué à l'intérieur et est refoulé. Freud élabore alors la notion de conversion. Il y a un investissement dans le corps de l'énergie psychique sexuelle refoulée qu'on observe dans la paralysie hystérique. Ce symptôme apparaît comme un compromis entre une force refoulante et une force refoulée.

Enfin, Freud avance l'idée que, s'il y a refoulement, celui-ci se fait à l'insu de la personne, à cause d'une censure inconsciente. Si on lève cette censure par l'hypnose ou par la méthode d'association libre, l'hystérique peut parler et se souvenir de l'événement traumatisant, le symptôme disparaît et le malade est sur la voie de la guérison.

Cette mise à jour du sens du symptôme permet de comprendre que des actes et des souvenirs liés à notre passé sont refoulés en un "lieu" que Freud appellera l'inconscient. Il permet aussi de comprendre les névroses.

L'origine sexuelle du symptôme

Le début de ces recherches sur l'origine de l'hystérie permet déjà de conclure que le symptôme a un sens qui échappe au malade. Que ce sens renvoie à des événements traumatisants et que les symptômes peuvent être compris en termes de force et d'énergie. Mais quelle est la nature de cette énergie ? Freud avance la thèse de l'existence d'une force sexuelle qu'il appelle du mot latin "libido". Celle-ci est une énergie pulsionnelle dont la principale composante est sexuelle. A cette période il découvre l'importance de la sexualité infantile à partir de son auto-analyse (*Correspondance avec Fliess*) où il explique que ce sont les traumatismes sexuels infantiles qui engendrent la formation de symptômes et non pas des traumatismes actuels (cette dimension sexuelle infantile de la libido sera niée par Jung et Reich par la suite).

Sexualité et névrose

La signification sexuelle des symptômes est la grande découverte de cette première période, car elle permet de comprendre que ceux-ci ne sont pas à relier directement à des événements réels mais à des projections du désir (fantasmes) restées bloquées dans l'inconscient, à un moment donné de l'enfance du malade. C'est à partir de la parole de l'hystérique que Freud découvre le contenu sexuel de la maladie. Ainsi sont mises en place les notions de forces psychiques, censure, libido, sexualité infantile, refoulement qui sont entièrement nouvelles et provoquent d'un côté les recherches de Charcot, Breuer et Janet, tandis que de l'autre elles fondent une nouvelle théorie du psychisme dont le concept central est l'inconscient, qui sera l'axe de développement de la psychanalyse. La nouveauté en effet réside dans la mise à jour de la coexistence de deux personnalités en nous ; celle que nous connaissons qui est liée à la conscience de ce que nous faisons et celle qui nous échappe, que nous ne connaissons pas, notre inconscient, qui est le produit de la censure et du refoulement.

La fonction du rêve

Mais comment connaître ce qui, par excellence, échappe à notre conscience ? Comment analyser l'inconscient ? Dès 1895, Freud analyse les rêves d'une patiente, Irma, et découvre que ceux-ci sont porteurs d'un sens privilégié. Ils sont la réalisation imaginaire de désirs refoulés. Dans son ouvrage *La science des rêves*, il précise la signification des rêves qui est "*la voie royale qui mène à l'inconscient*". Il distingue le contenu manifeste (ce qui peut se voir et s'interpréter d'emblée) et le contenu latent (ce qui est déguisé par le refoulement). En effet dans le rêve s'exerce encore la censure visible dans le travail de transposition élaboré par l'inconscient. Et Freud observe que le rêve est le gardien du sommeil car la censure veille à ce que les désirs pénibles ou interdits n'apparaissent pas à la conscience, d'où le travail de déplacement et de condensation caractéristique de la structure symbolique des rêves (plusieurs personnes peuvent être confondues en une seule ou le rêve peut avoir plusieurs sens à la fois par exemple).

Freud en déduit le caractère symbolique du rêve, celui-ci permettant au psychanalyste, par un travail d'interprétation, d'accéder à un sens qui est caché et enfoui mais qui se révèle dans les images du rêveur. En outre, le rêve s'exprime à l'insu du patient lui-même mais il peut en reconstituer le sens s'il est aidé à en prendre conscience. Outre ce rêve comme porteur de sens caché Freud diagnostique dans *Psychopathologie de la vie quotidienne* des actes signifiants qui eux aussi parlent de l'inconscient : lapsus, actes manqués, oublis de noms, oublis, erreurs de lecture ou d'écriture, etc.

Ainsi les rêves et les actes manqués (comme les symptômes) à travers leur bizarrerie et leurs caractères apparemment incompréhensibles, sont des voies privilégiées d'accès à l'inconscient. Ils révèlent que leur logique n'est pas celle de la conscience mais celle du refoulement, à tel point que Freud écrit : *"La théorie du refoulement est la pierre d'angle sur quoi repose tout l'édifice de la psychanalyse."*

Synthèse sur la première période : la découverte de l'inconscient

Entre 1905 et 1918 Freud publie les *Cinq psychanalyses* où il expose à travers cinq cas de "maladies mentales" différents, sa méthode de déchiffrement des symptômes dont il cherche (et trouve) la grammaire et le sens caché. Il démontre l'existence d'une logique de processus inconscients qui sont à l'œuvre dans la personnalité du malade comme dans celle du bien portant qui permet d'établir des liaisons entre le normal et le pathologique, la folie et la raison. Cette liaison entre deux mondes c'est l'inconscient qui la constitue car chacun de nous est à la limite de ce qu'il accepte et de ce que son inconscient refuse.

La grande découverte de Freud repose entièrement sur cette logique du refoulement que son génie clinique a pu mettre à jour à travers l'étude et l'interprétation des phénomènes inconscients s'exprimant à travers les symptômes de la maladie. Entre le président de séance qui dit devant son assemblée "la séance est fermée" (alors qu'il voulait dire "ouverte") et le petit Hans qui exprime sa névrose phobique par la peur des chevaux, il y a une différence de degré mais non de nature. Au terme de cette première période Freud a répondu à la question qu'il se posait initialement : les symptômes traduisent-ils l'existence de mécanismes psychologiques qui s'organisent comme indices, signes de ce qui a été refoulé ? Si l'inconscient ne s'analyse pas expérimentalement la psychanalyse peut déchiffrer, à travers l'expérience de la maladie, des rêves et des actes manqués, le texte de cet inconscient qui nous constitue. L'étude du symptôme et la découverte de l'inconscient, l'existence de la censure et du refoulement, ont permis à Freud d'analyser les névroses et de les comprendre non seulement comme "maladie mentale", mais comme structure de la personnalité normale et pathologique.

Deuxième période (1900-1920) : découverte du narcissisme et de la personnalité

Nécessité d'une théorie de la personnalité

La deuxième période commence par ce qu'on a appelé la période de théorisation. En 1915 Freud est en possession d'un abondant matériel clinique et des principaux concepts de ce que sera la psychanalyse. Mais il est à la recherche d'une théorie systématisée et éprouve le besoin de constituer un champ du savoir. Nous sommes alors à la naissance de la psychanalyse comme science du psychisme radicalement nouvelle : elle ne doit plus rien en effet aux autres sciences dans la mesure où elle énonce ses principes, radicalement nouveaux par rapport à ceux des autres sciences psychologiques, ce que Freud traduira en disant : *"La psychanalyse ne s'autorise que d'elle-même"*.

Cette nouvelle théorie il l'appelle "métapsychologie". Celle-ci consiste à étudier le psychisme sous trois aspects, dynamique, topique et économique, aspects qui correspondent à des niveaux d'analyse différents des processus psychologiques. Après être passé par une première période qui est celle de la clinique, Freud engage la seconde dans une perspective de recherches théoriques par besoin d'édifier une nouvelle psychologie. La "métapsychologie" répond donc à un souci de rendre autonome cette science en constituant ses propres concepts et notions qui seront spécifiques à la psychanalyse. L'ouvrage de Freud *La métapsychologie* traduit une exigence de rigueur théorique et marque une pause du Freud clinicien tandis que naît le Freud théoricien.

La découverte de l'inconscient et de la sexualité infantile autorise désormais une analyse des structures de la personnalité. Celle-ci n'est pas à concevoir comme quelque chose de donné à la naissance mais comme un processus qui se construit dans la petite enfance par des périodes d'intégration, des stades de régression qui correspondent à des moments de confrontation entre les projections du désir et la réalité.

La pulsion

La pulsion est un concept central parce qu'elle est le fond énergétique de la personnalité. Dès 1910 Freud formule l'hypothèse de deux sortes de pulsions :
- une pulsion du moi qui vise à l'autoconservation de l'individu,
- des pulsions sexuelles qui ont pour but la satisfaction de la sexualité recherchée dans l'objet

Plus tard, après 1920, Freud évoluera sur cette question décisive en découvrant la dualité fondamentale des pulsions, Eros et Thanatos, constitutives de la personnalité (pulsion de vie, pulsion de mort).

C'est dans *Pulsion et destin des pulsions* (1915) que Freud tente de différencier la pulsion de l'instinct. Si l'instinct (Instinkt en allemand) est lié à la satisfaction des besoins (consommation) et est spécifique à l'homme comme à l'animal, la pulsion (Trieb en allemand), tout en venant d'excitations internes corporelles, ne peut être réduite à l'instinct. La difficulté conceptuelle d'une telle notion vient du fait que Freud la situe à la limite du corporel et du psychique, de l'énergie et de la représentation et que c'est dans cet espace intermédiaire qu'il en élabore la théorie. En outre il n'entend pas définir ce qu'elle est en elle-même puisqu'elle n'est pas observable en soi mais il décrit les résultats de son action, c'est-à-dire ses conséquences : l'existence d'un "travail pulsionnel" à l'œuvre dans le psychisme. Il y a quatre éléments dans la pulsion :

- La poussée (pulsum en latin d'où vient pulsion) est le propre d'une activité incessante qui exprime une force psychique et exerce une pression en vue de sa satisfaction. Les poussées pulsionnelles sont un travail énergétique qui laisse le sujet passif par rapport à cette poussée.
- Le but est toujours la satisfaction. Plus la poussée est forte plus la tension psychique et corporelle s'accroît. La satisfaction est le relâchement de cette tension (apaisement) quand la pulsion a réalisé son but. Si tel n'est pas le cas il y a tension-excitation qui provoque la frustration.
- L'objet est le moyen par lequel la pulsion réalise son but : celui-ci peut être le moi (pulsion du moi) ou l'objet (pulsion d'objet). Mais cet objet est toujours ambigu car il n'est pas unique : la pulsion peut "choisir" des objets de remplacement ou de substitution (ainsi l'évocation d'un spectacle pornographique suffira à satisfaire la pulsion sexuelle).
- La source est le soubassement corporel de la pulsion. Il peut s'agir d'un organe (bouche, anus, pénis, etc.) qui est le point d'ancrage de la pulsion (ainsi avec la nourriture dans la phase orale la bouche devient la source, zone érogène, et produit le plaisir de la succion).

Théorie des pulsions

Elle a été difficile à établir car il peut y avoir différentes pulsions en fonction de la source ou du but (pulsions orales, anales, phalliques) ou de l'activité (maîtriser, détruire, dominer, etc.).

Dans une première théorisation Freud oppose les pulsions sexuelles et les pulsions du moi ou pulsions d'autoconservation.

Dans un deuxième temps il met l'accent sur les pulsions du moi d'où découle la théorie du narcissisme qui signifie la forte sexualisation de soi.

En dernier lieu il observe un conflit entre pulsion de vie et pulsion de mort. A la première il donne le nom d'Eros qui représente l'activité positive du psychisme tandis que la seconde exprime à la fois la tendance à la destruction et à la répétition (revenir aux premiers investissements pulsionnels de l'enfance) cette dernière exprimant un retour au degré zéro du psychisme.

Aucun autre concept depuis Freud pour les psychanalystes n'est venu remplacer ce concept, les successeurs excluant soit la pulsion de mort (Reich), soit la pulsion sexuelle remplacée par l'agressivité (Adler), soit l'universalisant pour mieux l'éliminer (Jung).

Le narcissisme et la libido du moi

La théorie des pulsions permet de percevoir comment se constitue le moi. La pulsion du moi traduit la possibilité d'autoconservation qu'a chaque individu de s'investir lui-même comme objet d'amour. Cet investissement tourné vers soi, Freud l'appelle "narcissisme". Cette théorie d'une pulsion du moi (narcissisme) s'est constituée à travers des controverses que Freud a eues avec Jung à ce sujet. Alors que ce dernier émet l'hypothèse d'une énergie unique dans le psychisme, Freud, au contraire, postule l'existence de deux pôles à la libido : un pôle objectal (dirigé vers l'objet) d'ordre sexuel et un pôle narcissique où d'amour de soi (dirigé vers le moi). A travers le narcissisme est posée la vieille question de l'instinct de conservation et de la nature de ce qui se trouve à la racine de tout investissement psychologique. Nous sommes là au cœur de la psychanalyse et au centre d'un débat à propos de l'importance à accorder à la sexualité, débat qui donnera lieu aux dissidences avec Jung, Rank, Adler et Reich. De la réponse à cette question de l'existence des pulsions dépendait en effet toute l'orientation du mouvement psychanalytique dans le sens d'une orthodoxie ou d'une dissidence.

En outre, cette théorie du narcissisme, que nous plaçons au premier plan des découvertes freudiennes, a permis à Freud d'expliquer la névrose en termes de conflit pulsionnel entre les pulsions sexuelles et celles du moi. En effet, dans le cas de la névrose, l'énergie sexuelle, qui normalement est dirigée vers l'extérieur, se retourne contre le moi lui-même. Du narcissisme également Freud dégage la notion de "moi idéal" qui est l'amour de soi vécu par le moi dans la petite enfance.

Les instances de la personnalité

La théorie de la personnalité a été élaborée en deux périodes et a pour but de rendre compte, par une systématisation, du fonctionnement psychique global de l'être humain :

– En 1900 Freud propose une théorie de l'appareil psychique en deux systèmes :

- Le système inconscient est le siège des pulsions innées, des désirs et souvenirs refoulés, il est régi par "le principe de plaisir" (satisfaction sans limite de temps et d'espace). Pour Freud, l'activité psychique est conçue comme essentiellement inconsciente.

- Le système préconscient-conscient exprime deux moments séparés par la censure, c'est-à-dire ce qui est accepté ou refusé par le sujet. Tandis que le préconscient est le siège de ce qui est partiellement levé par la censure (rêves, lapsus, actes manqués, etc.), le conscient est l'instance qui seule peut réguler l'activité psychique en permettant un dégagement par rapport à l'emprise de l'inconscient. Mais il n'est jamais totalement libre puisqu'il constitue lui-même un endroit dont l'inconscient est l'envers. Il est régi par le principe de réalité (limites et extérieur).

– En 1923 dans "*le Moi et le ça*" Freud remanie cet édifice et dégage les éléments d'une théorie du moi en distinguant trois instances de la personnalité :

- **Le ça** est le siège des pulsions et des désirs et représentations refoulées, (agressives et sexuelles notamment) et obéit au principe plaisir-déplaisir. Il est la matrice originelle de l'appareil psychique dans la mesure où il contient les forces pulsionnelles qui gouvernent les individus. C'est pourquoi il est anonyme et impersonnel.

- **Le moi**, qui n'est pas à confondre avec la catégorie philosophique de sujet (Je), se caractérise par son activité consciente (perceptions extérieures et élaboration des processus intellectuels) et sa capacité à être en relation avec la réalité extérieure. Le moi est dominé par le principe de réalité (pensées objectives, actes socialisés, activité rationnelle et verbale). Il se caractérise aussi par la mise en place de mécanismes de défense contre l'envahissement des pulsions. S'il est le régulateur principal de la vie psychique, il n'en a que partiellement la maîtrise tant est forte l'emprise sur lui de l'inconscient. S'il est fragile le moi est névrosé, s'il est scindé il laisse la place à la psychose (clivage du moi).

- **Le surmoi** est le résultat de l'intériorisation des forces répressives que l'enfant fait siennes (identification) de 6 à 13 ans et qui lui viennent des parents et du milieu culturel. En cas de conflit avec le moi, le surmoi développe des émotions liées à la conscience morale qui se transforment en culpabilité (autoreproches, autocritique, auto-observation, etc.). En cas de névrose obsessionnelle ou de mélancolie cette culpabilité est si forte que l'individu a un besoin contraignant de s'accuser, se punir, se mutiler. Le surmoi se construit par identification aux images parentales, notamment au parent du même sexe. Il exerce lui aussi une activité inconsciente et fait pression sur le moi.

Ainsi la personnalité, dans son élaboration finale par Freud, se présente comme un système d'instances dont deux sont inconscientes (ça, surmoi) et une est consciente (moi) mais néanmoins imprégnée constamment des forces pulsionnelles et des mécanismes de la censure. Il renouvelle en 1934 cette théorie en introduisant la notion de clivage, c'est-à-dire de division du moi avec lui-même.

Synthèse de la deuxième période : la personnalité

A travers l'analyse du rapport dialectique qu'entretiennent la libido, le moi et le surmoi, Freud a abordé de manière radicalement nouvelle le fonctionnement psychologique. Parti, de 1890 à 1900, d'observations cliniques et d'hypothèses, Freud, en cette deuxième période, forge les principaux concepts qui seront ceux de la psychanalyse. Le nœud de cette théorisation est constitué par la découverte de la pulsion du moi (narcissisme) constitutive de la personnalité et par la mise à jour des principaux mécanismes qui régissent notre inconscient (interdits, censure, refoulement, surmoi).

De cette féconde période se dégagent plusieurs niveaux d'analyse du psychisme :

– un niveau psychogénétique qui rend compte du développement psychologique de l'enfant selon l'évolution de la libido et des pulsions sexuelles. Le concept central est celui de "répression" qui permet d'expliquer une fixation à l'un des stades et l'origine des psychoses et des névroses,

– un niveau métapsychologique ou théorique qui nous fait saisir la personnalité en termes d'instances psychiques dont résulte la triade libido, moi, surmoi,

– un niveau de psychologie sociale et individuelle qui permet de comprendre les interdits, de saisir l'importance décisive du complexe d'Œdipe dans la construction de la personnalité, d'analyser certains phénomènes sociaux tels que les tabous (interdits), les phénomènes collectifs, les processus culturels et sociaux en termes de sublimation.

Ces découvertes du Freud de la maturité constituent un virage par la nécessité où il s'est trouvé de théoriser la période clinique précédente, et a dû l'approfondir par un remaniement de la doctrine des pulsions, qui marque les dernières découvertes.

Troisième période (19201935) : les découvertes finales

La pulsion de mort

Freud remanie à nouveau sa théorie de la personnalité en accordant une grande place à l'agressivité primordiale et se rapproche d'Adler à propos d'une agressivité non sexuée comme puissance originaire et celle d'un clivage du moi (coupure, scission).

En 1920 dans *Au-delà du principe de plaisir*, l'édifice théorique de la deuxième période subit une modification par l'introduction d'un nouveau concept, celui de pulsion de mort (Thanatos). Pourquoi ce remaniement ? Freud a repéré chez ses malades l'existence d'une tendance à la répétition des situations traumatisantes. Il remarque aussi que, dans la cure psychanalytique, l'analysé reproduit les mêmes comportements comme si les traumatismes psychiques étaient impossibles à dépasser. Pour rendre compte de ce phénomène de répétition, Freud utilise l'hypothèse d'une pulsion de mort qui serait à l'œuvre dans l'inconscient de chacun. Remarquons qu'il a déjà beaucoup hésité sur la théorie des pulsions et que celle-ci a été ou sera l'objet de dissensions au sein du mouvement psychanalytique (rupture avec Jung sur cette question dès 1910, avec Adler en 1911, avec Reich en 1933).

Que propose-t-il de nouveau ? Jusqu'en 1920 il s'en tenait à un dualisme pulsionnel base d'un conflit intra-psychique et de la névrose par l'opposition entre une pulsion autoconservatrice (pulsion du moi, narcissisme) et des pulsions sexuelles (libido). Au cours de cette dernière période Freud n'ajoute pas une troisième pulsion aux deux précédentes, mais propose d'expliquer la répétition en termes de pulsion de mort. S'agit-il d'un remaniement de la théorie pulsionnelle en comprenant la vie psychologique en termes de conflit entre pulsion de vie et pulsion de mort, Eros et Thanatos, création et répétition ? Il soumet d'une certaine manière le principe de plaisir (Eros) au principe de mort (Thanatos) et publie un peu plus tard une œuvre à la fois philosophique et psychologique, *Malaise dans la civilisation*, où il fait part de son pessimisme sur l'avenir de la société, laquelle serait travaillée par la pulsion de mort. Cette découverte amène à tirer les conséquences de cette pulsion de mort sur le fonctionnement de la personnalité individuelle et de la société.

Le moi divisé

Dans un autre ouvrage de 1925, *Le clivage du moi dans les processus de défense*, Freud élabore une notion, déjà utilisée par Breuer en 1911 pour expliquer "l'autisme" (repli sur soi) dans la schizophrénie, le clivage du moi. Si coexistent sur le plan pulsionnel une pulsion de vie et une pulsion de mort, cet affrontement a un retentissement sur l'ensemble de la personnalité. Il émet l'hypothèse d'une division essentielle du moi (clivage) qui se traduit par deux comportements psychologiques, selon que la personne tient compte de la réalité ou qu'elle subit l'influence de ses pulsions.

Cette théorie du moi divisé porte le conflit pulsionnel sur un autre champ de la personnalité. Alors que dans la deuxième période le moi était en conflit avec les pulsions sexuelles (ce qui expliquait la névrose) Freud propose maintenant une division du moi avec lui-même (ce qui explique la psychose). Le conflit ne porte plus sur un affrontement ça-moi, mais sur une opposition moi-moi. Cet aboutissement final a des conséquences théoriques et cliniques importantes. Le moi n'est plus un des éléments du conflit, il devient le lieu même du conflit pulsionnel.

L'explication de la névrose par le refoulement de l'objet sexuel n'est pas abandonnée pour autant, elle est plutôt dépassée par cette notion de "clivage du moi" qui rend compte d'une scission à l'intérieur du sujet, division dans laquelle se trouve la personne dans son désir en devenant l'enjeu d'un rapport de forces implacable entre Eros et Thanatos.

Ainsi s'achève, par l'introduction d'une pulsion de mort et une division interne de la personne, la dernière période de théorisation psychanalytique. Le parcours de l'invention freudienne, depuis l'analyse des rêves d'Irma en 1896, jusqu'à la théorie du clivage du moi en 1932, est ponctué par des découvertes nouvelles qui ont permis une élaboration entièrement "révolutionnaire" du fonctionnement du psychisme de l'homme. Il s'agit maintenant d'en livrer les conséquences sur le plan pratique : qu'est-ce que la cure psychanalytique ?

Les principes de la cure analytique freudienne

Les règles de la cure : la résistance et le transfert

La psychanalyse, telle que son fondateur l'a conçue, n'est pas seulement une théorie. Se nourrissant de l'observation clinique elle y retourne en quelque sorte par le biais de la cure telle que l'ont élaborée Freud et le mouvement psychanalytique orthodoxe. L'enjeu de la cure est cette "vérité", ce sens qui échappe au sujet mais qu'il peut ressaisir à l'aide de l'analyste. Son but est la reconnaissance par l'aide d'un tiers de cette "parole autre" qui est en lui et qui lui échappe ; le sujet doit accéder progressivement à la vérité de son inconscient. Si bien que la psychanalyse, outre le fait d'être une théorie est aussi un ensemble de pratiques qui définissent la technique analytique. Comment se passe cette cure ?

Elle a lieu entre deux personnes : le psychanalyste qui écoute et l'analysé qui reçoit comme règle de dire tout ce qui lui vient à la tête et de communiquer ce qu'il ressent. C'est donc l'expérience de cette relation entre un thérapeute et un patient qui est la vérité de la cure analytique. Les techniques sont tout entières issues de cette relation particulière : le patient fait des "associations libres", exprime ses angoisses et ses symptômes, ses rêves à quelqu'un qui l'écoute et l'aide à se remémorer, à repérer et à réélaborer les souvenirs de sa petite enfance. C'est pourquoi la psychanalyse n'est pas entièrement une technique dans la mesure où l'issue de la cure ne peut être ni prévue ni dirigée en dehors du sujet qui communique son expérience. C'est en ce sens que toute cure est singulière et unique, non répétable dans le temps.

Dans la cure deux notions clefs permettent d'analyser ce qui se passe dans la relation, la résistance et le transfert.

– **Le transfert :** l'analysé revit et projette sur l'analyste les images parentales vécues dans l'enfance. Il répète des situations infantiles qu'il transfère sur l'analyste et se libère ainsi des traumatismes pénibles qui l'empêchaient d'évoluer. Grâce à lui l'analysé ne prend pas seulement conscience de ses problèmes, mais revit ses émotions passées pour les dépasser. Le transfert permet de convertir les expériences négatives en expériences positives.

– **La résistance :** elle exprime la situation de l'analysé qui "résiste" à découvrir sa "vérité". Celle-ci traduit la capacité qu'a le sujet de s'opposer négativement au travail de l'analyste. En résistant celui-ci se met en situation de répétition dont nous avons vu que Freud en faisait l'essence de la pulsion de mort. Cette résistance est l'ensemble des défenses que déploie le patient pour ne pas avoir accès à son inconscient, il se met ainsi dans la situation de répéter ses affects, angoisses, peurs, craintes, etc.

Ces deux principes que respectent les freudiens ont été relativisés ou exclus par Jung, Reich et Adler, entraînant des modifications dans la technique de la cure. Dans la situation analytique freudienne un contrat est passé dans lequel le sujet s'engage à évoquer ce qu'il ressent et ce qu'il pense "librement" (sans pression et sans contrainte de l'analyste). C'est la méthode dite "d'association libre" et l'analyste s'engage à écouter sans diriger son patient (écoute "flottante"). C'est de cette "écoute flottante" que découle la neutralité de l'analyste qui permet d'éviter le dirigisme. Dans ce contrat, le psychanalyste promet de ne pas intervenir personnellement, de ne pas réagir en fonction de ce que le patient projette sur lui, de se dégager de toutes projections personnelles (c'est-à-dire de ne pas faire de contre-transfert). Ce travail thérapeutique ou analytique fait du sujet-patient, le guide de sa cure, l'analyste n'étant là que pour aider, interpréter, favoriser l'expression. Il suppose par conséquent que le psychanalyste lui-même ait été analysé (analyse didactique), c'est-à-dire qu'il soit au clair avec ses propres fantasmes et traumatismes. L'issue de la cure (qui peut durer de cinq à quinze ans) dépend du respect absolu de ce contrat et de la mise en œuvre de la règle transfert-résistance. C'est dans le respect contractuel et dans le rappel des règles que la cure peut permettre à l'analysé une nouvelle élaboration de sa personnalité.

Questions philosophiques

Les exigences d'une "science" nouvelle

Comment interpréter maintenant les découvertes freudiennes dans une nouvelle approche de l'homme ? Le "coup de génie" de Freud a consisté à placer l'étude des phénomènes irrationnels sous le régime rigoureux de la raison. La psychanalyse en effet innove non seulement par l'objet de ses découvertes (l'inconscient) mais par l'analyse entièrement nouvelle qu'elle permet des phénomènes psychologiques. Freud a posé la possibilité d'une connaissance des forces irrationnelles que niaient les positivistes du XIXe siècle en psychologie et les rationalistes (primat de la raison). En effet il n'est plus possible de réduire les phénomènes psychologiques à de simples réactions physiologiques comme dans la réflexologie de Pavlov et le béhaviorisme de Watson qui ont comme credo le positivisme. Mais il n'est plus davantage possible de spéculer sur "l'âme", "l'esprit" ou le "sujet" sans les confronter toujours à la réalité clinique et à l'expérience de l'inconscient.

C'est pourquoi la psychanalyse n'est pas en continuité avec des sciences ou des théories antérieures. Elle opère une coupure épistémologique (étude des principes de la connaissance pratiqués dans les sciences) radicale et se fonde comme "science nouvelle" ayant ses concepts et ses méthodes qui lui sont propres. Freud n'a pas seulement tiré les conséquences ultimes de ce qu'avaient analysé les cliniciens comme Charcot, Janet ou Dumas, il a fait œuvre d'invention pure en découvrant l'existence de l'inconscient. Si les phénomènes observés par la psychanalyse ne sont pas expérimentables au sens où l'entend la science physico-chimique, du moins sont-ils observables dans les rêves, lapsus, symptômes, folie, angoisse, dans la démarche rigoureuse qui a été celle de Freud. En proposant une lecture de la personnalité en termes d'histoire, il a rendu possible une explication dynamique et dialectique des phénomènes psychologiques. Dans la méthodologie freudienne, l'exigence de théorisation n'est légitime que si elle renvoie à l'expérience singulière et authentique d'une histoire personnelle, analysée sous l'angle d'un vécu, d'un éprouvé, d'un senti, c'est-à-dire sous l'angle d'une subjectivité aux prises avec son inconscient.

Les rapports entre conscience et inconscient

"Science nouvelle", la psychanalyse renouvelle la vieille question philosophique des rapports entre l'âme et le corps et distingue dans le psychisme les phénomènes de conscience et ceux de l'inconscient. Alors que dans la tradition philosophique de Descartes et du XVIIIe siècle l'homme est un être qui peut se penser (cogito) et se percevoir directement (conscience claire de soi), avec la théorie freudienne il y a impossibilité de se penser en termes de clarté et de vérité immédiatement perçue : l'inconscient contraint tout sujet à se "méconnaître" (Lacan) dans la mesure où l'inconscient est précisément ce qui échappe et fait obstacle à une conscience claire de soi. En outre il devient irréaliste d'affirmer que l'inconscient ou l'imagination sont inférieurs aux états de conscience. A la vision platonicienne et cartésienne d'un dualisme entre l'âme et le corps, la psychanalyse oppose directement une interrogation sur ces deux entités métaphysiques par le biais de la notion centrale de pulsion, même si par ailleurs, ce dualisme est partiellement réintroduit par Freud dans l'opposition entre pulsions sexuelles et pulsions du moi, Eros et Thanatos, moi-identique et moi-autre (clivage).

Cette découverte de l'inconscient renouvelle la question de savoir ce qu'est aussi la nature de la conscience par le biais du problème du sens, le statut du sens, du sujet, de la conscience, c'est-à-dire de la représentation qui est à repenser en termes radicalement nouveaux : en posant l'existence d'un inconscient producteur de sens qui échappe au sujet, Freud oblige à avoir un regard neuf sur les rapports du sens et de la pensée. La psychanalyse permet de concevoir une "autre vérité", sur le théâtre d'une "autre scène" qui représente précisément l'impensé et l'inconnu effectuant une discontinuité entre l'inconscient et le conscient.

Vers un mouvement et une science nouvelle

La conception du psychisme : un espace à trois dimensions

Cette réalité du sujet est perçue par Freud dans un espace à trois dimensions, "économique", "dynamique" et "topique". Ces trois termes servent à désigner les différents niveaux à partir desquels Freud a théorisé la personnalité et confèrent à sa conception une rigueur et une conceptualisation qui font de la psychanalyse un édifice théorique cohérent. Que désignent ces trois termes ?

- **Le point de vue "économique"** conçoit le psychisme dans sa constitution énergétique, c'est-à-dire comme potentiel d'investissement. Le travail psychique est une production et une transformation d'énergie à la fois renouvelable et répétable. Les pulsions, Eros, le principe de plaisir répondent à cette exigence économique car ils sont toujours un ensemble énergétique potentiellement mobilisable par la personne.
- **Le point de vue "dynamique"** définit des champs de forces qui produisent des conflits, oppositions, dualités, à travers lesquels le psychisme fonctionne en structures d'opposition, en contraires qui font sa dynamique. Le système pulsionnel est fondé sur ce champ de forces, mais aussi la libido

et le surmoi. Ce point de vue dynamique avait déjà été exploré par Janet et c'est aussi la démarche essentielle de la psychologie de Lewin.

- **Le point de vue "topique"** répond à une exigence de spatialisation, de distribution d'instances psychiques dans un savoir théorique. Le "moi", le "ça", le "surmoi", constitutifs du psychisme, désignent des systèmes qui spatialisent la psyché et permettent d'en faire la théorie. Il en était de même pour les premières notions de "conscient", de "préconscient" et d'"inconscient".

Freud a expliqué les processus psychiques sous l'angle de cet espace à trois dimensions qui correspondent à la complexité des mécanismes psychiques. La psychanalyse permet donc une nouvelle conception de la subjectivité, celle-ci ne pouvant être totalement comprise si l'une de ces trois approches est négligée. Comment une telle découverte a été et est encore à beaucoup insupportable ?

Le scandale de l'inconscient

La psychanalyse inscrit une blessure au cœur même de l'homme. On peut s'interroger non plus sur ce qu'est la psyché mais sur le sens qu'ont eu ces découvertes à un moment de notre histoire. Pourquoi la psychanalyse fut-elle objet de scandale ? Freud a répondu à cette question en situant sa découverte de l'inconscient dans le droit fil de celles qui ont déstabilisé l'humanité à des grands moments historiques :

- Copernic scandalise en démontrant que la Terre n'est pas le centre du monde.
- Darwin au XIXe siècle détruit le préjugé biocentrique en prouvant que l'homme n'est pas radicalement différent, dans son origine biologique, de l'animal.
- Freud en ce siècle enlève à l'illusion égocentrique du sujet sa force traditionnelle en faisant la démonstration que "l'ego", la "conscience", "l'homme" tel qu'il a été conçu par la philosophie, n'est pas à lui-même son propre centre, mais est constamment décentré par son inconscient.

Que perdons-nous en effet avec la découverte scandaleuse de l'existence d'un inconscient ? Nous perdons cette "vieille" idée que notre âme et notre esprit dirigent nos actes et nos pensées. Nous perdons la maîtrise de notre conscience par la découverte que l'inconscient est en nous, inconnaissable. La psychanalyse nous oblige à ne plus fermer les yeux sur cette vérité insupportable : notre division fondamentale, la scission qui existe en nous entre notre conscience et notre inconscient, entre le connu et l'inconnaissable.

C'est pourquoi cette vérité est insupportable car la découverte de l'inconscient suppose que dans le sujet quelque chose lui échappera toujours. Ceci implique que la psychanalyse soit une théorie de la part méconnue en nous. Mais, plus scandaleuse encore, celle-ci blesse l'homme dans son amour-propre, dans les illusions qu'il entretenait à propos de lui-même. C'est une façon de renoncer qui apparaît, "une mort de l'homme" non pas seulement dans sa vérité personnelle, mais dans la réalité collective de l'humanité en quête de sa propre découverte. C'est pourquoi elle est une version moderne de l'impératif socratique du "*Connais-toi toi-même*".

Enjeux et risques de la nouvelle théorie

Les découvertes freudiennes se sont élaborées dans la théorie de Freud. Elles engageaient un tel bouleversement dans la connaissance de la psyché qu'elles ont soulevé dès leurs fondations des objections et des constestations qui portent sur l'autorité de Freud et de la nouvelle "science". Le savoir psychanalytique, bien loin de se clore ou de se réduire à ce qu'en a dit Freud, a donné naissance à des mouvements qui se sont réclamés du maître. Si bien que deux questions se sont très vite posées :

- La psychanalyse, en tant que théorie énonçant des vérités sur la psyché, peut-elle maintenir une unité conceptuelle ? Y a-t-il une seule façon de concevoir la psychanalyse ou y en a-t-il plusieurs ? Et cette question en soulève une autre.

- Qui a autorité pour décréter l'orthodoxie psychanalytique ? Qui accepter dans le mouvement et qui rejeter ?

Freud a répondu à la première question en faisant constamment valoir la nécessité d'une unité théorique décidée par lui et ses disciples. Rigoureux, ayant les préjugés scientifiques de son temps, mais confronté aussi à la nécessité de maintenir la doctrine pure et intacte, il a répondu à la seconde question en excluant ou en faisant exclure ceux qu'il estimait déviants et dissidents. C'est ce qui est arrivé très tôt à Jung et n'a cessé jusqu'à nos jours.

En effet la psychanalyse n'est pas une science au sens où elle pourrait clore un savoir qui se constituerait comme vérité définitive. Son objet ne se découvre pas uniquement avec l'œuvre de Freud, même si celle-ci en est le fondement. C'est pourquoi elle se comprend aussi par les multiples Ecoles, tendances, et orientations qu'a connues le mouvement psychanalytique, du vivant de Freud et après sa mort. Il nous faut maintenant prendre du recul par rapport au maître pour voir ce qu'ont apporté ou nié les disciples et les dissidents. Quelles sont les principales tendances issues de la psychanalyse, les enjeux et les risques de la nouvelle théorie ?

Synthèse de la psychanalyse : Freud

1. Le concept

L'inconscient

2. Origine

– début de la psychologie clinique de la fin du XIXe siècle.
– coupure décisive par rapport à la philosophie de la conscience de Descartes (XVIIe siècle)
– concept fondateur entièrement nouveau élaboré par Freud

3. Définition

– Actes et sens qui échappent à la conscience principe explicatif de la névrose
– Lieu théorique qui permet de conceptualiser le refoulement et le refoulé
– Caractère non maîtrisable et inconnaissable des comportements humains
– L'irrationnel en l'homme

4. Fonction

– concept premier de la psychanalyse
– opposition radicale conscience-inconscient
– concept clef de la psychanalyse

5. Destination

– rupture décisive dans la connaissance de l'être humain
– concept spécifiquement psychologique c'est-à-dire qui rompt à la fois avec la philosophie et avec la science
– inaugure une nouvelle ère dans la connaissance de l'homme
– concept sans lequel aucune psychologie n'est possible

Les courants de la psychologie, M. Richard, Chronique Sociale

Le premier cercle : disciples et dissidents

Chapitre 2

Les origines du mouvement psychanalytique

Freud a dès le début constitué un cercle de disciples qui l'ont aidé à défendre la psychanalyse naissante contre les critiques émises par l'*establishment* intellectuel de Vienne : Adler, Federn, Steckel, Jung et Rank constituent le premier cercle des fidèles qui épousent d'emblée les principes, alors révolutionnaires, de la nouvelle théorie. S'ajoutent ensuite K. Abraham, E. Jones, S. Ferenczi qui s'en font les propagateurs au sein de la "Société Internationale de Psychanalyse". Mais très vite ce cercle éclate à cause d'un désaccord qui porte sur la notion centrale de libido et sur l'importance à accorder à la sexualité. Tandis que Jung dilue cette notion et la transforme en énergie universelle, qu'Adler lui substitue les concepts de puissance et d'agressivité, Freud en fait au contraire le point central de ses découvertes, et impose ainsi une sorte d'orthodoxie sur laquelle il ne transigera pas. A travers ces discussions théoriques se jouaient également des rivalités de personnes et des enjeux de pouvoir. Chaque dissident en effet fonde son mouvement, dont le plus important est celui de Jung, véritable rival de Freud car le plus critique à propos de la notion d'inconscient. Après la mort de Freud et l'unité théorique de la psychanalyse constituée, apparaît un deuxième cercle de disciples qui critiquent ou infléchissent certains aspects de la pratique analytique : M. Klein, J. Lacan, W. Reich, A. Freud représentent la "deuxième génération" et fondent eux aussi des mouvements ayant leurs disciples et leurs dissidents.

C'est donc à partir de ces conflits, de ces éclatements et de ces approfondissements successifs que s'est constitué le mouvement psychanalytique qui enrichit par de nouveaux apports les grands principes freudiens. Mais la violence des conflits et le sectarisme des Ecoles a renforcé les partisans d'une orthodoxie qui veillent jalousement à l'unité de la théorie du fondateur.

Les disciples

Karl Abraham (1877-1925), Allemand. L'école de Vienne

C'est le disciple le plus fidèle à Freud et à l'orthodoxie psychanalytique. Il s'initie à la psychiatrie et à la psychanalyse dans la clinique Burgholzli fondée par Jung. Il rencontre à Berlin, où il s'installe en 1907, les mêmes difficultés et les mêmes oppositions du milieu scientifique et médical que Freud à Vienne. En 1913 il critique les idées de Jung (nouvelle conception de la libido) et devient en 1924 le président de "l'Association psychanalytique". Il est alors le véritable maître de la formation des psychanalystes dont les noms seront connus par la suite : H. Deutsch, E. Glower, M. Klein, Th. Reik dont la plupart fonderont leur propre Ecole.

K. Abraham n'est pas l'auteur de recherches originales, mais il approfondit certains thèmes freudiens, dont les stades du développement psychosexuel de l'enfant. De 1907 à 1910 il travaille avec Freud et fait paraître *La vie et le mythe* en 1909. De 1910 à 1920 il s'oriente vers l'étude de la psychopathologie et la clinique en posant certaines bases de la psychothérapie analytique. Entre 1921 et 1925 il élabore une théorie du caractère à partir de la conception freudienne de la personnalité, privilégiant dans sa recherche la relation d'objet. Dans le caractère, il distingue :

- Le caractère oral qui s'exprime par la faim et la succion portant les personnes vers le goût pour l'interrogation, la curiosité intellectuelle, la recherche du succès.
- Le caractère anal qui se spécifie par l'agressivité et le goût de la propreté.
- Le caractère génital qui a pour but la satisfaction du désir sexuel et fait dépasser les deux précédents stades, ce qui permet la socialisation.

Mais c'est sur la "relation d'objet" que son apport est important car sa conception aura une grande influence sur son élève M. Klein par les notions de clivage et d'ambivalence qu'il introduit. Il porte beaucoup d'attention à la linguistique et au langage. Il est l'un des seuls disciples à ne pas avoir eu de conflit avec Freud.

E. Jones (1879-1958), Anglais. L'école anglaise

Médecin, il découvre la psychanalyse à Zurich près de Breuer et de Jung. Il est présenté à Freud en 1901 au cours du "Premier congrès de psychanalyse" et le soutiendra contre Jung lors de leur rupture. C'est lui qui conseille à Freud de constituer un cercle restreint de disciples pour lutter contre les dissidents et soutenir les positions orthodoxes de la psychanalyse, tant sur le plan technique que théorique. Premier à être analysé pour former des analystes avec S. Ferenczi en 1913, il entreprend alors des voyages, au cours desquels il enseigne la psychanalyse à Londres et au Canada. Fondateur de "L'Association américaine de psychanalyse" en 1911, il revient à Londres pour fonder la "Société britannique de psychanalyse". Homme de confiance de Freud, il préside le "Mouvement psychanalytique international" de 1920 à 1924 et de 1934 à 1951. C'est lui qui donne au mouvement ses structures institutionnelles, son organisation grâce à son sens pratique comme à son goût pour l'animation. Il est finalement celui qui, ayant totalement la confiance de Freud, s'érige dans le monde en défenseur de l'orthodoxie menacée par les dissidences de Jung et de Reich.

Ce praticien n'est que très peu un théoricien. Il fait des recherches sur la sexualité féminine qu'il n'élabore pas, comme Freud, dans une relation à un pénis qui manquerait à la femme. Sa conception au contraire est " pleine" et "positive" et lui vaut la sympathie de K. Horney et de M. Klein qu'il défend à Londres contre ceux qui critiquent ses conceptions sur l'existence d'un inconscient chez le jeune enfant. En outre Jones est le premier à avoir fait une biographie de Freud et une histoire du mouvement psychanalytique, ouvrage apologétique tout à la gloire du maître mais dans lequel il porte des critiques axées contre certains des disciples ou des dissidents. Ayant soutenu systématiquement Freud, il se fait le gardien vigilant d'une orthodoxie dans laquelle se reconnaissent les freudiens d'aujourd'hui.

S. Ferenczi (1873-1933), Hongrois. L'Ecole de Budapest

S. Ferenczi a fondé "l'Ecole hongroise" influente dans la naissance du mouvement psychanalytique. Il a eu pour élèves Mélanie Klein qui fondera "l'Ecole anglaise" et Geza Roheim, qui a été le premier à entreprendre des travaux d'ethnopsychanalyse.

Né à Budapest il fait ses études de psychiatrie à Vienne où il rencontre Freud en 1907, et entreprend son métier de psychanalyste. Il a avec Freud des rapports ambivalents qui font de lui à la fois le fils spirituel du maître, et le fils rebelle en 1925 lorsqu'il édite son œuvre principale *Thalassa*. Freud lui confie la première chaire de psychanalyse à Budapest où il enseigne d'après des programmes prévus par Freud et publiés dans *Au sujet de l'enseignement de la psychanalyse à l'université*.

Il se pose, comme Otto Rank, la question de l'origine de la névrose qu'il situe dans la préhistoire de l'humanité. Dans *Thalassa*, il établit un pont entre la biologie, la psychanalyse, la préhistoire et la génétique. Le mot "Thalassa" désigne la mer, c'est-à-dire l'origine symbolique de l'homme alors que pour Rank cette origine ne commence qu'à la naissance biologique individuelle. C'est pourquoi, pour ces deux disciples-dissidents, le concept clef de la psychanalyse est celui de "régression" : être en cure, être malade, c'est retourner au point d'origine qu'est la naissance de l'humanité ou celle de l'individu. Et guérir, c'est faire retour à cette origine pour renaître. Mais Freud conteste cette conception de la névrose car il pense que la naissance est un acte irréversible sur lequel nul ne peut revenir, la régression étant essentiellement œdipienne (3-5 ans).

Au fur et à mesure qu'il développe cette théorie, ses rapports avec Freud sont de plus en plus tendus. Outre cette scission théorique, Ferenczi diverge d'avec le maître sur des questions de technique. Il base la cure analytique sur des privations sexuelles et alimentaires en vue de frustrer ses patients, pour les faire passer à la satisfaction. Ce point de technique est capital car Freud critique dans la pratique de Ferenczi une confusion entre frustration et satisfaction imaginaire et réelle.

Ferenczi a l'originalité d'être le type même du disciple-dissident qui remet en cause quelques points de technique et de théorie analytique tout en conservant, comme Rank, l'ensemble des principes de la psychanalyse.

Si dissidence il y a, elle est minime et tient plus au fait de l'obstination scientifique de Freud et à la conception autoritaire qu'il se fait de son magistère, qu'à des divergences de fond. Actuellement, la technique de Ferenczi est reprise dans la Gestalttheorie de Perls et de ses disciples qui attachent une grande importance à la faim dans les processus de la psychothérapie.

Les dissidents

O. Rank (1884-1939), Autrichien

Ce disciple est né à Vienne où il fait la connaissance de Freud en 1906, et devient secrétaire de la "Société psychanalytique" de Vienne en 1914. Fidèle et adhérant dès le départ aux idées de Freud, il devient l'ami intime et presque le fils adoptif du maître. En étudiant la mythologie et la psychologie de l'artiste et des œuvres d'art, il dévie progressivement de l'orthodoxie en niant le rôle du complexe d'Œdipe dans la formation des névroses. Pour Rank la névrose apparaît dans l'acte même de naître, théorie qui sera reprise par Janov dans la psychothérapie du cri primal et par les partisans actuels du "traumatisme de la naissance". En 1924, il approfondit cette théorie et élabore le concept "d'angoisse primitive" qui serait liée à la naissance, comme fond et origine de toute angoisse. Finalement, le complexe d'Œdipe n'est constitué que par le vécu répété et amplifié de l'angoisse chaotique issue du traumatisme premier lié à l'acte de naître.

Il rompt définitivement avec Freud en 1926 et part aux USA où il fonde sa propre Ecole et propage sa théorie. Vers la fin de sa vie, il développe l'idée qu'en chacun de nous, la névrose n'existe pas comme maladie mais comme ratage d'une œuvre d'art. De ce fait il inspire de nos jours tous ceux qui se réclament d'une psychologie de la créativité et qui trouvent le scientisme de la psychanalyse freudienne desséchant. En ayant mis l'imagination et l'imaginaire sous le régime des catégories d'une "science", Freud n'a-t'il pas évacué l'idée que la vie psychologique relève d'une créativité unique et originale ? Le parcours de Rank est le symbole du disciple-dissident qui, très lié à Freud au départ, se retrouve exclu en raison de déviations théoriques inacceptables par Freud.

A. Adler (1870-1937), Autrichien

Adler est le plus important des dissidents après Jung car il est à l'origine d'une théorie psychologique qui va à l'encontre des thèses centrales de la psychanalyse. Elève de Freud dès 1895, il s'en sépare en 1910, pour fonder une école qui a eu une grande renommée entre les deux guerres. Ses idées, proches de celles de Reich, sur la question des rapports entre le psychisme et l'organisme, prendront partiellement forme dans deux Ecoles actuelles de thérapie : la bioénergie et la végétothérapie. Quelle est sa conception de la personnalité ?

Le principe vital qui est au cœur du psychisme exprime l'effort constant d'adaptation de l'homme aux conditions extérieures du milieu. Un équilibre ne peut être maintenu que par des mécanismes de défense, de compensation. Toutes les forces psychologiques sont orientées vers un seul but : se maintenir dans la supériorité, la perfection et la sécurité. Le psychique et l'organique, pour conserver ces buts, sont en constante interaction dans la mesure où tous deux visent à dépasser l'insécurité par la production de mécanismes de supériorité : plus on est faible, plus on veut être fort.

Cette psychologie repose aussi sur le principe que la personne est une unité et une totalité. L'individu n'est pas divisible et fera tout pour préserver son unité ou une apparence d'unité. Celle-ci concerne le corps et l'esprit, l'inconscient et le conscient, l'intérieur et l'extérieur. On doit comprendre l'individu dans la totalité des trois éléments qui le constituent et agissent sur sa personne : l'hérédité, le milieu, l'éducation. A partir de ces éléments, chacun élabore pour lui une "opinion" à l'égard du monde et des personnes qu'Adler désigne comme "style de vie". Chacun a un "style de vie" qui lui est propre et qui traduit l'idée qu'il se fait de son unité et de l'unité de son monde.

La psychologie adlérienne

Ce principe d'unité de la personne a amené Adler à concevoir la personnalité comme entité dynamique qui se réalise en fonction du but à atteindre, que chacun se fixe. Cette idée de but est présente, nous l'avons vu, chez les gestalt-théoriciens. Adler en fait le concept principal de sa psychologie car il conçoit la personne comme totalité qui se réalise de manière consciente et inconsciente en fonction d'un but final. Dans le psychisme il y a un but qui guide les conduites de chacun (par exemple le petit enfant est dépendant de ses parents et construit un complexe d'infériorité à leur égard, mais il va progressivement compenser ce sentiment par un but, qui est celui de grandir et de devenir autonome ; il ne pourra réaliser cette autonomie que par la mise en place d'un sentiment de supériorité, même si celui-ci est fictif pour un temps). Ce sentiment de supériorité devient alors le but et le style de ses conduites.

Autre concept clef, celui de sexualité dont il fait un moyen d'expression d'une volonté de puissance. A la racine de cette puissance il affirme dès 1908 l'existence d'un instinct d'agressivité qui est le moteur de tous les mécanismes psychologiques. Il s'éloigne de ce fait de la libido freudienne et, après avoir été très estimé par Freud jusqu'en 1911 et avoir été président de la "Société psychanalytique de Vienne", il rompt avec lui.

Enfin sa conception de la névrose est basée sur la notion de relations interpersonnelles et non sur le complexe d'Œdipe : le névrosé est celui qui se croit un homme total, exalte un grand sentiment de puissance, mais n'a pas les moyens de cette ambition. D'où le décalage très grand entre son image fictive et fause, et la réalité (conception que l'on retrouve chez Rogers et chez Winnicott dans sa théorie du faux self). Si la névrose est le produit des relations actuelles et non des traumatismes infantiles, l'inconscient n'est alors qu'un artifice car, le refoulement n'existant pas, il faut analyser les conduites présentes du patient et non celles du passé. C'est le cœur de la divergence entre Freud et Adler : réduction de l'inconscient, minimisation du complexe d'Œdipe, négation de la libido comme pulsion sexuelle, théorie de la personnalité analysée en fonction de son but final et non à partir de cette matrice originaire qu'est l'inconscient (ce qui est à comprendre n'est pas dans l'origine mais dans la fin).

Adler comme Reich est très ouvert à la politique, sa femme est en contact avec Trotski et la révolution russe ; il est lui-même devenu médecin en milieu ouvrier (70 % de sa clientèle) tandis que Freud psychanalysait la bourgeoisie de Vienne. Ses divergences théoriques fondamentales, son caractère et ses options politiques font de lui le plus grand dissident de la psychanalyse après Jung. Il est le premier à fonder des "centres médicopédagogiques" et termine sa carrière théorique en concevant une caractérologie en fonction du milieu social, il est de ce fait le précurseur de la psychosociologie du caractère.

W. Steckel (1868-1940), Autrichien

Steckel connaît le même destin qu'Adler dont il partage certaines théories. Fidèle de la première heure il entreprend une analyse avec Freud, mais il est "démissionné" en 1911, suspecté par Freud et les freudiens de pratiques non orthodoxes, en même temps qu'Adler. Cette exclusion a été en partie motivée par une très grande haine entre les deux hommes. Il part à Londres et se suicide en 1940. Steckel est un bon connaisseur de la psychanalyse qu'il contribue à divulguer, élabore une théorie de l'angoisse d'après laquelle elle serait une réaction à la pulsion de mort quand la sexualité est trop refoulée. Il établit également des rapports entre la production d'images dans les rêves et les symboles de la mort.

La pomme de discorde : la libido

Comme on le voit, le mouvement psychanalytique s'est constitué selon un schéma très simple : K. Abraham et E. Jones ont été les plus orthodoxes des disciples dans la mesure où ils ont totalement partagé la théorie psychanalytique avec le maître fondateur. Ils ont contribué à l'asseoir et à la répandre dans le monde, vouant à la personne de Freud une profonde admiration. S. Ferenczi représente quant à lui le disciple qui s'est affranchi du maître tout en ne remettant pas fondamentalement en cause ses idées centrales, notamment celle de pulsion et d'inconscient. Mais il s'en éloigne suffisamment pour se rapprocher de Rank sur la question de l'origine de la névrose (Thalassa) et ce dernier est le vrai dissident car il fonde sa propre Ecole, de même qu'Adler et Steckel qui tournent le dos à la psychanalyse.

C'est Jung qui, dans la dissidence, est le plus menacant par l'ampleur de sa démarche et par l'élaboration d'une psychologie qui doit beaucoup à la psychanalyse, mais aussi et surtout aux recherches personnelles et originales sur la structure du psychisme et la technique thérapeutique. C'est maintenant Jung qu'il faut examiner pour comprendre le basculement qu'il fait opérer dès ses débuts au mouvement psychanalytique.

Il existe un point capital de divergence à ces mouvements : celui de la libido qui occasionne la rupture théorique décisive tant chez Jung, Reich, Rank que chez Adler et Ferenczi : alors que le maître affirme sa conception de la sexualité liée au refoulement et au complexe d'Œdipe, les dissidents, eux, transforment ce concept en un grand principe vital, à l'origine de la formation du psychisme. Jung apporte à la question de la libido une dimension à la fois énergétique et symbolique qui rompt avec la psychanalyse freudienne.

La première grande dissidence : l'Ecole de Zurich C.G. Jung (1875-1961), Suisse

Les principes de l'école jungienne

Les premiers pas avec Freud

La vie et l'œuvre de Jung ont suscité les controverses les plus passionnées du mouvement psychanalytique. Médecin et psychiatre de formation, il exerce à Bâle. En 1900 il travaille avec Bleuler à Zurich et la psychiatrie est déjà pour lui une science qui doit s'intéresser à la totalité de l'homme et non aux seuls symptômes de la maladie mentale. Il cherche à cette époque une nouvelle compréhension des névroses et des psychoses, c'est pourquoi il suit les conférences de P. Janet à Paris, donne lui-même des cours de psychopathologie à partir de 1905 et découvre en 1906 la psychanalyse. La rencontre avec le maître eut lieu en 1907, au cours de laquelle une profonde amitié se noue qui durera sept ans. A partir de 1909 Jung renonce à la psychiatrie classique et se persuade de la nécessité de poser les principes de la psychothérapie des malades mentaux, ceux-ci étant davantage à "comprendre" qu'à "soigner". En 1911 il est le premier dissident de "l'Association psychanalytique internationale". Tout semblait lier les deux hommes. Néanmoins, dès la publication par Jung en 1912 de *Métamorphoses et symboles de la libido*, le premier craquement théorique intervient car l'esprit de système de Freud ne lui convient pas. Dans cet ouvrage Jung annonce une critique du concept de libido et reproche à Freud de trop le sexualiser. Des controverses vives s'engagent et débouchent en 1913 sur une séparation, sans qu'ils aient pu l'un et l'autre confronter leurs thèses. Le désaccord se transforme en dissidence lorsque Jung, ayant des disciples, fonde son "Ecole de psychologie analytique". Les Jungiens se regroupent pour former leur propre mouvement. La rupture alors est consommée.

La dissidence ef les influences anthropologiques

Désormais Jung et Freud mèneront leurs recherches séparément et ne se reverront plus. Alors que le premier approfondit la théorie analytique à partir des principes de la psychanalyse naissante, Jung, au contraire, élargit son horizon en incluant dans sa recherche les phénomènes cachés et occultes d'un psychisme universel. Etant très intéressé par l'anthropologie de Lévy-Bruhl sur les mentalités primitives, il part en Afrique, en Amérique du Sud, en Inde et commence alors la deuxième partie de son œuvre qui est influencée par les philosophies orientales et l'anthropologie. Ces influences se retrouvent dans sa conception de l'inconscient qu'il ouvre à des dimensions mythologiques culturelles, d'où sortira son principal concept "d'inconscient collectif".

De 1930 à 1933 il préside les "Sociétés médicales de psychothérapie" et enseigne jusqu'en 1939. Pendant la guerre il n'a plus de responsabilités officielles mais est créé, en 1941, à Zurich un "Institut C. Jung" où sont formés les psychothérapeutes ; "l'Ecole jungienne" a des disciples en Europe, aux USA, en Inde et au Japon. C'est à partir de 1948 que Jung jouit d'un grand prestige, commence à être un maître à penser dans le domaine de la psychothérapie et offre désormais une œuvre qui renouvelle totalement la psychologie et la psychopathologie, en opposition radicale avec les théories freudiennes orthodoxes.

Il termine son existence pénétré des œuvres de Teilhard de Chardin qui expose la thèse d'une immanence du spirituel dans la matière. Cette spiritualisation est en accord avec ses propres principes qui font de l'évolutionnisme psychologique et spirituel le moteur du développement de l'humanité. C'est donc en philosophe qu'il meurt en 1961 à l'âge de 86 ans. A la question du "qui suis-je" et du "qu'est-ce que le monde", il répond que c'est en l'homme et non en dehors de lui que se trouve la réponse.

La dynamique psychologique

Les buts thérapeutiques et l'œuvre théorique constituent chez Jung les deux faces d'un même objectif : comprendre et transformer la psyché humaine dont il fait une question fondamentale comme Freud. Tout en reconnaissant l'existence d'un inconscient individuel il cherche à élargir ce concept en le reliant aux mythes et aux cultures. La psyché est en mouvement, elle est un principe dynamique dont il faut connaître la dialectique, mais on ne peut pleinement la comprendre que si on rattache l'inconscient individuel à sa source et à ses racines collectives. Pour Freud au contraire la notion d'inconscient collectif est trop vague bien qu'il en ait abordé certains aspects dans *Totem et tabou.*

Le deuxième différend porte sur la notion de libido. Alors que Freud en fait une énergie sexuelle, Jung (et, nous le verrons, Reich) donne de la libido une interprétation à la fois psychologique et philosophique. Elle représente "l'énergie psychique" dans son ensemble. Mais ce concept "d'énergie" ne renvoie pas davantage à la notion naturelle d'instinct car cette libido, comprise comme énergie vitale, se donne des buts culturels et symboliques. Ni uniquement sexuelle, ni seulement instinctuelle, la libido jungienne offre les caractéristiques d'un principe vital à toujours relier au système des symboles et des mythes de l'humanité. Dès lors il n'y a pas chez Jung de dualisme entre la nature et la culture, la psyché médiatisant les deux. D'où résulte sa conception d'un psychisme essentiellement dynamique, en devenir et en transformation.

La théorie de l'inconscient collectif

A partir de cette conception de la libido (à la fois individuelle et collective) Jung est amené à élucider ce que l'on peut comprendre par "inconscient collectif", notion totalement étrangère au freudisme. Comment est construite la personnalité ?

Elle est composée d'un inconscient personnel, à la fois constitué de l'histoire individuelle et produit du refoulement des expériences infantiles. C'est une zone obscure que la conscience peut atteindre par une cure analytique. Cet inconscient personnel est aussi porteur de toutes les strates culturelles de l'humanité. C'est pourquoi il a aussi une dimension collective. Un rêve, un symptôme, un souvenir ne renvoient pas seulement à des expériences personnelles, mais à un fond originaire, commun aux cultures, aux mentalités et à l'homme.

Elle est dotée également d'un "inconscient collectif" qui est le fruit des expériences du développement de l'humanité dont chaque homme conserve les traces et les empreintes en lui. Ce sont ces traces qui reviennent à la conscience dans le cadre de la cure. Celles-ci sont difficiles à connaître, mais Jung a pu en donner une idée à travers le concept, central dans sa psychologie, d'archétype.

Les archétypes

Les archétypes sont les conditions de possibilité d'existence de l'inconscient collectif. Ce sont eux qui en sont le moteur et pas seulement le contenu. Ils ne sont pas non plus des "structures" préétablies à la manière des mythes chez Lévi-Strauss ou des signifiants chez Lacan. Les archétypes en effet sont faits des symboles et des images qui ont une action dynamique sur la personnalité consciente et inconsciente. S'ils constituent le fond symbolique de l'inconscient collectif, ils n'existent qu'en potentialité ou en virtualité. A la fois symbole et énergie, totalement antérieurs à l'individu, ils sont dynamisants et ont une valeur émotionnelle aussi importante que les émotions infantiles.

Le psychisme est soumis à l'emprise plus ou moins grande des archétypes qui ont de ce fait un rôle moteur dans la formation de la personnalité. Par sa connaissance des mythes orientaux et africains, son ouverture à la culture universelle, et par ce que lui disaient ses patients, Jung a élaboré un répertoire d'archétypes fondamentaux qu'il désigne comme étant à la fois les plus puissants et les plus universels. Quels sont-ils ?

- L'archétype parental ne correspond pas seulement aux parents réels, ni même aux parents fantasmés de la psychanalyse freudienne, mais à des images collectives qui rendent possibles les images parentales de l'inconscient individuel (l'image de la mère par exemple suppose la préexistence de la "mère collective" dont la "mère individuelle" inconsciente n'est qu'une figure).

- L'archétype de la personne est un compromis entre l'individuel et le social en nous dans la mesure où d'un côté nous subissons le groupe mais de l'autre celui-ci nous permet d'être en relation avec les autres.

- L'ombre représente l'ensemble des pulsions et des instincts, c'est notre être "inférieur", celui que nous refoulons. Plus la morale est répressive et plus "l'ombre" est grande. Cet archétype réapparaît dans les rêves et les symptômes mais aussi dans la religion et les œuvres d'art. L'ombre étant une instance refoulée en nous, il s'agira pour le thérapeute de la faire reconnaître à son patient comme partie intégrante de sa personnalité.

- Animus symbolise le masculin, l'aspect refoulé de l'inconscient de la femme et la partie émergée sexuelle de l'homme.
- Anima est le féminin, partie refoulée de l'inconscient de l'homme qui domine chez la femme et dans les grands mythes féminins.
- Le "vieux sage" est l'archétype de la mégalomanie qui nous donne le sentiment de toute-puissance et d'omniscience comme force de domination.
- "Grand'mère"est l'archétype de la tyrannie sur ceux que nous protégeons (enfants ou malades par exemple) et à l'égard desquels nous exerçons un pouvoir.

Ces archétypes sont constitutifs de l'inconscient individuel et collectif et, plus un être en subit l'influence, moins sa personnalité peut s'épanouir. Ces images nous rendent passifs et exercent une influence d'autant plus redoutable qu'elles sont à la fois inconscientes et universelles.

L'importance du symbole

La psychologie jungienne, en décrivant l'inconscient collectif constitué de ces images archaïques que sont les archétypes, considère le symbole comme étant la voie qui, dans la cure, mène à l'inconscient des patients. Plus la soumission à ces images est grande plus l'individu est prisonnier de ce monde symbolique enfoui et caché au plus profond de lui-même. Ces symboles permettent de faire le lien entre ce qui est inconnu en l'homme et ce qui est connaissable par le travail thérapeutique. Il y a dans la psychologie de Jung un statut autonome du symbole, différent chez Freud ; c'est pourquoi les rêves ne peuvent être soumis à la "libre association" du patient car chaque symbole, chaque archétype doit être revécu dans sa double dimension individuelle et collective, la cure jungienne faisant passer de la dimension personnelle à la prise de conscience universelle. Le symbole apparaît également à l'état de veille sous la forme du fantasme, celui-ci étant une image mentale qui s'impose à la vie psychologique de tous et par lequel chacun pénètre dans son monde intérieur. Divergeant de la psychanalyse freudienne, la psychologie jungienne cherche à élucider le sens des symboles en sollicitant dans la cure l'imagination active et personnelle du patient. En faisant fixer son attention sur ces symboles, l'analyste fait en effet cheminer l'analysé dans son histoire personnelle qui doit s'enraciner progressivement dans une dimension universelle. Le moi fait siennes ces images, se les approprie et la prise de conscience qui en résulte permet une meilleure intégration qui devient libératrice. Alors que dans la cure freudienne le patient chemine dans son enfance, dans celle de Jung il intègre son enfance par la médiation de ces symboles universels.

Une psychologie des profondeurs

Ce statut psychologique du symbole comme sens des conduites individuelles et collectives permet à l'homme d'accéder à des "profondeurs" ignorées et cachées. Jung est frappé par le rationalisme occidental qui veut rendre compte de la réalité psychique à partir de la science et de la technique (ce qui a aboutirait à nier les phénomènes irrationnels). Comment cette science peut-elle parler à la psyché et pas seulement à la raison, se demande Jung ? En avance sur son temps, il dénonce la disparition des "profondeurs" au profit d'un être de surface (comme Reich, la mise en tutelle de l'esprit créateur). C'est pour retrouver le souffle vital qu'une sève psychologique doit être recherchée en tout être dans les mystères de son inconscient. Ayant perdu Dieu et le sens de son existence, l'homme contemporain est dans la souffrance, seul avec lui-même, ayant oublié le sens de sa vie. Après Kierkegaard et Nietzsche, Jung conseille un retour de l'homme en lui-même et la naissance d'un monde nouveau à partir d'un renouvellement intérieur dont la psychothérapie est l'un des moyens.

Ce diagnostic porté sur le monde contemporain s'accompagne d'une interrogation sur le déchaînement des passions en ce XXe siècle. Comme Reich, il voit dans la névrose un phénomène typique de notre temps, fruit d'une âme qui a perdu son sens. Il rejoint certaines analyses de Freud sur ce point dans *Malaise dans la civilisation* et conçoit le dépassement de cette souffrance qu'est la névrose par la cure psychothérapique qui permet d'intégrer à la conscience les contenus archétypiques de l'inconscient collectif. Il s'agit par elle de parvenir à l'autonomie à l'égard des symboles et des images inconscients pour accéder à des valeurs positives qui permettent une catharsis, c'est-à-dire une conversion de soi. Ce "soi" n'est pas seulement celui de l'individu, mais un au-delà du moi qui fait dépasser les oppositions pour accéder à la totalité. Ainsi être "soi" (selbst) et accéder au tout, procèdent de la même démarche de dépassement de la névrose.

Dialectique de l'individuel et du tout

La psychologie des profondeurs de Jung relie, dans un même mouvement, les exigences de la thérapie qui guérit de la névrose et la vision philosophique de la personne qui donne la possibilité de dépasser la violence et les passions de notre temps. Ce lien entre soin et sens est typique de la démarche jungienne, qui se veut spirituelle par rapport à celle de Freud qui est technique, rationaliste et plus "profane".

Ce dépassement du “moi névrosé” vers un “soi libéré” introduit en effet au sacré où l'âme doit être à l'image de Dieu. Jung était croyant au sens large et il pensait que la cure, en aidant le soi à se chercher, était une voie dont la psychologie ne pouvait se passer. Ce que le psychologue peut faire, c'est aider à la transformation du regard qui, changeant le monde intérieur, permet également de changer la société. La liberté n'est pas le laisser faire des désirs aveugles et contradictoires mais un dépassement individuel vers la totalité en vue d'adhérer à un ordre supérieur situé au-delà de l'homme. C'est pourquoi la “psychologie des profondeurs” est dialectique car elle permet de franchir les contradictions intérieures pour faire accéder à une dimension cosmique. On retrouve dans cette conception de la liberté comme conversion à la totalité l'influence de la philosophie stoïcienne, de la sagesse orientale et de la morale de Nietzsche. C'est une psychologie du dépassement de l'ego qui a fait école puisque on la retrouve dans “l'Analyse du destin” de Szondi, dans la “Dasein-analyse” de Binswanger et la “Gestalttherapie” de Perls. La psychothérapie jungienne aide à rechercher en soi la réconciliation des opposés, d'où résulte la restauration de l'harmonie universelle en nous-mêmes. Comme le yang et le yin chinois qui sont des principes opposés mais conciliables en un cercle appelé Tao ou Voie. Il s'agit d'atteindre l'équilibre vital, un état d'harmonie entre soi et le cosmos. Le résultat final Jung l'appelle “mandala” symbolisant dans sa philosophie la figure universelle du soi qui est aussi bien sagesse que thérapie.

Synthèse comparative des concepts psychanalytiques

DISCIPLES

K. Abraham

- Approfondit des concepts freudiens :
  - Dans les stades du développement psychosexuel
  - Par l'élaboration d'une caractérologie basée sur ces stades
- Il privilégie le concept de relation d'objet et enrichit les notions de clivage et d'ambivalence.

E. Jones

- Désaccord avec Freud sur la théorie de la sexualité féminine que Freud base sur le manque de pénis tandis que Jones la conçoit pleine et positive.

S. Ferenczi

- L'origine de la névrose est à rechercher dans l'histoire de l'humanité
- Importance de la régression dans la cure car elle est un retour non pas au commencement individuel qu'est la naissance mais un retour nécessaire à la préhistoire de l'humanité. Alors que, pour Freud, la régression est un retour au complexe d'Œdipe (4-5 ans) car nul ne peut revenir à sa naissance car il la considère comme un acte sur lequel on ne

DISSIDENTS

O. Rank

- Concept d'angoisse primitive liée à la naissance individuelle et à celle de l'humanité. S'oppose à Freud pour qui l'angoisse se constitue par la névrose au moment du complexe d'Œdipe. Pour Rank l'œdipe ne fait que répéter l'angoisse de la naissance.

A. Adler

- La faim est plus centrale que la sexualité
- Le but du psychisme et de l'organisme consiste à se maintenir dans une supériorité
- Unité du conscient et de l'inconscient alors que pour Freud il y a dualité
- Sexualité comme volonté de puissance

W. Steckel

- Concept d'angoisse comme réaction à la pulsion de mort quand la sexualité est refoulée. Pour Freud au contraire la pulsion de vie produit l'angoisse par refoulement sexuel

C.G. Jung

- Concept de sexualité : pour Jung libido universelle et cosmique, pour Freud la libido est individuelle
- Concept d'inconscient : chez Jung il est collectif produit par toute l'histoire de l'humanité, pour Freud il est produit par l'histoire individuelle
- Jung élabore une théorie des mythes et de la culture comme étant une sorte d'inconscient transindividuel alors que la théorie des rêves chez Freud est prédominante
- Les archétypes sont universels alors que les fantasmes sont personnels pour Freud
- Importance des symboles dans la cure jungienne car ils représentent le chemin par où passe l'analysé, alors que Freud impose la méthode de libre association pour les rêves.

Le deuxième cercle : les courants après Freud

Le courant orgonomique
W. Reich (1897-1957), Américain d'origine autrichienne

Une nouvelle théorie de la sexualité

L'orgonomie ou une autre conception de la libido

Reich retient de l'œuvre de Freud l'importance accordée à la sexualité. Il pose la question de la nature de la pulsion sexuelle et des rapports entre la "libido" et "l'énergie" : l'énergie sexuelle (libido) est posée comme expression fondamentale du vivant, réalité à la fois physique et psychologique étroitement liée au système neurovégétatif. Mais interroger la sexualité c'est aussi remettre en cause les mécanismes de sa répression : comment libérer l'énergie sexuelle bloquée, blocage qui se traduit pour l'individu par la formation de névroses au sein de la famille répressive et au plan social par la "perte émotionnelle", une des caractéristiques de la société moderne ? Pour Reich la souffrance individuelle et collective est essentiellement engendrée par la répression de l'énergie vitale.

Reprenant en effet dans l'œuvre de Freud l'importance des pulsions sexuelles (*Trois essais sur la théorie de la sexualité*) Reich leur confère une autre dimension : celle d'être la base des êtres vivants. Il reproche à Freud d'avoir fait de la sexualité un simple symptôme névrotique et d'avoir réduit l'acte sexuel a une fonction biologique qui vise la satisfaction de l'excitation sexuelle. Qu'est-ce donc que la sexualité et comment la penser en dehors de l'interprétation psychanalytique ?

Ses recherches biologiques et psychologiques l'amènent à la définir comme génitalité, plaisir, puissance orgastique, l'orgasme sexuel permettant la décharge complète de l'énergie dans un maximum de plaisir. Chez Reich (à la différence de Freud et de Lacan), il y a une autre interprétation de la psychanalyse car la sexualité est définie en termes d'énergie : il s'agit pour lui d'aller plus loin que Freud dans le concept de libido en le poussant à fond quant à ses buts thérapeutiques et à ses implications sociales et théoriques. Le psychanalyste doit pouvoir mesurer la force et la tension de la libido et les points de sa répression. Cette vision énergétique du psychisme fait de Reich le fondateur de la bioénergie.

Tout est énergie

Ce débordement théorique de la psychanalyse qui vient de naître n'est possible qu'à condition d'abandonner ce que Freud a mis en place tardivement dans *Au-delà du principe de plaisir*, sa théorie des pulsions. A partir de cette période Freud émet l'hypothèse de l'existence d'une pulsion de vie et d'une pulsion de mort qui produisent un clivage à l'intérieur du psychisme individuel. Pour Reich au contraire il n'y a pas de conflit à l'intérieur des individus, mais entre la sexualité et la société. Que seraient les hommes si la société ne les réprimait pas ? Pour lui la pulsion de mort n'existe pas, l'homme est, "à l'origine", en contact avec la totalité de l'énergie cosmique et sa propre énergie. D'où résulte une communion et un état de bien-être, car l'homme ne connaît ni la névrose ni la psychose, sa sexualité n'étant pas réprimée. L'orgone est la manifestation spécifique de cette sexualité libérée, elle est l'énergie cosmique, originaire, omniprésente dans tout l'univers. Cette énergie s'observe et s'analyse, elle se repère sur le corps dans la mesure où elle ne se distingue pas de la matière inerte. Reich étudie son rythme, son expansion, ses contraction et préfère le mot "orgone" (unité de l'énergie psychique) à celui "d'énergie" qui est trop coloré d'une vision mécaniciste provenant de la physique. Cette conception d'une énergie originaire permet à Reich de pousser à fond la théorie de la libido freudienne pour en faire le principe de base de la réalité psychique des vivants, spécialement de l'Homme. Toute réalité est constituée d'une circulation ininterrompue de flux énergétiques qui se manifestent particulièrement dans l'acte sexuel. C'est pourquoi l'instinct sexuel et sa satisfaction sont le centre de la psychologie reichienne, conception qui lui permet de critiquer la psychanalyse freudienne, trop basée sur l'interprétation et la représentation.

Répression et cuirasse caractérielle

Qu'est-ce qui empêche les hommes de communiquer avec cette énergie primordiale et les coupe de leur propre énergie ? C'est le caractère ; Reich le conçoit comme donnant accès directement à l'inconscient. Il est le produit du conflit œdipien entre les pulsions sexuelles et leur répression par les instances morales, sociales et familiales : très tôt l'enfant est amené à réprimer sa sexualité par les interdits posés par la société. Les conséquences de cette répression se lisent dans le moi qui se protège ainsi contre les dangers en inventant des comportements de plus en plus statiques et durs. Il devient progressivement une "cuirasse" par sa fonction de protection permanente, cette cuirasse constitue le caractère.

Ainsi la "cuirasse caractérielle" des individus est produite par la frustration engendrée par la répression des pulsions sexuelles, et de l'énergie qui en est le moteur. Ne pouvant parvenir à la satisfaction, cette énergie se retourne contre elle-même et reste bloquée dans la personnalité. Cependant la poussée pulsionnelle continue à demander satisfaction, mais le moi la bloque, s'en défend. C'est sur ces mécanismes de défense que se constitue la "cuirasse caractérielle". Le moi, dans ce conflit entre l'énergie sexuelle et la répression sociale et familiale, devient le relais de la société répressive.

Cette conception énergétique de la sexualité amène Reich à se séparer de Freud sur un autre point : celui du surmoi et de la sublimation. Pour le second l'énergie sexuelle, en se sublimant, parvient à la culture et la civilisation, tandis que pour le premier culture et civilisation sont de véritables instances répressives. Elles agissent de l'extérieur de la personnalité et le surmoi n'est que le relais de cette répression. Le conflit psychique a chez Reich une origine sociale alors que chez Freud il est le produit des fantasmes de l'enfant, n'étant que d'origine interne. D'aussi grandes divergences sur le fonctionnement de la personnalité ont été une cause de rupture avec les psychanalystes orthodoxes, en premier lieu avec Freud.

Une caractérologie

Le but de la psychologie consiste à mettre en évidence les causes des inhibitions de l'énergie sexuelle chez les individus : le caractère est le produit d'arrêts de circulation énergétique (stases), de résistances psychosomatiques, le tout s'organisant en cuirasse caractérielle qui exprime les symptômes de ces inhibitions dans l'histoire répressive du sujet. C'est pour cette raison que Reich est amené à comprendre les phénomènes psychiques en termes de "caractère". Celui-ci est le produit de troubles névrotiques et psychotiques. Ceux-ci viennent essentiellement de l'insatisfaction sexuelle génitale (l'impuissance orgastique) et du blocage caractériel. La puissance orgastique est en effet la fonction biologique primaire fondamentale que l'homme possède en commun avec tous les organismes vivants : tous les sentiments dérivent de cette fonction ou du désir ardent de la retrouver.

Dans sa caractérologie Reich distingue deux types de caractères :

- **Le caractère génital.** S'il n'existait pas de répression sociale et familiale, il y aurait satisfaction des besoins vitaux, notamment sexuels. L'individu qui ne se réprime pas possède ce type de caractère. Il est apte à la satisfaction orgastique car il est sans refoulement et donc sans cuirasse caractérielle. Les personnes possédant ce caractère sont rares car dans notre société il est impossible d'échapper à la répression des pulsions. C'est pourquoi Reich fait du Christ le symbole de ce type de caractère, ayant été mis à mort par les insatisfaits, les refoulés et les névrosés (*Le meurtre du Christ*).

- **Le caractère névrosé.** Il est le résultat des pulsions refoulées par la famille et la société. Constitué de formations réactionnelles, de sentiments de culpabilité et d'angoisse il s'édifie contre les pulsions en système de défense, d'où résulte une "cuirasse".

Cette caractérologie est une manière autre de concevoir la psychanalyse comme analyse du destin des pulsions massivement refoulées.

Société et névrose

Matriarcat et patriarcat

Ayant rompu avec Freud sur son hypothèse d'une pulsion de mort et sur la fonction de la sublimation, c'est entièrement du côté de la société que Reich cherche l'origine des névroses, clef de voûte de la psychanalyse. Pour Freud s'il n'y avait pas de refoulement sexuel, la civilisation serait impossible car il y aurait un retour à la violence des pulsions, pour lui la répression sexuelle est une nécessité pour qu'il y ait société (*Malaise dans la civilisation*). Reich dit le contraire : c'est parce qu'il y a société que les hommes sont névrosés. Il en tire la conclusion que si la société supprimait la répression sexuelle énergétique l'homme se retrouverait entièrement bon et épanoui, vivant en harmonie avec lui et les autres hommes. (Cette conception d'un homme bon originairement est très proche de l'état de nature tel que Rousseau l'a pensé). C'est pourquoi l'agressivité et la violence ne sont pas innées en l'homme mais sont une réponse à la violence de la société. D'où une identité chez Reich des buts de la psychologie et de ceux de la politique : on ne changera l'homme que par une révolution politique, mais celle-ci n'est possible que si l'homme individuel soigne sa "névrose". Dans l'un comme dans l'autre cas il s'agit de mettre un terme à la répression sociale.

Ayant travaillé avec l'ethnologue Malinowski, Reich a tiré de ses travaux des conclusions qui confirment ses thèses psychologiques. Dans les îles du Pacifique, chez les Trobriandais, il constate une absence de répression sexuelle car il n'y a pas d'autorité du père, celle-ci étant exercée par l'oncle maternel. Cette société matriarcale, qui n'exerce aucune fonction répressive, permet à ses membres une sociabilité naturelle dépourvue de violence et de névrose car, par "absence" du père, le conflit œdipien n'existe pas. Nos sociétés au contraire, marquées par le patriarcat, ne produisent que répression sexuelle, caractères névrosés, pulsions antisociales et blocage des émotions.

La conjonction père-patriarche et la société répressive

Si l'état actuel des sociétés occidentales n'a pas toujours existé, il est alors nécessaire d'expliquer comment s'est opéré le passage du matriarcat au patriarcat. Reich trouve les explications de ce changement dans des causes à la fois économico-politiques et psychologiques : par la coutume de la dot, les frères de la femme versent au mari une part du produit de la chasse et des récoltes. Ce mari devient alors progressivement puissant, riche et contracte des mariages avec plusieurs femmes (polygamie). Se met en place à cette époque un processus d'exploitation et de division du travail qui produit une société fondée sur une classe exploitée et une classe exploiteuse. Simultanément à ce bouleversement économique se propage le modèle autoritaire de la famille et de la société : le père patriarche reproduit dans la famille l'autorité politique et économique du chef de clan ; ainsi, exploitation économique, violence politique et oppression psychologique vont de pair. Répression de l'enfant, de l'adolescent, exploitation des pauvres, aliénation des citoyens, convergent et donnent naissance à une société patriarcale répressive depuis six mille ans, c'est-à-dire depuis que le matriarcat a disparu. A partir de cette époque, la société a perfectionné ses outils de répression par le biais de l'Etat, l'Eglise, l'Economie et l'Ecole (les quatre "E"). Sur le plan psychologique ces quatre "E" représentent, pour reprendre l'expression de Reich, la "perte psychique émotionnelle" dont le noyau dur et visible est la névrose. La névrose est tellement présente de nos jours qu'elle se traduit dans nos sociétés par une "névrose de masse", qui a trouvé son apothéose dans ces sociétés névrosées par excellence que sont le nazisme hitlérien et le totalitarisme stalinien. Reich articule les thèses de Freud sur la sexualité à celles de Marx sur l'exploitation économique : nous sommes à la source du freudo-marxisme.

La pratique bioénergétique

Nécessité d'une révolution politico-économique

Pour Reich la révolution marxiste est indispensable mais insuffisante. Il manque selon lui à la théorie de Marx la dimension du subjectif, de la personne individuelle. Ce manque, Reich pense l'avoir comblé par sa thèse sur l'économie sexuelle et la cuirasse caractérielle. Certes la clef de l'analyse de l'histoire se trouve dans les rapports de production chez Marx, mais tout autant dans un besoin sexuel qui est aussi fondamental que le besoin économique. Nazisme et totalitarisme ne s'expliquent pas seulement en termes d'économie mais aussi par des phénomènes irrationnels inhérents au psychisme lui-même que Reich analyse dans *Psychologie de masse du fascisme*. Il y démontre que la société occidentale actuelle parachève la névrose de masse qui culmine dans une fascination pour ces psychopathes qu'étaient Hitler, Staline et Mussolini. Le comportement névrotique de masse n'a été possible que par l'exacerbation dans les comportements individuels et collectifs des modèles familiaux, patriarcaux, répressifs et monogames. L'Eglise, l'Ecole, l'Economie, l'Etat, l'Education produisent des modèles de soumission et de répression par le biais du père œdipien.

Pour Reich tout concourt dans la société à la répression sexuelle qui conduit les hommes à la monotonie et à l'esclavage, situation qui serait impossible s'ils étaient sains psychologiquement. C'est pourquoi son analyse se clôt sur la nécessité d'une triple révolution.

- **Révolution psychologique** par laquelle il s'agit d'atteindre le bien-être c'est-à-dire l'harmonie sexuelle. C'est une libération d'Eros grâce à laquelle les pères ne réprimeront plus leurs enfants, ceci mettra un terme au modèle de famille de type patriarcal-répressif.

- **Révolution culturelle** pour abandonner les comportements irrationnels grâce à l'avènement de la raison contre la violence et l'aveuglement.

- **Révolution politique** qui supprimera l'appareil d'Etat et la société de classe, révolution de type marxiste.

Ces trois révolutions sont complémentaires : s'il y a révolution sexuelle mais conservation de l'Etat autoritaire le mouvement de libération est manqué comme il le serait si la suppression de l'Etat ne s'accompagnait pas d'une révolution sexuelle, celle-ci étant peut être la plus importante dans la mesure où elle détruirait la "cuirasse caractérielle" et permettrait donc à chacun un meilleur usage de sa liberté par une libération de l'énergie créatrice.

La psychothérapie : détruire la structure caractérielle

Ainsi la libération individuelle est inséparable de la révolution politique. Quel sera alors le rôle du psychologue et du psychanalyste ? Au plan individuel sa pratique thérapeutique repose sur une élimination de la cuirasse caractérielle qui est, comme nous l'avons vu, le produit de la répression sociale. Mais pour que cette libération soit possible, il est nécessaire de connaître nos structures caractérielles, base de la psychologie reichienne. Reich prend l'exemple des cercles pour illustrer sa conception du caractère. Celui-ci se compose de trois cercles qui correspondent à trois couches de la personnalité :

- Le 3e cercle est la sphère du masque des apparences qui prédominent chez l'homme moderne sous la forme du contrôle, de la politesse et de l'insensibilité. C'est le noyau dur de la cuirasse caractérielle.

- Le 2e cercle est la sphère de l'enfer des pulsions secondaires. C'est tout ce qui est réprimé et qui ressort sous forme de violence, sadisme, cruauté, instinct de puissance et jalousie. Il correspond au noyau dur de la violence qui culmine dans les névroses et les psychoses individuelles comme dans les comportements irrationnels des foules séduites par les tyrans-séducteurs.

– Le 1er cercle est la sphère du paradis des pulsions primaires. C'est le noyau pur de "l'orgone" et de "l'énergie primordiale" (genèse de toute énergie), des pulsions vitales qui rend possible Eros, travail, raison.

Ces trois cercles, constitutifs de la personnalité, sont entourés d'un quatrième qui est celui de la répression correspondant aux quatre "E", Etat, Eglise, Economie, Ecole. Ce sont eux qui empêchent l'exercice naturel de l'amour et des pulsions vitales en bloquant l'énergie, blocage qui engendre la répression et renforce en nous les 3e et 2e cercles.

Par la thérapie l'homme peut retrouver sa sexualité et son énergie pour se libérer. Il retrouve alors l'unité et la simplicité de la vie. La thérapie reichienne favorise la reprise de contact avec nos racines bioénergétiques et permet de briser le patriarcat et son modèle répressif. Son but est de permettre à l'homme de retrouver l'état d'amour dans lequel il n'existera plus ni violence ni névrose car la répression sexuelle aura alors disparu.

L'orgonthérapie

La thérapie reichienne, à la différence de la cure psychanalytique freudienne, ne recourt pas seulement au passé enfantin pour prospecter la cuirasse caractérielle, mais surtout au présent. La théorie énergétique ouvre à la dimension corporelle et aux réactions musculaires qui accompagnent le refoulement. C'est le corps dans sa dimension psychosomatique qui est à la fois lecture et moyen de libération énergétique, c'est pourquoi les disciples de Reich accordent une importance tout aussi grande à la mémoire du corps qu'à celle de l'intellect.

Les recherches qu'a menées Reich sur la sexualité l'ont conduit à mettre en évidence la nécessité pour le patient de retrouver sa puissance orgastique, (les moyens de se donner et de donner plaisir et amour) car c'est dans l'orgasme que se trouve le maximum d'orgones. C'est pourquoi, dans la thérapie, Reich abandonne l'interprétation des rêves, des lapsus, des actes manqués, pour pratiquer l'analyse caractérielle dont le principe est l'élimination des résistances et non l'interprétation de l'inconscient : il s'agit de faire progresser le patient à travers ses résistances et sa cuirasse caractérielle pour qu'il s'en dépossède et accède à son noyau traumatique. L'orgonthérapie relativise la cure basée sur la parole au profit d'une mise en jeu du corps du patient qui permet une dissolution de la cuirasse, le déblocage des pulsions sexuelles refoulées et la diminution des conflits psychiques nés de la répression sociale et paternelle.

Grâce à l'accent mis sur les concepts de "sexualité" et "d'énergie", Reich est le fondateur de l'orgonthérapie dont les principes cliniques ont servi de base aux thérapies corporelles, bioénergétiques, végétothérapiques. Celles-ci représentent actuellement les grands courants thérapeutiques issus de la psychologie reichienne. Disciple dissident de Freud par sa négation d'un conflit intrapsychique originaire, Reich a eu une influence sur les communautés thérapeutiques, les phénomènes hippies, les mouvements de libération sexuelle, les révolutions fantasmées (mai 68 en France). Ce grand lecteur de Marx et d'un Freud corrigé a voulu concilier marxisme et freudisme. Mais les doctrines de ces deux penseurs l'ont marginalisé : sa psychologie en effet représentait une force de contestation nuisible pour les gardiens de l'ordre social que sont devenus marxistes et psychanalystes. En définissant la sexualité comme force révolutionnaire (cf. aussi Marcuse) Reich ne pouvait qu'être suspect aux uns comme aux autres.

L'Ecole anglaise
Mélanie Klein (1882-1960), Anglaise d'origine autrichienne

Contrairement à Reich qui fait du conflit société-psychisme le moteur de la vie psychologique, c'est en observant le comportement du bébé que M. Klein découvre que le conflit entre les pulsions est la base de la psychologie.

La psychopathologie de la petite enfance

Le conflit psychique originaire

La pratique kleinienne de la névrose et de la psychose enfantines a permis une étude minutieuse des grands fantasmes et de l'imaginaire de l'enfant. Elle constate l'existence d'une cassure originaire, d'un conflit à l'intérieur du psychisme, rejoignant en cela la découverte faite par Freud de la névrose infantile et de la division de la personnalité (clivage) qu'il a mise en évidence à la fin de sa vie. Pour M. Klein (à l'encontre de Reich) la violence n'est pas seulement sociale car c'est à l'intérieur de l'homme que s'expriment les conflits les plus violents et les plus archaïques.

Ainsi est-elle plus freudienne que Freud puisque la violence, se révélant à travers les fantasmes des petits enfants, précède de beaucoup l'âge du complexe d'Œdipe. Le bébé vit des terreurs, des angoises, des conflits plus violents et plus primitifs que ceux de l'âge œdipien. Dès le début de son histoire, l'enfant est pris dans un tourbillon de haine, d'amour et d'agressivité qui sont le produit de ses pulsions de destruction et d'anéantissement. Alors que Freud n'a analysé qu'un enfant de cinq ans, le petit Hans, sur la base du langage, M. Klein multiplie les observations et propose des interprétations psychologiques à partir de dessins et de jeux d'enfants. Ce matériel lui permet l'investigation d'un psychisme archaïque dont elle énonce les principales lois.

La technique du jeu

La première de ces lois concerne la coexistence simultanée de désirs "bons" et "mauvais" qui fondent l'ambivalence et le clivage. Cette ambivalence primordiale du système pulsionnel sera la base théorique de l'Ecole kleinienne. Le clivage exprime une séparation entre "bon-mauvais" qui prend sa source dans la dynamique pulsionnelle de l'enfant qui, dès l'origine, est victime de pulsions sadiques et destructrices génératrices d'angoisses. Elles laisseront des traces dans le psychisme tout au long de la vie de l'individu.

Au fur et à mesure qu'elle travaille sur les fantasmes des enfants (révélés par le jeu et les dessins car à cet âge ils sont incapables "d'associations libres"), M. Klein est amenée à modifier l'approche technique de la psychanalyse : l'enfant ne remplit pas les conditions de l'analyse classique, basée sur la parole. Elle invente la technique du jeu (qui sera reprise par Winnicott) qui se révèle être l'équivalent du langage inconscient comme le rêve ou le lapsus l'est chez l'adulte et émet l'hypothèse qu'il est un mode de représentation de l'inconscient plus proche du fonctionnement psychique que ne l'est le langage adulte. Avec le jeu du petit enfant, nous assistons, "*de visu*" en quelque sorte, à la formation de l'inconscient. Ainsi le psychanalyste d'enfants, par ses observations, est contemporain de la naissance de l'inconscient lui-même. Par cette technique M. Klein remet en cause le modèle psychanalytique "adulte" qui dominait dans la pratique comme dans la théorie de Freud et met fin à l'adulto-centrisme en psychanalyse.

Le clivage

Ayant résolu ce problème technique d'interprétation des dessins et des jeux d'enfant, M. Klein décrit les principaux mécanismes du psychisme enfantin dont le clivage est le plus important. Elle découvre la fonction centrale des objets pulsionnels séparés en "bons" et "mauvais" dans le sujet. Cette séparation construit les objets comme "fantasmes" (image des pulsions) qui agissent magiquement comme pouvoir et toute-puissance aussi bien à l'extérieur qu'à l'intérieur du psychisme. Quel est le moteur de cette activité fantasmatique intense ? Le nourrisson met en œuvre une pulsion sadique envers le sein de sa mère, fantasme un "mauvais sein", celui qu'il veut détruire par insatisfaction et qui est à l'origine de sa méchanceté, de sa cruauté et de ses sentiments de dévoration (que l'on remarque également dans les états psychotiques chez les adultes). Si bien qu'il se développe avec une double série de pulsions opposées :

- une pulsion de vie qui construit le "bon sein", le "bon objet", la "bonne mère",
- une pulsion de mort ou "mauvais sein", "mauvais objet", "mauvaise mère".

Avec cette théorie du clivage "bon-mauvais", M. Klein remanie partiellement le système pulsionnel découvert par Freud et donne une base solide aux notions de clivage et d'ambivalence. De ce fait elle conceptualise aussi les grands mécanismes à l'œuvre dans la psychose (ambivalence et clivage).

Bon sein – mauvais sein

Le premier "objet pulsionnel" de l'enfant est le sein de sa mère : il a une valeur affective qui permet au bébé de projeter sur elle des sentiments de haine et d'amour, selon qu'elle satisfait ou non à ses désirs. Le "bon sein" est celui qui comble tous les besoins et qui est investi positivement comme source d'amour et de bien-être total. Le "mauvais sein" est celui qui frustre et déçoit et il suscite alors une rage de destruction et de haine (déjà mise en évidence par Karl Abraham qui aboutit au désir d'agresser le corps de la mère). Ainsi, sur un même objet (le sein) l'enfant projette son ambivalence haine-amour qui est pour M. Klein, le fondement de l'activité psychique de l'enfant jusqu'au moment du complexe d'Œdipe. En fait c'est sur un même objet (le sein et la mère confondus) que le nourrisson projette cette ambivalence haine-amour qui constitue le mécanisme de projection (jeter à l'extérieur ce qui est à l'intérieur). Progressivement elle est mise en œuvre sur tous les objets, (corps, mère, enfant lui-même). La qualité "bon" et "mauvais" s'explique par la dualité du système pulsionnel dans lequel coexistent des pulsions opposées originaires, les pulsions amoureuses positives et les pulsions de destruction négatives. Est "bon" tout ce qui est amour, préservation, sécurité. Est mauvais ce qui est haine, destruction, menace. Cette dualité fondamentale connote toute la réalité et toute la vie du bébé qui fantasme intensément. Par cette pulsion de destruction et les "mauvais objets", la réalité devient source d'angoisse alors que la pulsion d'amour est origine de quiétude et de satisfaction. Ainsi clivé, séparé, le monde est vécu de manière radicalement violente et conflictuelle.

Le développement de l'enfant

Le vécu du nourrisson

L'importance accordée aux pulsions et aux fantasmes archaïques comme source de l'activité psychique permet à M. Klein de remanier la conception du développement de l'enfant avant le complexe d'Œdipe. Les freudiens anglais orthodoxes lui ont reproché cette conception du psychisme à partir de laquelle elle semble minimiser le "complexe d'Œdipe" sur lequel Freud a édifié sa théorie de la névrose. M. Klein en effet révèle l'importance qu'il convient d'accorder aux pulsions sadiques et aux comportements de destruction précoce chez le bébé, à savoir la théorie des pulsions, autre pierre angulaire de l'édifice psychanalytique : va-t-elle trop loin ou approfondit-elle seulement la théorie freudienne en posant une ambivalence des sentiments et en accordant de l'importance à la vie pulsionnelle du petit enfant ? Est-ce l'adultocentrisme de la psychanalyse du maître qu'elle remet en cause ? Clinicienne avant d'être théoricienne, elle révèle que le "nouveau-né traverse des états d'angoisse persécutive liés à une phase d'exacerbation du sadisme". Le nourrisson éprouve des sentiments de culpabilité en raison de ses pulsions et de ses fantasmes destructeurs dirigés contre le premier objet, sa mère, et, en premier lieu, le sein. De cette culpabilité primitive dérivent les tendances réparatrices à l'égard de cet objet. Il en résulte un enchaînement des concepts de "projection", "sadisme", "angoisse", "culpabilité", "réparation" qui sont la base même de la psychanalyse kleinienne, et dont les conduites inconscientes sont les suivantes : l'enfant agresse sa mère et veut la détruire, il en éprouve de l'angoisse et de la culpabilité ; puis il retourne contre lui ses conduites agressives et fait tout pour réparer, reconstruire, ce qu'il a détruit. Nous sommes dans le cycle destruction-réparation qui rythme l'inconscient enfantin.

Les deux temps de la psychologie de l'enfant

C'est ce cycle qui amène M. Klein à poser le développement de l'enfant en termes de moments qui caractérisent une position pulsionnelle par rapport à l'objet aimé-détesté. Ces moments sont au nombre de deux :

Une position "schizoparanoïde" qui correspond aux tous premiers mois ou l'on assite à un clivage, c'est-à-dire une dissociation de la personnalité (schizo) et un sentiment intense de persécution (paranoïde). L'enfant est divisé lui-même en bon et mauvais objet, projetant son sadisme sur sa mère, celle-ci devenant en retour "persécutrice". Il en éprouve une forte angoisse qui trouve sa source dans la pulsion de mort d'où résulte une organisation des défenses réparatrices pour compenser cette angoisse destructrice. L'enfant n'a pas une conscience globale et totale de ses objets pulsionnels. Ceux-ci sont partiels, la mère est dissociée en "bonne" et "mauvaise", en sein, en bouche, en organe, etc., chacun de ces objets étant partiel dans les fantasmes. Mais pour conforter son développement l'enfant doit aussi rejeter hors de lui les "mauvais objets" et s'incorporer les "bons". Il le fait par divers mécanismes : celui de "projection" qui est une défense contre l'angoisse (il fait passer ce qui est mauvais du dedans au dehors) et jette sur les personnes et les objets de bons sentiments qui idéalisent la réalité ; celui de "l'incorporation-introjection" fait passer de l'extérieur à l'intérieur ce qui est "bon" et protège contre la persécution. Il peut aussi "incorporer" le "mauvais objet" et ressentir l'angoisse de destruction (morcellement) de son corps (ceci se remarque notamment dans la dissociation corporelle chez le schizophrène, comme dans le mauvais objet du mélancolique).

La position schizoparanoïde de ce premier temps du développement enfantin est commandée par l'ambivalence haine-amour, véritable reflet de la nature conflictuelle des pulsions qui divisent objets et personnalité en clivage "bon" et "mauvais".

Une position "dépressive" (4-12 mois) qui est une conséquence de la première pendant laquelle s'élaborent des réactions défensives. L'enfant fait alors l'expérience que sa mère est une autre personne que lui, qu'elle est totale et autonome, et qu'en conséquence il peut la perdre. Ce sentiment de perte réactive son angoisse, mais lui fait éprouver l'objet d'amour, dont il ne peut se séparer. Les sevrages et les séparations lui causent une souffrance insupportable et instaurent en lui la crainte de perdre l'objet aimé (mère fantasmée). Il sent alors qu'il en est totalement dépendant, d'où sa passivité et sa détresse. Ayant dépassé le moment de destruction de la mère comme objet partiel, il passe par un moment de construction de la mère comme objet total d'amour à l'égard duquel il est soumis. Cette prise de conscience d'une personne autre et du sentiment positif de l'amour entraîne en même temps la "conscience" de sa précarité. Cette période est appelée "dépressive" car l'enfant vit des fantasmes d'abandon, de séparation qui alimentent des sentiments de deuil (perte d'objet) et de tristesse. Désormais il fera tout pour conserver sa mère et Spitz, médecin kleinien, a démontré à partir d'enquêtes, l'existence de cette position dépressive du nourrisson qui, privé de sa mère à partir de 6-8 mois, fait une "dépression anaclitique" qui entraîne l'arrêt de son développement, un autisme et la mort si sa mère ne lui est pas rendue.

Notons que ces deux périodes ne se succèdent pas de manière linéaire, c'est pourquoi, M. Klein emploie le terme de "position" qui exprime la complexité et la primauté d'une organisation psychique non soumise au temps en termes de phases et de périodes de développement. Elles indiquent comment l'enfant peut se détruire dans cette vie fantasmatique intense et comment il peut construire son moi par des conduites réparatrices fondées sur un besoin de sécurité et d'amour.

La psychanalyse kleinienne

Les apports cliniques et théoriques de M. Klein ont permis une orientation nouvelle de la psychanalyse : la structure de l'inconscient le plus archaïque du jeune enfant et la texture fantasmatique et pulsionnelle de la névrose et de la psychose. Si bien qu'aucun clinicien, qu'il soit psychologue, psychanalyste ou psychomotricien, ne peut ignorer à la fois le sens et la technique des orientations kleiniennes. M. Klein a apporté à la psychanalyse un domaine de spécialisation, d'explication et de pratique qui en font une spécialiste de la psychologie enfantine et de la psychopathologie des psychoses. Elle a mis en œuvre un courant psychanalytique qui se donne pour but l'investigation, l'exploration et l'interprétation toujours difficile et complexe du psychisme enfantin. Parmi les disciples nous trouvons Spitz déjà cité, Winnicott, dont les techniques de jeu s'inspirent du kleinisme, et tous les psychologues de la petite enfance qui ont découvert ce véritable continent inconnu qu'est la psyché du nourrisson. En outre M. Klein a apporté aux psychiatres et psychanalystes d'adultes des outils non négligeables pour mieux décrire et interpréter les symptômes de la psychose (spécialement ceux de la schizophrénie et les formes de dépressions psychotiques).

Elle remanie partiellement la théorie freudienne dans deux directions :

- **Elle révèle la précocité du surmoi.** Freud l'explique comme conséquence du "complexe d'Œdipe" alors que Klein le trouve en formation dès les premiers mois comme instance intrapsychique d'autodestruction.

- **Elle analyse la précarité de l'œdipe** comme instance de triangulation repérable avant la phase du développement génital de la sexualité.

Cette mise à jour à la fois clinique et théorique n'a pas été sans conséquence dans les débats passsionnants des courants psychanalytiques.

La critique de la psychanalyse kleinienne

Un débat critique s'est développé dans plusieurs directions en provenance de milieux divers à propos des travaux de M. Klein.

La "Société britannique de psychanalyse" freudienne a discuté le bien-fondé des thèses kleiniennes sur l'existence d'un dualisme pulsionnel et lui a reproché de projeter sur le comportement de l'adulte les mécanismes inconscients du psychisme enfantin. Il y eut au sein même de cette société des kleiniens et anti-kleiniens mais jamais de scission, l'approfondissement de M. Klein étant accepté dans le cadre de la psychologie de l'enfant, et celle-ci s'étant tenue à l'écart des débats théoriques.

Les psychologues et cliniciens expérimentalistes ont accusé M. Klein d'avoir opté pour une méthodologie trop "subjective". Ils relèvent le manque total de preuves scientifiques apportées dans les observations du comportement enfantin et sont sceptiques quant à l'importance à accorder aux fantasmes et à la vie pulsionnelle du nourrisson. Peut-on réellement observer ce qu'elle décrit, cette vie inconsciente du nourrisson est-elle généralisable comme loi fondamentale du psychisme ? La technique du jeu en particulier, utilisée systématiquement, est-elle fiable, à un âge où l'enfant ne peut rien dire de lui-même sur son vécu psychologique ?

Enfin M. Klein a polarisé sur sa méthode et sa théorie un débat entre la psychanalyse américaine, centrée sur une psychologie du moi (ego-psychology), symbolisée en Angleterre par la fille de Freud, Anna, et une psychanalyse clinicienne qui cherche, à partir des symptômes, une réalité psychique que l'on ne peut jamais ramener à une quelconque réalité observable scientifiquement. Le débat dure encore aujourd'hui sous la forme d'une question pédagogique et thérapeutique de fond : peut-on privilégier le moi sur l'inconscient, la réalité sur les fantasmes, la norme et le comportement sur le symptôme ? Voyons quelles réponses Anna Freud a données à ces questions.

L'Ecole anglaise et américaine (ego psychology) **Anna Freud (1895-1982), Anglaise d'origine autrichienne**

Vers une psychologie du moi

Dans la théorie de la personnalité élaborée par Freud les instances (inconscient, moi, surmoi) n'ont pas la même valeur. Alors que le sens clinique de M. Klein approfondit l'inconscient enfantin, A. Freud, quant à elle, privilégie le moi, instance partiellement consciente de la personne. C'est pourquoi 1936 est la grande date de son évolution théorique car elle publie *Le moi et les mécanismes de défense*, ouvrage dans lequel elle valorise le moi et relativise l'inconscient. C'était faire des choix méthodologiques et poser des orientations théoriques qui s'éloignaient de plus en plus de l'orthodoxie freudienne en lui donnant une direction empirique et adaptatrice qui lui ont attiré de nombreux reproches. Mais, comme sa rivale M. Klein, elle n'a jamais été exclue de la "Société anglaise de psychanalyse". Pourtant les choix étaient radicalement opposés et les divergences très claires. Elle a contribué ainsi à donner des orientations à un mouvement de la psychologie, appelé "Psychologie du moi" qui sévira aux USA entre 1950 et 1970 jusqu'à ce que la réaction de J. Lacan en France, dans les années 1960, permette des réajustements théoriques et cliniques centrés autour de la question cruciale de savoir quel est l'objet de la psychanalyse : le moi ou l'inconscient ? Les fantasmes ou la réalité ? La thérapie ou l'éducation ? Si nous parlons d'A. Freud c'est qu'elle symbolise, en y ayant contribué elle-même, une orientation du mouvement psychanalytique tournée vers l'observation pratique et l'adaptation sociale étrangères aux travaux de Freud et au sens qu'il a donné à la pratique analytique, même si, par ailleurs, Freud a insisté aussi sur la nécessité d'une insertion sociale comme facteur d'équilibre psychologique.

L'orientation empirique

Les thèses d'A. Freud trouvèrent aux USA un terrain préparé à accueillir une telle orientation par l'empirisme des psychologues et de sociologues qui ont eu comme souci de privilégier dans la psychanalyse des concepts efficients et un ensemble de techniques de plus en plus efficaces. Freud aurait dit, en arrivant aux USA, qu'il "apportait la peste", c'est-à-dire que la psychanalyse est une théorie et une pratique de soi subversives et ne peut donc servir d'intégration et d'adaptation à la réalité. Sur ce point au moins Freud s'est trompé car le sens pratique des Américains, leur culte pour la technique et les systèmes efficaces, ont vite concouru à transformer la psychanalyse en moyen d'intervention coupé de sa sève théorique originaire.

Une telle interprétation n'était pas sans danger si l'on considère que ce ne sont pas les relations réelles que privilégie Freud, notamment la relation dite "d'objet", mais le vécu fantasmatique et inconscient du sujet. Avec Anna Freud le mouvement psychanalytique s'oriente vers une pédagogie et, par là même, vers une adaptation sociale : elle utilise l'angoisse de l'enfant pour le rendre docile dans la cure de manière autoritaire, négligeant par là un principe sacré de celle-ci, à savoir le transfert. De ce fait, elle perd toute neutralité. A ce véritable dressage de l'enfant, M. Klein oppose une écoute de son inconscient. Ainsi apparaissent avec plus de clarté les oppositions et les enjeux. A. Freud s'intéresse essentiellement au "moi", instance "réelle" de la personnalité, son seul but étant la recherche d'une bonne adaptation sociale. C'est donc une dimension essentielle, celle du désir et de l'inconscient, qui est occultée dans une telle perspective qui ne vise plus que l'adaptation des individus. Cette déviation empirique réduit la personne à un ensemble perception-conscience et entretient une véritable confusion entre les notions de "réalité" et de "réel", ce dernier demeurant, dit Freud, "à jamais inconnaissable".

Un souci de conformisme social ?

Les partisans de cette "ego psychology" comme Hartmann, Kris, Lowenstein, Glower, se caractérisent par cette obsession de l'adaptation du moi à la réalité, par ce souci d'intégrer dans leurs projets "thérapeutiques", le maximum de données extérieures au sujet (physiologique, sociologique, biologique, éducative, etc.) pour mettre en place une psychologie générale du développement (avec notamment la théorie des stades que l'on trouve chez Spitz, A. Freud, Hartmann) centrée sur le moi et la réalité. Pour ce faire, ils introduisent des notions comme celles de "sphère du moi libre de conflits", "d'énergie désexualisée" dont le "moi" pourrait se servir, ce dernier se réduisant désormais à un simple appareil de régulation et d'adaptation. Remarquons que ce "principe de réalité" auquel obéit le "moi" devient adaptation chez les auteurs américains. Cette notion de "réalité" reste dans le vague ainsi que celle de "normalité". De plus ces praticiens se réfèrent à une conception naïve du "réel" qui est la bonne réalité extérieure à l'égard de laquelle Freud a pris ses distances. Nous verrons plus loin les conséquences d'une telle orientation quand Lacan développera sa critique pleine d'humour à l'égard des partisans de cette "psychologie du moi". M. Mannoni s'est faite l'interprète de ces deux tendances (l'une empirique, l'autre orthodoxe) lorsqu'elle écrit : *"Dans la première, ce qui prévaut est le rapport d'une norme morale, la nôtre, que nous cherchons à imposer au candidat psychanalyste. Dans la deuxième, ce qui est en jeu est de l'ordre du remaniement de l'être, il s'agit du rapport du sujet à sa vérité"*. Qu'y a-t-il de commun à ces deux orientations, dont l'une aboutit à rendre les êtres conformes à la société tandis que l'autre écoute une personne singulière, à la recherche de sa vérité à elle ?

Actualité du conformisme et de l'adaptation sociale

On pourrait croire que les enjeux de ce débat n'existent plus de nos jours ou que l'opposition entre ces deux manières de concevoir et de pratiquer la psychanalyse a perdu de sa pertinence. Ce serait oublier la prise de pouvoir institutionnelle opérée par les psychanalystes ces dernières années et le développement de la psychologie et du travail social comme adaptation obligatoire et forcée à la société. Le culte de la technique en psychologie et l'obsession du "moi fort" en psychanalyse concourent à un renforcement des moyens de contrôle autoritaires et adaptateurs sur les personnes déviantes, folles ou simplement non conformes aux modèles sociaux dominants. On assiste à un véritable enfermement des milieux "psy" qui, s'ils se défendent officiellement d'adapter à la société, répondent à l'exigence sociale et politique actuelle de réinsérer dans la réalité tous ceux qui s'en écartent. Il ne s'agit plus là seulement de psychanalyse ou de psychologie mais de la dimension politique du travail social et de son sens par rapport à la société globale dont sont partiellement victimes, en même temps qu'acteurs, les "psy" et les travailleurs sociaux. Le souffle créateur ne passe plus et nous avons importé des USA une "idéologie de l'adaptation" dénoncée à juste titre par R. Castel dans son ouvrage *Le psychanalysme*. La bureaucratisation du travail social et le technocratisme sévissant en psychologie mériteraient à eux seuls un ouvrage. Nous nous sommes limité ici à souligner l'incompatibilité absolue entre la psychanalyse telle que la conçoit et la symbolise A. Freud qui la dilue et la soumet au "réel" et une psychanalyse authentique qui veut redécouvrir les capacités libératrices et subversives que contiennent le désir et l'inconscient. C'est à cette redécouverte que nous invite la révision lacanienne.

L'Ecole freudienne de Paris
J. Lacan (1901-1981), Français

Inconscient et langage : le renouveau conceptuel de la psychanalyse

Le retour à Freud

Cette opposition au sein du mouvement psychanalytique ne se réduit pas à une simple querelle dans laquelle on pourrait ne pas choisir ; elle concerne aussi toute la psychologie et une conception de l'être humain. Il s'agit en somme de savoir si psychologie et psychanalyse s'orientent vers un technocratisme adaptateur, ne répondant par là qu'à une dimension partielle et superficielle de l'homme ou bien vers un engagement pour que les hommes trouvent leurs capacités créatrices par une écoute de l'inconscient et de ce qui est aliéné en chacun de nous.

L'œuvre de J. Lacan s'est placée tout entière sous le signe de ce "retour à Freud". Il dénonce déjà dans la *Communication sur le stade du miroir* à Marienbad en 1936 le "dévoiement" de la psychanalyse comme technique d'adaptation et s'en prend au courant anglo-saxon que nous avons symbolisé par Anna Freud. En un sens il veut fonder une "orthodoxie rebelle" en rappelant la dimension radicale de l'inconscient comme seul objet de la psychanalyse. Mais qu'entend-il par retour à Freud ? En 1953 à Rome il déclare que *"le retour est inséparable d'un retour à la lettre de la psychanalyse"*. Il ne s'agit donc plus seulement de critiquer des pratiques, mais de revenir dans le sillon freudien en approndissant la théorie, ce retour démontrant comment Freud n'est ni l'héritier de la philosophie, ni le prolongement de la psychologie et de la biologie classiques, mais le fondateur d'une science entièrement nouvelle. Il dénonce au passage les orientations de Jung qui entretient une confusion "entre inconscient et archaïque primordial, primitif" et les travaux des psychanalystes américains comme K. Homey, E. Fromm et Masserman qui n'ont pas été fidèles selon lui à la lettre et à l'esprit de la psychanalyse.

Les courants de pensée qui ont inspiré Lacan

On a reproché à Lacan son ésotérisme, son goût des formules abstraites et son langage compliqué. On oppose à ce style hermétique la clarté cartésienne de Freud. Il convient de répondre à cette critique que Lacan s'est adressé à des spécialistes et que sa théorie emprunte largement au langage des mathématiques, de la linguistique et de la philosophie. Véritables carrefours de disciplines diverses, ses séminaires et ses cours ont eu un rayonnement national et international, même si la mode intellectuelle et l'engouement précieux et fanatique de ses disciples ont contribué à tourner en dérision le "style" et le "verbe" lacaniens. Ce magistère qu'il a exercé entre 1965 et 1975 a contribué fortement au développement d'une authentique recherche en psychanalyse.

C'est pourquoi il lutte contre sa banalisation culturelle, fait l'apologie de l'œuvre de Freud en la confrontant aux sciences modernes (logique, linguistique, épistémologie) et s'inspire directement de ses textes pour lutter contre "l'idéologie adaptatrice" du courant anglo-saxon (ego psychology).

Cet esprit critique et rigoureux a lu Hegel (dans le cadre du "collège philosophique" de J. Wahl qui a répandu en France les idées du grand philosophe allemand), notamment la méthode dialectique, les concepts de "désir", d'"Autre", de "conscience", dont il s'inspirera en ses débuts avant d'avoir définitivement pris ses assises théoriques dans la linguistique de Jakobson et le structuralisme de Lévi-Strauss. Mais Lacan est d'abord un clinicien, psychiatre d'origine, spécialiste de médecine ce qui lui permet de partir des symptômes et de la maladie mentale.

Psychanalyse et linguistique

Parmi ces disciplines Lacan privilégie, au fur et à mesure de ses approfondissements, celles qualifiées de formelles. C'est le cas pour la linguistique, notamment celle du fondateur F. de Saussure. Pourquoi une telle prédilection ? Parce que la linguistique a pour objet l'étude de la langue et du langage dont Freud a illustré le rôle décisif dans l'interprétation du symptôme hystérique. Dans l'interprétation comme dans la cure analytique ce qui est mis en jeu, ce sont des mots, du sens, du "signifiant" qui sont aussi l'objet du linguiste. La rencontre psychanalyse et linguistique chez Lacan n'a rien de fortuit, elle est tout entière déterminée par cet objet qu'elles ont en commun : le mot, la langue. On comprend mieux alors ce qu'il entend par "retour à la lettre du freudisme" : analyse rigoureuse des textes avec, comme clef de voûte, ce qui est à interpréter dans l'inconscient c'est-à-dire des mots, des images, des symboles, toute une machinerie linguistique qui lui fera dire que l'analyste doit être à l'écoute du "ça parle" et que ce "ça" désigne l'ensemble du champ de la parole qui est parlé dans l'inconscient du sujet ; un inconscient et un "ça" qui lui échappent toujours. Il voit très tôt dans la linguistique la possibilité de fonder formellement les lois qui régissent l'inconscient, "*l'inconscient est structuré comme un langage*", et met en évidence que ce travail avec le sens caché des symptômes, des "maladies mentales", doit porter sur un type d'écoute propre au psychanalyste et se référer à un ordre qui a ses lois, celles de l'inconscient comme production de langage. En précisant ses travaux Lacan observe qu'il y a des similitudes entre certains phénomènes linguistiques observés par Jakobson et les mécanismes du rêve découverts par Freud (la manière dont se combinent les mots dans la langue offre une analogie avec les phénomènes de déplacement et de condensation dans le rêve).

Une autre rencontre féconde a eu lieu avec l'anthropologue Lévi-Strauss qui a cherché lui aussi à rendre compte du sens des mythes, des mentalités et des pratiques par l'observation des peuplades primitives. Là encore ces phénomènes culturels font apparaître leur étroite liaison avec le problème du sens et de l'organisation de l'esprit humain en structures de langage.

Ce que de Saussure a fait pour l'étude des langues et Lévi-Strauss pour celle des mentalités n'est pas si loin de ce que fait Lacan pour l'étude de l'inconscient, dès l'instant où les phénomènes observés portent, pour ces trois disciplines, sur une approche radicalement nouvelle des lois du langage. Ce qui est toujours en œuvre, que ce soit dans l'esprit humain, dans la langue ou dans l'inconscient, c'est cette dimension propre à l'homme d'échanger des mots et du "sens".

De quoi est constitué l'inconscient ?

L'inconscient est la découverte primordiale de la psychanalyse et c'est à cette notion clef que Lacan applique les découvertes de la linguistique. Il met en évidence le rapport entre les mots et les pulsions, le langage et le sexuel, le biologique et le culturel dans le fonctionnement psychologique : l'inconscient en effet est soumis tout autant aux lois du langage qu'à celles du corps.

Pour Freud l'inconscient est le résultat de ce qui a été refoulé et qui demeure de ce fait hors du champ de la maîtrise du sujet : ce qui est refoulé est le produit d'une censure qui s'exerce à l'égard de sentiments ou de représentations qu'un individu s'interdit d'avoir et qu'il censure. Le refoulé n'est donc pas seulement la pulsion mais ce qu'elle représente, évoque et signifie : lorsque Freud parle de sexualité refoulée, dans le cas de l'hystérie par exemple, il ne s'agit pas d'un simple refoulement énergétique-corporel (une poussée sexuelle) mais d'une censure, c'est-à-dire d'un mécanisme qui opère à partir d'une représentation, celle-ci étant pour Lacan le propre de l'être humain. Sans langage il n'y aurait pas d'inconscient car il n'y aurait pas de censure ; là est la différence entre l'homme et l'animal : l'inconscient suppose en effet l'existence du langage, c'est pourquoi la sexualité, si importante dans la découverte freudienne, n'est pas seulement une caractéristique physiologique (avoir un sexe) mais une dimension psychologique car elle est vécue sur la base d'interdits qui, eux, ont une origine culturelle et morale. C'est pourquoi l'inconscient est régi par les lois du langage. Lacan approfondit cette logique du langage à l'œuvre dans l'inconscient : les signes, les mots, les signifiants, le sens s'organisent selon les lois propres de la langue, véritable noyau organisateur de l'inconscient. Ainsi tel mot, telle image, tel signe, tel symbole exprime et révèle l'inconscient d'un individu et tout être humain est pris dès son origine (et même avant de naître) dans des réseaux de langage, des nœuds de sens, des symboles inconscients, c'est-à-dire dans un discours. L'enfant est pris, capté, inscrit dans ce système de représentations inconscientes qui lui vient de sa famille et de la société. Il est parlé avant de parler, il est pétri par des signifiants avant de signifier lui-même : le "ça parle" précède le "je parle". Dès lors l'enfant ne pourra exercer sa propre parole de sujet qu'en se dégageant partiellement de cette gangue langagière inconsciente qui l'a structuré et lui permettra de quitter les besoins pour accéder au désir.

Lacan appelle signifiants et chaînes signifiantes les organisations inconscientes du langage, signifiants qui se déplacent, se condensent, se structurent selon des lois propres à l'inconscient, réalisant le même type de travail que l'on trouve également à l'œuvre dans le rêve et les actes manqués. Rien d'étonnant alors à ce que la psychanalyse lacanienne privilégie le sens d'un mot, d'une formule ou d'une image pour interpréter et mettre à jour les signifiants refoulés qui sont comme des clefs qui permettent d'accéder à l'inconscient d'un sujet.

Les quatre concepts

La pulsion

C'est dans *Les quatre concepts de la psychanalyse* que Lacan, reprenant Freud, mène une analyse critique et clinique des notions clefs de la psychanalyse : pulsion, imaginaire, symbolique et réel qui constitueront la base de sa doctrine. La notion de pulsion est fondamentale car elle est au carrefour du biologique et du psychologique. Ce que Lacan y voit concerne la distinction entre la pulsion et le besoin, ce dernier venant du corps alors que la pulsion provient de la psyché. Elle est une énergie (ici Lacan reprend Freud qui avait distingué entre instinct – besoin – et pulsion), mais pas énergie pure car elle s'accompagne toujours d'une "représentation". Ces "pulsions-représentations" sont la matrice du psychisme car elles ont une double appartenance : par leur nature biologique elles appartiennent au corps et par leur lien avec la représentation elles font partie du signifiant c'est-à-dire du langage. Cette double appartenance est fondamentale car la pulsion est la rencontre du corporel et du psychique en nous. En précisant la nature de la pulsion Lacan lui accorde un rôle charnière entre une économie libidinale (énergie) et une représentation signifiante (image) ; elle jouit donc d'un double statut.

Cette question de la nature de la pulsion lui donne aussi l'occasion de distinguer entre le besoin et la "demande" : un besoin n'existe pas en lui-même car il est toujours porté par une demande d'amour qui, elle, ne peut jamais être satisfaite. Si bien que besoin et "demande" entretiennent des rapports de leurre. Quand une mère ne retient dans le besoin de son enfant qu'une satisfaction immédiate, elle ne peut interpréter sa demande d'amour : pour Lacan le besoin est toujours une demande d'amour relevant de l'ordre du désir ; ce désir, se définissant lui-même par le manque, ne peut donc jamais être comblé par des besoins.

L'imaginaire

L'autre concept stratégique est celui "d'imaginaire", il désigne la nature des relations qu'instaurent la mère et l'enfant avant le complexe d'Œdipe. Il est lié à la théorie lacanienne du "stade du miroir" qui met en évidence le caractère illusoire de la construction du sujet chez l'enfant. Plus généralement ce concept désigne le système de projection des désirs dans lequel l'enfant d'avant l'œdipe est capté. Restant dépendant avant l'âge de cinq ans de ses pulsions et de ses fantasmes, il ne peut accéder à "l'ordre de la loi" et du "symbolique", qui le fera passer de sa situation d'infans (état de dépendance) à celle de sujet qui est pour Lacan la spécificité même de l'être humain. Cette notion désigne ainsi l'ensemble des relations de leurre, de projection, d'agressivité, de conflits à l'égard desquels l'enfant pré-œdipien reste entièrement dépendant. L'imaginaire est aussi la situation de l'être humain adulte qui vit captif dans la toute-puissance de ses fantasmes qui le maintiennent dans un état infantile producteur de névrose et de psychose. L'imaginaire exprime une situation dramatique qui empêche l'enfant ou l'adulte d'accéder à l'ordre libérateur du "symbolique" et du "réel", ce qui fait dire à Lacan après Freud que c'est par "l'œdipe" qu'une libération est possible. Comme Freud, Lacan repère dans l'œdipe le complexe moteur et libérateur qui délivre l'enfant de ses forces inconscientes et de la fiction dans laquelle il est pris quand il est petit.

Le symbolique

Le troisième concept est celui de "symbolique". Il correspond à l'accession au langage, appelé "grand-Autre" par Lacan car c'est par lui que se construit le sujet.

On comprend dès lors pourquoi Lacan privilégie le langage car c'est par lui que s'effectue la fonction symbolique qui est le propre de l'être humain. C'est pourquoi l'accession à l'ordre du langage (ou ordre symbolique) est fondamentale car elle permet de se représenter le réel et ainsi de le mettre à distance. La théorie lacanienne fait prévaloir cette notion sur celle de pulsion car le symbolique est lié à la représentation. Sans le symbolique il n'y aurait pas de langage et donc pas d'inconscient, celui-ci étant le propre de l'homme. Parmi les "signifiants" de cet ordre symbolique, il en est un qui a une position privilégiée, appelé "nom du père". Par sa position phallique en effet, le père, au moment de "l'œdipe", représente pour l'enfant la possibilité d'accéder à la loi et de quitter ainsi définitivement l'ordre imaginaire qui était signe de sa relation duelle avec sa mère. Le "nom du père" ne désigne pas ici le père "réel", mais ce qu'il représente, le fondateur d'un état nouveau donnant à son enfant accès à la loi, au langage, à la culture et à la civilisation, tout ce par quoi l'être humain se caractérise comme Homme. Le père joue un rôle analogue pour l'enfant à celui que Freud attribue à Moïse pour le peuple juif, celui d'être un fondement. Législateur, loi fondatrice, signifiant premier et symbole des symboles, le "nom du père" permet à l'enfant d'accéder à l'autonomie, c'est-à-dire de devenir un sujet. Désormais il n'est plus entièrement soumis à son inconscient mais il devient sujet de sa propre parole, n'est plus "parlé" par l'inconscient familial mais devient agent actif de sa parole créatrice. Par ce "nom du père" l'enfant accède à l'ordre symbolique, il quitte sa position de toute puissance imaginaire et peut accéder au réel.

Le réel

Le dernier concept est celui de "réel". Nous avons vu qu'il est à l'origine de la réaction lacanienne qui reproche à la psychanalyse anglo-saxonne de confondre réel et réalité. Freud avait posé que le "principe de réalité" correspond à tout ce qui existe en dehors du psychisme, et donc au-delà des projections du désir et des fantasmes, tout ce qui a son autonomie et sa propre consistance. Cette réalité extérieure l'enfant ne la découvre que très tard, au moment de l'œdipe, quand il quitte le monde imaginaire (Piaget parle de dépassement de l'égocentrisme enfantin). Lacan donne deux sens au mot réalité :

– Dans le premier, la "réalité" est ce qui est atteint par l'être humain par les capacités psychologiques avec lesquelles l'Homme a prise. En ce sens la "réalité" est ce mélange que l'on ne peut dissocier de ce que nous vivons et de ce qui existe en dehors de nous simultanément.

– Dans le second, la "réalité" est aussi ce à quoi nous nous heurtons, la limite entre le moi et les autres (personnes, monde, objets) dans ce qu'ils ont d'inconnaissable (ni soumis à l'imaginaire et au symbolique). A la formule de Freud pour lequel "*le réel demeure à jamais inconnaissable*" correspond la critique de Lacan à l'égard des psychanalystes qui réduisent le réel à une réalité observable, connaissable, adaptatrice. La "réalité" est la transcendance du réel par rapport à nos fantasmes et nos projections imaginaires : dans cette perception du réel comme mystère Lacan est proche de Hegel et Sartre qui accordent à l'acte de nier une valeur de connaissance. On ne peut donc confondre la réalité maîtrisable et domesticable que l'on affirme et la réalité transcendante, inconnaissable qui permet la négation.

Les perspectives cliniques et éthiques

Les stades du miroir chez l'enfant

C'est grâce au miroir que l'enfant va acquérir une relation à autrui et prendre conscience de lui-même car la réaction devant le miroir est spécifique de l'espèce humaine. Wallon a étudié les différents stades de constitution du miroir :

A trois mois l'enfant commence à réagir devant le miroir. Vers cinq mois il fixe son image et a à son égard des relations d'intérêt.

C'est à partir de six mois que l'on peut parler de véritable conduite devant le miroir. Mais il ne sait pas encore que l'image est un double de la réalité.

A partir de huit mois l'enfant présente une réaction à sa propre image. Il saisit que l'image qu'il voit ce n'est pas lui, séparant son corps qu'il sent du corps qu'il perçoit dans le miroir. Il réalise qu'il peut être vu par autrui. On peut alors parler "d'image spéculaire" car elle fonctionne comme double du corps de l'enfant qui acquiert en quelque sorte un deuxième corps dont la dimension est symbolique.

Ce n'est que vers un an que l'enfant considérera l'image comme une apparence.

Lacan reprend les découvertes de Wallon en faisant du miroir le processus de constitution du "je". Il appelle "je spéculaire" l'image fonctionnant comme identification, celle-ci permettant à l'enfant d'assumer sa propre image car il peut se voir et être conscient d'être vu par les autres. Ce "je spéculaire" est une première ébauche du moi.

Ce que perçoit l'enfant dans le miroir est une forme unifiée (alors que dans les premiers mois de sa vie son corps est morcelé), une Gestalt qui possède un pouvoir structurant. C'est pourquoi ce moment constitue la prise de conscience de l'unité du corps. Si le miroir rend possible cette unification de l'image du corps il permet également la constitution du narcissisme : l'enfant aime son image comme Narcisse et se complaît en elle au point d'en être fasciné. Par ce narcissisme l'enfant ébauche son moi qui n'a qu'une consistance fictive et imaginaire. Ce moi n'étant pas le sujet à proprement parler mais simplement l'image qu'il se fait de lui. Ce n'est qu'en s'insérant dans l'ordre du symbolique qu'il accédera, au moment de l'œdipe, au statut de sujet. Ce sujet néanmoins sera marqué par ce "je spéculaire" fictif.

Pourquoi une telle importance accordée au "miroir" ? Parce que celui-ci détermine une ligne à partir de laquelle fonctionne un "moi illusoire" et un "moi réel". Le premier n'est pas une simple fiction car il a une fonction de méconnaissance qui interdit à l'enfant ou l'adulte "malade" d'accéder à sa vérité consciente. L'enfant fait l'expérience de la distance immense qui sépare son moi du "moi miroir", celui-ci étant le noyau originaire de sa personnalité en construction au moment de l'œdipe. Contre "l'ego psychology" du "moi fort" des psychanalystes américains et d'A. Freud, Lacan rappelle le caractère fragile du moi, marqué à jamais de sa constitution factice et illusoire qu'il doit non pas à des accidents de son histoire, mais à sa "constitution" d'origine. Il s'agit là d'une véritable faille qui marque tous les sujets. Ainsi fiction et imaginaire s'opposent radicalement au réel et au symbolique, en opposition irréductible. Cette blessure narcissique marque l'originalité clinique et théorique du lacanisme en renforçant l'idée d'une fragilité fondamentale de la personne humaine.

La parole et le désir

Cette fiction d'origine appartenant au sujet humain condamne-t-elle l'homme à vivre dans l'illusion et à ne pouvoir maîtriser ses fantasmes et son imaginaire ? Cette "blessure narcissique primordiale" rend-elle l'homme passif, jouet ou marionnette de son inconscient ?

Oui si l'on considère, comme Freud, que tout homme est névrosé car il ne se libère jamais totalement de son inconscient (Lacan renforce cette théorie de la névrose ordinaire par ce stade du miroir).

Non car on sait que, par le conflit œdipien, le petit d'homme parvient, partiellement certes, au statut de sujet qui le constitue comme être de désir dans une parole libératrice. Mais pour que le désir soit possible la parole ne doit plus être soumise au "ça parle" de l'inconscient, elle rend alors possible un "je parle" qui permet la découverte de l'autre non plus dans un rapport fictif mais dans une relation de vérité. Passage qu'illustre la formule de Lacan "*là où ça parle 'je' doit advenir*". Ce sont les mots, les signifiants, cette parole que le sujet fait sienne quand il dépasse sa constitution illusoire pour découvrir sa vérité qui le libèrent de son inconscient. Découverte qui permet au désir de s'exprimer, de se dire, de se constituer dans un rapport d'altérité (saisir l'autre dans ce qu'il est) aux autres et au monde. Le "stade infans" est alors dépassé, l'enfant va vers l'autonomie et la maturité qui consistent, non pas à s'adapter à une réalité normative, mais à libérer le désir et la parole qui sont les fondements d'une subjectivité personnelle et unique. Cette parole n'est pas un système de mots enchaînés dans un code inconscient qui maintient le sujet dans la méconnaissance, mais le désir du sujet de se dire et de se connaître dans un rapport de vérité avec lui-même et les autres. C'est pourquoi désir et parole sont inséparables car les mots introduisent la distance, permettent le manque à partir duquel peut émerger un désir qui déjoue enfin les lois implacables de l'inconscient.

Psychanalyse lacanienne : les principes

Cette recherche de libération est un travail difficile si l'on se souvient de la capacité qu'a l'être humain de reproduire les illusions et les fictions de son enfance. C'est pourquoi la psychanalyse lacanienne ne vise pas seulement à fortifier un moi toujours défaillant, mais à aider le sujet à advenir à son désir et à sa vérité. On aura compris qu'une telle entreprise n'a pas de limite assignable dans le temps car personne n'a jamais fini d'être à l'écoute de son désir. D'où le principe fondamental de la cure psychanalytique lacanienne que celle-ci ne vise pas essentiellement à adapter à une réalité (ce qui supposerait que l'on sache ce qu'est cette réalité) ni même à soigner des symptômes (ce qui serait réduire la vérité d'un sujet à une "maladie") mais à remanier en leurs fondements les relations qu'entretient le sujet avec lui-même et les autres. L'autre principe de cette cure consiste à privilégier le jeu des signes inconscients et faire découvrir des signifiants types qui permettent à une personne singulière d'accéder à sa vie inconsciente : un rêve, un lapsus, un symptôme sont à prendre à la "lettre" et à interpréter comme autant de manifestations de l'inconscient par lesquelles se dit une vérité du sujet qui doit la reconnaître comme sienne. Le mot "vérité" ne désigne pas ici une vérité toute faite, mais un processus de reconnaissance qui se révèle au fur et à mesure des prises de conscience qui s'opèrent dans la cure. Ces principes sont tout à la fois théoriques et pratiques dans la mesure où le psychanalyste lacanien s'engage à accepter la théorie lacanienne, et donc l'orthodoxie freudienne, et à promouvoir une "éthique de la psychanalyse" compatible avec la liberté du sujet. Il serait abusif de faire s'adapter le désir à des règles ou à des normes relatives à un type de société. En France, M. Mannoni, F. Dolto, S. Leclaire ont contribué, en diffusant la psychanalyse lacanienne, à développer des pratiques psychanalytiques qui ont été compatibles avec cette éthique des principes de la cure.

Le Lacanisme après la mort du maître

Le souffle lacanien, par la recherche intellectuelle qu'il a permise dans l'approfondissement de la psychanalyse et par la pratique analytique qu'il a inspirée, a été un sursaut face aux entreprises adaptatrices et normalisatrices.

La rupture lacanienne avec "*l'establishment*" psychanalytique national et international montre l'importance des ruptures et des développements théoriques puisque Lacan avait fondé sa propre Ecole, non affiliée à "l'Association internationale de psychanalyse". Les "*Ecrits*" sont une source de références pour de nombreux psychanalystes et psychologues à travers le monde. La recherche de Lacan a largement débordé le monde des "psy" car son appareil conceptuel est aussi utilisé en histoire, en littérature, en art, etc. Dans cette incessante maturation qu'a produite le mouvement psychanalytique depuis sa fondation, l'œuvre de Lacan, par-delà les dissensions, émerge par l'audace de son projet (recherche d'une pratique analytique authentique), la rigueur de sa conceptualisation qui en font une des grandes œuvres de la psychanalyse contemporaine.

Synthèse des écoles psychanalytiques après Freud

Concepts	Reich	Klein	A. Freud	Lacan	S. Freud
Sexualité	• puissance orgastique • refoulée par la société		• minimise son importance	• importance du phallus et de la castration	• sexualité œdipienne • refoulée par l'inconscient
Moi	• couche caractérielle défensive		• le survalorise comme instance d'adaptation à la société	• constitue l'homme comme sujet. Le moi est construit sur des illusions venant du stade du miroir	• maîtrise et contrôle, enjeu des pulsions et du sur-moi
Inconscient	• n'existe que par une société répressive	• est à l'œuvre dès la naissance de l'enfant • comme source de clivage bon-mauvais	• minimise son importance	• en fait une instance structurée comme un langage	• système pulsionnel et de refoulement
Clivage	• produit par la société	• il est précoce et est le concept clé de la petite enfance	• produit d'une inadéquation entre le moi et la réalité	• structure interne à la personnalité	• renvoie à la dissociation schizophrénique et à la dualité entre pulsion de vie et pulsion de mort
Névrose	• produite par la société patriarcale et capitaliste	• en minimise l'importance. Pour elle, la psychose est une structure du psychisme	• écart entre le moi et la réalité	• impossibilité d'accès au symbolique	• clef de voûte de la personnalité
Principe de réalité	• essentiellement politique et économique	• le petit enfant y accède difficilement	• réalité objective et sociale	• ce qui est extérieur au psychisme • préfère le concept de "réel" qui caractérise le lien entre le sujet et la réalité	• opposé au principe de plaisir • opposé à la toute-puissance
Libido	• principe de plaisir dans lequel est l'homme avant la répression sexuelle	• toute-puissance du petit enfant dans son rapport à la mère	• issue d'une harmonie entre le moi et la réalité	• structure fondamentale de la personnalité	• principe de sexualisation de l'objet et du moi
Censure	• sociale et individuelle		• réalisée par le moi et le sur-moi	• principe d'occultation	• à l'origine du refoulement interne

Les concepts de la psychanalyse

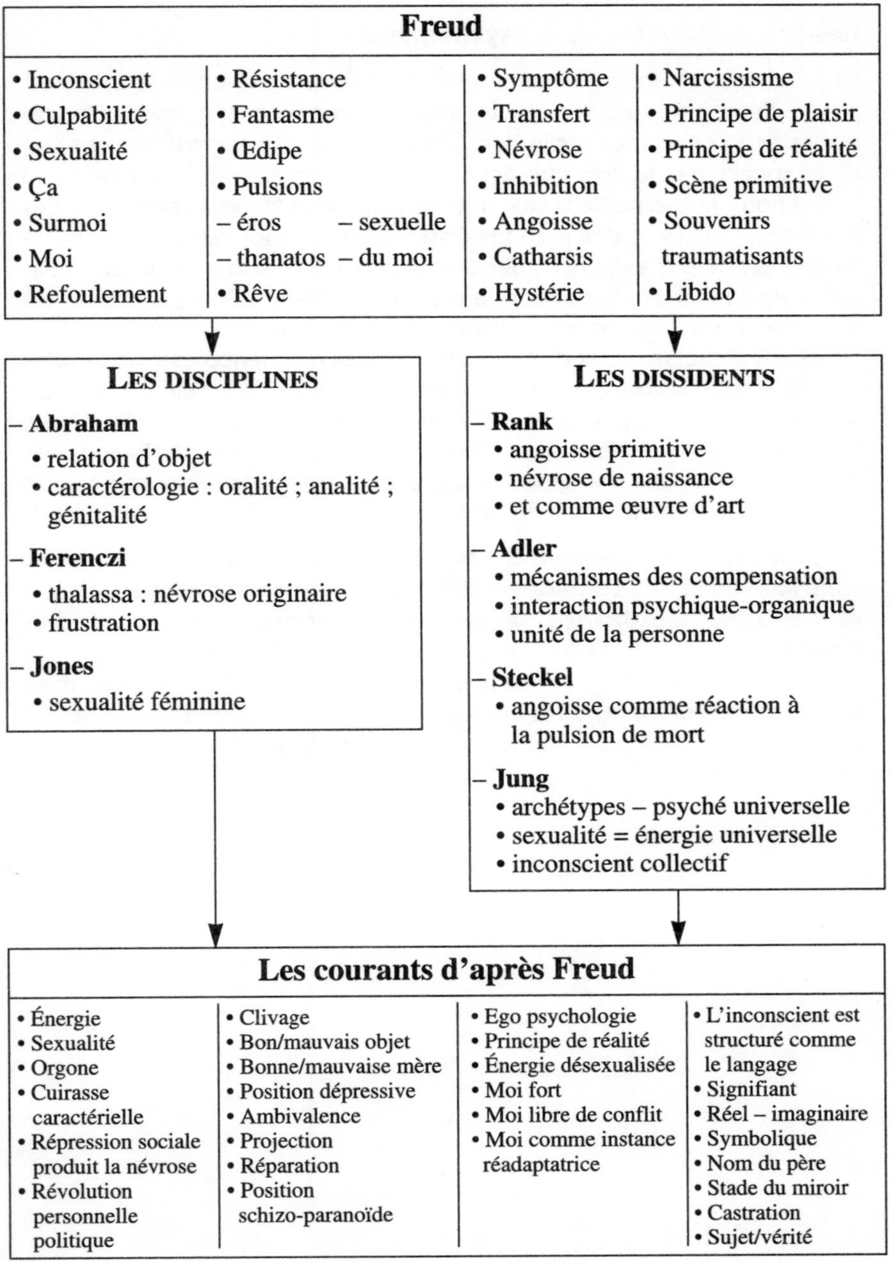

Freud

• Inconscient	• Résistance	• Symptôme	• Narcissisme
• Culpabilité	• Fantasme	• Transfert	• Principe de plaisir
• Sexualité	• Œdipe	• Névrose	• Principe de réalité
• Ça	• Pulsions	• Inhibition	• Scène primitive
• Surmoi	– éros – sexuelle	• Angoisse	• Souvenirs
• Moi	– thanatos – du moi	• Catharsis	traumatisants
• Refoulement	• Rêve	• Hystérie	• Libido

Les disciplines

– **Abraham**
- relation d'objet
- caractérologie : oralité ; analité ; génitalité

– **Ferenczi**
- thalassa : névrose originaire
- frustration

– **Jones**
- sexualité féminine

Les dissidents

– **Rank**
- angoisse primitive
- névrose de naissance
- et comme œuvre d'art

– **Adler**
- mécanismes des compensation
- interaction psychique-organique
- unité de la personne

– **Steckel**
- angoisse comme réaction à la pulsion de mort

– **Jung**
- archétypes – psyché universelle
- sexualité = énergie universelle
- inconscient collectif

Les courants d'après Freud

• Énergie	• Clivage	• Ego psychologie	• L'inconscient est structuré comme le langage
• Sexualité	• Bon/mauvais objet	• Principe de réalité	• Signifiant
• Orgone	• Bonne/mauvaise mère	• Énergie désexualisée	• Réel – imaginaire
• Cuirasse caractérielle	• Position dépressive	• Moi fort	• Symbolique
• Répression sociale produit la névrose	• Ambivalence	• Moi libre de conflit	• Nom du père
• Révolution personnelle politique	• Projection	• Moi comme instance réadaptatrice	• Stade du miroir
	• Réparation		• Castration
	• Position schizo-paranoïde		• Sujet/vérité

Synthèse

Les psychanalystes et la psychanalyse

La psychanalyse, inventée par Freud, s'est constituée comme théorie à partir d'une interrogation sur le sens à donner aux symptômes hystériques et à l'observation clinique. Elle a découvert progressivement son objet spécifique : les lois qui régissent notre inconscient. Nous avons vu à quel point le thème de la sexualité et celui de la libido a été source des premiers conflits et des grandes dissidences. Le mouvement psychanalytique est né des exigences des disciples et des dissidents qui ont, chacun à leur manière, apporté une pierre à l'édifice. C'est par rapport à leur plus ou moins grande orthodoxie doctrinale que Freud s'est vu contraint d'exclure ceux dont les divergences n'étaient plus compatibles avec le respect rigoureux des principaux concepts de la science qu'il faisait naître. Mais des grandes tendances psychanalytiques ont prouvé que, si le corps de la théorie est resté intact après la mort de Freud, des orientations et des domaines non explorés pouvaient être mis à jour. Ainsi est la psychanalyse, à la fois science close et théorie en marche !

Par rapport à la psychologie elle représente une tendance fondatrice et contribue de ce fait à son originalité. Son enracinement dans la clinique et dans la psychopathologie, sa capacité à permettre les innovations thérapeutiques, ont fait d'elle l'un des pivots autour duquel sont apparues les "nouvelles thérapies". Il nous faut donc maintenant les étudier dans la variété de leurs méthodes et dans la diversité des grands thérapeutes qui les ont fondées pour répondre à ces questions : quel sens ont-elles et à quoi servent-elles ?

La psychologie cognitive Les sciences de la représentation

La logique moderne

Cognitivisme et logique

Tous les systèmes philosophiques et les théories scientifiques ont commencé par une révolution logique (pour les "modernes", Hegel, Kant, Husserl, Wittgenstein, Frege). C'est l'acte de philosopher qui est lié, de manière essentielle, à la pensée... Mais tout le monde pense ! (chacun de nous, les poètes, les politiciens, le boulanger, l'enseignant, etc.). Penser est le propre de l'homme.

Mais qu'est-ce qui distingue la pensée philosophique des autres pensées ? A quoi reconnaît-on une pensée philosophique ? Question complexe car il y a mille réponses.

Pour G. Deleuze, dans *Qu'est-ce que la philosophie ?*, le philosophe est celui qui invente de nouveaux concepts. Or le concept est le produit de la pensée par la raison, le raisonnement logique. C'est une production d'un type particulier : inventer, démontrer, fonder, que ce qui est n'est pas arbitraire. En établissant des liens de nécessité à partir des choses mêmes : ce que, rigoureusement, les choses sont. Mais on ne peut jamais les connaître en elles-mêmes, elles échappent à notre perception comme à notre pensée. Le réel est là, indépendamment de nous. Mais, en même temps, les choses existent dans la relation que nous établissons avec elles. Pas de choses sans cette relation : comme dit Sartre, elles sont en soi et pour soi, simultanément, sans séparation. Quand je dis : "*La vie est triste*" ou "*Le monde est harmonieux*", je me prononce sur la qualité. Mais est-ce que la vie est triste en elle-même, pour le sujet qui la vit... toujours... à un moment donné ? Est-ce objectif ? Subjectif ? *Est-ce vrai ?*

Quand est posée la question du vrai, la "tristesse de la vie", "l'harmonie du monde" n'est plus seulement ce que quelqu'un dit ou ressent (vérité pour lui, subjective, qui le renvoie à son expérience). Mais qu'est-ce que la vie et la tristesse ? On pose un concept : la vie, la tristesse, qui marque le passage de l'expérience à la pensée ; en quoi la tristesse de la vie est vraie ?

Le cognitivisme procède de la même manière, mais avec la représentation.

Est-il vrai que les mots, les images, les idées sont le produit originaire de la conscience ou la production d'un cerveau conditionné ? Peut-on établir un discours vrai sur ce qu'est la représentation ? Ce fonctionnement est philosophique à son départ, dans la mesure où l'on ne peut énoncer du vrai qu'en faisant la critique des conceptions antérieures de la représentation.

La logique moderne a rompu avec les logiques traditionnelles en ce qu'elle n'accepte que comme rigoureusement vraies les vérités établies sur des bases logico-mathématiques provenant soit de la raison pure soit de l'expérimentation.

La logique et la philosophie

L'important est d'établir, de démontrer, de vérifier, que seules les vérités logico-mathématiques (nombres, figures géométriques, arithmétique, symboles) peuvent produire de la connaissance vraie. Pour le reste, on peut certes le penser, mais on ne peut rien en dire de vrai (le concept de silence de Wittgenstein, l'exclusion des jugements d'être et d'existence chez Frege, l'exclusion du sens dans la logique sans paradoxe de Russel).

Le progrès initial des logiciens modernes repose sur le constat que rien n'est sûr dans la connaissance. C'est dans notre incertitude essentielle que se fonde le projet d'un renouvellement philosophique de la logique. Projet qui aboutit à produire une pure vérité intellectuelle (abstraite), pur produit de la raison. Les mathématiques et la logique sont dites "pures" car elles n'ont pas d'existence réelle, elles sont le produit de la raison, c'est-à-dire une forme.

Le cognitivisme dans son ensemble (il faudrait nuancer ?), s'il possède une cohérence théorique (à démontrer ?) suppose entièrement que la raison autoproduit du vrai : elle a une efficacité productive. En ce sens que le vrai, la vérité, les vérités sont immanentes (à l'intérieur) à l'acte de raisonner. On ne se pose plus la question : qu'est-ce qui fait que le vrai est vrai (une question philosophique, origine de la vérité), mais comment s'établit le vrai dans l'efficacité de la raison logico-mathématique (question "théorique") ? D'où dissolution du concept philosophique de vérité et production d'un logicisme (le vrai a une efficacité abstraite).

L'Ecole d'Oxford : le rebondissement de la question, une nouvelle génération de logiciens

Limites et conditions du savoir

A partir de 1900, une autre génération de logiciens reprend la notion de représentation sur les bases de la révolution de l'Ecole de Vienne, notamment le concept logique "d'état de fait" de Wittgenstein qui consiste à lier chose et représentation dans une approche rigoureusement formelle. Le vrai se produit efficacement.

Mais que veut dire efficacité du vrai : c'est à cela que répondent les recherches logiques de Gilbert Ryle et J.-L. Austin.

Gilbert Ryle (1900-1976), Anglais

Dans *La notion d'esprit*, ouvrage de 1949, Ryle fait apparaître que "l'esprit" est un fantôme métaphysique qui accompagne la philosophie... et le corps une machine. Il rejette ces deux dogmes (la matière d'un côté, l'esprit de l'autre) et dit : l'"*ontologie c'est fini*".

On sort du dualisme esprit/corps (hantise du cognitivisme !) en rendant le réel à sa complexité. Son œuvre est une critique des notions d'intériorité, de sujet, de substance. Il faut se passer de la métaphysique ! La notion de vrai s'exprime dès lors qu'on construit correctement un langage se référant aux choses du monde (la science en est le prototype). La logique a comme seule fonction de déterminer les limites et les conditions du savoir et non plus de construire une vérité au-delà de ces limites. Le cognitivisme se fondera sur cette distinction : vrai et vérité.

J.-L. Austin (1911-1960), Anglais : action et langage

En quoi le vrai n'est pas la vérité ? Quand je dis "*Je parie qu'il pleuvra demain*" (exemple d'Austin), je n'énonce rien d'objectif, ni même je ne fais un constat. L'énoncé n'énonce pas une vérité. Cette phrase est une action, pas un simple mot qui désigne. Elle relève du langage qui a son propre pouvoir, pas seulement symbole mais symbole efficace. Le langage comme action. Il ne représente que dans la mesure où il réalise. En ce sens le langage n'est pas abstrait. Parler c'est agir. Quand j'énonce un fait je m'engage dans une action.

Voilà donc là un "pragmatisme" nouveau dans la conception du langage qui a été conçu comme symbole. Mais y a-t-il pour autant une distinction entre l'action et le symbole à partir duquel elle est parlée ? Austin distingue deux sortes de propositions :

- Celles qui décrivent, qui constatent (les énoncés scientifiques par exemple). Elles sont dites constatives.

- Celles qui régissent comme un acte. Elles sont dites performatives. "Je cours." Le mot courir ne correspond pas seulement à une action, il est action en tant que tel, par sa fonction symbolique. Il n'a pas qu'une valeur de représentation de l'action.

Austin mène une enquête systématique sur les énoncés du langage (notion d'acte illocutionnaire, enquête sur les mots, les significations, sur les énoncés qui deviennent moyens de connaissance), sur la base d'un principe : les faits de langage tendent à se réaliser en actions.

L'Ecole américaine

John Searle (1932), Américain

Influencé par Austin et l'Ecole de Vienne, il s'attache à l'aspect pragmatique du langage. Le problème : de quelle façon les mots se relient-ils à la réalité ? Par l'intention de signifier, de communiquer. Les sons signifient et l'auditeur comprend. L'originalité de Searle se fonde sur la relation nécessaire qu'il établit entre locuteur et auditeur. Il critique la linguistique qui conçoit le symbole, le mot, la phrase comme des vérités de communication, alors que pour lui l'unité minimale de communication c'est l'émission du symbole, c'est-à-dire au moment où se réalise l'acte de langage.

Les mots et les choses et l'énonciateur ne sont pas à relier, ils sont liés, indissociables dans leur présent. Searle refuse qu'il puisse exister des conditions du langage, des signes, des structures de langue séparables de l'action même de parler. Au formalisme des logiciens il oppose le pragmatisme du discours.

W. Quine (1908), Américain

Il s'inspire du logicien autrichien Russel. Il va dans le même sens que Searle, mais pour dériver ensuite. Il conteste à la fois que l'on puisse se passer des langues formalisées (calcul, logique, symbolique, algèbre, maths) et refuse la dichotomie entre sciences et métaphysique. La thèse de "l'acte de langage" de Searle est trop réductrice dans la mesure où les symboles relèvent d'une logique rigoureuse. Sinon on s'interdit de demander que le vrai soit seulement possible : la notion d'acte est une illusion. Or le vrai c'est le critère de distinction entre réel et illusion.

Il critique également que l'on puisse se passer de métaphysique. Les choses sont, existent indépendamment de leur représentation. Ce serait une autre illusion que de restreindre l'analyse du langage sans poser la question de l'être des choses désignées de l'être du langage lui-même. Est-ce pour Quine un retour à la métaphysique : il écarte l'ontologie (science de l'être) pour établir une quantification existentielle des étants (êtres singuliers). Il refuse la spéculation sur l'être en soi pour analyser la qualité d'existence propre à chaque être et le symbole qui le désigne. Il soutient la thèse centrale de Russel pour qui parler, connaître, nommer, symboliser sont des actes d'interprétation. Le langage n'est pas une action (Wittgenstein, Searle), il est d'emblée dans le sens et le symbole.

Il réhabilite les "arrière-fonds" en faisant l'hypothèse qu'un énoncé individuel n'est jamais vrai en lui-même (la terre est ronde), même s'il est vérifiable, scientifiquement établi. Un fait engage à la fois la totalité des autres faits (la science n'isole ses objets qu'artificiellement) à l'infini, mais également la totalité de la connaissance : la physique suppose la mécanique et la logique, etc. La séparation des connaissances n'est qu'empirique, mais n'obéit à aucune rigueur logique.

Deux arrière-champs donc : celui d'une "science de l'être" relativiste qui suppose le refus du positivisme logique de Wittgenstein et de Searle ; celui d'une philosophie de la connaissance fonctionnant comme totalité, mais confrontée au verdict de l'expérience.

La théorie des signes : la sémiotique de la représentation

Morris (1901-1979), Américain

Le signe : son autonomie

La domination de la logique formelle donne au signe un statut nouveau : un fonctionnement entièrement autonome, c'est-à-dire indépendant du sujet et de la chose représentée par le signe. C'est dans son fonctionnement formel, abstrait, systématisé, considéré en lui-même qu'il se produit aussi bien dans le cerveau que par la machine. Le lien entre la logique moderne et le langage se fait par le biais de concevoir le signe comme abstraction pure.

C'est la reprise de la question de ce qui relie le mot à ce qu'il désigne et au sujet qui le prononce. Le signe n'est plus relié à des intériorités (sujet, chose, sens) mais à un fonctionnement : Morris a le projet de faire une théorie générale de ce fonctionnement.

Qu'est-ce que le signe ? Quand j'entends "maman", je peux aussi entendre "ma ment". La signification n'est pas la même, mais j'entends la même sonorité. C'est elle qui est le signe, la représentation sonore. Elle est abstraite en ce sens qu'elle n'est nullement liée aux significations, elle est dite arbitraire. Il fonctionne là comme pure abstraction et n'implique de lui-même aucun sens. De même pour : un, hein !, Huns : une même sonorité, un même signe pour des significations multiples. C'est ce statut purement abstrait qui spécifie le signe comme entité formelle, entièrement autonome par rapport au sens qu'il représente.

La sémiotique : ce qui fonctionne comme signe

Le projet de Morris reflète une multitude de recherches autonomes qui font de l'étude des lois de la langue (linguistique), des fonctionnements de systèmes de signes dans les mathématiques au langage des animaux ou aux mythes dans les cultures primitives. On découvre depuis un demi-siècle que tout est langage et que l'on peut appliquer au langage le même traitement quantitatif appliqué dans les sciences physiques.

L'originalité de la sémiotique est d'intégrer toutes les disciplines ayant pour objet l'étude des langages pour fonder les principes d'une théorie générale des signes : projet à la fois unificateur et fonctionnant comme fondement. Cela obéit à une logique de la médiation : le signe est l'intermédiaire (le médiat) entre quelque chose ou quelqu'un et une autre chose. Quand je dis : "Quel beau cheval", Je et cheval (objets réel) passent par un troisième terme (la phrase, les mots) dont la nature est d'être signe, c'est-à-dire représentation. C'est en ce sens que Morris définit le signe comme système relationnel car il met en relation des choses entre elles. Et cela sans limites, de façon infinie.

C'est pourquoi il déduit que tout est relation dans la représentation, en ce sens qu'il y a une interdépendance de la totalité des signes entre eux. Le linguiste de Saussure avait déjà découvert, au XIXe siècle qu'un signe, un mot, suppose la totalité des signes proposés à la langue. Le linguiste Chomsky applique à la langue le même traitement que Morris applique aux signes.

Chomsky (1912) : l'innéité de la langue

Le cognitivisme s'est développé à partir des découvertes des linguistes dont l'objet de recherche est la langue. Bien que les présupposés philosophiques des courants linguistiques soient parfois dérangeants, tous se rejoignent sur un point essentiel : toute langue est un système de signes qui fonctionne comme totalité formelle. Toute langue est un système d'assemblage d'éléments interdépendants qui se soutiennent tous et qui ne peuvent se comprendre isolément. Chomsky systématise les théories du langage en concevant la langue comme étant innée, c'est-à-dire à la disposition des hommes indépendamment des situations concrètes. Quand les enfants apprennent une langue, ils ne l'inventent pas, elle est déjà là comme "grammaire innée" et universelle, préexistante, non seulement à l'homme, mais aussi aux cultures et aux choses. Cette préexistence, Chomsky l'appelle "structures" dont la caractéristique est d'être universelle et entièrement abstraite. Les lois du langage préexistent à la parole, lois innées (elles préexistent à l'apprentissage) qui permettent à tout sujet et à toute culture d'inventer et combiner librement de nouveaux énoncés adaptés à chaque situation.

Le cognitivisme, en développant les théories de l'apprentissage et de l'éducation, reprendra cette idée d'innéité, mais surtout de structure universelle des règles du langage, pour l'appliquer aux théories du développement intellectuel chez l'enfant et renouveler le concept d'intelligence.

Fodor (1920) et Putmann (1930) : la théorie de la représentation

Signes et abstraction

Mais la langue n'est qu'une dimension de la représentation : comment les théoriciens sont-ils arrivés à concevoir la totalité des symbolisations ? En universalisant une théorie du signe : dès qu'il y a signe, il existe un fonctionnement de la représentation, qu'elle soit humaine, animale, culturelle, naturelle, machiniste, etc. Or, la caractéristique du signe c'est d'être abstrait.

Fodor part du principe qu'une démarche rigoureuse sur la représentation suppose la liaison du calcul et du symbole (quantification des phénomènes de représentation), une théorisation universelle du calcul. Son matérialisme se fonde sur l'hypothèse que dès qu'il y a médium (mot, nombre, signe, image, pensée, etc.) une représentation, même la plus élémentaire, fonctionne. On peut alors la matérialiser par une machine : les automates sont capables d'universalité en s'adaptant aux variations des “données” et en transformant ces données en calcul. A l'affectation de tâches abstraites correspond la notion abstraite du signe. Dans le fonctionnement il y a peu de différence entre les neurones du cerveau, le système neurovégétatif de l'animal, la production de codes sociaux, le cœur d'un ordinateur. Tout système produisant des signes est susceptible d'une reproduction à l'infini : la machine se ne substitue pas à l'homme, elle peut comme l'homme faire des opérations intelligentes dès lors qu'elles sont abstraites.

La nature de la représentation : une vraie question philosophique, un faux problème scientifique

Jerry Fodor prétend même que la théorie représentationnelle de l'esprit remonte à Descartes. Le cerveau fait partie du corps dont la nature est d'être spatiale, pure extériorité, vide d'intériorité (les animaux-machines). Il n'y a pas de continuité de substance entre le corps et l'esprit, mais nature opposée. Le matérialisme du corps s'oppose à la nature spirituelle du Je (cogito). Pour Fodor “cerveau, esprit, machine” peuvent être pensés ou expérimentés ensemble dès lors qu'ils sont le support d'une activité mentale qui est le noyau central d'une théorie cohérente de la représentation, la base même de l'intention cognitiviste : mettre entre parenthèses la question d'une nature de la représentation dont l'origine serait humaine ou culturelle. Et favoriser ou construire l'accouplement formalisation (logique, calcul, “idée”), réalisation.

Plus besoin d'un accouplement d'un cerveau humain et d'une activité mentale dont il serait le support. La représentation serait totalement externe, donc entièrement reproductible. Fodor préconise une explication entièrement causale de la production du comportement intelligent. Alors que l'intelligence humaine a ses failles, ses faiblesses, la machine, elle, ne se trompe pas, elle se dérègle : elle est compétente. Mais qu'est-ce qu'une compétence ?

Putmann : une combinatoire du sens

A l'opposé de Fodor, Putmann réintroduit la notion de sens dans la représentation. Le signe est lié au sens. La danse en 8 d'une abeille, les vocalises d'un bébé, les calculs d'une machine, le vol d'une hirondelle : un ensemble de signes qui représentent du sens, pas seulement des signes abstraits. C'est pourquoi la représentation engage d'emblée une interprétation.

Le sens : ce qui parle au présent, autocréateur, ayant sa propre origine, non reproductible, non expérimentable. A chaque fois unique, singulier, même dans les situations les plus répétitives : il suppose le temps. Du moins est-ce là la conception commune aux philosophies du sujet, de la conscience. Le sens est d'abord une intention (Husserl, Brentano, Heidegger). Le sens n'a qu'un rapport arbitraire au signe abstrait, il suppose le temps, donc la conscience...

Putmann réintroduit le sens par la reconnaissance que les langages, les signes ne parlent pas d'eux-mêmes. La signification n'est pas automatique. Elle n'obéit pas seulement à des règles abstraites entièrement contraignantes : une pluralité de significations est possible à partir d'un même signe.

La tâche de toute "l'intelligence" humaine, animale, mécanique, consiste à laisser jouer le sens, à en suivre toutes les interprétations possibles. C'est une opération concrète et non abstraite. Putmann appelle "langage de premier ordre" les langages de la pensée : une combinatoire de sens élémentaires. Une machine peut-elle l'effectuer ?

La théorie des machines

Signes, cerveau, machine

Les recherches de la représentation se sont développées sur la base d'un bouleversement de la logique. Mais aussi sur une révolution théorique : la matérialité de l'idée qui renvoie à un fonctionnement cérébral, l'intériorité du cerveau dont le fonctionnement produit des "choses abstraites". Prendre ensemble les neurones et les symboles, les signes et la machine. Sans revenir à des notions philosophiques de conscience et de sujet.

Ce bouleversement théorique s'est accompli en un siècle et demi, mais il n'a pu s'effectuer qu'à partir d'un développement parallèle d'une nouvelle façon de concevoir et de produire la machine, les machines.

Plus le travail est devenu complexe, à mesure qu'il exigeait de l'être humain de la matière cérébrale, plus les machines ont remplacé l'homme dans des travaux abstraits. Si bien qu'une théorie de la représentation est indissociable d'une théorie des machines : du premier automate de Jacquard en 1805 à la cybernétique en 1942, de la première machine analytique de Babbage en 1830 aux microprocesseurs actuels, il y a la distance qui sépare l'intellect du nouveau-né à l'intelligence adulte. On peut sans doute parler d'une complexification des machines, mais d'une évolution de machines intelligentes, de l'intelligence des machines elles-mêmes. C'est la machine qui a permis de questionner ce qu'est la représentation. Le cognitivisme doit au développement de la machine une théorie mécanique et fonctionnelle de l'intelligence.

Les principes : XVIIe et XVIIIe siècles : l'automate, calcul et raisonnement

Au XVIIe des savants et des philosophes découvrent que dans le raisonnement il y a le calcul (évaluer, prévoir, anticiper) et que le calcul échappe au raisonnement (Pascal et Descartes) comme s'il fonctionnait automatiquement. Mais, en même temps, le philosophe anglais Hobbes met l'accent sur la nature calculatrice de la raison humaine. Le raisonnement est un calcul dans la spéculation abstraite comme dans les stratégies politiques : calculer les chances, les risques, les possibilités. Chacun fait cela pour sa propre vie : anticiper, mais sans savoir, essayer quand même de prévoir. Raisonner c'est anticiper, calculer. Mais la nature de ce raisonnement est mécanique, automatique :

- La mécanique des nombres : apparition des premières machines à calculer.
- Le fonctionnement mécanique du raisonnement sur des données aléatoires, sur le hasard des circonstances (qu'un ordinateur peut prévoir par simulation : infinité de solutions possibles à partir de données finies).

Le rationalisme des XVIIe et XVIIIe siècles va permettre aux savants et inventeurs de poser le principe que la machine est capable d'universalité en fonctionnant de manière totalement indépendante et automatisée, c'est-à-dire sans intervention extérieure. Le calcul se fait sur du raisonnement, mais les raisonnements sont des calculs. La raison est productrice d'automatismes, d'enchaînement de fonctions mécaniques. Ce que la raison produit, la machine peut le reproduire.

Les langages formels : l'automatisation

C'est Babbage qui, en 1830, invente la première machine analytique. Elle est capable d'effectuer des opérations de calculs élémentaires et de contrôler par enchaînement systématisé. Sa fonction de contrôle est décisive car elle permet une perception des erreurs et leur correction. Et cela ouvre au passage d'opérations simples à des tâches complexes. C'est un début d'autonomie par rapport au cerveau car l'une de ses fonctions importantes consiste à effectuer des contrôles (moteurs, sensoriels, rationnels, etc.) qui permettent la complexification. On retrouve cette complexification, également décisive, dans l'évolution des espèces dans l'évolution animale et humaine.

Cette machine analytique avait été précédée par l'invention, en 1805, du métier à tisser de Jacquard. Elle marquait le premier pas vers une combinatoire des symboles en effectuant la production de dessins. Son principe est la mécanisation d'opérations élémentaires reproductibles à l'infini. L'automate est la machine qui effectue par elle-même des tâches programmées.

"L'automate" de Jacquard et la "machine analytique" de Babbage sont les ancêtres de nos ordinateurs. L'automatisation des tâches et l'auto-contrôle du travail effectué par les machines seront les principes théoriques et fonctionnels qui permettront l'évolution vers des machines de plus en plus "intelligentes". Un nouveau concept de machine est nécessaire qui marquera le passage de l'exécution à la décision, de la mécanique abstraite au traitement de l'information.

La machine formelle

Un bond en avant se produit qui marque continuité et rupture avec les découvertes du XIXe. La continuité consiste en ce qu'il s'agit de systématiser totalement le principe de l'automatisation et celui de la formalisation : des machines de plus en plus autonomes pour effectuer des opérations de nature totalement abstraite. La rupture se produit lors du passage de la machine à l'ordinateur. Qu'est-ce qui régit son fonctionnement ?

Deux postulats :

- ***Celui de Turing*** (1936) : toute procédure mentale de l'esprit humain peut se faire par une machine.
- ***Celui de Gödel*** (1931) : une machine est capable de raisonnement à partir de langages formels dont la fonction est la symbolisation.

Nous avons vu que le calcul était au XVIIe siècle lié au raisonnement pour les mathématiques, mais aussi pour la spéculation. Ce qui est à résoudre ne relève plus d'une programmation uniquement, mais d'une autoprogrammation qui suppose le "choix", la "décision", l'autonomie totale. C'est un changement de nature et non une évolution : le passage du mécanique à "l'intelligence". L'homme a été défini comme sujet dès lors qu'il est capable d'un libre arbitre, de décision en fonction d'une programmation génétique, culturelle, familiale, etc. Il est déterminé par des causes extérieures à partir desquelles il s'autodétermine, c'est ainsi qu'il réalise sa liberté : c'est son intelligence. Si des machines sont aptes à produire des fonctions mentales jusque-là réservée à l'être humain, elles deviennent "intelligentes".

Ces principes théoriques fondent la notion "d'intelligence artificielle" qui est le projet de Gödel : créer de l'intelligence non produite par un cerveau humain (intelligence "naturelle"), autoproduite par la machine elle-même.

Le projet de Gödel se concrétise par les inventions de Turing. Celles-ci se font en deux temps :

– Il définit une famille de machines produisant concrètement tout symbole qui marque le passage de la matérialité à l'abstraction.
– Il postule que toute tâche réelle peut être confiée à une machine, passage de l'abstraction à la matérialité.

Il définit une notion clef, celle "d'état interne" : une machine produit des comportements intérieurs dès lors qu'elle peut corriger ses erreurs (autorégulation) et décider (faire des choix). Cette intériorité est fonctionnelle dans l'exécution des tâches symboliques. Elle est en outre interne dans la production de décisions. L'hypothèse d'une intériorité est discutable d'un point de vue philosophique, mais scientifiquement elle établit un statut nouveau à la machine, celui de pouvoir décider, commander, symboliser. De simple outil d'exécution, elle devient outil de décision : des machines commandent à d'autres machines. Le commandement suppose une anticipation, une spéculation, un raisonnement, un affranchissement des lois de la pure production de causalités externes.

L'ordinateur ne peut commander que s'il mémorise des données différentes (qu'il reçoit ou qu'il se donne) liées à l'exécution de tâches multiples. Mais s'impose l'idée d'une mémoire unique capable d'anticiper toutes les données. La machine est formalisée dès lors qu'elle peut mémoriser.

Théorie de l'information Shannon (1948), Turing (1948)

Electricité et neurones

En 1948, Shannon prend pour modèle le fonctionnement des neurones cérébraux pour construire une machine composée de circuits électriques analogues aux neurones. Par un système de relais et de communication, elle peut interpréter sur la base du calcul booléen. Il établit le lien formel et mécanique entre circuits électriques et ce système de calcul, c'est-à-dire entre mathématique et logique de proposition. Mémoriser, symboliser, décider : des fonctions mentales du cerveau que des machines effectuent par des circuits complexes. Une machine devient capable de traiter l'information selon des circuits de neurones artificiels.

En 1948, Turing invente la machine à calculer électrique. Les liens établis par Shannon entre les circuits électriques et la formalisation des tâches sont totalement intégrables dans une machine. Ainsi les mathématiques et la logique propositionnelle élémentaire sont matérialisables dans des circuits électriques. Il en résulte un accouplement formalisation/montage électrique qui fonctionne de matière entièrement autonome (électricité – propositions logico-mathématiques). Dès lors le cerveau n'est plus le seul support matériel de l'activité mentale. Des machines "cérébrales" effectuent des tâches de plus en plus abstraites. Elles sont indépendantes du cerveau humain. Turing émet l'hypothèse que les machines peuvent être cérébralisées dans la mesure où l'on parvient à reproduire artificiellement les circuits électriques des neurones.

La neurobiologie

Cybernétique et intelligence biologique : Wiener, von Neumann, Mac-Culloch et Pitts

En 1942, Wiener invente la cybernétique, tandis qu'en 1943 Mac-Culloch et Pitts produisent des "neurones formels" qui sont des modèles simplifiés des neurones cérébraux. Ceux-ci ont pour fonction de produire des signaux par la combinaison de circuits électriques. "L'esprit" peut être incarné dans un "tissu cérébral" artificiel. Ils conceptualisent rigoureusement, en les pensant ensemble, cerveau, esprit, machine, ce qui permet d'unir dans un même fonctionnement calcul et pensée.

En 1948, von Neumann formule le projet d'une science de l'intelligence biologique à partir des données de la génétique et de la biologie cérébrale. Il découvre la solidarité qui existe entre les gènes, les cellules cérébrales et le comportement dit "intelligent". Il parvient à isoler des neurones qui effectuent les tâches les plus élaborées (sensation, mémoire, perception, comportements psychomoteurs), des neurones spécialisés dans tel type d'activités cérébrales, supports d'activités mentales spécifiques. Non seulement il existe un support biologique à l'intelligence, mais il y a peut-être une intelligence biologique que l'on retrouve dans les plantes et les animaux.

Son projet d'une science de l'intelligence biologique rejoint les études sur l'intelligence artificielle. Il existe désormais une solidarité scientifique entre la neurobiologie, la cybernétique, la théorie des signes et la science de la représentation. C'est de cette solidarité qu'est issu le cognitivisme comme tentative scientifique de reproduire dans des machines les comportements les plus abstraits produits par le cerveau de l'être humain.

La psychologie cognitive

Processus de la pensée

Les phénomènes mentaux

Une psychologie est-elle possible ? L'objet de la psychologie c'est le psychisme. Mais qu'entend-on par phénomènes psychiques ? A quelles conditions les bases d'une connaissance, d'un savoir, sont-elles possibles ? Vieille question qui a eu beaucoup de réponses.

Les sciences cognitives permettent d'éviter l'écueil d'une dualité esprit/cerveau :

- Les phénomènes psychiques ne peuvent être décrits en termes purement neurologiques. Et l'apport, si nécessaire soit-il, des neurosciences (neurobiologie notamment) se heurte à la question de la capacité de symbolisation qui est la spécificité du cerveau de l'homme.
- Ils ne peuvent davantage être compris en termes purement psychologiques, tels que l'intentionnalité, la conscience et l'inconscient.

C'est par le biais du concept de représentation, d'information, qu'une psychologie est à nouveau possible. C'est pourquoi la psychologie cognitive accepte pour principe de démontrer *comment* les phénomènes mentaux sont réalisables sur la base d'un constat : l'ensemble “cerveau/représentation” relève de deux approches théoriques différentes et séparées (les neurosciences expérimentales et les théories de la formalisation), mais ces deux champs fonctionnent simultanément. Plus exactement, le cognitivisme accepte ce fonctionnement différentiel et simultané dans la mesure où l'ensemble “cerveau/représentation” est lui-même inséparable : il ne s'agit pas d'une synthèse entre des connaissances opposées, mais d'une rigueur acceptée, présupposée par le fonctionnement psychique lui-même. Tel est du moins le sens profond de la psychologie cognitive.

Questionnement sur la notion de représentation en psychologie

La représentation n'est ni innée (préexistence d'une conscience), ni totalement acquise par le milieu environnant (préexistence d'une matière cérébrale et d'un milieu extérieur). Quand l'enfant se met à dire : “Maman je t'aime”, la phrase n'est ni entièrement conditionnée par sa famille, son milieu, ses neurones, ni entièrement produite (créée ?) par son moi intérieur. Et cependant cette phrase ne peut être prononcée que par l'existence d'un milieu extérieur et d'un état intérieur. Alors comment rendre compte des mécanismes à la fois internes et externes qui la rende possible ? Telle est la tâche de la psychologie cognitive : appréhender tous les phénomènes psychologiques sous l'angle "d'états internes" et de conditionnements externes, c'est partir à la conquête d'une "quadrature du cercle" qu'est le psychisme.

La notion de représentation est complexe et équivoque : pour les théoriciens du signe, elle est une fonction de formalisation, une possibilité d'abstraction. De même pour les théoriciens de l'ordinateur : les machines engendreraient de la représentation.

Le caractère "représentationnel" de la représentation intellectuelle est fonction d'un état de choses "externe" (milieu, condition, cerveau). L'ordinateur produit des types de représentations intellectuelles car il dépend entièrement de l'environnement et de l'homme qui le programme. Il est conditionné, même s'il effectue des tâches complexes comparables à celles du cerveau. Il peut même être un cerveau artificiel (machine de Turing, neurone artificiel de Mac-Culloch et Pitts). Mais il ne peut produire ces tâches abstraites qu'à partir de faits "symboliques", au sens logique et mathématique.

Sens et symbole

Y a-t-il donc une spécificité de la représentation humaine ? Oui, celle-ci a valeur de symbole et de sens. En dehors des symboles logico-mathématiques, toute la symbolique des hommes est inséparable du sens qu'elle exprime, que ces symboles expriment. Très méfiant au départ à l'égard de la notion de sens, le cognitivisme reconnaît que les opérations mentales sont à la fois indexées de sens et d'affects. Si la formalisation symbolique obéit à des lois logiques abstraites, elle s'accompagne toujours d'un sens qui est immanent aux mots et au locuteur : le "*maman je t'aime*" suppose l'existence de structures formelles du langage et une logique de la représentation sans lesquelles cette phrase ne peut être produite (système de signes). Ces structures sont indépendantes, autonomes par rapport à la phrase et à l'enfant qui la prononce : il ne crée pas, il reproduit une programmation linguistique et logique. Mais, en même temps, sa phrase n'est pas un signe vide, elle est indexée d'emblée d'émotion et de sentiments. Elle désigne une maman et un je, et un sens : l'amour qu'il lui porte.

Par conséquent, le caractère spécifiquement symbolique de la représentation relève à la fois du signe et du sens, du formel et de l'expérience, de la structure et du temps (le "*je t'aime*" énonce un présent). Sans réintroduire les notions de sens et de sujet, le psychologue cognitiviste procède par décomposition et analyse des processus mentaux de la représentation, à partir de connaissances qui sont à la fois solidaires et autonomes.

L'analyse des processus mentaux

La psychologie cognitive se fonde sur quatre types de savoirs :

- Les données neurobiologiques sans lesquelles les mécanismes de la représentation seraient décrits en dehors du cerveau qui en est le support.
- Les recherches sur "l'intelligence artificielle" sans lesquelles on ne pourrait analyser comment est produite et se produit la représentation sans le support du cerveau.
- La linguistique depuis Chomsky sans laquelle on ne pourrait comprendre que la représentation est produite par des structures innées de la langue et du langage.
- Les développements récents d'une nouvelle philosophie de la pensée et du langage issus de la réaction contre un positivisme logique (notamment Putmann et sa théorie de la pluralité des significations dans un même signe).

La psychologie cognitive fait sienne le développement parallèle des sciences cognitives et des neurosciences car c'est un champ continu de deux types de savoir sur un même objet. Les différences épistémologiques des savoirs (non réductibles les uns aux autres), loin d'être un obstacle pour la psychologie, sont l'exigence d'une continuité entre le cérébral et le mental. Des champs théoriques, qui sont certes en compétition, mais qui ont été rendus cohérents par la psychologie cognitive qui les applique dans l'étude sur les apprentissages, l'information, l'intelligence et la mémoire. Cohérence qui se retrouve dans l'observation des phénomènes inconscients, affectifs, irrationnels qui sont l'objet des psychothérapies cognitives.

La cognition

L'effectuation des tâches intellectuelles

Bien qu'il y ait plusieurs approches des phénomènes d'apprentissages (acquisition verbales et pensée logique chez l'enfant, développement moteur et perceptif, mémorisation des informations, etc.), la psychologie cognitive, pour l'essentiel, traite l'intelligence comme objet de science. Elle refuse une innéité, quelle que soit sa forme, celle par exemple que l'on trouve dans les travaux de Piaget. Il démontre pourtant que l'intelligence est acquise, qu'elle se construit chez l'enfant par différents stades. Qu'elle ne saurait être innée. Cependant la psychologie de Piaget, qui est appelée génétique, conçoit l'intelligence comme origine d'elle-même, au sens où des structures s'engendrent les unes les autres, elles s'autoproduisent dans les apprentissages. On retrouverait chez Piaget une innéité de l'intelligence, elle préexiste aux apprentissages de l'enfant.

Les cognitivistes critiquent cette démarche qui ressemble au retour d'une innéité. Une sorte de raison innée à l'œuvre dans l'évolution de l'enfant. Pour éviter ce retour, l'intelligence "cognitive" est étudiée à trois niveaux :

- Une tâche intellectuelle n'est réalisable que si l'on tient compte d'une combinaison de transformations physiques élémentaires dans le cerveau (variation de charges électriques et de composants chimiques dans les neurones).
- Les effectuations de ces tâches sont interprétées comme des symboles au sens logico-mathématique (agencement mécanique de signes).
- Ces symboles atteignent un degré de complexité et d'abstraction qui sont des opérations formelles pures.

L'effectuation des tâches intellectuelles est décomposée en opérations élémentaires (modularité, cloisonnement de Morris) et décomposée en opérations autonomisées (spécificité, autonomie de Fuster et Coernett). Exemple : quand je touche ou je vois il n'y a pas interaction des différents niveaux de traitement (cerveau, signe, émotion), chaque niveau est autonome. Mais il y a modularité au sens où chaque niveau suppose un enchaînement de tâches spécialisées interdépendantes (modularisation).

Les opérations dites "supérieures"

Le fonctionnement de l'intelligence et du cerveau s'apparente à une machinerie par solidarité et indépendance, modularité et démultiplication : c'est un système de complexité qui interréagit. Nous sommes à la fois hommes et machines, car notre intelligence n'est pas seulement mécanique. Elle est système, mais elle n'est pas que cela. Existe-t-il une intelligence spécifique à l'être humain, une supériorité de l'intelligence de l'homme ?

Le cognitivisme reconnaît la capacité autoorganisatrice de l'être humain : le système nerveux central est autoorganisé, il est fait de connexions, variables d'un individu à un autre. En quoi l'être humain se différencie-t-il de la machine ? Sa supériorité lui vient de sa capacité à construire dans son cerveau des cartes de ses propres activités, de ses propres représentations. Elles sont possibles par l'acquisition du langage et d'une machine symbolique. La supériorité de choix lui viendrait de cette complexification.

Chaque individu homme a son propre fonctionnement cérébral spécifique, ce qui explique le processus d'individuation qui est le propre de l'homme.

Mais, en même temps, cette spécificité de chacun permet le langage et la symbolisation qui sont aussi le propre de chaque individu. Cette singularité des opérations cérébrales dites supérieures différencie l'intelligence humaine de celle de l'animal et de la machine.

Deux thèses en présence

Deux thèses s'affrontent dans la conception de la représentation et de l'intelligence :

La thèse traditionnelle computo-représentationnelle. La représentation est une étude interne, machiniste, animale ou humaine. Toute représentation est formule de langage (purement formelle), réductible à un petit nombre d'opérations exécutables par une machine : le système physique du cerveau ou de l'ordinateur (circuits neuronaux) est analogue au système des symbolisations (circuits de signes). Ces systèmes sont différents, mais il s'agit du même système : à la fois autonome, mais solidaire. Il n'y a pas de supériorité ou de différence de nature entre les deux. Symboliser, parler n'est rien d'autre que raisonner et calculer. Le langage n'a valeur que de fonctionnement, il n'est l'expression ni d'une langue ni de quelqu'un.

La thèse connexioniste (Edelmann) tend à dominer la psychologie cognitive actuellement. Y est affirmée l'impossibilité de réduire la pensée à un simple agencement de calculs car les neurones se connectent entre eux par des synapses. Le cerveau ne reçoit pas toutes les informations (comme l'ordinateur), il les *sélectionne* au contraire par nœuds et réseaux parallèles qui travaillent ensemble. Si bien que l'on ne peut établir une comparaison entre le fonctionnement de l'ordinateur et du cerveau : l'un fonctionne sur "instructions" (exécute une programmation préalable), l'autre au contraire fonctionne par sélection, il s'autoprogramme (exécute des instructions qui viennent de lui-même). Pour Edelmann, on ne peut comparer le cerveau à l'ordinateur, à l'inverse les ordinateurs ne sont que des modèles simplifiés du cerveau humain.

L'apprentissage

Ces deux modèles ont influencé la psychologie cognitive, les sciences de l'éducation, les psychothérapies cognitives. Si bien que le problème de l'acquisition des concepts, du langage et des symboles est au centre des théories de l'apprentissage : qu'est-ce qu'apprendre, s'informer, être éduqué, se socialiser ? Les apprentissages sont à la fois produits par le milieu extérieur et par des états intérieurs. Mais c'est l'analyse de leur interaction qui fait l'originalité des théories cognitives de l'apprentissage.

Si bien qu'il ne peut y avoir de psychologie cognitive unifiée car il existe des noyaux théoriques qui s'opposent et se complètent, dont les approches sont les suivantes :

– Une théorie formelle inspirée des travaux de Chomsky sur le langage dont le concept est la compétence : apprendre c'est devenir compétent, c'est-à-dire se spécialiser.

– Une théorie scientifique inspirée des travaux de Asherson sur la modélisation dont le concept est le modèle : apprendre c'est intégrer des modèles préexistants, c'est-à-dire reproduire.

– Une théorie de l'acquisition des concepts de Woodfield dont le concept est la structure : apprendre c'est mémoriser par intégration d'informations, c'est-à-dire se connecter.

– La théorie connexioniste de Mosch qui met l'accent sur le caractère premier des concepts : apprendre c'est conceptualiser par agencements, c'est-à-dire construire

– La théorie de Dreyfus démontre comment un système, un homme, une machine deviennent "experts" par apprentissage : apprendre c'est distinguer le vrai du faux, l'apprentissage étant la capacité à discriminer.

Ces noyaux théoriques sur les mécanismes de l'apprentissage posent la question du pluralisme pratique de la psychologie cognitive, en même temps que sa cohérence interne : vieux débat sans réponse !

Questions à partir du cognitivisme

Peut-on se faire une opinion sur le courant cognitiviste en psychologie ? Son centre de gravité tourne autour du concept de représentation, de cognitisme, comme réalité indépendante de l'homme. Il le décentre par rapport à sa propre pensée, comme l'a fait Freud en découvrant l'inconscient. Dans cette perspective, le cognitivisme s'inscrit dans la logique de la démarche scientifique et de la philosophie rationnelle dans la mesure où tout progrès dans la connaissance nécessite "l'oubli" de ce qui est émotif, expressif, subjectif dans la cognition. L'oubli de l'homme en quelque sorte. Toutes les sciences procèdent de cet oubli.

Mais la psychologie est-elle une science ? Peut-elle l'être ? Peut-on évacuer la question de la "nature" du langage et de la représentation sous prétexte que cette question serait "philosophique" ? Ch. Taylor parle à son sujet d'une psychologie héritière des "Lumières". Elle serait le produit d'une raison occidentale qui, depuis trois siècles, n'accepte d'observer que ce qui est positif, rationnel, individualiste en l'homme : le positivisme logique produit le positivisme en psychologie. Mais l'homme est aussi un être qui ressent, a des désirs, des peurs, des craintes : n'est-ce pas aussi l'objet de la psychologie ?

Derrière la question de la nature de la représentation se cache la question de ce qu'est l'homme. Y a-t-il une nature humaine, c'est-à-dire une énigme de l'être humain en tant que tel ? Par conséquent non réductible à ce que la science peut en dire ?

Charles Taylor dans *Le langage et la nature humaine* parle de la tension qui existe dans le langage entre une conception rationaliste de la psychologie et une conception romantique : le problème de la nature du langage serait inséparable de celui de la nature humaine. L'homme est-il une "programmation finalisée" ou (et) un être de choix, de passion et d'esprit ? Une machine plus perfectionnée que les autres ou d'une autre nature que la machine ?

Si bien que la notion capitale dans le cognitivisme n'est ni celle d'inconscient, ni celle de conscience, mais peut-être celle de préconscient. Voilà un concept clef de la psychologie, de toute psychologie, car il n'est ni l'un ni l'autre. Freud le situe à un endroit médiat entre les deux. Lieu transitoire, intermédiaire entre un inconscient inconnaissable et un conscient maître de soi. C'est sans doute là qu'est la "vérité" de l'homme, être intermédiaire lui aussi : à la fois machine et animal, créateur et penseur, représenté et se représentant. La psychologie cognitive peut peut-être se tenir dans ce champ intermédiaire – champ à la fois théorique et pratique. Mais quelle position inconfortable !

Les concepts du cognitivisme

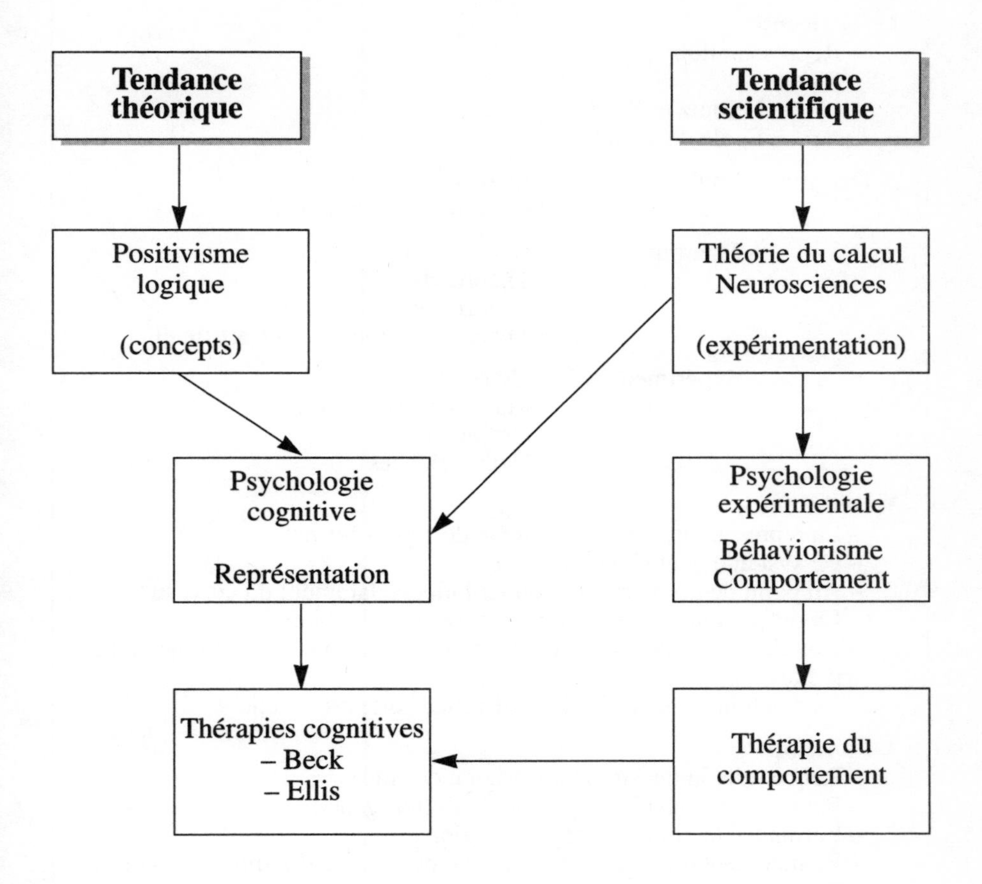

Synthèse du cognitivisme

1. Concepts
- Représentation
- Signe
- Idée : Leibniz et Boole
  Ecole de Vienne

2. Origine
- Logique
  - Ecole d'Oxford
  - Courant anglo-américain
- Théorique
  - Linguistique
  - Théorie des signes
  - Théorie des automates
  - Théorie de l'intelligence artificielle
- Expérimentale
  - Cybernétique
  - Management économique
  - Ordinateur
  - Neurosciences

3. Définition
- La représentation est un système de signes formels
- Ce système peut s'autonomiser
- Au point de pouvoir fonctionner indépendamment du cerveau
- La représentation ne présuppose pas un sujet humain
- Des machines peuvent effectuer des opérations symboliques complexes
- La machine produit de "l'intelligence" dite artificielle

4. Fonction
- Renouvelle la question de l'origine des idées
- Permet une nouvelle approche de l'intelligence
- Formalise la notion de représentation
- Permet l'élaboration d'un nouveau rapport entre l'homme et ses représentations
- Critique les philosophies de la conscience et du sujet

5. Destination
- Développement des sciences cognitives
- Décuple la question de l'intelligence (l'homme n'en est plus le centre)
- Apports théoriques et pratiques aux autres sciences humaines, notamment à la psychologie de l'éducation
- Dépasse les oppositions entre matière et esprit, cerveau et idée, mots et signes, sens et symboles
- Délimite un nouveau rapport entre l'intelligence "innée" et l'intelligence produite

Chapitre 4

Les nouvelles thérapies

Comment aborder les nouvelles thérapies ?

Les "nouvelles thérapies" sont le thème de ce quatrième chapitre. Deux questions se posaient pour les exposer au lecteur : comment et à partir de quels critères les aborder ? Comment en limiter la présentation compte tenu du foisonnement créateur qui les caractérise actuellement ?

Pour répondre à la première question nous avons procédé à partir d'une classification à la fois logique et historique : logique car il s'agit de référer les fondements de ces thérapies par rapport à des théories mises en place au début de ce XXe siècle (ainsi la bioénergie de Lowen tire ses principes du béhaviorisme de Watson, les thérapies cognitives sont fondées par la logique et l'invention de l'ordinateur, etc.) ; historique car des Ecoles thérapeutiques sont entièrement neuves dans leurs conceptions (ainsi la non-directivité de Rogers ou la théorie primale de Janov), par rapport aux tendances fondatrices issues du XIXe siècle. Ce classement est de ce fait un peu arbitraire mais, vues de plus près, les "nouvelles thérapies" se classent dans quatre grands courants : psychanalytique, existentiel et phénoménologique, personnaliste, comportementaliste.

Pour répondre à la deuxième question, nous nous sommes limité volontairement à l'importance qu'a prise ou prend telle "Ecole thérapeutique" dans notre pays. En effet, le fait qu'elles soient récentes empêche de mesurer leur cohérence théorique et leur impact clinique en toute objectivité. Il faudrait pour cela le recul de l'historien, or l'histoire de la psychologie est encore en train de se faire.

Les thérapies psychanalytiques

La bioénergie : Lowen, Américain

Sexualité et névrose

Bioénergie et psychologie de Reich

La bioénergie s'est développée sur les principes de la psychologie élaborée par W. Reich. Lowen, son fondateur, a repris notamment deux notions qui en sont la base :

• **Le concept d'énergie** exprimé fonde la vie psychologique dont le moteur est l'énergie vitale fondamentalement liée à la sexualité. Dans cette dynamique se jouent à la fois la puissance et l'intensité psychique qui sont des forces d'origine biologique et cosmologique.

• **La notion de cuirasse caractérielle** explique la répression de cette énergie sexuelle dès la petite enfance. Celle-ci n'est pas d'origine interne comme l'a affirmé Freud dans sa conception d'un refoulement et d'un surmoi censurant de l'intérieur. Pour Reich au contraire la répression vient de l'extérieur, c'est-à-dire de la société qui détient les institutions répressives provenant du patriarcat, de la morale et de la production capitaliste qui intègrent les forces d'Eros à la production (ce thème a été repris par un disciple de Reich, H. Marcuse, dans *Eros et civilisation*).

Sexualité et puissance orgastique

Reprenant la thèse de Freud sur l'origine sexuelle des névroses et la notion d'orgone de Reich, Lowen pose la question du sens et de la nature de la sexualité humaine. Faut-il entendre par sexualité l'acte génital sexuel adulte des moralistes hostiles à la psychanalyse ? Au contraire la sexualité est le principe de plaisir qui gouverne entièrement notre psychisme, même si le plaisir se produit avec le plus de puissance et d'intensité dans l'orgasme sexuel, moteur et symbole des forces vitales en nous. Le paroxysme du plaisir sexuel est mesuré par Reich dans la notion d'orgone qui révèle la capacité qu'a le psychisme de libérer l'énergie contenue en lui. Mais la sexualité ne se réduit pas aux seules pulsions sexuelles car c'est le corps dans sa totalité qui parvient à la décharge orgastique. Cette puissance sexuelle ébranle le corps en son entier et libère tensions, sensations et émotions. Le corps en son entier est circulation pure d'énergie qui serait totalement libre si n'existaient pas les forces sociales répressives. L'orgasme est donc une sorte de big bang du plaisir qui résonne dans tout le corps et dans le psychisme, il en est la force vitale et motrice. C'est pourquoi la bioénergie prend le corps comme créateur premier d'énergie et lui accorde une place essentielle comme expression des symptômes de la névrose. Les muscles, les mimiques, les postures, les regards, etc. traduisent la capacité énergétique d'un individu. Lowen a remarqué en effet que la santé psychique et émotionnelle est liée en premier lieu à la faculté des individus à s'abandonner totalement à la puissance orgastique. C'est cette thèse d'une sexualité toute puissante, liée à une énergie totale, qui a été combattue par Freud et les psychanalystes orthodoxes lorsque Reich en a émis l'hypothèse dès 1925.

Sexualité et névrose

C'est en refoulant son énergie par une intense répression sociale, que l'homme contemporain est devenu un névrosé. La névrose court-circuite son énergie, supprime sa sensibilité sexuelle et ces répressions constituent un système de défense. Freud, dans *Etudes sur l'hystérie* et *Trois essais sur la sexualité*, avait pourtant établi le lien entre les symptômes névrotiques et la répression sexuelle mais il n'en avait pas pour autant conclu que la névrose était entièrement sexuelle. Lowen et Reich remarquent que la construction névrotique est tout entière basée sur cette répression énergétique sexuelle.

Ayant toujours appris à se méfier de sa puissance orgastique, le névrosé a peur de sa sexualité. Il contient son abandon total, bloque son énergie et s'interdit consciemment et inconsciemment d'utiliser son potentiel psychique. Reich et Lowen font de la sexualité la clef de la névrose qui exprime le manque de dynamisme psychique et la perte progressive des émotions. C'est par une lutte contre l'énergie et les émotions que se forge le caractère névrotique.

En outre la névrose est directement observable sur le corps pour le bioénergéticien : en libérant l'énergie bloquée au moyen d'une respiration profonde (abdominale) se produit ce que Lowen appelle le "réflexe orgastique". Celui-ci s'exprime par une ondulation du corps qui relâche des points de tension musculaire se produisant involontairement, une décharge d'énergie et une libération du désir sexuel.

Pour comprendre l'origine sexuelle des névroses, Reich critique Freud dans sa conception d'une pulsion de mort à l'œuvre dans le psychisme. Pour le premier une telle pulsion n'existe pas car le non-névrosé jouit d'une sorte de bien-être total. L'homme ne naît pas névrosé il le devient quand il réprime, à cause de la société, ses pulsions sexuelles et construit sa névrose sur cette répression.

Les défenses caractérielles

Si la névrose se lit sur le corps, celui-ci n'est pas le seul à l'exprimer. Une autre lecture s'effectue aussi à partir de l'analyse du caractère qui est la seconde thèse de la psychologie de Reich. A la différence de beaucoup de thérapeutes, à commencer par Freud, qui, en psychothérapie, renforcent les défenses du moi et cherchent à le fortifier, Reich démontre que celui-ci en se renforçant, renforce la névrose elle-même. Le caractère est le dispositif fermé de ce système défensif qui bloque l'énergie et rejette les émotions. C'est pourquoi, à travers le caractère du patient et la rigidité de son moi, on peut lire la névrose et sa résistance à laisser circuler l'énergie.

Comment est constitué le caractère ? Nous avons vu que Reich a établi une caractérologie. Lowen en propose une également qui comprend différentes couches défensives que le moi a construites :

– La "couche du moi" est la plus extérieure et la plus visible de la personnalité. Elle comprend des "défenses psychiques" et des mécanismes comme la dénégation, la projection, le blâme, la méfiance, les rationalisations et les intellectualisations.

- La “couche musculaire” est l’objet type d’analyse du bioénergéticien. On y trouve les tensions musculaires chroniques qui justifient et renforcent les défenses du moi. Elle protège de la “couche émotionnelle” que le névrosé ne peut exprimer.
- La “couche émotionnelle” est le siège des sentiments et des émotions. Elle comprend les sentiments refoulés qui se traduisent par la rage, la panique, la terreur, le désespoir, la tristesse et la douleur.
- Le “centre” est la couche la plus intime et la plus intérieure. Elle contient l’amour et le sentiment d’être aimé ou rejeté.

Selon qu’elles sont ou non en harmonie, ces quatre couches traduisent la névrose ou la bonne santé psychologique de l’individu.

Caractère et angoisse

Le bioénergiticien conduit la thérapie en tenant compte de chacune de ces quatre couches caractérielles en les considérant en interaction dans un processus de défense circulaire. Dans le caractère névrosé, qui fait l’objet de la thérapie, ces couches se protègent les unes les autres : la couche du moi et la couche musculaire sont des remparts contre l’expression de la couche émotionnelle et celle de l’amour. Nous sommes au centre de ce qui fait la spécificité de la bioénergie. L’analyse et le traitement de la névrose par approche de chacune de ces couches au sein desquelles les “couches corporelles” (musculaire et émotionnelle) sont privilégiées. Inutile en effet de traiter la couche du moi si on laisse intactes les 2e et 3e couches.

Le caractère est aussi le reflet des répressions successives subies dans la petite enfance et confortées à l’âge adulte. C’est un véritable système de verrouillage contre émotions, sensations, énergie et sexualité. Ces refoulements ne se font pas sans dommage pour la personnalité car ils produisent l’angoisse qui est la réaction à tant de frustrations. Celle-ci résulte de la répression des pulsions conçues comme totalité énergétique et sexuelle, et aboutit à un blocage des émotions et du plaisir. Reprenant l’étymologie allemande du mot angoisse (Angst), qui signifie “étouffer dans un passage étroit”, Lowen en décrit les manifestations caractérielles et somatiques. Là où est la tension là se trouve l’angoisse qui se localise en des points précis du corps et installe des rigidités dans les quatre couches caractérielles.

Angoisse et somatisation

Le corps du névrosé, au lieu d’être le siège du plaisir et de l’énergie, devient un véritable lieu de l’angoisse qui circule en des lieux réguliers et se fixe en des endroits spécifiques selon le type de la névrose et l’histoire répressive du patient. L’angoisse peut agir sur le rythme cardiaque ou respiratoire et il n'est pas rare, dit Lowen, que les patients en cours de thérapie étouffent littéralement. Freud avait déjà signalé ces phénomènes somatiques liés à l'angoisse dans son étude sur l'hystérie. Lowen va plus loin dans cette description de l'angoisse révélée par le corps : les tensions du cou, de la cage toracique, de la gorge, de l'appareil musculaire traduisent et renforcent la résistance aux émotions et permettent le verrouillage presque complet du plaisir et de l'énergie.

La somatisation bloque certaines fonctions centrales du corps (respiration, rythme cardiaque, digestion, etc.) par un déplacement des conflits psychologiques sur des régions corporelles.

Corps et tensions psychiques

C'est pourquoi l'analyse bioénergétique est pour Lowen une véritable psychanalyse du corps qui devient le lieu de déchiffrement de l'énergie et de son expression négative, le caractère et la répression. Nous sommes là en présence des mécanismes de la névrose : en refoulant son énergie sexuelle le névrosé tend à supprimer en lui la sensibilité émotionnelle, le besoin amoureux, et les remplace par la constitution d'une cuirasse musculaire et caractérielle qui le protège contre les dangers du dehors constitués du désir d'autrui et contre ceux du dedans qui proviennent de ses propres désirs. Cette intégration du corps dans la construction névrotique a permis à Lowen et Pierrakos d'élaborer une psycho-anatomie des points de tension musculaire. Ceux-ci sont visibles et marquent une rétention d'énergie. Dans un psychisme sain un équilibre existe entre charge et décharge d'énergie, excitation sexuelle et détente sexuelle. Aussi la différence entre le névrosé et le non-névrosé ne tient pas à un manque d'énergie. Celle-ci est toujours la même. Mais le premier la contient dans une cuirasse musculaire et caractérielle qui lui sert de défense en sorte qu'elle est bloquée, c'est-à-dire "non disponible", "non libérée". Elle est là, en attente, mise au service de la répression d'où provient la tendance à la dépression qui est le résultat de cette rétention énergétique.

Quand Lowen parle de "rétention énergétique" il établit le lien entre énergie, sexualité et corps. Ce qui est refoulé est en effet un tout "énergétique sexuel-émotionnel". Ayant constaté chez ses patients que ces rétentions totales deviennent pour la plupart chroniques, le bioénergéticien analyse leurs douleurs et leurs attitudes physiques. Le corps, qui normalement est le lieu du plaisir, subit les défenses psychiques, les renforce en des points de tension musculaire où se lisent les peurs, les malaises et les angoisses.

Conscience de soi et conscience du corps

Si le corps a une telle importance dans la théorie bioénergétique il a une place centrale comme dispositif thérapeutique puisqu'il est source d'énergie sexuelle et code d'interprétation des symptômes névrotiques. En ce sens le névrosé est un aliéné car il est étranger à son propre corps. Pour reprendre contact avec soi-même il est nécessaire non seulement de soigner les symptômes, mais de réinclure le corps, de maintenir le contact avec lui. La thèse centrale de la bioénergie est contenue dans l'affirmation que les changements de la personnalité sont conditionnés par les changements physiques et corporels.

Cette prise de conscience a permis à Lowen et Pierrakos de jeter les fondements de la méthode bioénergétique : travail au niveau du corps centré sur la détente des tensions musculaires et sur un abandon à l'énergie sexuelle, mise au point des positions fondamentales et des exercices de base du corps qui constituent la technique de la thérapie bioénergétique. C'est pourquoi le concept d'enracinement est central ; sentir ses pieds au sol, reprendre contact avec la réalité, se mettre en communication avec son corps et sa sexualité sont un début de guérison. De même travailler sur les rigidités, masser, détendre les muscles, favoriser une respiration ample et profonde. Ces exercices techniques ont pour but de ne pas séparer la conscience de soi de la conscience du corps.

La thérapie bioénergétique

Les buts de la thérapie bioénergétique

Une thérapie est toujours un dispositif théorique et pratique qui a pour but d'aider quelqu'un à sortir d'un état d'étrangeté à l'égard de lui et du monde. Etant basée sur des réactivations d'énergie et d'angoisse dans un premier temps, la bioénergie suppose la compétence du thérapeute. Lowen après avoir fait sa thérapie avec Reich, en précise les conditions pour le thérapeute : avoir fait une analyse bioénergétique, connaître les théories de la personnalité, savoir manier des phénomènes de la cure psychanalytique comme le transfert et la résistance, sentir et connaître le corps pour en lire le langage avec précision. Les buts de la thérapie sont dits au patient sous forme de triade : expression de soi, prise de conscience de soi, renforcement de la possession de soi. Par ailleurs la thérapie reichienne est basée, comme la Gestalttherapie, sur le concept central de croissance. Celle-ci est concue comme étant un processus continu de la vie psychique, biologique, à expansion à la fois naturelle et culturelle. La croissance vise à l'assimilation et à l'intégration d'expériences comme le passé dans le présent, le corporel dans le psychique, le sexuel dans l'éthique. Le patient doit toujours élargir son centre pour être en résonance avec les dimensions du cosmos. La croissance est surtout l'aptitude à être en contact avec son corps et à le sentir pour en comprendre le langage. La bioénergie postule également qu'aucun effort de la volonté ne peut nous changer, le changement se produit seulement lorsqu'on y est prêt et quand on le désire. Quelles sont les étapes de la cure ?

- La première consiste à amener le patient à prendre des positions corporelles qui lui permettent de respirer calmement et profondément. Les contractions musculaires se défont et une mobilisation des émotions est alors possible.
- La deuxième favorise la mobilité des sentiments refoulés et redonne une fluidité émotionnelle. Les sentiments les plus évidents se lisent sur le visage et le comportement du patient.
- La dernière consiste à aller à ce que Lowen appelle le "cœur" ou le "centre", c'est-à-dire au noyau de l'amour par lequel on aime, on s'aime et on est aimé.

Ces étapes ne représentent pas une chaîne chronologique ni une succession obligatoire, mais symbolisent des changements d'états qui permettent au sujet de mieux se situer par rapport à lui-même, le thérapeute dirigeant la cure en fonction de ce que vit son patient "ici et maintenant".

Avec ces techniques la thérapie bioénergétique actuellement utilisée s'apparente à la végétothérapie élaborée par Reich en 1933 à Copenhague. Celle-ci visait à mobiliser des émotions grâce à la respiration et à d'autres techniques corporelles qui activent les centres végétatifs. La végétothérapie a fait le passage, au temps de Reich, de l'analyse purement verbale de type freudien à un travail direct sur le corps et le caractère.

Des critiques à la bioénergie ?

Nous ne reviendrons pas sur les désaccords théoriques et politiques entre Reich et Freud. L'introduction de la bioénergie en France s'est faite en 1970 dans les hôpitaux psychiatriques et les thérapies de groupe. Son apparente facilité d'emploi a eu pour effet la multiplication de nombreux thérapeutes non formés, en quête d'efficacité. Il en a résulté un mauvais contrôle des réactions des malades à court et long terme. D'où le caractère "sauvage" qu'ont prises certaines pratiques vivement critiquées dans les milieux "psy". D'autres critiques sont venues des lacaniens et freudiens qui reprochaient à la bioénergie d'évacuer le problème du sens, de l'interprétation et de l'inconscient au bénéfice de la sexualité et de l'énergie. Un danger existe effectivement, celui qui consiste à privilégier le corps sur le psychisme et à oublier que la bioénergie fait partie des méthodes issues de la psychanalyse. Reich, dans sa période américaine, a toujours eu le souci de maintenir la double dimension, somatique et psychanalytique, dans la bioénergie ; de même pour Lowen qui encourage le bioénergéticien à se faire lui-même psychanalyser pour mieux manier transfert et résistance. Cette "lecture du corps" qu'est la bioénergie est, en fait, une psychanalyse du corps puisque s'y lisent angoisses, refoulements, symptômes comme dans la cure psychanalytique la plus classique. Ces critiques conjuguées au caractère "maudit" qu'a revêtu la bioénergie parce qu'issue de Reich, ont eu pour conséquence, ces dernières années, un recul par prudence thérapeutique, mais aussi par souci de rechercher avec plus d'exactitude un contrôle scientifique et médical et une ouverture à la recherche de la pratique bioénergétique.

La bioénergie parmi les thérapies du corps

D'autres critiques viennent du mouvement des "thérapies du corps", qui reprochent à la bioénergie de s'enfermer dans des concepts qui demeurent psychanalytiques et de faire ainsi du corps un vaste "symptôme" de la machinerie de l'inconscient, le vidant de sa spécificité. L'étude psychologique du corps a fait l'objet de nombreux travaux liés à l'emploi du yoga, de l'acupuncture, des méthodes de relaxation, de la recherche en psychosomatique, de l'analyse existentielle, etc. Ces travaux tentent de parler du corps pour ce qu'il est et non pas pour ce qu'il représente comme signe et symptôme. Le débat est actuellement largement ouvert, mais l'on peut à coup sûr affirmer que Reich et le courant bioénergétique, à la suite de Lowen, ont fortement contribué à réhabiliter le corps comme objet premier de la thérapie, à un moment où il était ignoré et méprisé dans sa valeur propre d'être un "autre soi-même". De plus, la bioénergie a introduit des thérapies non verbales dans des lieux où la parole était inexistante et inefficace : enfants autistes, débiles profonds, psychotiques mutiques. Comment en effet approcher quelqu'un qui ne parle pas si ce n'est par le biais du corps et des émotions, du sentiment et de l'angoisse, là ou la médiation du langage se révèle non seulement impossible, mais encore un obstacle insurmontable ?

En France la bioénergie a à retrouver un second souffle, celui de la réflexion et de la formation de thérapeutes de qualité. La théorie comme la thérapie requièrent un approfondissement quasi permanent, étant donné qu'ensemble soma et psyché sont l'objet propre de la bioénergie. Cette crise de croissance ne peut être que positive et interdisciplinaire et l'on peut appliquer à la bioénergie ce que Lowen pense de l'être humain : "*le bonheur est la conscience de croître*".

Le cri primal : Janov, Américain

Souffrance et naissance

La thérapie du "cri primal" a été conçue aux USA par Janov qui en a fait le titre d'un livre qui fut un *best-seller* aux USA, en Scandinavie et en Amérique du Sud. O. Rank et Steckel, disciples dissidents de Freud, avaient en leur temps émis l'hypothèse que la névrose tirerait son origine d'un "traumatisme de la naissance", par lequel la souffrance psychologique prendrait sa source dans l'événement unique pour chacun qu'est le fait de naître. En outre, les biologistes, généticiens, psychanalystes et psychologues ont cherché à démontrer l'existence d'une vie psychologique dans la vie intra-utérine. L'embryon de 6 à 9 mois entend des sons, perçoit la voix de ses parents, ressent les chocs émotionnels, les angoisses et les peurs de sa mère. De ces travaux autour du thème de la naissance s'est dégagée l'idée que les conditions psychologiques de la grossesse et celles de l'accouchement sont déterminantes pour le développement psychologique du nourrisson et du petit enfant. Janov a donc symbolisé et révélé ce mouvement, en a tiré la conclusion clinique que la souffrance primale est une souffrance primordiale et unique qui a un retentissement tant au moment de la naissance que pendant le développement ultérieur de l'enfant ; il faut alors y chercher l'origine des névroses et des psychoses. C'est pour étudier ces phénomènes qu'il fonde à Los Angeles un "laboratoire de recherche" et une "fondation primale", qui ont permis un travail pluridisciplinaire en neurologie, psychologie, médecine et génétique. Ces chercheurs se sont donné pour tâche l'observation et l'étude de centaines de cas de névroses et de psychoses infantiles en vue d'élaborer une thérapie basée sur ce traumatisme premier.

Cri primal et souffrance primale

Ce "cri primal" n'a d'importance que dans la mesure où il révèle l'intensité de la souffrance qui demeure inconsciente lors de la naissance. C'est pourquoi Janov, à l'encontre de certains de ses disciples, affirme que le cri en lui-même n'est qu'un véhicule, un moyen d'expression, mais ne peut être le fond de la thérapie. Il établit une distinction entre le "cri primal" qui exprime ce big bang originel de l'individu et la "souffrance primale" qui est une situation globale dans laquelle l'enfant qui naît est pris. Le lien entre cri et souffrance vient de ce que le cri exprime la rupture avec le ventre de la mère et un affrontement direct avec le monde extérieur. Cette sortie du ventre et l'entrée dans le monde, par leur soudaineté et le changement radical de situation qu'ils impliquent, sont le signe d'une souffrance de déchirement et de séparation, constitutifs d'un pathos premier. En effet il ne se reproduira plus jamais de la même manière dans la vie d'un individu mais sera répété de manière névrotique. C'est parce qu'elle est notre origine, ce par quoi notre vie physique et psychique a commencé, que cette "souffrance primale" est une souffrance primordiale dont le "cri primal" est l'expression.

On ne naît pas névrosé

Janov fait de la névrose le mal dont souffrent nos contemporains. Mais qu'est-ce que la névrose ? Alors que pour Freud et les psychanalystes, qu'ils soient disciples ou dissidents, elle est le cœur de l'activité psychologique, soit qu'on naisse avec elle (Rank, Steckel), soit qu'on la développe au moment du complexe d'Œdipe (Freud, Klein, Lacan, etc.), Janov pense qu'on ne naît pas névrosé car la névrose s'installe quand les besoins du bébé ne sont pas satisfaits, celui-ci étant obligé de se construire une "fausse" personnalité pour compenser son manque de satisfaction. Celle liée à la souffrance primale, produit une somme de malaises psychiques dont le cri du névrosé ou du psychotique révèle la profondeur, la dramatique, le caractère inhumain et déchirant. C'est pourquoi les souffrances névrotiques ultérieures dérivent de cette souffrance primale acquise très tôt par l'enfant, quelle que soit la forme de la névrose. Celui-ci veut obtenir de ses parents la satisfaction de ses besoins affectifs, mais il reste en état de souffrance continuelle quand ceux-ci ne le satisfont pas. S'ils persistent dans cette attitude, il ira jusqu'à la nier pour ne plus souffrir. Janov précise que c'est à partir du moment où il se sépare de sa propre souffrance, qu'il la refuse comme étant sienne, que s'installe la structure névrotique, l'enfant étant alors divisé dans sa personnalité.

La souffrance psychique n'est donc pas un symptôme parmi d'autres, mais le symptôme par excellence de la séparation d'avec une partie de soi-même. Elle est appelée "primale" car elle fonde les autres souffrances.

Besoins réels et besoins symboliques

Au fur et à mesure qu'il grandit l'enfant en vient à ne plus supporter d'avoir des besoins qui lui soient personnels et il apparaît une coupure entre ses besoins et sa conscience. Cette coupure a une fonction psychologique précise car elle consiste à supprimer la souffrance devenue insupportable. C'est le point central de la théorie des névroses chez Janov. Les besoins insatisfaits ne disparaissent pas, il se maintiennent tout au long de la vie (jusqu'à l'âge adulte) par le biais d'une production de "besoins symboliques" qui sont des substituts névrotiques aux "besoins réels" desquels il s'est séparé par excès de souffrance. Ainsi s'est installée une division entre "besoins réels" et "besoins symboliques", ces derniers étant le symptôme de la névrose par le caractère de leurre et d'artifice qui les constitue. L'enfant frustré apprend à déguiser ses vrais besoins et à les transformer en besoins symboliques (ainsi plus le moi est fort et sécrète des mécanismes de défense, plus il crée des comportements symboliques qui révèlent sa fragilité et le caractère fallacieux de la construction de sa personnalité ; alors qu'au contraire pour A. Freud ce "moi fort" est signe d'équilibre psychique et de bonne adaptation au réel). Cette théorie d'une satisfaction symbolique des besoins comme signe de la névrose est analogue à celle de la "fiction du sujet" chez Lacan, de la non-distinction chez le névrosé du "moi réaliste" et du "moi imaginaire" chez Rogers. Le point capital souligné par Janov réside dans la découverte d'une théorie de vrais et faux besoins, véritable clivage au centre de la personnalité névrotique.

La scène primale : le manque d'amour

Reliant comportements symboliques et névrose, il découvre que le symbole a une capacité défensive contre la souffrance qu'il perpétue. Les besoins sont dits "réels" quand l'enfant a la capacité de les ressentir et de les éprouver comme tels, et "irréels" quand il les méconnaît. Le névrosé ne reconnaît plus ses propres besoins, il est dans l'irréalité mais ceux-ci ne lui manquent pas objectivement. (Ainsi un enfant qui n'est pas aimé souffre car il est frustré par ses parents. Il supprime alors sa souffrance en niant en lui son besoin réel d'amour, et compense ce manque par des comportements symboliques qui se substituent à ce besoin). C'est pourquoi la névrose est une maladie du sentiment, une coupure et une censure de la souffrance opérée à partir d'intenses frustrations. Ces "souffrances profondes" dues au manque d'amour sont dites "primales" car elles expriment les besoins et les sentiments réprimés (névrose) ou niés (psychose) par la conscience. La "scène primale" majeure existe quand, dans la vie d'un enfant, l'humiliation, la privation et le refus s'additionnent pour donner la prise de conscience suivante : "*Je n'ai aucun espoir d'être aimé pour ce que je suis*". A ce moment l'enfant glisse dans la névrose car il se met à se comporter comme ses parents ou autrui l'exigent et non pas en fonction de ce qu'il désire lui.

Deux aspects d'un même moi : moi réel et moi irréel

Pour Janov en effet "*aimer c'est laisser être l'autre ce qu'il est*" et, à l'inverse, ne pas aimer c'est imposer à autrui nos propres choix et désirs. Quand le comportement répressif devient très fort la personnalité se construit de façon névrotique. L'individu opère une scission (clivage) entre lui et ses propres sentiments. C'est pourquoi la névrose est une nouvelle manière d'être, un état dans lequel l'enfant comprend que, pour être estimé de ses parents, il doit renoncer à une partie de lui-même.

De même que s'est faite la scission entre besoins réels (éprouvés) et besoins irréels (symboliques, niés), de même la personnalité se divise contre elle-même en constituant un double moi avec face réelle et face irréelle : le "moi irréel" est le produit de ce que les freudiens appellent les systèmes de défense qui révèlent, par leur rigidité, la résistance à la souffrance, aux besoins vitaux et aux sentiments. L'individu à la naissance est dépourvu de système de défenses psychologiques, ce n'est que par inadéquation entre ses sentiments et son manque d'amour, entre ce qu'il est et ce qu'on veut qu'il soit, qu'une faille s'installe. L'idée centrale de Janov consiste à affirmer que le moi, en tant que système de défense, n'est ni naturel ni nécessaire. Ainsi la théorie primale définit la névrose comme synthèse de deux "moi" ou deux systèmes en conflit dans lesquels le moi irréel, névrosé, a pour objectif de nier le moi réel. Mais il ne le peut pas entièrement, cette impossibilité explique la nature conflictuelle de la névrose : quand ce double moi se perpétue, il faut alors envisager une thérapie primale.

But de la thérapie primale

La thérapie aide le patient à cheminer dans sa souffrance par la médiation du cri, de la voix, de la respiration, qui sont les éléments du souffle et de la vie psychologique. Pour Janov le cri et la voix ont la même valeur interprétative et curative que l'a le rêve pour Freud. La voix permet au patient de communiquer avec lui-même en libérant des désirs et des besoins réels et en s'acceptant enfin dans son moi. Ici Janov est très proche de Reich, à la fois sur sa conception du moi comme cuirasse et de la voix comme expression singulière et majeure des émotions.

La thérapie primale peut se définir comme étant une méthode dialectique par laquelle le patient trouve sa maturité quand il ressent à nouveau les besoins enfouis de son enfance. D'où une nécessaire régression qui consiste à être à la fois dans le passé et dans le présent de la souffrance. Elle doit lui permettre enfin ce qu'on lui a toujours interdit et qu'il a déguisé sous des comportements symboliques. Les déconstruisant, n'ayant plus peur progressivement de sa souffrance, le patient peut accepter ses besoins et ses sentiments comme légitimes car il les éprouve vrais pour lui et non plus pour les autres. Nous pouvons alors caractériser, comme le fait Janov, la thérapie primale comme étant une thérapie centrée sur la souffrance et le sentiment dont le cri et la voix sont l'équivalent du langage inconscient de la cure psychanalytique freudienne. La psychologie actuelle s'est coupée des besoins et des sentiments. Janov pense que le psychothérapeute doit lui-même être à l'aise dans ses propres sentiments pour comprendre et aider efficacement ses patients.

L'Ecole orthogénique : B. Bettelheim

Les thérapies d'enfants

Le monde enfantin a toujours été pour la psychanalyse un terrain privilégié de connaissance des phénomènes inconscients depuis que Freud y a découvert l'importance de la sexualité et des fantasmes dans la construction de la personnalité. Mais le tournant décisif des thérapies d'enfants a été pris par M. Klein et A. Freud qui ont tout à la fois cherché à décrire "de l'intérieur" le monde inconscient de l'enfant et proposé de nouvelles techniques (le jeu, le dessin) qui ont jeté les bases de la thérapie d'enfant.

Si bien qu'un véritable mouvement de thérapeutes est né vers 1960 d'une critique de la "maladie mentale" comme diagnostic médical et des hôpitaux psychiatriques comme lieu d'enfermement. Que ce soit Basaglia en Italie, Laing en Angleterre, M. Mannoni, F. Deligny, F. Dolto en France, Rosen et Bettelheim aux USA, une véritable génération de thérapeutes est née dont l'objectif, à travers des lieux et des méthodes différents, a été de proposer aux enfants psychotiques ou autistes des milieux où l'on puisse enfin soigner des maladies qui étaient jusqu'alors déclarées incurables par le corps médical et sanctionnées par le diagnostic.

Ce courant "antipsychiatrique" et thérapeutique a d'abord témoigné d'une expérience vécue entre le thérapeute et l'enfant "fou", "malade", "arriéré", expérience au sein de la cure qui porte témoignage que, loin d'être irrationnels et incompréhensibles, les symptômes de la "folie" sont à comprendre comme réponse à une souffrance devenue insupportable à l'enfant fou. Véritable système de défense, la folie de l'enfant est à interpréter comme renoncement inconscient à se développer et dont le milieu familial et l'environnement sont "responsables" à des degrés divers. Quand le thérapeute et le milieu thérapeutique offrent les conditions de la guérison l'enfant le plus fou peut abandonner ses symptômes et partir sur le chemin de la guérison. Cet enseignement par le témoignage et l'expérience thérapeutique a pris des formes et des théories variées. Nous proposons ici de symboliser ce mouvement des thérapeutes d'enfants en relatant celles des expériences qui sont les plus connues : le courant transitionnel de l'Anglais Winnicott et l'Ecole orthogénique de l'Américain B. Bettelheim ; sans toutefois oublier que ces expériences thérapeutiques se sont déroulées sur fond de désenfermement de la folie dont les travaux de Michel Foucault en France ont été le symbole.

Mais ce contexte de "désidéologisation" de la folie aurait lui-même été insuffisant sans la compétence, la patience et l'amour avec lesquels un mouvement thérapeutique est né sur les décombres de la vieille psychiatrie. Les médias en France ont largement contribué à la connaissance de ce courant par le biais de la télévision qui a associé le grand public à cette découverte. D. Karlin a fait connaître B. Bettelheim et l'enfant psychotique autiste. Mais c'est à une psychanalyste lacanienne, F. Dolto, que nous devons le témoignage de l'expérience des thérapies d'enfants et la vulgarisation de la psychanalyse enfantine.

Le symbole Françoise Dolto

Se tenant volontairement en dehors des débats théoriques et des querelles d'Ecole, F. Dolto donne son témoignage sur des thérapies d'enfants de l'Assistance Publique qui lui ont permis d'exprimer qu'il y a toujours une espérance dans le métier de thérapeute, sans laquelle ce métier serait impossible. Cette espérance est portée par l'amour que l'on doit aux enfants, amour qui suscite le désir de grandir et rend possible une thérapie.

Ce n'est en effet pas l'un des moindres paradoxes que celui qui consiste à affirmer, en pleine expansion scientifique et technique de la psychologie, que la thérapie d'enfant est une expérience toujours singulière et unique qui requiert pour être efficace autant d'amour que de science, de confiance que de technique. C'est dans ces voies rigoureuses et amoureuses que nous conduisent les expériences de B. Bettelheim et de Winnicott.

B. Bettelheim (1903-1990), Américain d'origine autrichienne

Des camps nazis à l'autisme

L'Ecole orthogénique de B. Bettelheim, fondée à Chicago en 1959, a connu un succès mondial par les résultats qu'elle a obtenus dans le traitement des enfants “autistes” (totalement replié sur soi, sans contact avec l'extérieur) et le succès qu'ont eus deux ouvrages du fondateur : *La forteresse vide* et *La psychanalyse des contes de fées*.

C'est en 1938 que cet Autrichien, devenu par la suite Américain, a fait l'expérience du camp de concentration, expérience qu'il relate dans *Cœur conscient*, ouvrage dans lequel il témoigne de ce qu'est une “situation extrême”, une souffrance totale ; celle-ci lui a permis de tirer des leçons psychologiques sur la capacité de l'être humain, mis dans des conditions de survie, à surmonter cette situation-limite ou, au contraire, à se laisser mourir psychologiquement.

Cet épisode tragique de sa vie lui a donné la force d'affronter une citadelle alors inexpugnable pour les thérapeutes : l'enfant “autiste”, complètement retranché du monde, replié sur lui-même, que l'on disait impénétrable et inguérissable. S'il a puisé ses outils thérapeutiques dans le climat psychanalytique viennois de sa jeunesse, il a forgé ses concepts et sa méthode en les confrontant à sa propre expérience des camps et à celle menée à l'Ecole orthogénique, école originale par ses règles, ses buts et ses résultats. A notre connaissance il a été le premier à prouver que des enfants autistes convenablement soignés pouvaient guérir jusqu'à avoir une professsion et une insertion sociale, bref être devenus “normaux”. Comment le “miracle” a-t-il été possible ? Bettelheim a pris à la lettre le critère de la santé mentale défini par Freud : pouvoir aimer et être aimé, ce qui implique une autonomie et suppose l'établissement de relations durables avec le milieu parental.

Comment tenter l'impossible ?

Le miracle n'ayant pas eu lieu, Bettelheim n'a pu obtenir ce résultat que par la mise en place d'un lieu thérapeutique qui s'est transformé en Ecole de psychothérapie. Ce lieu "d'où l'on guérit" comportait un ensemble de règles très strictes :

Les enfants autistes étaient séparés de leur milieu familial pendant le temps de la thérapie et devaient présenter des troubles graves étiquetés irréversibles.

Les thérapeutes (éducateurs, psy, personnel d'entretien) s'engageaient à partager les buts thérapeutiques de l'institution, être d'accord sur les méthodes très directives de Bettelheim et avoir le désir de soigner, d'aimer et de guérir les enfants, accepter la supppression de la hiérarchie tout en gardant la spécificité des rôles et des savoirs de chacun. Et surtout, la règle non écrite d'avoir l'espoir de donner une espérance à ceux que Bettelheim a appelés des "forteresses vides" exprimé par l'un d'eux : "*je suis vide à l'intérieur, je n'ai plus de désir*".

Le principe de l'action éducative et thérapeutique s'énonçait de la façon suivante : les symptômes sont des masques, une façon de se protéger. Si l'enfant est compris et accepté tel qu'il est, ceux-ci peuvent disparaître. Il s'agit d'offrir alors un "lieu où renaître", de mettre en œuvre un processus de guérison où les enfants se sentent suffisamment bien et aimés pour renoncer à leurs défenses et risquer à nouveau de renouer des relations.

C'était tenter l'impossible, affronter quotidiennement le vide de l'autiste, respecter et être responsable de la relation à l'autre ; l'enfant comprenait qu'ici, à l'Ecole orthogénique, il était accepté dans sa folie.

"Situation extrême" et réalité

Dans son travail thérapeutique Bettelheim et son équipe sont partis d'une double hypothèse : l'autisme est une réponse à une "situation extrême" et la réalité extérieure est capitale dans la genèse des troubles autistiques.

- **La notion de "situation extrême"** n'est pas synonyme de grave ou d'urgent. Bettelheim la définit plutôt comme une situation "sans issue". L'enfant construit un monde autistique parce qu'il est dans un tel état de souffrance et de manque d'amour qu'il préfère renoncer totalement à lui-même et ne plus agir du tout. L'autisme se définit par une grande fermeture et une passivité quasi totale. Bettelheim a remarqué qu'en situation extrême (autisme ou camp de concentration) "l'action protège notre intégrité psychologique alors que la passivité la détruit". L'autiste, ayant perdu tout espoir de surmonter sa souffrance, sombre dans le désespoir et le repli.

- **La notion de "réalité"**, ou encore "d'environnement extérieur" est pour Bettelheim fondamentale pour comprendre les causes de cette pathologie. Sans nier l'importance des fantasmes destructeurs à l'œuvre dans l'inconscient du petit enfant, comme l'a analysé M. Klein, Bettelheim privilégie les pressions externes, le poids d'une réalité qui, à un moment donné, devient insupportable à l'enfant. Bien que psychanalyste, Bettelheim a l'esprit suffisamment libre par rapport aux querelles d'Ecole pour affirmer, après cette expérience thérapeutique, que c'est la réalité insupportable qui envahit l'imaginaire et non ce dernier qui est projeté sur l'extérieur.

La "situation extrême" implique que l'environnement est à changer pour que renaissent le désir, les capacités intellectuelles et psychiques restées intactes. C'est pour cette raison que Bettelheim a prescrit comme règle thérapeutique fondamentale la séparation d'avec les parents puisque c'est par eux et leur environnement que l'enfant a renoncé à son désir d'être.

Intégration et autonomie

Le but de la thérapie consiste alors à intégrer l'autiste dans un environnement entièrement nouveau pour lui donner les conditions objectives de sa véritable autonomie. Bettelheim serait-il pour autant béhavioriste ou comportementaliste pour en arriver à penser la thérapie en termes d'intégration au milieu ? Non car ce milieu thérapeutique ne suffit pas si n'existe pas la qualité relationnelle, c'est-à-dire l'amour et la mise en confiance. Loin de n'obéir qu'à des stimuli négatifs ou à des règles imposées de l'extérieur, chaque enfant se développe en fonction de ce qu'il sent, expérimente et vit par lui-même. Personne ne réagit de façon identique et chacun se construit par un processus de création à partir d'une réalité donnée. C'est pourquoi l'autiste, vivant à l'Ecole orthogénique dans un milieu non menaçant, a pu intégrer les règles de ce nouvel environnement en les faisant siennes. Le milieu est seulement une condition nécessaire mais non suffisante, l'intégration n'était qu'un des buts du processus thérapeutique.

Bettelheim a remarqué aussi que cette intégration a pour objectif une prise d'autonomie qui se traduit chez l'autiste par un renoncement à sa passivité destructrice pour agir par lui-même, reprendre son développement et se poser comme "autonome". Le terme "d'autonome" est synonyme ici de mise en œuvre des capacités propres à chacun pour se construire soi-même et choisir ses règles propres parmi celles qui sont proposées de l'extérieur. Pour reprendre des notions freudiennes l'autonomie résulte d'un équilibre entre le principe de plaisir et le principe de réalité.

Les conclusions thérapeutiques d'une expérience exceptionnelle

Les résultats très constructifs de l'Ecole orthogénique ont contribué à s'interroger sur l'importance à accorder à l'environnement éducatif dans le traitement de l'autisme et de la psychose infantile. La conception freudienne d'une thérapie très individualisée patient-thérapeute a pu être de ce fait remise en cause dans la mesure où le thérapeute, tout en ayant un rôle essentiel, ne peut être efficace que dans un milieu et un ensemble qui doivent "porter" la thérapie. C'est par des actes quotidiens, ceux de la cuisinière comme ceux des "psy", et sur une longue période, que se déroule un véritable processus de guérison dont chaque membre de l'équipe éducative est à la fois porteur et responsable. C'est là toute l'originalité de l'Ecole orthogénique, mais aussi ses limites. En effet cette expérience n'est ni reproductible ni applicable comme technique car elle relève pour une part du charisme exceptionnel de Bettelheim quant aux résultats et aux conditions d'application de la psychothérapie.

Cependant Bettelheim a fait école dans les milieux thérapeutiques du monde entier pour lesquels apparaît, de plus en plus clairement, l'importance décisive d'un lieu unique, singulier, d'un lieu pour "renaître". Grâce à sa réussite l'Ecole orthogénique a prouvé que l'efficacité thérapeutique s'ordonne autour de deux grands axes : exigence d'amour et exigence de rigueur scientifique, l'un ne contredisant pas l'autre, comme on le croit trop fréquemment dans les milieux de l'éducation spécialisée.

En pénétrant le monde enfantin de l'autiste, c'est dans l'univers de l'enfant que Bettelheim a pénétré. Dans son ouvrage *Psychanalyse des contes de fées*, il a exprimé la nécessité de critiquer une éducation moderne devenue trop rationnelle qui aboutit à la négation des forces irrationnelles de l'être humain. Loin de traumatiser l'enfant ces vieilles histoires folles que sont les contes de fées permettent au contraire de maîtriser les forces instinctuelles. Par imagination l'enfant trouve une issue adéquate à ses problèmes, surmonte ses angoisses, met en scène la haine, la violence qui sont en lui ; ces contes sont une manière d'exorciser, c'est-à-dire de surmonter les forces obscures de l'inconscient.

La thérapie transitionnelle : Winnicott, Anglais

Winnicott a appartenu, en même temps que M. Klein et A. Freud, à l'Ecole psychanalytique anglaise dont une branche s'est spécialisée dans les consultations et la psychanalyse d'enfants : comme M. Klein et B. Bettelheim il a étudié l'origine des psychoses du petit enfant en observant notamment ce qui résulte du mauvais développement de la personnalité lorsque l'enfant ne parvient pas au stade du complexe d'Œdipe. Il est parvenu à élaborer une théorie de la personnalité et de l'objet transitionnel en mêlant aux concepts psychanalytiques de nombreuses observations cliniques, inventant une sorte de psychanalyse expérimentale.

Théorie de l'objet transitionnel

Winnicott s'est posé la question de l'importance de certains objets que l'enfant privilégie et du sens qu'ils ont dans ses jeux : il a été frappé par la constance et l'universalité de ce rapport spécifique à l'objet, observation déjà faite par Freud dans le jeu de la bobine et qui consistait pour un petit garçon à la faire disparaître sous un meuble et la faire réapparaître (jeu du fort-da). Quels sens aux conduites et objets transitionnels ?

- Les conduites marquent le passage d'une situation à une autre : lever, coucher, départ pour la crèche, départ en voyage, séparation d'avec les parents, etc. Les comportements observés sont induits par la nécessité de la coupure, de la rupture, de la séparation avec les parents. Winnicott en conclut que le petit enfant invente des rituels de séparation (succion du pouce, possession d'objets privilégiés, place des contes et des histoires, régularité sphinctérienne, etc.) qui lui permettent de supporter la frustration engendrée par la perte momentanée de la présence parentale. Ces conduites représentent des comportements de transition qui lui font "réparer" les dommages psychologiques qu'il subit lorsque les parents sont symboliquement absents. Ces comportements ont un rôle rassurant sur le plan affectif et lui permettent de se sécuriser. La conduite transitionnelle marque le passage d'une situation de présence à une situation d'absence parentale.

- Les objets (nounours, chiffon, poupée, animal, vieux linge) ont souvent peu de valeur économique mais leur fonction psychologique est fondamentale : très investis affectivement par l'enfant ils lui permettent de combler le vide et le manque occasionnés par l'absence parentale. L'objet transitionnel est le complément indispensable des conduites transitionnelles dans la mesure où il sert de substitut parental en comblant son besoin de sécurité affective. Winnicott décrit les objets comme permettant la fusion entre l'enfant et sa mère par le rôle de transition qu'ils jouent. Dès lors, non seulement ils ont une fonction de réassurance narcissique (attachement à soi) mais ils constituent de véritables mécanismes de défense du moi contre l'angoisse de morcellement et la peur de perdre l'objet d'amour dont découle le sentiment d'abandon remarqué par M. Klein dans la phase dite dépressive. C'est pourquoi, outre leur valeur symbolique, ils permettent de dépasser des conduites de type psychotique et ont donc une fonction curative. C'est dans cette nécessité du soin dans les thérapies d'enfants autistes et psychotiques que Winnicott a utilisé le "bon objet réparateur" que représente l'objet transitionnel. Grâce aux objets l'enfant peut passer les étapes difficiles de sa vie ; ils lui permettent une bonne maturation affective.

Ce concept d'objet transitionnel prend place dans une théorie de la personnalité. Dans son livre *Self et faux self*, Winnicott pose la question de l'origine du clivage (séparation) de la personnalité dans l'ébauche de deux moi : un faux et un vrai.

Théorie du self

La relation d'objet étudiée par Winnicott (au sens d'objet d'amour) a également fait l'objet d'observation de la part du psychologue d'enfant Eric Jakobson. Il a cherché, à travers la description de différents stades de développement, à saisir la construction de l'identité enfantine, identité qui est la base de la personnalité.

Jakobson distingue :

- Un stade "d'identité-fusion" (1 à 9 mois) au cours duquel il existe une indistinction entre le soi et l'objet. L'enfant se vit incorporé totalement au corps de sa mère dont il est un objet partiel.
- Un stade "d'être-identique" (9 mois à 2 ans) au cours duquel il reproduit en miroir les comportements de son entourage ; cette phase est importante, elle structure chez l'enfant une identité-reflet au cours de laquelle il construit l'ébauche d'un moi qui n'est pas le sien puisqu'il est le reflet des conduites parentales. Il aura à comprendre plus tard que ce moi-reflet n'est pas vraiment le sien. Jakobson remarque que la psychose infantile se caractérise par l'adhésion totale à ce moi-miroir dans lequel le psychotique est captif.
- Un stade "être-comme" (2 à 3 ans) au cours duquel l'enfant veut ressembler aux objets, notamment aux parents. Il fait comme eux et répète leurs-conduites. Ce moment lui permet d'acquérir une identité par autrui, par désir de ressemblance.
- Un autre stade "être-comme" (après 5 ans) au cours duquel il manifeste sa totale indépendance à l'égard des objets. Abandonnant les fusions et les identifications de sa petite enfance il perçoit les objets tels qu'ils sont et peut par conséquent se constituer distinctement d'eux, c'est-à-dire accéder à sa propre identité.

Les découvertes de Jakobson, Winnicott les reprend dans sa théorie du self (soi). Que se passe-t-il dans la construction du self et du faux self ? Il a observé que le nouveau-né ne construit sa personnalité que si les soins maternels sont un soutien constant. Si la mère n'est pas "suffisamment bonne", l'enfant renonce à affronter la réalité et construit un faux self qui sera constitué par la reproduction en miroir du comportement de la mère : dans le cas de carence affective et de manque de soins maternels le bébé est obligé, pour survivre psychologiquement, de se créer l'illusion qu'il est aimé de ses parents, illusion qui lui permet de s'adapter aux carences de sa mère. Mais cette adaptation ne peut se faire que si progressivement il se désillusionne sinon il ne peut devenir autonome. Par son besoin d'être aimé il crée dans un premier temps une relation illusoire à sa mère et par son besoin de grandir il doit renoncer à cette illusion première qui le fera accéder à un soi vrai.

Cette illusion a une grande importance car elle est une étape intermédiaire du développement et sera abandonnée. Mais elle ne l'est que partiellement car l'enfant ne renonce pas totalement à l'illusion d'être aimé : le renoncement partiel à l'illusion sert de base au self, mais l'appropriation partielle et définitive de l'illusion est la base du faux self. De ce fait le self est toujours une écorce puisqu'il est basé primitivement sur tous les rapports illusoires à la réalité. En cas de pertubation grave le self illusoire prendra la place du vrai self.

Mais, au-delà des cas pathologiques, on aura compris que chacun construit un faux self plus ou moins important qui permet de masquer certains aspects insupportables de la réalité à l'égard des autres et de nous-mêmes. Winnicott insiste sur ce fait fondamental que le faux self n'est pas seulement un masque car il marque pour toujours quelque chose de plus profond que le masque : la constitution illusoire de notre identité. Il faut rapprocher cette théorie du faux self de celle du stade du miroir que Lacan a étudiée chez l'enfant. Tous deux aboutissent à la même conclusion : la construction de l'identité (réalité de soi et idée qu'on s'en fait) passe par la mise en place d'un jeu d'apparences dont le noyau demeure dans la personnalité de chacun.

Avec cette théorie du faux self, Winnicot a démontré le caractère complexe de l'accession à l'identité et sa précarité.

La thérapie du rêve éveillé : Ré, Desoille, Français

Rêve et imaginaire

Dans deux ouvrages fondamentaux Freud a souligné l'importance du rêve comme voie d'accès à l'inconscient et comme interprétation des symptômes (*Interprétation des rêves* et *Science des rêves*). C'est pourquoi la transmission de ses rêves par le patient à son analyste fait partie de la cure analytique. Deux psychothérapeutes, Ré et Desoille, ont repris cette tradition freudienne et en ont cherché une application dans le travail psychothérapique en faisant de l'analyse du rêve le point central, et non plus marginal, de la psychothérapie.

L'idée maîtresse part du constat que l'image contient en elle-même des potentialités créatrices de sens que seule l'alchimie du rêve peut évoquer et révéler. C'est dans cette intuition que Ré et Desoille ont débordé le cadre théorique de la psychanalyse pour étudier l'image comme élément moteur de l'imaginaire et de l'imagination. L'activité imageante avait été notamment découverte par Jung (les images archétypes qui constituent le ressort de l'inconscient individuel et collectif).

Cette découverte d'une action spécifique des rêves et des images a donné naissance, à partir de 1938, à des travaux théoriques menés par Caslan et Desoille sur l'exploration de la vie affective par utilisation du rêve éveillé en psychothérapie. Sous la pression d'un courant anti-directif en milieu clinique, très fort à partir de 1960, des expériences thérapeutiques ont été faites qui ont conduit à des recherches théoriques sur la production des rêves et l'évocation d'images ayant des implications psychothérapiques.

La théorie du rêve éveillé

Le "rêve éveillé" se réalise dans une zone frontière psychologique entre le symbolique et l'imaginaire, au sein de laquelle on trouve réunies les productions spécifiques de l'activité du rêve. Celui-ci a pour fonction de stimuler la créativité psychique par la richesse des matériaux fournis par le rêveur, de lever des blocages liés à l'activité onirique et de faire éprouver des affects et des émotions portés par ces images. C'est dans la mesure où cette image est médiatrice directe de sens (conscient et inconscient) que le sujet peut se réapproprier une partie de lui-même qu'il méconnaît, et faire ainsi l'expérience d'une nouvelle dimension de sa liberté qui est le but de l'activité thérapeutique.

Le rêve est dit "éveillé" car il est partiellement induit par l'analyste, mais il ne s'oppose pas aux rêves nocturnes car tous deux supposent pour leur expression la méthode de "libre association" qui consiste pour le patient à se laisser aller aux images des rêves, à les amener dans la relation avec le thérapeute pour y mobiliser les émotions sous-jacentes et les laisser parler pour en comprendre le sens. La différence entre l'évocation des rêves nocturnes dans la tradition analytique et le récit du rêve éveillé à l'analyste est constituée par l'expérience que fait le patient de son imaginaire "ici et maintenant" et non pas, comme dans la cure traditionnelle, en fonction d'un inconscient à interpréter. Cette position est aussi celle de Binswanger (*Le rêve et l'existence*) pour qui le rêve acquiert des dimensions existentielles et actuelles, étant à interpréter comme présence de l'imagination créatrice et pas seulement comme produit inconscient du passé.

La pratique clinique du rêve éveillé

Desoille montre que certains thèmes de rêves placent directement le patient qui s'y prête dans des expériences et des situations telles que la descente et l'ascension, la chute et la montée, la peur et le plaisir, la dévoration et l'envahissement, etc. Le thérapeute doit faire une utilisation minimale de ces images et expériences, en les laissant venir en toute liberté, inviter le patient à se centrer sur elles et exprimer les éléments d'ordre spatial et temporel qui s'y rattachent. La pratique du "rêve éveillé" concerne le patient qui doit se laisser conduire par ses images pour être le maître de sa cure avec l'aide du thérapeute : celui-ci favorise seulement la mobilisation d'affects dont l'image est porteuse et y introduit le mouvement lorsque celui-ci ne s'y trouve pas.

Pour aider à cette mobilisation des rêves les séances se font en deux temps : l'un sur le divan pour la libre association, l'autre en face du thérapeute pour la dynamique de la relation thérapeutique et le transfert. Ainsi l'image évoquée et interprétée par le psychothérapeute joue le rôle d'un objet transitionnel et d'une médiation entre le patient et le thérapeute.

La psychothérapie du "rêve éveillé" se pratique surtout avec les enfants et les névrosés qui ont une vie onirique et imaginaire féconde et sont autant "d'outils" qui permettent une voie d'accès à la guérison. C'est en effet dans la mesure où se réalise un travail à la frontière de l'imaginaire et du symbolique, deux lieux topologiques fondamentaux en psychologie, que se réalisent des progrès thérapeutiques efficaces.

Les développements de l'analyse du rêve éveillé

Bien que Ré et Désoille en soient les fondateurs, la psychothérapie du rêve éveillé s'est développée en de multiples directions, souvent hors du cadre psychanalytique et psychothérapique d'origine. Ces pratiques se produisent en général pour le plaisir créatif qu'elles procurent, avec l'idée que ces expériences thérapeutiques permettent une meilleure connaissance de soi, et un remaniement interne de la personnalité. Le rêve éveillé est utilisé également dans le cadre de la cure analytique classique à titre d'appoint ou de recours ponctuel, sans considérer l'image et l'imaginaire comme fondamentaux.

Synthèse des thérapies psychanalytiques

Lowen	Janov	Bettelheim	Winnicott	Ré, Desoille
– Bio-énergie issue des principes de Reich	– Cri primal issu des principes de Rank – Angoisse primordiale liée à la naissance	– Thérapie institutionnelle	– Thérapie transitionnelle	– Thérapie du rêve éveillé
– Concepts clés : • énergie vitale • cuirasse caractérielle • puissance sexuelle • névrose produite par la répression de la sexualité • corps symptôme • somatisation • système de défense par les trois couches caractérielles • émotion-amour • conscience de soi et conscience du corps	– Concepts clés : • souffrance primale • traumatisme de la naissance • besoins réels • besoins symboliques • scène primale • moi irréel • moi réel	– Concepts clés : • situations extrêmes • réalité • environnement • intégration et autonomie • éducation • autisme	– Concepts clés : • objet transitionnel • conduites transitionnelles • self et faux self • illusion	– Concepts clés : • rêves • images • symboles • affects • imaginaire
– Thérapie par le corps dont le but est de libérer énergie et sexualité	– Thérapie par le cri et la voix pour amener le patient à régresser jusqu'au traumastisme de la naissance pour le dépasser	– Thérapie par l'institution pour amener le patient à s'ouvrir à lui-même et au monde extérieur	– Thérapie par le jeu dont le but est d'amener le patient à accéder à sa vraie identité	– Thérapie basée sur le rêve en vue d'amener le patient par son imaginaire à accéder à ce qui a été refoulé

Les thérapies personnalistes

La thérapie non directive : Rogers, Américain

Une théorie de la personne

A la recherche de l'écoute authentique

La méthode "non directive" connaît dans le monde un développement considérable qui tient à la facilité apparente avec laquelle elle peut être utilisée. Ni doctrine ni théorie, Rogers l'a conçue dans son travail de consultations d'enfants et d'adolescents. C'est lui qui a introduit la notion centrale de "non-directivité", puis du fait de déformations possibles il l'a remplacée par "attitude centrée sur la personne".

Il est né en 1902 à Chicago, a fait des études de psychologie clinique tout en travaillant avec des patients pour leur apporter une aide psychologique. A partir de 1928, s'occupant d'enfants délinquants et de cas sociaux et familiaux, il s'éloigne de la psychanalyse qui lui paraît trop centrée sur la notion de conflit sexuel et d'interprétation, pensant déjà que le patient "sait" ce qui le trouble et quels conflits psychologiques ont été enfouis, à condition qu'il soit aidé. Ainsi naît l'idée centrale que le patient est maître de sa propre évolution.

En 1940, nommé professeur à "l'Ohio State University", il publie *Le conseil en psychothérapie* (1942), tandis qu'en 1944, il enseigne à Chicago et fonde un "centre de conseil pour étudiants". La recherche y est importante puisque sont enregistrées 2 800 interventions portant sur 600 personnes. C'est sur la base de ce matériel psychologique qu'il écrit *La thérapie centrée sur le client* et collabore à différentes organisations ("centre d'études pour la science du comportement", "centre d'études sur la personne"). Son influence grandit aux USA et dans le monde anglo-saxon. Clinicien, mais aussi pédagogue, il écrit *Le développement de la personne* (1961) et *Liberté pour apprendre* (1969). Etant parti de l'écoute individuelle sa pratique s'étend à l'étude des petits groupes en évolution pédagogique ou clinique.

Un concept clef : la non-directivité

La clef de voûte de la théorie rogérienne est la "non-directivité". Ce concept est apparu très pertinent en clinique et dans toute situation d'aide psychologique. La "non-directivité" part du principe qu'un patient ne peut être aidé que si le thérapeute centre son écoute sur son expérience dans laquelle il doit s'immerger.

Le thérapeute ne dirige pas l'évolution mais éclaircit la prise de conscience du patient pour l'aider à réorganiser sa personnalité. Cette mise en œuvre de l'écoute "non directive" suppose le respect de quelques règles simples :

- L'être humain a en lui-même la capacité de ressentir et de comprendre ce qui lui cause troubles et souffrances.
- Cette capacité de compréhension lui permet de se réorganiser lui-même, s'il est aidé dans sa démarche.
- Tout être humain a en lui la capacité de "s'actualiser", cette actualisation étant un dynamisme vital par lequel les êtres pourvoient à leurs besoins et à leurs aspirations essentielles.

La méthode non directive se donne comme objectif de libérer les tendances positives de l'homme chez qui existent en effet de puissantes forces de changement. Ces forces se libèrent si l'on sait écouter avec "compréhension", c'est-à-dire si l'on perçoit du point de vue de l'autre, ce qu'il dit, vit et exprime, attitudes résumées dans cette phrase de Rogers : *"si je peux écouter les choses qu'il me dit, si je puis comprendre comment elles lui apparaissent, si je puis percevoir les significations personnelles qu'elles ont pour lui, si je peux sentir l'exacte nuance d'émotion qui les accompagne, alors je libérerai les puissantes forces de changement"*. Cette attitude implique la pratique d'une écoute dite empathique, différente de l'écoute neutre et flottante du psychanalyste.

Ne pas diriger, ne pas juger : l'écoute empathique

Cette écoute de l'expérience du patient, cette compréhension empathique n'est-elle pas dangereuse pour le thérapeute ? N'encourt-il pas en effet le risque de changer lui-même en fonction de ce qu'est le patient ? Rogers dit qu'un tel changement est impossible dans la mesure où le thérapeute, ne dirigeant pas son client de l'extérieur, ne peut être dirigé par lui. Ce qu'il veut concerne toujours l'autre dans sa capacité à se retrouver et à se diriger, toute personne en effet trouve d'elle-même la direction qui lui est propre et réalise pleinement ce but s'il vient d'elle. Pour qu'une telle écoute soit possible, le thérapeute doit respecter deux conditions : "une acceptation positive inconditionnelle" du patient et la mise en œuvre de "l'empathie". L'acceptation inconditionnelle consiste à ne pas diriger ni critiquer, ni approuver ou désapprouver. L'empathie est la capacité de comprendre l'autre à partir de lui sans le juger. Le psychologue français Max Pagès a mis en évidence deux attitudes constituant l'"écoute empathique" :

- Il faut "*s'abstenir de cette intervention directive qui introduit dans le champ d'expérience du client une manière de le percevoir, de juger de sa valeur, de lui assigner des buts*". Le thérapeute n'intervient que pour augmenter l'information du client sur sa propre activité psychique.

• Il importe également de "*s'abstenir de diriger le processus d'information du client lui-même ; partir de l'hypothèse que le client s'efforce de communiquer avec lui-même et tâcher de faciliter la communication dans le sens où lui-même la dirige*".

C'est pourquoi la thérapie rogérienne est basée sur l'attitude du thérapeute plus que sur un savoir. Car dans l'écoute empathique il met entre parenthèses son pouvoir d'influence ou de critique, et perçoit l'autre en tant qu'autre dans sa dynamique personnelle, celui-ci étant conduit par sa propre souffrance et sa capacité à se retrouver comme sujet de ses troubles et de son histoire. On ne peut comprendre ce qu'est l'empathie que si l'on conçoit le patient comme capable de se construire par lui-même.

Le moi rogérien : conscience et perception

La notion de conscience est plus importante que celle d'inconscient chez Rogers. Le moi, constitutif de la personnalité, est la conscience d'exister pour soi et par soi qui s'acquiert au cours de la croissance psychologique. A l'encontre de la psychanalyse qui privilégie l'histoire et l'enfance comme fondatrices de la personnalité, la non-directivité insiste sur "l'ici et maintenant", sur une dynamique du sujet qui s'actualise sans cesse, quels que soient son âge et la gravité de son état. Le moi est produit par l'expérience individuelle et s'organise graduellement pour se structurer de façon cohérente. Cette cohérence est une harmonie constitutive du moi quand le sujet s'accepte tel qu'il est, c'est-à-dire dans la totalité de son vécu conscient et inconscient. Sans avoir élaboré une théorie du moi, Rogers souligne quelques caractéristiques pratiques qui reflètent le pragmatisme psychologique américain qu'est le rogérisme :

– Le moi authentique est objet de sa propre perception, agit comme guide du comportement et s'enracine dans l'expérience du sujet tel qu'il se vit.

– Mais cette perception de soi doit être réaliste, c'est-à-dire que l'individu doit se comporter de façon adéquate à la situation dans laquelle il est. Ce réalisme est bâti sur ce que le sujet ressent et éprouve réellement, fondant par là son expérience authentique. L'authenticité est un accord entre le moi et l'expérience totale de la personne qui peut, si elle atteint cette authenticité, jouir d'une liberté réelle par la prise de conscience des expériences qu'elle accepte et qu'elle rejette.

Le moi a une grande capacité à être "disponible", car aucun sentiment, aucune expérience ne doivent être exclus du champ de la conscience, sinon il y a malaise, trouble, conflit, inauthenticité d'où peut résulter la névrose. L'équilibre est fait d'une perception de soi essentielle pour atteindre la "conscience de soi" dans un vécu d'authenticité. Mise en œuvre d'une écoute la non-directivité est aussi une théorie de la personne.

Une conception de la personne

Bien que non systématisée, la conception de la personne chez Rogers a subi des influences philosophiques :

- Celle du *personnalisme* que l'on trouve chez Le Senne, Berger, E. Mounier. Elle affirme la transcendance de la personne comme unité et harmonie sur ses états et ses conflits internes ou externes. Il s'agit d'une "philosophie du sujet", maître de ses crises et toujours "libérable", sinon libre, par rapport à ce qui peut l'aliéner.
- Celle de l'*existentialisme* et de la *phénoménologie* provenant surtout de Binswanger et de Heidegger. Elle fait prévaloir la compréhension en psychologie et privilégie le vécu présent et actuel de l'homme. D'où une irréductibilité du présent par rapport au passé, notamment celui de la petite enfance qui fonde la psychanalyse. A partir de ces bases philosophiques Rogers conçoit la personne comme conscience de soi (aptitude qu'ont tous les hommes de se connaître, se construire, s'expérimenter, se vouloir libres). Rogers relativise-t-il pour autant l'inconscient ? On peut l'affirmer si l'on considère que, pour le thérapeute non directif, la conscience ne s'accorde jamais totalement avec les contenus de son inconscient. C'est pourquoi le personnalisme rogérien distingue, plutôt qu'un inconscient et une conscience, un "soi actuel" et un "soi idéal". C'est l'accord entre ces deux instances qui définit l'estime de soi. Le "soi idéal" est une image compréhensive de soi mais il n'y a jamais totalement coïncidence entre le "soi actuel" et le "soi idéal". La relation entre conscience et réalité s'établit sur cette congruence entre les deux soi.

Une méthode. Le contrôle d'une pratique clinique

Méthode clinique et méthode expérimentale

Avant d'avoir posé les principes théoriques et cliniques de la non-directivité, Rogers a eu le souci constant de contrôler sa pratique et celle de son équipe. Le développement de l'entretien (*interview*) et l'enregistrement des séances par centaines de cas ont permis de jeter les bases statistiques d'une méthode peu pratiquée en psychopathologie : l'expérimentation clinique. Elle consiste à vérifier ce que produit la pratique thérapeutique. Rogers éprouve par les faits le bien-fondé de sa méthode. Il faut noter que, faite il y a trente ans, elle était toute nouvelle en milieu psychiatrique et en travail social. Qu'est-ce que Rogers a pu vérifier ainsi ?

Les contrôles expérimentaux ont démontré que le processus thérapeutique est efficace s'il s'inspire de la non-directivité. Sur quelles bases la thérapie peut-elle évoluer ? De la part du thérapeute elle exige le respect d'autrui c'est-à-dire ni jugement, ni manipulation, ni dirigisme ; quand de telles tentatives ont lieu, Rogers a prouvé que les progrès thérapeutiques sont mauvais, voire nuls c'est pourquoi cette méthode requiert une "conviction" thérapeutique. Les événements surgissent dans une relation obéissant à un ordre caché de la nature humaine, mais ils sont néanmoins décelables dans l'expérimentation.

Elle est la mise en œuvre d'un désir de comprendre le travail thérapeutique. Car la théorie clinique n'est utile et efficace que si elle est soumise à une vérification expérimentale, à partir de laquelle l'on parvient à une objectivité par le biais d'hypothèses vérifiées.

Elle inclut également le refus de faire des diagnostics car ceux-ci risquent de diriger le processus thérapeutique et d'enfermer le client dans une symptomatologie médicale qui l'étiquette comme "malade mental". On doit tendre à une rigueur scientifique pour chercher à savoir "ce qu'est" une psychothérapie, ses mécanismes, ses techniques et ses procédures ; elle exige enfin le contrôle systématique des hypothèses afin que soit garantie la sincérité des positions du thérapeute en l'éloignant des théories interprétatives, comme l'est la psychanalyse par exemple.

Avec l'expérimentation la psychopathologie fait éclater les modèles médicaux et fonde ainsi une pratique expérimentale de la clinique psychologique.

Positivité de la réponse reflet

Pour illustrer cette méthode nous utiliserons l'étude faite par Bergmann en 1950 sur les modes d'interactions verbales entre des thérapeutes et des patients. Dans dix thérapies intégralement enregistrées, sont relevés les passages qui ont trait à des demandes du patient : celles-ci visaient à obtenir du thérapeute une réponse impliquant un jugement de valeur. A chaque fois on relève la demande du client, la réponse du thérapeute, la réaction du client à cette réponse. Cette recherche a été étendue à 240 psychothérapies, ce qui a permis de classer demandes et réponses en plusieurs catégories :

Dans les interventions du thérapeute : cinq catégories :

- Jugement (accords, désaccords, suggestions)
- Organisation de la relation (explication sur la situation thérapeutique)
- Recherche pour obtenir des éclaircissements sur les demandes exprimées du patient
- Reflet du contexte dans lequel se déroule cette demande
- Reflet de l'objet direct de la demande.

Dans les réponses du client : quatre catégories :

– Renouvellement de la demande
– Passage à un nouveau thème souvent plus superficiel
– Exploration d'attitudes ou de problèmes qui se rattachent à l'objet de la demande
– Prise de conscience d'un aspect de lui-même ou de sa situation jusqu'alors inconnu.

Bergmann a constaté une corrélation significative entre la réponse du thérapeute et la réaction du client :

Le renvoi ou le reflet de la demande entraîne chez le patient une exploration de son moi et une prise de conscience nouvelle. C'est la "réponse reflet" très positive en thérapie rogérienne, car dénuée de jugement et de menace.

Les évaluations et les explications fournies par le thérapeute conduisent à l'abandon par le client de l'exploration de soi. Elles constituent une directivité car ce type de demande entraîne son renouvellement (sa répétition) et réduit ainsi les prises de conscience qui amélioreraient l'état du patient.

Il s'avère donc expérimentalement que la "réponse reflet" est au centre de la technique rogérienne car elle permet une aide sous forme de renvoi qui favorise chez le patient une efficacité dans l'exploration de soi.

Les effets de la thérapie sur le comportement du patient

Willoubsky, disciple de Rogers, a établi une "échelle de maturité émotionnelle" basée sur les attitudes de dépendance et d'autonomie dans la vie quotidienne en vue de contrôler l'évolution de la maturité des clients, et de mesurer l'échec et la réussite en thérapie. Il résulte de ces travaux une corrélation très forte entre ce qu'est le thérapeute, l'issue positive ou négative de la thérapie et le contrôle établi par ce test. Dans les années 1960-1970 Rogers a proposé plusieurs axes de recherche pour contrôler l'action thérapeutique.

A l'université de Chicago le docteur Shlien a étudié comparativement les effets des thérapies limitées et celles de durée non limitée.

Le docteur Dreykurs, thérapeute d'orientation adlérienne, a lui aussi recherché dans quelle mesure les effets thérapeutiques sont les mêmes ou différents, selon l'orientation et la technique du thérapeute.

A l'université de Wisconsin (USA) un programme de recherches a été consacré aux implications physiologiques et psychoneurologiques des thérapies rogériennes.

Egalement dans le Wisconsin une étude parallèle du processus thérapeutique a été menée comparativement chez des schizophrènes hospitalisés et des patients se présentant en consultation de jour, afin de déterminer la spécificité des effets thérapeutiques sur des malades et des maladies différents.

A partir de ces enquêtes expérimentales les rogériens ont pu formuler un schéma type de leur psychothérapie. Ce dernier indique que le client passe par quatre "phases" qui ne sont pas linéaires :

- Une phase descriptive au cours de laquelle le patient acquiert une capacité accrue de s'exprimer et se perçoit de façon moins rigide et moins globale.
- Une phase analytique par laquelle il exprime des sentiments se rapportant à un état de désaccord entre son expérience réelle et la conception qu'il se fait de lui-même.
- Une phase évolutive qui lui fait éprouver la menace que représente ce désaccord interne. L'image de son "moi" change et il parvient à intégrer des expériences jusqu'alors rejetées.
- Une phase intégrative au cours de laquelle s'accroît l'accord entre le moi et son expérience totale. A cette phase le comportement du patient est moins défensif. Il ressent la "considération positive" du thérapeute et éprouve des sentiments analogues vis-à-vis de lui-même. Il se rend compte que c'est à lui d'évaluer sa propre expérience. Cette évaluation s'effectue en intégrant de plus en plus des vécus antérieurement rejetés et qui sont désormais entièrement reconnus et acceptés.

La psychothérapie rogérienne. L'aide par l'empathie

La relation thérapeute-client

La thérapie rogérienne se base sur une conception de la personne comme capacité autocréatrice et conscience de soi en utilisant la méthode clinique expérimentale. Sur ces bases Rogers a établi les règles qui organisent la relation thérapeutique et qui dégagent un profil-type du thérapeute rogérien.

Règles pour le thérapeute : il lui faut une formation et des qualités personnelles qui sont les conditions psychologiques qui le rendent capable d'aider le patient. L'importance du contact est décisive pour que la communication s'établisse car la thérapie est une affaire d'intuition autant que d'analyse, de tact autant que de méthode. Si cette communication s'établit, le thérapeute a la capacité d'aide dans "l'ici" et "le maintenant" de la relation. Il doit aussi être en accord intérieur avec lui-même et le client, au moins pendant les séances. Cet accord lui permet d'éprouver les "sentiments de considération positive inconditionnelle" et d'exercer son écoute avec "empathie", deux conditions pour que s'établisse la confiance entre les deux personnes, confiance indispensable à la relation et à son efficacité. Empathie et considération positive englobent généralement les attitudes de chaleur, d'accueil, de sympathie, de respect et d'acceptation que le thérapeute fait sentir sans les imposer. C'est dans le respect de ces conditions que peut s'instaurer une relation bénéfique.

Règles pour le client : il doit être dans un état de désaccord interne, de vulnérabilité, d'angoisse et de souffrance de façon que la demande de thérapie soit réelle. Il peut percevoir, au cours des séances, l'empathie et la considération auxquelles il a droit. C'est dans la mesure où le thérapeute est positif et aidant à son égard que lui-même peut se reconstruire en se percevant positivement. Tant que ce climat positif n'est pas perçu, le processus thérapeutique n'est pas vraiment commencé.

La psychothérapie rogérienne est donc basée sur un type d'écoute et d'acceptation de l'autre qui est la règle impérative d'une situation thérapeutique positive. La mise en œuvre de celle-ci n'est simple qu'en apparence car elle requiert en fait une expérience, une vigilance et des exigences de la part du thérapeute que peu d'hommes, *a priori*, possèdent.

Les buts de la thérapie rogérienne

Le rôle du thérapeute est humble pour Rogers car il ne fait qu'aider le sujet à s'exprimer, reformule au client certaines impressions, sensations, conclusions que le patient communique lui-même. Le but de la thérapie consiste à aider le sujet à retrouver un libre accès à la totalité de son expérience vécue, notamment les expériences présentes. La thérapie vise à dégager la relation actuelle des éléments bloquants du passé pour les faire reconnaître au patient dans leurs caractéristiques originaires. Elle favorise les formes d'amour non possessif afin que le sujet se libère de son égocentrisme et accède à une relation positive par laquelle il mettra fin aux entraves névrotiques (fixations au passé), afin de trouver une autonomie nouvelle et une authentique individuation.

C'est dans ce cadre que la "non-directivité" joue son rôle maximum, se refuse à évaluer, à juger et à interpréter. Le thérapeute ne fait qu'accompagner le patient dans sa recherche d'une harmonie. En effet l'être humain reste jusque dans la névrose capable de rétablir lui-même son équilibre, même si une telle entreprise est angoissante et menaçante dans un premier temps. On éloigne ces sentiments en proposant à la personne troublée une relation humaine exceptionnellement dépourvue de menaces, le thérapeute lui communique une atmosphère où l'expérience pourra être réapprise et pratiquée, sans que le sujet ait à se défendre, voire à mépriser son expérience, pour garder l'estime d'autrui et de soi.

Le but de cette thérapie répond en fait à une attitude générale de l'homme : le désir d'être considéré positivement par autrui. L'homme a un tel besoin d'être reconnu qu'il est amené parfois à dissimuler, à déformer, et à ne plus reconnaître, des sentiments qu'il éprouve réellement. La thérapie a pour résultat d'aider à concilier en soi-même les exigences d'amour et celles de vérité et d'authenticité.

Guérir ou la conquête de l'estime de soi : l'autonomie

L'empathie (comprendre le patient à partir de sa propre souffrance) étant la notion centrale de la thérapie rogérienne, celle-ci est basée sur la relation. Il est impossible d'analyser complètement ses processus et ses effets sur le psychisme et le comportement ; par contre on peut contrôler ce qui contribue à rendre positive la relation dans le sens d'une amélioration progressive. Cette dynamique relationnelle prend sa valeur de guérison quand augmente la considération positive inconditionnelle de soi-même, c'est-à-dire la confiance en soi et la valorisation. Nous sommes ici au cœur de la pratique rogérienne : cet accroissement de "l'estime de soi" est le fil conducteur du mieux-être du client comme il est symétrique de l'attitude du thérapeute, *"il importe que le thérapeute soit pleinement lui-même quels que soient les sentiments qu'il éprouve à un moment précis du processus thérapeutique"*. L'attitude de "considération positive inconditionnelle de soi" doit donc s'étendre au thérapeute : si quelqu'un ne s'estime pas ou se dévalorise, il ne peut être qu'un mauvais thérapeute rogérien, il bloque le client et ne lui est d'aucune aide.

Selon M. Pagès qui a approfondi la pratique rogérienne en France, la non-directivité totale a pour conséquence *"une acceptation de soi, une affection de soi, un plaisir d'être soi et le courage d'être soi"*. La thérapie "centrée sur le client" est symétriquement une relation centrée sur le soi du thérapeute. Pour Rogers, le drame que constitue toute situation de relation tend à s'atténuer dès l'instant où thérapeute et client ont accepté d'être soi-même, l'un pour l'autre. Ainsi tout être humain accroît ses potentialités vers plus d'autonomie et d'harmonie interne. La personne humaine se développe et s'enrichit sans cesse, elle est self-créatrice.

Pratiques de la non-directivité

Psychanalyse et non-directivité

La pratique de la non-directivité est une des données essentielles du travail en milieu psychopathologique et dans le travail social. Sur le plan théorique non-directivité et psychanalyse divergent fondamentalement. Ce que critique le rogérien dans la psychanalyse concerne à la fois le type de relation et d'interprétation dans ce qu'elles contiennent de directivité voilée, voire autoritaire, et en ce qu'elles soumettent le patient à un modèle de comportement émanant du psychanalyste. Ceci à l'encontre de la pratique rogérienne qui revendique pour son patient une totale indépendance. En outre, la notion "d'empathie" est incompatible avec la relation de transfert car à l'écoute neutre et flottante du psychanalyste, s'opposerait l'écoute accueillante et positive inconditionnelle du rogérien.

En psychanalyse la thérapie est basée sur la notion de conflit qui exige du psychanalyste qu'il soit libre à leur égard. Pour Rogers au contraire les conflits tendent à se résoudre dès lors que le patient est accepté positivement. En fait, c'est une conception du fonctionnement psychique qui est différente, la notion d'inconscient notamment avec ce qu'elle implique de sexualité, d'angoisse, de répression et d'agressivité, considérée comme secondaires par Rogers. Ce qui compte au contraire dans l'empathie c'est l'unité de la personne, celle-ci résolvant naturellement ses conflits pourvu qu'on la considère positivement. Les rogériens affirment certes qu'il existe un conflit entre le moi réel et le moi idéal, mais il n'est ni fondamental ni moteur car "*le fond de la nature humaine est naturellement positif... dirigé vers l'avant, rationnel et réaliste*".

Alors que Rogers privilégie la conscience, la psychanalyse est basée sur l'inconscient.

D'autres champs de la pratique non directive

Loin d'être restreinte au seul champ clinique, la "non-directivité" a connu et connaît encore une très large application dans le domaine de l'éducation spécialisée et de la pédagogie, le maître-mot retenu étant celui d'autonomie. La "pédagogie non directive" retourne aux sources de la théorie de Rogers qui s'adressait à l'origine à des enfants et à des adolescents. Le "rogérisme" critique, en même temps qu'il les prolonge, les "méthodes actives" qui consistent à remettre aux élèves la responsabilité de leur propre développement intellectuel. Il s'agit d'une auto-éducation, basée sur la seule aide du maître et non plus sur son autorité en tant que détenteur d'un savoir. La recherche de l'expérience authentique et de la relation vécue est à la base de l'enseignement et de la pédagogie rogérienne qui tient compte de la dimension affective liée à l'apprentissage scolaire, éducatif et social. La pensée de Rogers en ce domaine est une contestation des méthodes traditionnelles et des nouveaux conformismes issus des méthodes nouvelles insuffisamment critiquées. Le rogérisme en pédagogie a posé le problème de la nature de la relation maître-élève en s'intéressant à la question de savoir s'il peut y avoir une pédagogie non directive à l'école et à l'université. Il faut dire qu'en France la question reste toujours ouverte. L'éducation "non directive" a eu également beaucoup d'impact dans l'éducation spécialisée (personnes handicapées mentales, délinquants, cas sociaux et familiaux, réinsertion des prisonniers). Dans le travail social l'accent est mis sur la valeur positive de la personnalité, quel que soit le handicap ou le degré de marginalité.

A une éducation punitive a succédé une relation d'aide à l'autonomie et à la réinsertion. L'éducateur non directif agit dans des secteurs du travail social où il s'agit de concilier délinquance et normes sociales, handicap et adaptation, marginalité et lois de la société. L'éducateur spécialisé est un "médiateur aidant", c'est-à-dire celui qui fait le pont entre la société et ceux qu'elle exclut.

La non-directivité dans le domaine psychosociologique

Ces dernières années la stratégie rogérienne a porté sur l'autonomie de la personne et celle des petits groupes (dans la production, les ateliers, les bureaux, la vie associative).

Le "groupe de responsabilité" a vu le jour avec l'exigence d'une démocratie de base et d'une liberté personnelle ou groupale sans lesquelles la "pédagogie non directive" n'a aucun sens. Ce groupe est conçu comme une entité personnelle qui doit se rendre maîtresse de ses décisions et de ses choix. Il en va du groupe comme de la personne. C'est en développant ses capacités d'autocréation, de self-éducation, qu'il peut explorer ses richesses et accéder à une autonomie plus grande. La dynamique de groupe rogérienne consiste à renforcer la conscience d'un "soi groupal" qui fonctionne comme véritable sujet interindividuel. L'expérience a prouvé la fécondité de l'aide non directive dans la psychologie de groupe. Mais des critiques sont venues de la sociologie en France : Lapassade met en question l'ignorance de la part de Rogers de la dimension sociale et institutionnelle de la relation humaine. De leur côté les sociologues et les théoriciens marxistes ont critiqué le côté "psychologisant" de sa méthode tant il est vrai que le rogérisme suggère que les rapports sociaux seront améliorés en améliorant la relation individuelle et groupale. A ces critiques pertinentes on peut opposer le fait que Rogers n'a jamais prétendu changer la société.

La "considération positive inconditionnelle" d'autrui et l'authenticité vis-à-vis de soi annulent les contradictions et évacuent les conflits. Le but final de la théorie non-directive consisterait-il en une concorde avec soi-même et avec les autres ? La non directivité serait-elle une psychologie de la réconciliation universelle ?

L'art-thérapie et les thérapies corporelles

L'art-thérapie

Les origines d'un mouvement thérapeutique

Depuis les années 70 se sont développées en Occident des techniques thérapeutiques qui ont été reliées à l'art et aux capacités esthétiques présentes chez les individus et les groupes. L'art-thérapie est née du souci d'humaniser les méthodes et la relation thérapeutique, trop imprégnées d'une conception scientifique et technocratique de la psychologie. Cette réaction a aussi eu lieu grâce au développement des supports artistiques (maisons de la culture, électrophones, télévision, magnétophones, industrie du disque et du livre, etc.) et à la démocratisation de certains arts, peinture et musique notamment. Si ces phénomènes sociaux peuvent expliquer les aspirations à plus de créativité il importe de préciser que le monde technico-scientifique et industriel a sécrété dans le même temps des sentiments de mal vivre du fait même de la disparition des liens affectifs familiaux et traditionnels et de la perte des repères symboliques qui donnaient sens à ces relations. Deux dimensions de l'homme ont été niées, celle du corps et celle de l'affectivité, négations qui ont eu pour résultat de trop "mentaliser" les rapports humains.

C'est Freud qui, le premier, a tenté de donner une interprétation psychanalytique des œuvres d'art (le "Moïse" de Michel Ange) et a mis en évidence combien l'art se situe à la frontière entre le normal et le pathologique. Enfin les hôpitaux psychiatriques se sont intéressés à la production artistique des "malades mentaux", notamment à celle des schizophrènes, à la fois comme moyen d'expression et comme valeur de création dont témoigne le Musée de l'art brut de Lausanne. Cette volonté de concilier art et thérapie s'est faite le plus souvent de manière empirique en vue de donner des moyens d'expression qui aient une valeur curative par la valorisation de l'acte créateur de l'individu. En considérant aussi la singularité absolue de l'œuvre d'art et de l'Homme son auteur.

Opposition-création-production

Nietzsche disait : *"Heureusement que nous avons l'art pour ne pas périr de la vérité"*. Il exprimait par là la valeur d'affirmation de l'art par rapport au sérieux du savoir. Il mettait aussi en opposition les valeurs de l'art par rapport à celles de la morale. Nous retrouvons de nos jours cette opposition sous la forme de la création et de la production dans des "lieux" comme le grand magasin et l'usine. Le progrès des techniques et la logique du capital ont concouru à rendre captives les aspirations créatrices que tout individu et tout groupe porte en lui-même. Dans la production (travail) et la consommation (jouissance), l'homme moderne ne fait que reproduire et fabriquer de façon monotone et stéréotypée des systèmes de production et de jouissance non créateurs. Il en est de même de la "société de consommation" qui piège les forces créatrices pour les détourner de leur fin en les intégrant au système de production.

L'art-thérapie a pour but de surmonter cet antagonisme création-production et de donner à l'homme la possibilité d'une communication avec ses valeurs et ses aspirations créatrices, dont il est partiellement coupé. Ce courant thérapeutique recouvre des pratiques, des arts et des méthodes très diverses, bien que les thérapeutes n'aient pas un statut bien défini. Le psychomotricien, le psychologue, l'éducateur spécialisé se "lance" très souvent dans des activités proches d'un art (atelier musical, expression corporelle, ergothérapie, dessin, modelage, etc.), avec un groupe de malades et s'aperçoit, au fur et à mesure de sa pratique, qu'il est entraîné très loin dans des "demandes" thérapeutiques dont la valeur de soin et d'expression de soi devient essentielle. C'est pourquoi, après les tâtonnements du début, des thérapeutes se mettent en place de nos jours dans des domaines artistiques qui correspondent à un besoin essentiel d'expression de soi. Deux méthodes ont vu le jour : la pictothérapie et la musicothérapie.

La pictothérapie

Elle est née avec la découverte de la valeur curative des couleurs et des formes du dessin et de la peinture comme moyen de projection des angoisses, des conflits et des plaisirs liés au contact d'une matière colorée. Les séances de pictothérapie sont non directives au sens où le thérapeute laisse au patient le libre choix du thème et des formes de ses peintures ou de ses dessins. Mais il intervient néanmoins pour l'aider à exprimer ses aspirations et lui permettre de débloquer des conflits que le patient livre inconsciemment à travers sa production graphique. A la fin de chaque séance, le thérapeute a un entretien avec son patient pendant lequel il lui demande de verbaliser ce qu'il a créé, de dire ce qu'il a ressenti et vécu. Cette mise en rapport de la création et de la verbalisation permet à la pictothérapie d'être, soit une psychothérapie soit une aide à une psychothérapie analytique. A l'heure actuelle elle est très employée pour les enfants ayant des difficultés scolaires, ceux qui sont psychotiques et les résidants des hôpitaux psychiatriques. La peinture produit un effet thérapeutique de "conversion" affective et émotionnelle qui aide le patient à communiquer avec une part de lui-même qu'il a refoulée. Grâce à leurs valeurs projectives le dessin et la peinture permettent aux malades de cheminer dans leur souffrance et de l'intégrer comme faisant partie de leur personnalité.

La sculpture et le modelage ont les mêmes possibilités de libération dans un espace à trois dimensions par le contact avec une matière (terre, argile, pâte à modeler, bois, métal, etc.) que le patient peut toucher et modeler selon ses besoins. Ce face à face avec la matière est particulièrement recommandé pour les enfants et les psychotiques qui ont des difficultés relationnelles. Permettant de libérer des peurs et des angoisses, la thérapie par la sculpture et le modelage offre une médiation entre l'expression des symptômes et ce qui est vécu pendant les séances.

La thérapie par le théâtre et la musicothérapie

La thérapie par le théâtre a été l'une des premières formes de l'art-thérapie depuis que Moreno a inventé le psychodrame. Au cours des séances le patient joue un rôle ou un personnage qu'il aurait aimé être ou ne pas être. Par le biais du jeu et de l'espace scénique il revit des émotions et évoque des souvenirs qui lui permettent de cheminer dans son expérience et de se libérer de souvenirs traumatisants. Mais la thérapie par le théâtre se distingue du psychodrame de Moreno par l'accent qu'elle met sur l'expérience présente vécue par le patient qui remet en cause les différents rôles qu'il joue dans la société. Il doit chercher son véritable personnage pour être en relation plus authentique avec ce qu'il ressent et ce qu'il est profondément. Jouer des comédies ou des tragédies a en outre une valeur événementielle considérable car le patient ne fait pas que jouer, il est dans l'action de son personnage et des événements qu'il veut exprimer. La thérapie par le théâtre permet le retour à la dimension ludique de l'existence et le réajustement de ce que Winnicott appelle le rapport entre le "self" et le "faux self".

La musicothérapie est d'actualité en France. Née de l'observation neurophysiologique des modifications occasionnées par l'écoute de certains sons elle a dépassé maintenant ses origines expérimentales et a mis à jour la valeur affective et émotionnelle de la musique. Les musicothérapeutes ont observé la valeur cathartique de certaines formes musicales selon les rythmes, les mélodies et les contenus culturels. Elle a permis la redécouverte de l'environnement sonore naturel et quotidien des bruits, des objets, des machines, de la nature qui offrent un véritable "espace sonore" souvent ignoré. Mais cette technique (passive ou active) a aussi comme projet de "soigner" les patients par l'écoute de musiques à forte teneur projective et émotive. A travers la forme musicale en effet les individus libèrent les émotions bloquées, les sensations douloureuses à travers des musiques que le thérapeute ou eux-mêmes choisissent. Elle peut avoir un effet curatif pour les enfants et adultes psychotiques et être associée à une psychothérapie verbale.

Les thérapies corporelles

Le besoin de "laisser parler" le corps...

Un autre mouvement thérapeutique est apparu en même temps que l'art-thérapie. Le courant dit des "thérapies corporelles", qui lui est intimement lié, a mis l'accent sur le corps comme processus thérapeutique. Elles se sont développées à un moment où la majorité de la population, devenue citadine, a perdu partiellement le contact privilégié que l'homme entretenait depuis des millénaires avec la nature. La cérébralisation des tâches de la production, du travail et la consommation ont réduit le corps à n'être qu'une sorte d'automate au service de fonctions cérébrales exigées par la technique, la machine et la robotisation. Le corps est devenu lui-même le prolongement de la machine et a perdu sa dimension pulsionnelle, affective, émotionnelle au moment où Freud, Reich et l'art-thérapie découvraient la dimension du plaisir et de la jouissance dans le fonctionnement psychologique. Par cette exclusion du corps l'homme contemporain a été divisé en deux : d'un côté il se robotisait par les exigences de rationalisation et de rentabilisation du travail stéréotypé ; tandis que de l'autre, par la publicité, l'importance accordée au plaisir et à la sexualité, il aspirait à retrouver sa dimension corporelle. Aliénation d'un côté, libération de l'autre ? Il y a là une contradiction. C'est dans ce contexte "d'idéologisation" du corps que sont nées les thérapies corporelles qui partent du principe que les besoins fondamentaux (faim, sexualité, sécurité) et les désirs (plaisir, jouissance, relation à l'autre et aux objets) sont les passages obligés de toute action thérapeutique. En outre, comme dans la tradition psychanalytique, le corps est considéré comme ayant son langage, sa symbolique, son sens avant le langage parlé considéré comme plus artificiel et intellectuel, producteur de rationalisation et donc de défenses et de résistances (critique de "l'intellectualisme" et des "idées" que l'on trouve formulée aussi bien chez Reich, Perls, Jung). Ce besoin de "laisser parler" le corps qu'éprouvent les contemporains consiste chez les thérapeutes à le prendre comme finalité en soi et dimension essentielle de la psychologie.

L'importance de l'image du corps

A ces corps-besoin et ces corps-désir si bien aliénés et libérés en même temps, a correspondu un "corps représentation" qui exprimait le souci d'une image belle, positive et esthétique. Le goût de l'apparence et de la représentation est très important dans nos sociétés qui ont produit des symboles du corps, celui-ci étant considéré non seulement dans sa matérialité anatomique et physiologique, mais dans sa valeur d'image de soi, de représentation, de miroir par lesquels chacun cultive son narcissisme, sa forme, sa séduction dans sa relation à l'autre et à soi. La chirurgie esthétique, les soins esthétiques, les publicités des visages et du corps, les instituts corporels, de sport, de musculation, les coiffures, les vêtements, etc., sont autant de pratiques qui ont pour but de valoriser l'image du corps et d'en faire disparaître les laideurs, les imperfections, les signes négatifs qui renverraient à une image de soi devenue insupportable. Le corps se doit d'être beau et parfait, modelé par les modes, conçu comme valeur de signe dans une société qui est elle-même assignée à la beauté et à la perfection.

Cette image, tout à la fois sociale et subjective, s'est accompagnée de la découverte par la psychologie et la psychanalyse, de l'importance des "images corporelles" enfouies dans l'inconscient où le corps n'est pas seulement vécu mais où il est aussi représenté comme image du désir, des pulsions et des fantasmes. A l'opposition cartésienne d'une âme spirituelle et d'un corps matériel, s'est substitué le principe d'une unité entre le corps et le mental, entre le soma et la psyché. Cette nouvelle vision des rapports entre le corps et l'esprit a provoqué la réduction du dualisme qu'avait introduit la philosophie platonicienne en Occident dans sa division entre la matière et les idées. Désormais le corps est proche de la psyché comme celle-ci abolit sa distance à l'égard du corps. C'est ce lien de proximité, d'intimité, de consonance entre âme et corps, de complicité entre image et plaisir qui a permis l'apparition des thérapies corporelles.

Le corps comme valeur communicative

Les thérapies corporelles, dont les techniques diffèrent des thérapies verbales, ont pour but de faciliter l'expression corporelle d'un corps considéré dans sa valeur d'expression et de communication. Mais le mot "communication" est ici ambigu : il ne s'agit pas de la communication des systémiciens ou des publicistes pour lesquels le corps est toujours produit et surcodé dans un système de langage et de représentation, captif des mots et des images. Les thérapies corporelles au contraire insistent sur l'impossibilité de réduire le corps à des signes abstraits que sont le code et le langage dans nos sociétés. Il faut donc entendre par "communication" ce qui est non représentable et qui appartient en propre au corps qui, "avant" toute représentation, jouit, prend contact, souffre, se met en relation avec les objets et les autres. C'est pourquoi les thérapeutes corporels critiquent aussi la psychanalyse dans sa conception d'un corps-symptôme et d'un corps-représentation qui accorde une importance décisive à l'interprétation plutôt qu'à sa valeur expressive dans l'ici et le maintenant. Nous disions plus haut que la psychanalyse avait réduit le dualisme philosophique entre le corps et l'âme, mais elle ne l'a pas fait disparaître pour autant puisqu'elle considère le corps avant tout comme signe, sens, effet de la pathologie et non comme présence et actualité. Par contre les courants phénoménologiques et existentiels, en privilégiant le présent et la présence, ont permis de valoriser ce qui appartient en propre au corps : le sentir, l'espace, le contact, le temps, l'éprouvé non pas comme moyen de communication, mais plutôt comme présence actuelle, vécue, en prise directe avec le monde et les objets. C'est cette communication originaire, ce contact primordial, cette rencontre existentielle qui donne au corps sa dimension communicative et expressive et aux thérapies corporelles leur valeur curative.

Le corps vécu : temps et espace

Le corps trouve son sens dans l'emploi de techniques corporelles (relaxation, balnéothérapie, expression corporelle par la danse, psychomotricité, yoga, etc.) par lesquelles le patient a à le sentir vivre dans chacune de ses parties et dans sa totalité. Ce "corps senti" ou "corps vécu" doit s'ouvrir aux dimensions de temps et d'espace. La sensation et la perception sont deux moments de la conscience de soi à partir desquels l'homme s'éprouve en éprouvant son environnement immédiat car le corps est ouverture au monde, à soi et aux autres. Sentir une pièce, toucher le corps d'un autre, goûter un aliment, prendre contact avec des sons, prendre conscience du haut et du bas, amènent le corps à sentir et à percevoir ses limites dans une opposition à l'existence d'autres objets. Le contact avec "l'extérieur" permet la prise en charge de notre rapport vécu à l'espace. Celui-ci en effet n'est pas celui, abstrait, des géomètres et des mathématiciens, mais une dimension existentielle par laquelle le corps s'éprouve dans son expérience au monde. La psychomotricité, les sports, le judo, l'aïkido et le yoga, etc., permettent la prise de conscience d'un corps non pas "dans" l'espace mais créateur de "son" espace, appelé "espace propre".

Il en est de même pour le temps qui est celui de la sensation et de la perception présente. Prendre conscience de son corps c'est s'ouvrir à cette dimension temporelle, à un "maintenant" qui ouvre au sentiment de la durée, de la continuité et des ruptures temporelles. Là encore le temps dont il s'agit n'est pas celui des géomètres, des calendriers et des plannings, mais un temps vécu, senti, éprouvé, à partir du sentiment d'un corps-durée, appelé le "temps propre".

Ainsi temps et espace "propres", par le biais de la sensation et de la perception, sont deux horizons existentiels par lesquels le corps vécu n'est plus objet de production ni de représentation, mais ouverture, communication. Passer du corps-objet au corps sujet, tel est l'enjeu des thérapies corporelles.

Les techniques des thérapies corporelles

La balnéothérapie

Cette technique considère l'eau comme un élément fondamental de l'univers et, du refus ou de l'acceptation du contact avec elle, dépend l'évolution thérapeutique du sujet. Dans la piscine, à la mer, dans la baignoire, l'eau offre un élément qui rappelle inconsciemment le contact avec le liquide amniotique du bébé dans le ventre maternel. Ainsi le rapport plaisir-jeu-eau peut permettre une thérapie par le corps dont l'usage est très simple ; elle est utilisée actuellement pour les enfants et les adultes qui éprouvent des difficultés à se détendre, à trouver le bien-être, et pour les psychotiques à sentir leurs limites corporelles. Elle est beaucoup pratiquée par des maîtres nageurs, des psychomotriciens et jardinières éducatrices qui se sont spécialisés dans la balnéothérapie. Celle-ci s'accompagne souvent d'une psychothérapie verbale qui peut s'avérer complémentaire.

Expression corporelle et psychomotricité

Ces techniques sont utilisées pour des patients qui éprouvent des difficultés dans l'organisation de leur "schéma corporel" ou dans le rapport entre "l'espace propre" et l'espace extérieur. Partant du principe que la prise de conscience de l'espace est thérapeutique, les thérapeutes utilisent souvent la musique, la danse, l'expression de formes du corps dessinées dans l'espace. Ceci en vue d'amener à trouver de la rigueur dans la construction de figures spatiales, conjugée à un maximum d'expressivité de soi. Souvent le patient est invité à inventer ses propres formes, ses rythmes, à mobiliser son espace vécu. L'expression corporelle comme la psychomotricité peut être limitée à une simple détente, un bien-être mais elles peuvent être conjugées à une psychothérapie verbale dont la thérapie corporelle est un précieux auxiliaire. Les psychomotriciens avaient pour but dans le passé une rééducation des gestes, des mouvements, et un apprentissage de coordination entre parties du corps et mise en relation avec les objets dans un espace. Actuellement ce côté rééducatif n'a pas disparu car il s'avère nécessaire dans certains cas mais la psychomotricité se développe davantage dans une perspective de transformation de soi par le corps vécu.

Les thérapies par le cri ou la voix

Ces techniques sont nouvelles en France et elles ont été répandues par les thérapies bioénergétique et primale. Elles proposent d'établir un rapport entre énergie, expression, cri et voix et partent du principe qu'un plaisir ou une souffrance peut être exprimé par la voix. Le patient est invité à pousser les cris les plus archaïques ou à exprimer des sons qui lui viennent spontanément : ils traduisent souvent un retour à des vocalises anciennes et primitives et une redécouverte des cris primordiaux comme celui de la naissance, de la souffrance ou de la douleur. La voix n'est pas une suite de sons anonymes car elle traduit la personnalité et les problèmes spécifiques à chaque individu. Les thérapeutes de la voix engagent leurs patients (en individuel ou en groupe) à produire progressivement des musiques, des chants, des vocalises de plus en plus élaborés qui leur permettent d'évoluer et de prendre conscience de leurs difficultés à s'exprimer, à engager leurs émotions et leur énergie dans des formes vocales positives. Cette technique peut être également associée à une psychothérapie verbale.

Les thérapies par les animaux

Elles sont actuellement utilisées avec le cheval et le chien. Le développement de l'équitation et de la possession d'animaux (chiens, chats, oiseaux, poissons, etc.) domestiques est un phénomène important en France puisqu'on dénombre actuellement une dizaine de millions de propriétaires d'animaux ; ce qui fait dire aux hygiénistes de la santé mentale "*qu'un grand nombre de Français compensent leur solitude et leurs carences affectives avec ces amis de l'homme*" qu'ils sont traditionnellement. L'animal en effet est un substitut affectif, mais il offre aussi la possibilité d'un contact charnel, corporel qui peut réintroduire au plaisir très sexualisé du toucher. Le cheval à cet égard permet l'expression de qualités psychologiques particulières puisque son contact est à la fois érotique, affectif et rythmique. Ces thérapies sont particulièrement recommandées pour ceux dont les inhibitions affectives et psychomotrices sont importantes.

Les thérapies d'inspiration orientale

Nous avons développé dans un autre chapitre l'influence des sagesses orientales sur des courants thérapeutiques comme ceux de Perls, Jung et Reich qui conçoivent la thérapie non seulement comme technique de soins psychologiques, mais aussi comme sagesse c'est-à-dire rapport harmonieux à la totalité du monde physique et spirituel. La pratique des arts martiaux (judo, aïkido, tir à l'arc, etc.) et du yoga s'est généralisée dans une aspiration à des exercices sportifs, une relaxation mais aussi dans la recherche d'une sagesse ; c'est-à-dire dans un équilibre psyché-soma difficile à trouver dans une société menaçante (ou perçue comme telle) par l'effondrement des valeurs et des cultures traditionnelles. La pratique du yoga est à cet égard exemplaire car c'est une technique qui peut offrir l'expérience de soi par un cheminement progressif (voies) réparateur aussi bien pour le corps que pour l'esprit. Beaucoup de "psy", de psychomotriciens, de kinésithérapeutes, de professeurs d'éducation physique, d'acupuncteurs, d'homéopathes, sont actuellement les porteurs de ce "savoir oriental" où soins corporels et soins psychiques sont donnés dans une vision unifiée du monde et de l'homme.

Les courants thérapeutiques liés à ces techniques et sagesses orientales ont su unir les données modernes de la science psychologique occidentale et les voies antiques, mais toujours actuelles, des sagesses orientales. C'est pourquoi beaucoup de psychothérapeutes de diverses obédiences offrent à leurs patients ce complément indispensable que sont les sagesses orientales. A l'inverse, les techniques du yoga ou des arts martiaux, etc., peuvent être dissociées de leurs contenus philosophiques et religieux pour être conservées comme technique pure de relaxation, de détente, de maîtrise de soi, de psychothérapie qui convient le mieux à des patients en recherche d'unité. Cet engouement pour "l'orientalisme" ne s'explique que dans la mesure où les techniques psychologiques de l'Occident ont trouvé leur limite à cause d'une rationalisation et d'un technocratisme excessifs. L'influence de l'Orient est actuellement considérable pour ceux qui veulent faire l'expérience d'une unité à retrouver dans la relation entre le corps et l'esprit, la technique et la morale, la sagesse et la science.

Sens et limite des thérapies corporelles

Nous venons d'exposer quelques-unes des thérapies corporelles et il en existe beaucoup d'autres. Nous assistons en effet à une tendance en pleine expansion, à un foisonnement "d'essais thérapeutiques" qui se font de manière très empirique, et nous n'avons pas encore le temps, la distance et l'expérience qui permettraient de juger de leur efficacité thérapeutique. Un danger cependant peut être souligné : la dévalorisation du verbal, de la réflexion, de la valeur des mots, du langage et des symboles. S'il est nécessaire en effet de redécouvrir la valeur fondamentale du corps vécu et senti, il ne faudrait pas pour autant retomber dans un dualisme inverse qui consisterait à privilégier le corps au détriment de la parole, les besoins au détriment du désir, l'expression au détriment de la prise de conscience et de la réflexion. Une telle attitude équivaudrait à exclure de l'expérience le "dire" et le "parler" comme dévoilement du vrai ou de la vérité de soi. Une psychothérapie en effet est un processus qui a pour but d'amener l'énergie corporelle (émotion, sensation, pulsion) et le langage verbal (symbole, sens, vérité) à une confrontation au sein de laquelle le patient doit accueillir en lui-même sa double dimension corporelle et spirituelle.

C'est pourquoi les thérapeutes du corps peuvent s'interroger sur le cadre et l'identité de leurs pratiques. Si le yoga, la musicothérapie ou l'expression corporelle ont d'emblée une valeur curative (mais en ce sens tout acte positif de la vie l'a) par leurs capacités d'ébranlement de forces inconscientes et affectives, toute thérapie corporelle n'est pas nécessairement une psychothérapie car celle-ci exige une transformation de la personnalité du patient, non réductible au seul corps. Ces thérapies corporelles permettent actuellement une voie d'accès à soi qui a un pouvoir libérateur décisif. Retrouver son corps en effet c'est se retrouver soi-même comme vivant et existant. Mais le bien-être corporel ne suffit pas à la psychothérapie : le corps peut en être le support et la médiation mais non le but.

Synthèse des thérapies personnalistes	
Rogers **Thérapie non directive**	**Art-thérapie** **Thérapie par l'art**
• Concepts clefs : – non-directivité – estime de soi – considération positive inconditionnelle – ici et maintenant – empathie – aide – écoute – acceptation inconditionnelle – congruence entre le moi et la réalité – ne pas juger ne pas diriger – positivité.	• Concepts clefs : – corps propre – temps propre – espace propre – vécu ici et maintenant – imaginaire – projection-conversion – création-créativité – jeu – image du corps.
• Thérapie qui part du principe du caractère non conflictuel de la personne conçue comme pouvant accéder à la totalité de son expérience.	• Thérapie qui part du principe que le corps a valeur de communication et de caractère autocréateur de l'être humain.
• Importance de la perception de soi et de la conscience de soi.	
• Principe : la personne comme totalité se comprenant elle-même et pouvant accéder à un moi total.	• Principe : le corps comme lieu d'accès à soi par la médiation de l'art (musique, peinture, sculpture, eau, cheval, animaux, etc.).

Les thérapies existentielles

La Dasein-analyse : Binswanger (1881-1974), Suisse

A la recherche d'une psychologie authentique

La "Dasein-analyse" (voir p. 31, la définition du mot Dasein) est présentée en 1950 par son fondateur, Binswanger, au "Congrès international de psychiatrie" où en sont exposés les fondements et la méthode. Ce psychiatre, influencé par Husserl et Heidegger est à la recherche d'une compréhension de la maladie mentale qu'il dégage des principes de la phénoménologie. Il remet en question le statut de la maladie mentale dans sa relation à la psychiatrie traditionnelle. Il veut renouveler le regard en démédicalisant la maladie et le malade : que veut dire en effet "être malade", et quel sens donner à la maladie ? Binswanger critique l'enfermement du malade dans ses symptômes, le diagnostic, la classification psychiatrique, qui faussent ce qui est en cause dans la folie, c'est-à-dire le rapport d'un existant avec ce qui le trouble, la relation entre la raison et la déraison, le sens à donner aux rapports entre le normal et le pathologique. Le renouvellement de la pratique psychiatrique ne peut être mené correctement que si le psychiatre s'interroge sur ce qui fonde l'existence humaine. C'est sur la base de courants philosophiques que Binswanger fonde la Dasein-analyse et la psychothérapie existentielle, la phénoménologie et l'analytique existentiale.

La phénoménologie (Husserl)

Husserl conçoit la relation conscience/monde comme étant le fondement d'une psychologie authentique qui est une critique d'une conception scientifique du psychisme. Comme nous l'avons vu, il tient cette idée du fondateur de la Gestalttheorie, Brentano, pour qui la psychologie doit reconnaître que les actes psychiques sont toujours posés en première personne, dans le vécu de la relation entre soi et le monde. La phénoménologie développe cette question sur la base d'une dualité entre une psychologie qui cherche à comprendre les phénomènes psychiques et une autre, scientifique, qui veut les expliquer.

Opposition comprendre/expliquer

La Dasein-analyse reprend à son compte cette distinction capitale qui est à l'origine d'un dualisme en psychologie toujours d'actualité entre comprendre un phénomène et l'expliquer.

La compréhension porte toujours sur le sens et l'histoire personnelle d'un individu, histoire faite de moments uniques et non répétables. En effet le sens opère l'unification et l'irréversibilité de l'expérience du sujet en moments toujours singuliers. Poser le problème de ce qu'est le sens comme événement non reproductible, amène à se poser la question de ce qu'est la psychologie. Pour Husserl comme pour les psychologues de la conscience (Brentano), la référence à l'expérience du sujet n'est pas une dimension qui s'ajouterait gratuitement à d'autres moyens de connaissance psychologique. La compréhension n'est pas un surplus métaphysique à une psychologie scientifique devenue desséchante, mais elle est fondement car c'est sur le sens et l'expérience que se jouent tous les actes psychologiques. Binswanger fait valoir que ce qui vaut pour la psychologie vaut également pour la psychiatrie et la lecture des symptômes : on ne peut réduire l'être humain aux connaissances que nous en avons, mais il faut toujours mettre en évidence l'expérience que le sujet a de lui, des objets et du monde. Etre authentique c'est se référer constamment à cette expérience originaire. Aussi cette connaissance par la compréhension ne peut relever d'une science dans laquelle les phénomènes sont toujours répétables (c'est le propre de tout discours scientifique), mais d'une "science" de la conscience pour laquelle l'essentiel n'est pas d'expliquer mais de comprendre, elle peut alors appréhender l'homme comme sujet de son expérience.

Le philosophe H. Maldiney prend, pour illustrer ce qu'est la compréhension, l'exemple de Van Gogh : quand il peint des arbres, il ne les peint pas tels qu'ils sont dans la nature, il ne fait pas œuvre scientifique de représentation, mais il les donne tels qu'ils les perçoit dans son expérience personnelle. Ces arbres ne sont pas le résultat d'une perception physique (attitude objectivante et abstraite), mais d'un regard qui exprime la situation d'un être (le peintre) en communication avec son monde. Il en va des arbres de Van Gogh comme de tous les actes que les hommes posent : leur relation au monde est originaire en ce sens qu'elle est créatrice de la "présence" et précède de ce fait toute explication scientifique qui met l'Homme et le monde dans la situation d'être réduits à l'état d'objets scientifiques. La psychologie expérimentale fait de l'homme le produit d'une série de causes entièrement contrôlables par l'expérimentation.

Pour la phénoménologie cette représentation scientifique est seconde par rapport à cette connaissance originaire qui, elle, est première, c'est pourquoi elle est authentique. Ainsi s'opposent en psychologie deux types de connaissances : une connaissance authentique (intuitive, phénoménologique) et une connaissance "vraie" (scientifique et expérimentale). Binswanger reprend la distinction que fait Husserl entre science et phénoménologie, science expérimentale et science rigoureuse. Cette opposition entre comprendre et expliquer dans la psychologie est capitale car elle permet de saisir le divorce qui a existé dès sa naissance. Ce dualisme s'exprime par une psychologie qui se veut “science de la conscience” et une autre qui se veut science du comportement. L’une tient compte du sens lié à l’expérience d’être (présence), l’autre démontre et analyse des mécanismes liés à ce qui, en l’homme, est reproductible, modifiable, démontrable. Le but de la Dasein-analyse est de toujours tenir compte de cette expérience, de ce qui est premier, c’est-à-dire des phénomènes de conscience qui sont le contraire d’une réalité extérieure dont on pourrait rendre compte sous la forme d’observations exactes. C’est pourquoi l’important ce n’est pas un sujet et un monde qui seraient isolables l’un de l’autre, un sujet coupé de sa relation au monde, mais une conscience en rencontre, en communication originaire avec lui.

Cette compréhension se base sur le fait que “monde” et “conscience” sont intentionnels. Ce terme veut dire que le monde et l’homme sont une totalité signifiante accouchant du sens de l’existence humaine dont tous les moments s’invoquent dans l’acte de présence. D’où l’importance en Dasein-analyse du concept de totalité qui est la base de la perception chez Brentano et Merleau-Ponty. Pour eux la conscience n’est pas un phénomène expérimental, extérieur, mais modalité essentielle des actes psychiques. Ainsi sur le plan théorique la phénoménologie critique la causalité psychique selon laquelle il serait possible de rendre compte des événements psychologiques en termes de stricte mécanique causale. C’est cette méthode phénoménologique qui fonde pour une part la Dasein-analyse.

L’explication porte sur ce qui détermine l’homme de l’extérieur, en le considérant comme objet, c’est-à-dire sous le mode de la répétition des phénomènes. Telle est la démarche de la psychologie scientifique et expérimentale qui postule la négation du sujet, voire son inexistence essentielle comme dans la réflexologie de Pavlov et, plus nettement encore, dans le béhaviorisme de Watson. La Dasein-analyse ne nie pas les valeurs de la démarche scientifique qui explique les phénomènes, elle lui refuse le pouvoir de fonder la psychologie sur les seules données de l’expérimentation. La connaissance scientifique s’élabore quand la science énonce les conditions d’origine des objets et quand elle peut les démontrer et les valider. Ainsi procède la psychologie expérimentale qui réduit l’homme méthodologiquement à être un “objet” parmi les objets. Ce type de connaissance qui explique les phénomènes a pour résultat de réduire la conscience à des relations dans lesquelles un événement ou une expérience ne sont que le produit, la somme de quelque chose d’extérieur, que l’on peut reproduire et vérifier en laboratoire.

Avec la science nous sommes dans le domaine du vrai et du faux, dans une problématique de la vérité, alors qu’avec la connaissance phénoménologique nous sommes dans le domaine de l’authentique et de l’inauthentique, dans une problématique de l’exister. Tel est l’enjeu du comprendre et de l’expliquer : comprendre ce qu'est l'homme en tant qu'existant. Binswanger en déduit que la psychiatrie et la maladie mentale ne peuvent se réduire aux seules données de la science médicale, si vraies soient-elles.

L'analytique existentiale de Heidegger

- *Analytique existentiale* : analyse des structures de l'être en dégageant les modes fondamentaux de la présence (temps, espace, mort, être-avec, etc.) dans leurs structures universelles.
- *Analyse existentielle* : analyse de l'existant conçu comme singularité absolue irréductible à ce que peut en saisir la raison. Analyse du temps, de l'espace, de la mort, du corps dans leurs structures singulières.

C'est la seconde influence philosophique qui fonde la Dasein-analyse. Dans *L'être et le temps* Heidegger a élaboré une analytique existentiale : elle consiste à interroger ce qu'est la présence (Dasein) dans son rapport à l'être. Comme Husserl, Heidegger accorde une importance particulière à l'apparaître car il est de l'essence de la conscience de dévoiler, révéler, signifier le monde et les objets. Sans conscience rien ne nous apparaîtrait, rien ne serait manifesté. Les choses, le monde et les sujets resteraient dans une sorte de nuit et de méconnaissance. Heidegger met à jour qu'avec la présence on ne peut plus penser les rapports entre les sujets et les objets en termes d'opposition ou de dichotomie comme dans le cartésianisme : pas d'en-soi d'un sujet qui serait pure substance spirituelle et pas davantage d'en-soi d'un monde qui serait pure extériorité. L'apparaître renvoie l'homme à une expérience relationnelle entre lui et le monde, à une situation soi-monde qui constitue l'acte d'exister (Dasein).

La conscience est mouvement

Cet acte d'apparaître a pour conséquence de placer l'expérience humaine dans un continuel présent pour lequel il n'y a pas "d'avant" qui permettrait de l'expliquer en termes de causalité, puisque, au contraire, toutes les causes supposent, pour être analysées, l'existence préalable de cet acte de présence originaire qui les précède toutes. Le propre de la présence pour Heidegger est précisément de constituer cet apparaître non causal, d'où résulte son caractère unique, originel, créateur. C'est pourquoi l'expérience humaine ne se répète jamais de la même manière car la présence (Dasein) en est le noyau fondateur. Si la psychologie doit être fondée elle ne peut l'être que sur la présence puisque les contenus psychiques, dans cette perspective, ne se répètent jamais et sont toujours nouveaux. La psychologie ne doit pas rechercher chez un individu un déroulement événementiel d'expériences que l'on qualifie d'histoire (anamnèse – souvenirs – des psychologues), mais le flux et l'unité de chaque événement qui s'enracine dans cette présence. Heidegger est très proche de philosophes de l'Antiquité pour qui les événements sont des flux continus, des mouvements toujours nouveaux, ce qui faisait dire à Héraclite : *"Je ne me baigne jamais dans le même fleuve"* et à Sartre : *"Je ne vois jamais le même rocher"*. Si les expériences ne se répètent pas, le propre de l'homme est d'être décision, choix, moments critiques par lesquels chaque événement devient alors irréversible.

La "présence"

Le mot "Dasein" en allemand se traduit littéralement par "être là", mais cette traduction littérale ne rend pas compte du sens français d'un tel concept. Les commentateurs de la pensée de Heidegger sont d'accord pour traduire "Dasein" par "présence", mot qui met l'accent sur la relation originaire de la conscience et du monde. Etre présent c'est communiquer avec, s'ouvrir à, être ici et maintenant créateur du temps et de l'espace. C'est en vertu de cette présence qui précède tous les actes que les phénomènes psychiques sont toujours en première personne ; c'est parce que la présence est genèse et origine engendrant l'homme comme subjectivité qu'elle permet la production d'un soi et d'un monde uniques, jamais identiques. L'homme est un être "*qui devient soi hors de soi dans sa présence*" dit Binswanger ou encore un "*pour soi*" pense Sartre.

Cette étoffe existentielle de la présence qui spécifie l'homme en tant qu'être existant implique pour la psychologie une dimension d'être (ontologique) qu'elle ne peut oublier sous peine de devenir inauthentique ; elle laisserait alors échapper ce qui constitue l'homme dans sa racine. C'est pourquoi la phénoménologie postule que la psychologie doit se fonder sur cet acte de présence, dimension authentique à l'être humain qui donne sens à tous ses actes. L'apport de l'analytique existentiale de Heidegger à la Dasein-analyse, n'est pas de nature scientifique ni métaphysique mais de nature ontologique, c'est-à-dire ce qui est constitutif de l'être de l'homme et qui en est sa source jaillissante. L'ontologie ouvre un horizon de compréhension, permet un "fondement" qui comprend le sens de ce que veut dire être "présence", "Dasein" pour l'homme.

Dasein-analyse et psychopathologie

Le malade est à comprendre

Cette phénoménologie de Husserl et l'analytique existentiale de Heidegger ont fondé tous les courants du "ici et maintenant" dont se réclament de nombreuses Ecoles de thérapie. Mais il revient à Binswanger d'avoir pensé une psychiatrie phénoménologique et existentielle qui s'inspire de ces deux philosophies. La psychiatrie doit tenir compte de ce que l'Homme est sujet unique de son expérience ; la psychopathologie et la "maladie mentale" sont alors à comprendre non plus comme production de symptôme ou maladie objectivable, mais comme mode d'être de l'existant, comme "flexion de l'authentique" : la Dasein-analyse cherche à comprendre le monde du malade, et son sens, et non plus les causes de la maladie mentale objet d'un savoir. L'analyse ne porte pas seulement sur le comment (explication causale) mais sur le "pourquoi" (compréhension signifiante). Un symptôme n'est pas un élément isolé, mais il est à relier à la totalité du monde du malade, ce qui veut dire que, par son symptôme, il parle, exprime, évoque, communique sa difficulté à être. Comme le Freud d'*Etudes sur l'hystérie*, Binswanger refuse la coupure entre le corps et le psychisme puisque la présence est toujours engagée dans l'un et l'autre simultanément. Si les symptômes corporels sont le langage de l'inconscient pour Freud ils sont, pour Binswanger, le langage qui donne sens pour un existant singulier. La psychologie authentique pose une incompatibilité fondamentale entre les concepts de fonction (qui sont la base de la psychologie moderne sous différentes formes) et d'histoire vécue qui est toujours à considérer comme celle d'un sujet unique. C'est cette singularité du sujet qui est le vecteur des psychothérapies existentielles.

Le sens de la psychothérapie existentielle

Ce sens immanent au symptôme, découvert à la fois par Freud et par Binswanger, permet d'envisager la psychothérapie du point de vue du sens qu'elle a pour le patient et le thérapeute, dans cet acte particulier de deux présences qu'est la psychothérapie. Se pose la question de ce que veut dire guérir, soigner, être efficace en thérapie. L'efficacité vient de la parole qui est échangée, elle est le noyau par lequel deux sujets communiquent. Mais qu'est-ce que la parole ? En Dasein-analyse elle n'est pas le système de signe des systémiciens ou les chaînes signifiantes des lacaniens, mais expression d'une vérité dans une relation de présence "ici et maintenant". La parole a, elle aussi, une dimension existentielle par delà les règles formelles du langage. Si le sens transcende le signe et le symptôme, c'est qu'il est fondateur de la situation thérapeutique. Notons que sens en Dasein-analyse n'équivaut ni à raison, ni à rationalité, ni même à conscience, puisqu'il est aussi bien dans la perception que dans l'imagination, dans la sensation que dans l'espace et le temps du malade.

Avec la parole la thérapie existentielle accorde une importance capitale à une autre structure de notre être, appelée par Heidegger, le "mit-sein" c'est-à-dire "l'être avec". Loin d'être campé dans un splendide isolement individuel, l'être humain est constitué dans son être comme être-avec-les-autres ; non pas environné de stimuli béhavioristes mais modalité de son être comme ouverture et rencontre. C'est dans le cadre de cette dernière que s'effectue l'échange entre le thérapeute et le patient, dans un climat qui sera d'autant plus confiant et authentique que tous les deux sont dans l'ici et maintenant de leur présence. Le travail créateur de ces deux partenaires, thérapeute et patient, ne s'effectue pas dans une répétition du passé comme en psychanalyse. Mais dans la clarté et l'authenticité de la situation thérapeutique où chaque événement est vécu et analysé dans la dimension du présent. Binswanger résume ce qu'il pense de la démarche thérapeutique lorsqu'il dit que toute thérapie bien comprise est "*réconciliation de l'homme avec lui-même et avec le monde*".

La Gestalttherapie : Perls (1893-1969), Américain d'origine allemande

Qu'est-ce que la Gestalt ?

Bien que Perls se soit défendu d'être un théoricien ses conceptions cliniques s'inspirent de divers courants psychologiques et philosophiques. Ses références viennent surtout de l'Ecole allemande de la psychologie de la forme.

Ce que les gestaltthéoriciens ont appliqué à la perception Perls l'étend à l'ensemble du comportement humain : besoins, souvenirs, émotions, sensations, pensées, etc., ne sont pas des activités mécaniques et séparées, mais résultent d'un processus dialectique qui se réalise à partir de l'expérience totale du sujet. Le comportement est conçu comme une succession de Gestalten qui émergent, se réalisent et disparaissent lorsqu'elles ne sont plus utiles. Ce processus n'a pas de limite car il totalise ce qui est particulier et intègre ce qui est opposé. Perls a voulu démontrer le caractère essentiellement nouveau, dynamique, efficient de toute activité psychologique qui met en jeu les rapports entre la partie et le tout, le multiple et l'un, le partiel et le total, la totalité ayant un rôle moteur. C'est pourquoi la thérapie est conçue comme une aide à développer ce processus de totalisation, à intégrer en soi des parties qui ont été coupées, séparées, rejetées. Elle sert à mobiliser le maximum d'expériences dans une totalisation de plus en plus ouverte et infinie.

Gestalt et réalisation de soi

Perls fait l'analyse de deux types de Gestalten essentielles à l'homme :

- **Les Gestalten de besoin**. Toute vie est déterminée par des besoins primaires comme la faim, la protection, la sexualité. L'organisme tend vers la satisfaction de ces besoins et quand ils sont satisfaits l'aspiration cesse d'exister et une Gestalt est terminée. Si la satisfaction d'un besoin ne peut être menée à son terme, la Gestalt est inachevée, et donne alors un sentiment de frustration et de souffrance qui empêche l'apparition d'autres Gestalten créant peur, angoisse et anxiété. Perls insiste sur l'importance des Gestalten de besoin car c'est elles qui donnent le sentiment de bien-être et de complétude qui sont la première forme de la réalisation de soi.

- **Les Gestalten du soi**. Au-delà des besoins primaires existe pour chaque personne un besoin de se réaliser, de s'actualiser, c'est-à-dire d'utiliser pleinement ses facultés créatrices. La relation aux autres et à soi est le ressort essentiel de l'activité psychologique par laquelle l'homme engage des Gestalten de sentiment, d'émotion, d'amour, de spiritualité qui s'engendrent elles aussi dialectiquement selon leur achèvement ou leur inachèvement. Perls privilégie la Gestalt de contact qui marque le passage de la relation entre le monde et l'individu, soi et les autres.

La plupart des hommes évitent le réel, c'est-à-dire se coupent d'une partie d'eux-mêmes, de leurs besoins et de leurs émotions. Ils vivent dans des Gestalten inachevées qui empêchent l'apparition des nouvelles. La Gestalttherapie a pour but de permettre l'achèvement de Gestalten non terminées et d'aider la personne à favoriser son processus de croissance qui va dans une double direction : faire l'expérience la plus totale de soi et prendre conscience de soi. C'est en ce sens que la Gestalttherapie n'est pas seulement une thérapie du soin, de la pathologie, mais une aide à toute personne désireuse d'accroître et d'actualiser son potentiel d'être.

Développement et maturation

La dynamique de la personnalité étant la réalisation d'une succession de Gestalten qui apparaissent à différents niveaux (perceptions, émotions, besoins, sentiments, idées, etc.) le devenir et la croissance psychologique deviennent le principe sur lequel se fonde la thérapie de Perls. Les Gestalten en effet sont des formes en perpétuel devenir mais sont limitées cependant par les expériences négatives que fait le sujet (si une Gestalt de sentiments par exemple ne parvient pas à son terme, le sujet est incomplet, inachevé, s'installe dans la répétition, construit des défenses, c'est-à-dire des schémas répétitifs de comportement). La psyché entière est une Gestalt globale qui est un processus indéfini de croissance de l'être humain qui aspire à la réalisation d'un maximum de besoins et de désirs. Cette croissance continue ne peut se faire sans la participation consciente et active du sujet qui doit ouvrir son champ d'expérience et de conscience de Gestalt en Gestalt pour accroître et actualiser son potentiel psychologique. La Gestalttherapie est basée sur la théorie d'une croissance infinie de la personnalité.

La psyché est fondée sur une organisation en Gestalten qui se détruisent et se forment dialectiquement. (Devenir mûr consiste à développer le maximum de

Gestalten selon un cycle d'achèvement-inachèvement, caractéristique de la dynamique psychique et organique). Loin d'être un système de fonctions, l'organisme et le psychisme réagissent et agissent par totalités successives en intégrant à la fois les données du milieu et les exigences intérieures de création. Le milieu n'est pas conçu, comme pour les béhavioristes, selon un système de conditionnement où les choses sont figées, mais comme espace vital non mécanique et répétitif. C'est sur cette dynamique entre intérieur et extérieur que se fonde le désir de changement engendré par une non-satisfaction qui résiste à ce mouvement créateur, à cause de l'angoisse qui brise l'élan vital et crée un fossé entre le présent et le futur. Prise dans cette négativité, la personne n'est plus créatrice car elle est captive d'un double phénomène de rejet et d'attraction à l'égard des autres et du monde. Perls précise que l'obstacle à la maturation vient de la capacité que nous avons tous de refuser d'intégrer une partie de nous-mêmes ou des autres, d'où résulte une coupure, une non réalisation de notre personne tout entière par une non réalisation de Gestalt.

Croissance et conscience de soi

Reprenant également la notion psychanalytique du clivage du moi Perls souligne la division qui existe à l'intérieur de nous-mêmes, division qui engendre une dépossession d'une partie de soi (capacité de rétraction de l'ego) ; il souligne l'importance des phénomènes de contact et de retrait qui sont les mouvements par lesquels le psychisme se replie sur soi ou s'ouvre au monde extérieur. Si nous sommes en retrait nous rétrécissons le territoire de notre ego, nous nous aliénons, nous nous dépossédons d'une partie de nous-mêmes. C'est alors que nous ne sommes plus entiers. La Gestalttherapie permet de se réapproprier cette partie de soi et du monde, de dépasser la division et de tendre vers l'unité de la personne. Processus de maturation et de croissance par lequel le sujet doit intégrer ce qu'il a rejeté pour retrouver l'harmonie des différentes composantes de sa personnalité, la Gestalttherapie a comme but final d'éveiller à la conscience la plus complète de ce qui aliène et altère la relation vitale au monde et aux autres : la conscience de soi est acquise par la connaissance de nos manques et par l'intégration de Gestalten successives qui sont le chemin vers la maturité. Ce concept de maturité n'est pas analogue à la notion d'adulte, car la plupart du temps nous jouons des rôles, jeu qui est une manière inauthentique de vivre le rapport à soi et aux autres. D'ailleurs la maturité n'est jamais atteinte car la croissance est toujours un devenir dont le but est inaccessible : on n'en finit pas de croître et d'achever un processus d'intégration continu et infini. Il y a là chez Perls l'idée, introduite par Freud et Nietzsche, que la personne est toujours incomplète et qu'en nous une seule partie de notre personnalité nous est disponible tandis que l'autre nous échappe. Cette partie cachée Freud l'appelle l'inconscient, qui n'a pas le même sens chez Perls que pour le fondateur de la psychanalyse. Il représente plutôt un potentiel non utilisé que l'on peut actualiser et rendre disponible. Le but de la psychothérapie consiste à lever les barrières, à développer ce qui est inhibé et refoulé, à nous rendre disponible notre inconscient, à inclure ce que nous avons exclu en nous.

La Gestalt finale : accéder au soi

La Gestalttherapie n'est pas seulement une méthode de traitement ou de soin de la maladie mentale, elle s'adresse également aux gens "normaux" dans la mesure où elle se veut une aide à une expérience humaine plus riche et plus authentique. C'est pourquoi sa démarche se distingue des psychothérapies et de la psychanalyse. En ce qui concerne une question centrale, celle de la technique analytique, Perls rejette la notion de transfert (qui consiste à projeter sur l'analyste des affects infantiles) au bénéfice de l'élaboration d'une relation "ici et maintenant", relation d'authenticité, analogue à celle que recommande Binswanger dans les thérapies de la présence. L'écoute porte donc moins sur le passé que sur ce que vit le patient au moment où il exprime ce qu'il ressent.

Le but d'une telle thérapie est de constituer un "moi ouvert" à la totalité de son expérience et chacun doit trouver sa place dans le monde et dans le rapport à soi-même, explorer sa partie aliénée et dissociée. L'accomplissement de la psychothérapie réside pour chacun dans les expériences les plus aptes à redonner un sens à la vie. C'est pourquoi l'accession à un "moi fort" ne représente qu'une Gestalt qui doit elle-même être intégrée en vue d'accéder au "soi", ou Gestalt totale incluant toutes les autres.

On comprend que le but thérapeutique de la Gestalttherapie ne soit pas d'analyser, de faire régresser en vue d'une prise de conscience rationnelle comme dans la psychanalyse, mais d'intégrer, d'expérience en expérience, de Gestalt en Gestalt, son être comme totalité. Quand le soi total est atteint, il s'ouvre à toutes les expériences qui étaient en potentiel pour croître dans son être et se surpasser. La Gestalttherapie applique ce principe de la sagesse orientale selon lequel "*on doit se vider pour être rempli*".

Les influences philosophiques

Outre la référence ouverte à la Gestalttheorie et à la psychanalyse, on doit surtout retenir chez Perls des influences philosophiques telles que l'existentialisme, la phénoménologie et surtout l'Ecole de Francfort (Buber, Scheler, Tillich).

- De Buber il reprend le concept de relation moi-moi qui exprime une communication des sujets dans laquelle deux personnes bien distinctes ont une relation d'authenticité. Influencé aussi par l'existentialisme allemand, Perls dit que cette philosophie est l'une des seules qui soient en prise directe avec ce qui existe : il situe lui-même la Gestalttheorie comme étant l'une des trois thérapies existentielles avec la Dasein-analyse de Binswanger et la logothérapie de Frankl. Le résumé de cette option philosophique se traduit par "toi, moi, ici, maintenant".

- Du holisme de Smuts, il emprunte au grec le terme holos qui signifie complet, total, entier. D'après ce philosophe l'évolution repose sur la totalité de l'être par réalisations dialectiques, conception qui est proche de la méthode dialectique de Hegel de la *Phénoménologie de l'esprit*.

- De Maslow et de la psychologie humaniste Perls retient une "science de l'homme" qui doit prendre en compte la conscience, l'éthique, la spiritualité qui sont des valeurs proches du personnalisme de Mounier. Cette psychologie postule la nature spécifique et irréductible de l'être humain dans sa singularité. Maslow en effet distingue les besoins de base (faim, sécurité, affection) et des métabesoins (justice, santé, unité, ordre, etc.) : alors que les besoins basiques tendent à combler un manque, les métabesoins sont fondés sur la croissance de l'être humain et sur ses aspirations fondamentales à la justice et à l'égalité. Cette conception humaniste de la psychologie est la base de celle de Perls qui réagit contre son caractère technique et trop scientifique. Il faut, dit-il pour la rendre plus humaine, "*déboulonner la foutaise freudienne*."

- De la pensée orientale la Gestalttherapie retient l'unité de la forme et du fond qui sont deux aspects du réel n'ayant pas de sens hors de cette unité. Cette conception unitaire des phénomènes est proche du yin et du yang chinois pour qui :
  - L'univers est flux constants de mouvements qui se succèdent perpétuellement, la seule constante étant le changement.
  - Il existe une interaction totale entre la partie et le tout.
  - Il n'y a pas d'autre monde que celui dans lequel nous vivons. Notre manière d'être doit être en rapport avec l'être des choses et c'est ce rapport qui donne un sens à la totalité du monde. C'est en étant profondément soi-même et en relation avec la totalité de ce qui est que l'on croît dans son être et dans celui de l'autre.

C'est pourquoi être ouvert à la Gestalt consiste à faire l'expérience la plus totale de ce qui est, à différencier ce qui est indifférencié et à trouver la ressemblance dans ce qui est différent. C'est le paradoxe de la vie symbolisé par la pensée Tao. Perls a beaucoup puisé dans la philosophie orientale qui lui a permis de faire communiquer psychologie et sagesse car "*rien n'existe, excepté l'ici et le maintenant*".

Synthèse des thérapies existentielles

Binswanger	Perls
Dasein-analyse : **thérapie par la présence**	**Gestalttherapie :** **thérapie par la forme**
• Concepts : – Dasein (présence) – singularité – compréhension – authenticité – intentionnalité – conscience – monde – temps – espace – phénomène – apparaître – expérience – être-avec – être-pour-la-mort.	• Concepts : – forme (Gestalt) – réalisation de soi – développement et maturation – croissance et conscience de soi – totalité – accès à soi – ici et maintenant – flux et mouvement.
• Thérapie dont le principe est la compréhension du malade à partir de ce qu'il éprouve et dit de lui-même.	• Thérapie dont le principe est la Gestalt conçue comme unité d'expériences qui se réalise par processus de totalisation.
• Principe : l'existence comme fondement et compréhension ou thérapie.	• Principe : la Gestalt comme fondement du comportement.

Les thérapies comportementales

La thérapie comportementale : Skinner, Américain

Principes de la thérapie comportementale

L'origine : Watson et Pavlov

Les thérapies comportementales (béhaviour-thérapies), connaissent un essor à cause de l'utilisation qui en est faite dans les hôpitaux psychiatriques et du déploiement idéologique qui "sévit" dans des domaines comme l'apprentissage, l'éducation et le conditionnement social. Les thérapeutes américains et européens se réclament tous des travaux de Pavlov sur le conditionnement, de ceux de Watson sur l'étude du comportement et sur les données de la psychologie expérimentale.

En effet d'après l'Américain Wolpe *"la thérapie comportementale consiste en l'utilisation thérapeutique d'une technologie qui applique les théories de l'apprentissage et est vérifiée en fonction de critères expérimentaux"*. Pour Cottraux, en France, *"la psychothérapie comportementale consiste en l'application de la psychologie scientifique et en premier lieu de la méthode expérimentale et des théories de l'apprentissage à la psychothérapie"*.

Celles-ci appliquent donc à la lettre les principes du béhaviorisme pour des raisons à la fois théoriques et pratiques : sur le plan théorique elles considèrent la maladie mentale comme entièrement réductible au comportement, sur un plan pratique elles cherchent une efficacité thérapeutique par le contrôle des résultats, notamment lorsqu'il y a disparition des symptômes.

Historique de la "behaviour therapy"

Tandis que la théorie de Pavlov du conditionnement a été introduite très tardivement en psychiatrie, Watson, fondateur du béhaviorisme, fait déjà avec Rayner l'expérience, dès 1924 du conditionnement des peurs chez l'enfant. A la même époque Mary Lower-Jones est considérée comme la première à avoir déconditionné un enfant en supprimant une phobie. La thérapie comportementale se base sur cette hypothèse que les comportements pathologiques ont été acquis par conditionnement et que ceux-ci doivent donc disparaître en déconditionnant le malade, c'est-à-dire en agissant à la fois sur lui et sur son milieu environnant. Mowrer en 1938 travaille dans le même sens en mettant au point un traitement de l'énurésie par la mise en place d'un signal qui réveille l'enfant. Skinner dès 1937 se fait le nouveau théoricien du béhaviorisme appliqué en clinique en distinguant le conditionnement opérant du conditionnement pavlovien.

C'est à partir de 1954 que Lindsley, Ayllon et en 1965 Azrin appliquent la méthode du conditionnement opérant dans les hôpitaux psychiatriques qui se diffuse aussi en psychothérapie, dans l'enseignement, l'éducation et la "résolution" des problèmes sociaux. C'est le mouvement dit de "modification comportementale" dont Skinner est le théoricien et l'idéologue, idéologie qui veut établir une société basée sur des critères exclusivement scientifiques. Wolpe en 1952 en Afrique du Sud expérimente sur les animaux et travaille sur les névroses expérimentales. Il invente notamment la désensibilisation systématique des phobies. C'est en 1958 qu'il publie *Psychothérapie par inhibition réciproque* et met le premier au point un traitement efficace des phobies, en se donnant des outils scientifiques et statistiques. Une autre grande figure, Eysenck, travaille sur l'évolution des effets de la psychothérapie comportementale et lance vraiment les psychothérapies. Il souligne notamment que les choix thérapeutiques se feront à partir des méthodes comportementalistes et psychanalytiques. La paternité du terme de "béhaviour-thérapie" est due, en 1953, à Lindsley et Skinner, repris par Lazarus, Wolpe et Eysenck, à la même époque. Néanmoins Skinner et son Ecole parlent plutôt de "modification comportementale", voulant exprimer par là qu'une thérapie comportementale est d'abord une action qui a comme effet la modification d'un comportement pathologique.

Ce type de thérapie a été long à s'introduire en France, à cause de la résistance des milieux psychanalytiques, philosophiques et psychiatriques. Les premiers travaux remontent à 1961 et sont effectués par J. Rognant (qui traduit Wolpe) qui met au point la méthode de désensibilisation pour les exhibitionnistes. Mais un véritable "courant comportementaliste" se constitue dans notre pays entre 1970 et 1977 par la publication d'articles qui portent sur des travaux cliniques et sur un grand nombre de cas : M. Agathon, J. Rognant, J. Cottraux, B. Rivière, H. Viala, L. Guilbert sont à l'origine du mouvement actuel et fondent "l'Association française de thérapie comportementale" qui renforce l'intérêt croissant des milieux médicaux pour ce genre de thérapies. Elle se sont implantées à Lyon, Paris, Marseille, Lille avec enseignement officiel à Paris, Lyon et Brest.

Les règles de la thérapie comportementale

La thérapie comportementale repose sur un ensemble de principes scientifiques et méthodologiques qui sont ceux du béhaviorisme et relève pour cette raison de la psychologie expérimentale et de la médecine. Elles requièrent des options méthodologiques et des choix relationnels précis :

Les options méthodologiques

La thérapie se centre sur le comportement inadapté actuel (symptômes, souffrances, inhibitions, angoisses) plutôt que sur la recherche de causes anciennes qui est un des principes de la méthode clinique.

Les comportements inadaptés sont dits acquis comme n'importe quel autre comportement, d'où résulte la possibilité d'agir sur ces acquis antérieurs, de les faire disparaître, et d'en conditionner d'autres qui seront adaptés.

Les principes de la psychologie scientifique, en particulier ceux de l'apprentissage, sont efficaces pour modifier le comportement et sont donc le critère thérapeutique de base.

Les thérapies comportementales impliquent que soient établis des buts précis, clairement définis, objectivables et mesurables, ces buts étant les garants de l'efficacité thérapeutique.

La thérapie se centre sur l'ici et le maintenant des symptômes et de la souffrance du patient, sans en rechercher l'origine dans le passé ou dans une histoire individuelle qui seraient à interpréter.

Toutes les techniques comportementales ont été testées expérimentalement et peuvent être considérées à ce titre comme relativement efficaces.

Les principes relationnels

La thérapie comportementale est expérimentable, même en clinique et une hypothèse faite avec le client est vérifiée avec lui.

Le cadre de la relation thérapeutique est contractuel : le patient est informé et doit accepter la prévision sur la durée du traitement. C'est dans la confiance mise dans l'hypothèse des résultats que réside la base du travail thérapeutique.

Les motivations, les affects et les désirs du patient lui-même sont indispensables pour entreprendre une thérapie comportementale ainsi que la personnalité du thérapeute. Si ces conditions ne sont pas réunies la thérapie risque d'être partiellement inefficace.

Le client a un rôle actif dans le processus thérapeutiqué dans la mesure où son consentement est requis comme principe d'efficacité.

Chaque thérapie est adaptée aux problèmes particuliers du malade dans le but de modifier un ou plusieurs comportements jugés insatisfaisants ou inadaptés par le thérapeute et le client, il s'agit le plus souvent d'un symptôme, d'une souffrance ou d'une inadaptation qui coupent le patient du reste de la société.

En se concentrant exclusivement sur le comportement la thérapie comportementale met entre parenthèses le vécu du patient (sentiment, émotion, subjectivité) pour ne modifier qu'un symptôme objectivable par le biais d'un processus de déconditionnement et de reconditionnement. Le symptôme n'est qu'accessoirement une parole ou le sens d'un individu singulier tel que l'entendent la psychanalyse et la méthode clinique traditionnelle. Aussi cette thérapie est jugée en fonction de critères d'efficacité thérapeutique (suppression du symptôme, peur phobique du vide par exemple) qui privilégient l'acte sur la parole.

Les phases de la thérapie comportementale

Ayant opté méthodologiquement pour une approche scientifique du comportement du malade, le thérapeute comportemental applique le traitement par des outils et des techniques fiables et validés. Rien n'est entrepris qui ne soit contrôlé expérimentalement. Il en résulte que la prise en charge thérapeutique est soumise à des règles précises qui stipulent l'accord du thérapeute et celui du client dans un cadre de travail qui fixe les objectifs et les moyens pour les atteindre.

Quelles sont ces règles et quel en est le sens ?

Le thérapeute propose au patient une analyse de son comportement qui précise quand, comment, pourquoi, avec qui et dans quelles circonstances apparaît le symptôme en question avec ses déficits et ses excès. Ce travail d'analyse de situation vise à reconstituer l'ensemble des causes qui favorisent le comportement pathologique actuel du patient (qui est ainsi associé activement à ce travail d'analyse) et représente la première phase de la thérapie.

En fonction des données de cette première analyse le thérapeute et le patient définissent un "symptôme-cible" qui représente ce qui est à modifier et permet de fixer le but du traitement. Cette deuxième phase consiste en la passation d'un contrat concret thérapeute-patient.

Puis succèdent la mise en œuvre de moyens techniques définis par le thérapeute et un programme d'action qui représentent la "stratégie thérapeutique", technique et programme qui sont des garanties sur la méthode de traitement représentant la troisième phase.

Enfin un travail de validation est entrepris par le thérapeute qui concerne l'emploi des techniques et du traitement soumis à des épreuves de contrôle : confrontation des résultats, validation expérimentale, statistiques des cas cliniques et des études contrôlées. Ce contrôle permet de garantir un pronostic de guérison ou de non-guérison.

L'ensemble de ces principes méthodologiques, règles de contrat, contrôles et vérifications, définissent les "critères de vérité" des thérapies comportementales et visent à soustraire l'issue thérapeutique du hasard, de l'arbitraire et de la toute puissance du thérapeute. Le client ayant participé à l'élaboration d'une méthode et d'une stratégie, peut ainsi juger par lui-même la cause de son symptôme et adhérer activement à sa suppression. Cet accord du client représente l'éthique de la thérapie comportementale, éthique fondée sur l'approche scientifique et expérimentale du comportement humain. Au fond il est demandé au patient de faire acte de foi dans les possiblités de la science pour la guérison de sa maladie. Cette éthique va dans le sens d'une efficacité thérapeutique à l'intérieur d'un contrat qui fixe en quelque sorte les règles du jeu de la thérapie. Cette démarche fonde la déontologie de la thérapie comportementale qui reconnaît aussi au thérapeute comportementaliste une responsabilité devant le patient et la société.

Le champ d'application des thérapies comportementales

Reprenant pour l'essentiel les thèses béhavioristes de Pavlov et Watson, la thérapie comportementale applique ces principes dans tous les domaines qui relèvent du comportement humain et animal. Depuis les travaux sur la phobie expérimentale faits par Rayner jusqu'à ceux de Skinner sur le conditionnement opérant, les applications cliniques se sont développées dans tous les domaines des comportements inadaptés et marginaux. Traitement des névroses et des psychoses, insomnies partielles ou totales, états de dépendance tels qu'obésité, tabagisme, alcoolisme, toxicomanie, abus de médicaments, anorexie mentale, etc. Très développées dans les pays anglo-saxons et scandinaves les thérapies comportementales, en ayant mis l'accent sur l'apprentissage, ont été appliquées aussi dans les domaines de la réinsertion et de la rééducation (prostituées, délinquants, comportements suicidaires et criminels) qui visent non plus la modification d'un comportement individuel inadapté, mais un ensemble de conduites sociales issues de groupes plus ou moins marginalisés. En effet ce que Watson postule pour l'individu il l'applique à la société considérée comme ensemble de conditionnements qui produisent des stimuli qui induisent des comportements sociaux. C'est pourquoi le milieu conditionnant est tout aussi important à modifier que le groupe conditionné puisque les deux sont en interaction constante. Cette dimension sociale prend modèle sur la méthode de Skinner pour qui la société est entièrement un champ d'observation scientifique et par conséquent modifiable par les techniques et la science béhavioriste.

Comportementalisme actuel et néobéhaviorisme

Psychologie animale et comportement humain

Depuis les travaux de Watson et Pavlov, le mouvement béhavioriste a connu un développement dont les thérapies comportementales ne sont qu'une application spécifique. Parti de schémas empruntés à la physiologie de son temps (lien de causalité mécanique entre stimulus-S et réponse-R), le béhaviorisme s'est développé dans deux directions dont les découvertes constituent le "néo-béhaviorisme" venant essentiellement des USA :

Une direction à tendance logicienne : des logiciens positivistes comme Schlick, Carnap, Hull, Spence, Miller ont adapté la théorie et les méthodes hypothético-déductives de la science expérimentale dans l'analyse du comportement. Ils ont insisté notamment sur une définition opérationnelle des concepts afin de préciser les lois et les propositions formelles incluses dans les énoncés scientifiques du béhaviorisme. Ce courant logicien a permis de fonder le statut d'une véritable science du comportement, non seulement du seul point de vue des résultats acquis comme l'avait fait Watson, mais en fonction de critères rationnels d'exigences de la raison en tant que productrice de légitimation scientifique. Cette tendance logicienne a entrepris de mieux formaliser la définition et l'objet du béhaviorisme en renouvelant l'emploi de catégories logiques.

Une direction en psychologie animale qui a appliqué systématiquement à l'homme les découvertes du comportement des animaux, notamment les lois d'apprentissage chez le rat et le singe : Hull, Guthrie, Skinner, Tolman, ont fait des études de motivation et de situation sur les animaux par conditionnement et apprentissages, études qui seront reprises en publicité. Ce courant "animaliste" remanie considérablement le schéma explicatif watsonien S-R. Ils l'infléchissent notamment dans le sens d'une prise en considération non seulement des stimuli externes comme l'avaient fait Pavlov et Watson, mais des stimuli internes tels que la faim, la sexualité, les mobiles et les motivations. Alors que Watson ne voyait dans l'explication du comportement que l'action de stimulations extérieures à l'organisme, les néobéhavioristes réintroduisent une dimension "psychologique" en réhabilitant les motivations comme faisceau de stimulations des conduites : ainsi Hull a fait appel à une "nouvelle compréhension" dans l'application de la méthode essai- erreur (il découvre que le rat mis dans un labyrinthe ne trouve de solution au problème qu'on lui pose que si on fait dépendre sa réaction d'une récompense s'il a obtenu le résultat). Hull dégage les lois de l'apprentissage sur lesquelles repose la thérapie comportementale : la stimulation (S) et la réponse (R) se forment quand l'association S-R s'accompagne d'une "réduction du besoin" qu'Hull appelle "loi de renforcement". Plus le rat a faim, plus on lui réduit sa nourriture et plus il est alors motivé à trouver la solution, c'est-à-dire à acquérir un nouvel apprentissage. Ce "principe de renforcement" a été appliqué chez les phobiques, alcooliques, fumeurs et drogués : on renforce le manque de tabac, d'alcool et de drogue, renforcement qui met l'individu dans un état provisoire de frustration. On lui permet ainsi d'acquérir un nouveau comportement qui favorise un déconditionnement à l'égard de l'objet dont il dépend. Faisant l'apprentissage de la frustration ces patients inventent de nouvelles conduites qui se substitueront au manque ainsi créé. Ce "principe de renforcement" de Hull traduit la "loi d'effet" de Thorndike selon laquelle les connexions S-R sont favorisées par la satisfaction d'un besoin et contrariées par la douleur ou l'ennui quand celui-ci n'est pas satisfait.

De la physiologie watsonienne à la psychologie néobéhavioriste

A travers ces exemples, nous avons voulu montrer que l'Ecole béhavioriste est en constante évolution, et que l'axe de celle-ci est à comprendre comme un passage du physiologique au psychologique. Le néobéhaviorisme tente de réintroduire une "psychologie" sur des bases expérimentales, dimension essentielle qui manquait à la conception du comportement humain et animal que se faisait Watson. Tolman par exemple, tout en demeurant strictement béhavioriste, réintroduit ce qu'il appelle les "comportements molaires" en psychologie (il met en évidence que la connexion S-R passe par la prise en considération des comportements globaux et finalisés, dont tiendront compte les éthologistes comme Lorenz et Tinbergen dans l'étude du comportement animal). Cette réapparition d'une "forme" ou d'une "globalité" est une critique de fait du schéma purement physiologique et mécanique de Watson car il tient compte de l'aspect "psychologique" du comportement animal et humain. On peut donc parler d'un véritable courant "psychologiste" dans le néobéhaviorisme actuel. Le comportementalisme exprime ce néobéhaviorisme (tout en restant en théorie ancré aux principes de base de Watson), et s'ouvre à des notions comme celles de perception, langage, motivations, qui auraient été bannies par les tenants d'une psychologie strictement scientifique qui mettait entre parenthèses les questions de sens et de complexité des comportements. Les récentes études sur l'intelligence animale, le conditionnement publicitaire, la mémorisation et la représentation chez l'animal prouvent la fécondité de cette Ecole béhavioriste qui a renoncé à faire du dogmatisme comportemental pour cerner de plus près la réalité psychologique.

Les questions éthiques que pose la thérapie comportementale

Le développement actuel des thérapies comportementales en France correspond à une grande réaction à ce que l'on a appelé les "échecs" et le manque d'efficacité des thérapies basées sur la méthode psychanalytique, véritable vague qui a déferlé (et déferle encore) dans le secteur psychiatrique. Le comportementalisme permet de poser ce qu'est la nature de "l'efficacité" en psychothérapie. L'homme n'étant ni un robot, ni un rat, ni un singe, ni une machine à produire des symptômes, le comportementalisme peut-il être efficace tout en étant compatible avec une éthique du désir et de la liberté humaine ? Nous venons de voir que le consentement du patient est un élément essentiel de la stratégie thérapeutique comportementaliste. Mais consentir à quoi ? A la toute-puissance d'une technique et d'une science qui incluent un rapport de pouvoir entre thérapeute et patient ? Nous ne visons pas ici tel thérapeute, ni même la thérapie comportementale en tant que telle, mais une puissante idéologie comportementaliste qui cherche actuellement une efficacité et une rentabilité dans la simple suppression de symptômes et dans l'adaptation des comportements marginaux et déviants à des normes sociales et morales.

C'est parce qu'elle peut être un des éléments de ce formidable dispositif normalisateur que la thérapie comportementale risque (à son insu) de devenir autoritaire, voire oppressive si elle n'engage pas sur le fond de sa pratique un débat moral et politique qui lui éviterait de s'enliser dans le pire des scientismes, celui d'une "productivité thérapeutique", basée sur une vérité définitive, enfin connue et maîtrisée, du comportement humain !

La thérapie familiale systémique : Bateson, Américain

Origine de la théorie des systèmes

La théorie systémique appliquée à l'homme

Le mot systémique vient de système ; l'analyse systémique applique aux groupes humains les lois d'organisation des grands systèmes et privilégie les interactions se produisant dans un ensemble organisé. Elle est utilisée actuellement pour les groupes et les institutions conçus comme entité de communication (famille, entreprise, administrations, petits groupes, etc.).

La thérapie familiale systémique a été créée par l'américain Watzlawick au "Mental Research Institute" à Palo Alto en Californie. Les règles de cette thérapie furent élaborées au cours de dix ans de recherches, menées en psychiatrie par des anthropologues, des psychiatres et des psychologues dont les plus importants sont G. Bateson, J.H. Weakland, Birdwistell, D.D. Jackson, J. Haley.

Ces travaux ont été menés à partir des principes élaborés par l'étude des systèmes et de la cybernétique aux USA depuis la dernière guerre.

En 1940, Wiener crée la cybernétique et dégage deux concepts clefs, ceux de circularité et de système.

En 1942, apparaît l'importance de la notion de "*feed-back*" ou rétroaction. Von Bertalanffy publie *La théorie générale des systèmes*.

1948 est une date importante car Shannon écrit sa *Théorie mathématique de la communication* et Bateson s'inspire de la cybernétique pour étudier la communication dans les groupes humains. Il emprunte à Wiener les notions de système, de circularité et d'interaction. Mais il prend ses distances à l'égard de Shannon et de son modèle de communication ; il le juge trop linéaire, trop basé sur l'aspect verbal, conscient et volontaire de la communication humaine.

En 1950, Bateson propose une nouvelle théorie de la communication en élargissant le modèle de Shannon et met l'accent, en 1952, sur la communication paradoxale qui est la base de la thérapie familiale systémique comme nous le verrons.

En 1954, D.D. Jackson étudie les phénomènes d'homéostasie (équilibre) dans la famille et les petits groupes.

En 1956, Bateson publie *Vers une théorie de la schizophrénie*, la notion de "*double bind*" (double contrainte) est approfondie et sont précisés en même temps les modes de communication pathogènes et pathologiques qu'il estime être issus d'une mauvaise homéostasie familiale. Dès cette époque l'équipe a étudié la maladie mentale et la pathologie des groupes et a réalisé les premiers entretiens enregistrés.

En 1958, Watzlawick se joint à l'équipe de Bateson et crée le "Mental Research Institute". C'est à cette époque qu'est née l'analyse systémique des groupes et des familles.

Définition des systèmes

Pour comprendre la thérapie systémique il est nécessaire de connaître la théorie des systèmes qui en est la base. Celle-ci est liée au développement des techniques et des grands ensembles de communication (cybernétique, robotique, mass-media, systèmes vivants, électronique, etc.). Elle a pour but l'étude de la complexité des systèmes et de leur évolution. La notion spécifique de système est liée aux problèmes d'organisation, de relation et d'évolution des grands ensembles techniques et humains. Au XIXe siècle, Lamarck, Wallace et Darwin, étudièrent la dynamique du vivant dans la multiplicité de ses composantes en vue de déterminer l'évolution des êtres organisés. De même le médecin Claude Bernard envisage la physiologie comme étant un système de relations dans l'organisme animal et humain mais la théorie systémique renouvelle considérablement le regard que nous portions sur la société et les rapports entre les hommes et les techniques. Le système ne résulte pas de la simple combinaison d'éléments individuels, ni de leur addition, mais de la mise en relation de tous ces éléments dans leurs rapports avec une totalité complexe. C'est ce qui définit la relation comme système.

Comment peut-on définir le système et quelles sont ses grandes caractéristiques ?

Le système est un objet complexe car il a des composantes distinctes qui sont reliées entre elles par des relations (l'organisme vivant). Aucun élément n'est donc isolé et isolable de la totalité qui l'organise.

Il est décomposable en éléments et chaque composant peut être considéré comme un sous-système (on peut analyser chaque partie, élément ou organe comme dans le corps humain).

Le système possède un degré de complexité plus grand que ses parties. Il en résulte qu'on ne peut le réduire à une de ses composantes parce qu'il y a relation entre elles d'où découle son unité fonctionnelle.

Il a un comportement évolutif qui accroît son degré de complexité et modifie ses composantes (l'évolution d'un organisme à partir d'un organe malade fait apparaître une modification globale qui le restructure en totalité). On a remarqué que l'évolution des systèmes peut se faire dans quatre directions.
- Un système peut évoluer par modifications internes qui affectent les composantes et les relations à partir d'un changement d'un ou de plusieurs éléments.
- Il évolue également par modifications externes à partir d'interactions qui peuvent s'établir entre lui et son milieu environnant.
- Il peut aussi conserver une certaine stabilité, il fonctionne dans ce cas en vue de conserver ce qu'il est (homéostasie).
- Son évolution peut se faire dans le sens soit négatif d'une désagrégation, soit positif d'une plus haute intégration.

Tout système obéit donc à ces lois dont les deux plus importantes sont : la complexité relationnelle et la capacité évolutive. La conjugaison relation-évolution permet de saisir la nature complexe du système.

La communication et le "système famille"

La communication systémique

L'application de la théorie des systèmes aux groupes sociaux a permis de dégager la notion centrale de "communication". En effet un groupe humain, par l'échange de biens, de codes, d'objets et d'affects, répond à la définition d'un système. C'est notamment le travail qui a été fait par G. Bateson pour l'approche systémique de la famille et de ses formations psycho-pathologiques. Qu'est-ce que la communication d'un point de vue systémique ? Bateson en donne les définitions suivantes :

- La communication médiatise et transforme la relation entre un émetteur et un récepteur.
- Elle s'exprime en termes de "relations", à comprendre au sens large d'échanges constants d'informations de tous ordres (verbaux, non verbaux, conscients, inconscients, intentionnels, involontaires, etc.).
- La communication est un comportement car elle intègre de multiples formes de relation (paroles, gestes, mimiques, postures, immobilité, silences, etc.) et peut être observée expérimentalement.

L'axiome fondamental de la théorie de la communication est que, dans un groupe humain, on ne peut pas ne pas communiquer.

Mais la communication humaine est complexe par la qualité et la quantité des échanges.

Tout comportement subit l'effet de celui d'autrui et l'induit (réception-induction).

Dans un échange chacun est simultanément émetteur et récepteur, ce qui explique que toute communication est une interaction et que son effet joue dans les deux sens. Enfin dans un groupe la communication est circulaire et l'on ne peut raisonner en termes de causalité linéaire (il n'y a pas de première cause engendrant des effets comme en science expérimentale), mais en termes de rétroaction des éléments entre eux, car il y a interaction d'une multitude d'individus, d'objets et de signes qui sont en relation simultanée et se définissent les uns par rapport aux autres d'où résulte la nécessité d'adopter une logique de la circularité.

C'est vue sous cet angle de la circularité que la communication se définit comme totalité de relations dans un système humain.

Les lois du sytème famille

Il s'agit de savoir maintenant si la famille répond ou non à la définition d'un système, dont la caractéristique relationnelle porte précisément sur les modes de communication. Les théoriciens systémiques ont tous mis en évidence les lois de fonctionnement qui régissent la famille comme un tout systémique. Voici en quoi la famille est un système :

- Elle répond au critère de totalité. Un système ne se comporte pas comme un simple agrégat d'éléments indépendants, il constitue un tout cohérent et indivisible. C'est pourquoi l'analyse systémique considère la famille dans la totalité de tous ses membres. La connaissance de chaque membre, vu indépendamment des autres, est insuffisante car il y a un nombre incontrôlable d'interactions qui se jouent entre eux, d'où résulte ce principe que le système familial est un tout indivisible.

- Elle répond au critère de non sommativité. La description la plus complète de chacun des membres de la famille est insuffisante pour la connaissance du système familial. C'est la relation entre les membres et leur interaction qui permet le mieux de comprendre ce système. C'est pourquoi leur simple addition ne constitue pas le système familial car le tout interfère toujours.

- Elle répond aussi au critère d'équifinalité (même résultat). Des conséquences identiques peuvent avoir la même origine et des conditions initiales différentes peuvent produire un même résultat final. La famille est réglée sur des lois identiques de finalité interne qui la constitue comme groupe cohérent pour chacun des membres pris individuellement et pris comme totalité.

- Elle répond enfin au critère de rétroaction et d'homéostasie. Toute information (l'information est toujours une différence) apportée par un membre du système ou par l'environnement a une répercussion sur l'ensemble. Celui-ci possède la capacité de se transformer à la suite de modifications internes ou externes. Ceci constitue sa capacité de croissance et d'adaptation. Mais cette transformation ne peut se faire que dans certaines limites, sinon il y a remise en cause de l'équilibre. La fonction de ce système qu'est la famille consiste à maintenir son homéostasie, c'est-à-dire son équilibre interne, sa stabilité, qui ne peuvent varier qu'à l'intérieur de certaines règles précises.

Ces lois de fonctionnement sont propres à la famille mais elles définissent également les "systèmes groupes", dès lors qu'ils réalisent une unité fonctionnelle. Ce fonctionnement systémique repose en effet sur trois principes qui sont identiques pour les petits systèmes humains comme pour la famille :

- Le système doit s'autoréguler et ce sont les rétroactions négatives qui se chargent de cette autorégulation par autocorrections successives. Par cette capacité autorégulatrice le système est autonome.

- La fonction homéostasique (stabilité) est fondamentale car elle est indispensable à la survie du système famille.

- Les interactions ne peuvent se produire arbitrairement et sont gouvernées par des lois plus ou moins strictes selon les systèmes. Si celles-ci ne sont pas respectées il y a aberration dans le fonctionnement. Du point de vue systémique la famille répond donc bien à cette définition d'un système car elle est un groupe social qui se définit comme "*ensemble d'éléments en interactions, celles-ci étant de nature non aléatoires*" (elles se produisent selon des règles). Cette communication est à entendre dans le sens d'un ensemble d'individus qui communiquent et qui produisent des règles en fonction de leurs buts et de la nécessité de maintenir l'équilibre du système. Le travail de l'analyste systémique consiste à observer les interactions produites dans la famille et à repérer le type de règles de fonctionnement qui détermine sa dynamique relationnelle. C'est donc comme système de communication que la famille peut être analysée lorsqu'il fonctionne bien, de même que la pathologie sera conçue comme détérioration du fonctionnement de cette communication.

Les principes de la thérapie systémique

Qu'est-ce que la pathologie ?

L'importance du modèle systémique de la communication a permis de dégager les principes de la thérapie systémique. Ce modèle engage une nouvelle vision de la "maladie mentale" qui est définie sous le mode d'un échec plus ou moins grand dans la communication familiale. Le but de la thérapie familiale systémique est de restaurer une communication déficitaire. L'analyse est centrée sur la famille comme système et sur la relation comme mode d'échange fondamental. Ce but suppose une approche globale et dynamique des phénomènes psychopathologiques ; qu'implique en effet ce type de thérapie sur le plan de la méthode ? Qu'en est-il du symptôme et de la "maladie mentale" ?

Le but de la thérapie vise à restaurer la communication des systèmes familiaux en difficulté et la méthode de traitement repose sur une nouvelle conceptualisation du sujet "malade" et de la nature de la maladie ; elle en propose des définitions :

Le sujet n'est pas considéré comme un individu total mais comme un élément en interaction dans un système.

L'examen intrapsychique (vie psychique intérieure) est abandonné au profit de celui de la communication psychologique.

Le sens du symptôme n'est plus analysé en termes psychiques mais en termes inter-réactionnels.

L'exploitation des causes linéaires est abandonnée au profit d'une causalité circulaire. Le "pourquoi" de la maladie est donc remplacé par le "comment".

Le passé d'un individu est actualisé par la relation thérapeutique qui a lieu dans le présent de "l'ici et maintenant".

Les notions de “sain” et de “pathologique” perdent leur sens comme attribut d’un individu puisque l’état d’un sujet varie en fonction de sa situation interpersonnelle dans le système familial. La théorie systémique conçoit la pathologie sur un mode relationnel et non plus individuel, ce qui permet de faire évoluer la notion de folie.

Qui est fou : l’individu ou sa famille ?

La thérapie familiale systémique déplace le centre de gravité de la maladie de l’individu malade vers son groupe familial en vertu du principe qu’on ne peut “isoler” un sujet du groupe au sein duquel il est en relation. C’est pourquoi la famille est un système autorégulé qui se gouverne au moyen de règles qui lui sont propres. Ces règles se constituent peu à peu et se réfèrent à une “représentation” partagée par tous ses membres. Celle-ci constitue la mémoire collective de la famille appelée “mythe familial”. C’est pourquoi tout comportement, diagnostiqué “pathologique” s’inscrit dans une interaction et dans les règles propres à telle pathologie. De ce fait elle touche toute la famille et prend sens pour l’ensemble de ses membres. Quand un individu souffre de troubles pathologiques (celui qui est désigné comme étant “le malade”) c’est la famille tout entière qui est considérée comme “malade”. On constate que, dans les systèmes pathologiques, prédomine une tendance toujours plus rigide à répéter de façon stéréotypée des solutions trouvées au service de l’équilibre familial. Plus le système est malade, plus les règles sont strictes et réciproquement. Cette situation devient vraiment pathologique lorsque les règles se sont tellement rigidifiées qu’elles interdisent aux membres de la famille de “métacommuniquer” (pouvoir de communiquer sur la communication elle-même qui permet la constitution d’une autonomie individuelle).

Cette impossibilité de métacommuniquer est au fondement du système pathologique et est constituée par le “paradoxe” qui est un des modes principaux de communication familiale et groupale. Les paradoxes sont définis dans la théorie systémique en termes de “messages paradoxaux”. Le paradoxe contient en lui-même sa propre contradiction ou est un “*message qui contient deux affirmations qui s’excluent*” (Watzlawick).

Le paradoxe comme trouble de la communication

Les découvertes qui ont porté sur le rôle du paradoxe dans la genèse des conflits et des symptômes psychologiques ont permis aux théoriciens systémiques d’en analyser à la fois la nature et la fonction psychique. Ils ont mis en évidence différentes formes de paradoxes qui se différencient entre eux par les conséquences plus ou moins fortes qu’ils ont dans la communication et la formation de symptômes. L'on peut distinguer cinq grandes sortes de paradoxes.

L'injonction paradoxale se définit comme étant un message négatif parce qu'il nie ce qu'il affirme et affirme ce qu'il nie de façon simultanée. Le terme d'injonction recouvre la notion de commandement. C'est un message contenant un ordre qui est contredit dans une autre séquence du même message. Cette notion "d'injonction paradoxale" possède des synonymes tels que "double contrainte" ou "double lien".

Exemples :

"Sois autonome". L'autonomie est le fait de se gouverner soi-même, elle est synonyme d'indépendance et de liberté. Un père qui prononce cette phrase à son fils le met dans une situation paradoxale puisqu'il lui enjoint en même temps d'être libre et de se soumettre à son ordre. Ce message est absurde, il est un paradoxe dans lequel une partie du message est niée par la seconde et inversement.

"Sois spontané". La spontanéité est par nature ce qui échappe à la volonté, elle ne peut donc être exigée d'autrui. C'est le fait d'exiger la spontanéité qui est paradoxal un ordre ne pouvant qu'entraîner un comportement non spontané.

La disqualification est fréquemment rencontrée. Elle exprime une incompatibilité entre la réponse d'un des interlocuteurs et le contenu du message exprimé auparavant par un autre. Tout message possède en effet un contenu qui le délimite et qui lui succède.

Exemples :

Une mère : *"Le caractère de ma fille ressemble plus à celui de son père."*

Le père : *"Ma femme a raison. La mère et ma fille n'ont pas le même caractère."*

Dans ce cas la mère axe son message sur la ressemblance entre père et fille sans s'impliquer dans la comparaison. Le père, lui, change de sujet en parlant de la différence entre mère et fille sans s'impliquer lui-même. Le message du père sort du contexte défini par le message de la mère de telle sorte qu'ils ne parlent pas de la même chose.

1) Une fille : *"Tu me traites comme une enfant."*

2) Une mère : *"Mais tu es mon enfant."*

Il se produit dans ce cas une rupture de niveau entre le contenu de ce que dit la fille et la réponse de la mère, cette dernière disqualifiant le message de sa fille.

Dans ces deux exemples "1" est une question tandis que "2" est une réponse ; mais les contenus s'excluent et deviennent alors incompatibles entre eux. Il en résulte une disqualification du message " 1" par "2" et c'est ce mauvais rappport qui la construit. Le comportement de "2" veut dire : *"je ne t'entends pas", "ce que tu dis ne m'intéresse pas"*.

La disconfirmation a surtout été étudiée par S. Palazzoli et ses collaborateurs. Il s'agit du mode privilégié de communication des familles à interaction schizophrénique où la disconfirmation porte sur l'être disconfirmé et non plus sur le contenu d'un message.

Toute personne émettant un message s'attend soit à être acceptée, soit à être rejetée. Acceptation et refus font partie de la communication normale. Mais il existe une troisième attitude. Celle du déni qui ne dit pas *"je vous accepte"* ou *"je vous refuse"* mais *"vous n'existez pas", "vous n'êtes pas dans la relation que j'ai avec vous"* et, par circularité *"je n'y suis pas non plus"*. Il se produit là plus qu'une simple disqualification mais un déni d'existence de celui qui émet.

Palazzoli cite l'exemple d'un jeune prépsychotique disant : *"mais moi, je m'efforce d'obliger ma mère à se matérialiser"*. Ce type de disconfirmation est paradoxal en ce sens que tout est dénié (message, cadre, contenu, émetteur, récepteur). Comment communiquer avec quelqu'un qui "n'existe pas" ? Dans ce cas, un type de communication se réalise cependant car les personnes en présence se parlent et se comportent, mais d'une facon tellement confuse (contradictions, négations, dénis) que la relation est indéfinissable.

La mystification a été étudiée par Laing. Il s'agit d'une divergence entre la déclaration d'un émetteur et la perception, les sentiments ou les intentions d'un récepteur ou inversement.

Exemples :

La fille : *"Je ne t'aime pas."*

La mère : *"Tu dis cela pour plaisanter, mais maman sait bien que tu l'aimes. Maman sait tout ce que sa fille pense vraiment."*

L'enfant : *"L'eau du bain est trop chaude pour moi."*

La mère : *"Mais non, maman sait bien que l'eau du bain n'est pas trop chaude pour toi."*

La disqualification porte ici sur l'évocation d'une perception, d'un sentiment. Ce qui est nié ne porte plus sur le déni d'autrui comme dans la disconfirmation, mais sur le senti d'un individu au profit d'une redéfinition par le second interlocuteur de ce que ressent, percoit vraiment le premier. Une personne qui subit fréquemment ce type de disqualification arrive très vite à douter d'elle-même, de ses perceptions et de ses sentiments, se demandant s'ils sont vraiment réels.

Les prévisions paradoxales sont un type de message dont les niveaux logiques sont confondus. Elles portent sur l'avenir et n'ont de sens que dans le cadre d'une interaction continue entre plusieurs personnes.

Exemple :

Un mari qui boit. Sa femme a en lui une entière confiance. Elle lui dit : *"Si tu ne renonces pas à ton vice, moi aussi j'aurai le mien* (sous-entendu je te tromperai)." Cette menace n'a eu aucun effet jusqu'au jour où la femme devient jalouse et fait le raisonnement suivant : *"S'il est digne de confiance* (il l'est) *il ne va plus l'être* (je le tromperai)."

Ici le terme "digne de confiance" ne possède pas un même niveau logique : l'un désigne la qualité de cet homme dans toutes ses actions alors que l'autre désigne un état momentané ; l'un est un trait de la personnalité d'un niveau fondamental, alors que l'autre appartient à une réaction momentanée d'un niveau éphémère. Ces deux niveaux, confondus dans une même communication créent le paradoxe.

Le symptôme

Un comportement adapté à la "double contrainte" ?

Si le paradoxe est central dans la pathologie le symptôme sera une réponse à ce paradoxe.

L'exemple des cravates : une mère achète à son fils deux cravates, une rouge et une bleue. Le jour même son fils met la cravate rouge. Sa mère lui dit d'un air désolé : *"Oh, tu n'aimes pas la bleue"*. Le lendemain il met la cravate bleue et elle lui dit : *"Je savais bien que tu n'aimerais pas la rouge."* Le surlendemain il porte les deux cravates en même temps et la mère s'esclaffe en disant : *"Mon fils est devenu fou."* D. Anzieu a repris cet exemple, en faisant dire à la mère ce que finalement elle peut dire à son fils : *"Mais tu me rendras folle !"*

Ceci illustre combien une "double contrainte", un paradoxe, peut être pathogène et peut de ce fait créer un symptôme. Le meilleur moyen d'échapper au paradoxe est en effet de "tomber malade", d'avoir un comportement bizarre, inadapté. Mais un tel comportement est adapté à la double contrainte. Dire que le symptôme émerge à la suite d'une succession de comportements paradoxaux ne signifie pas qu'il ne soit pas spontané. Le symptôme représente la seule réponse possible aux phénomènes de double contrainte qui se répètent. Une fois que le porteur de symptôme se sera rendu compte de l'efficacité d'un tel moyen (la folie) pour "échapper" à la double contrainte il le répétera de façon inconsciente mais nécessaire pour lui. Alors se forment durablement les symptômes et s'installe progressivement une "maladie mentale". Les thérapeutes systémiques expliquent la relation entre la double contrainte, le symptôme et la maladie par l'impossibilité dans laquelle est le patient de trouver une issue réelle face à un nombre répété de messages paradoxaux qui court-circuitent le développement harmonieux de la personnalité de l'enfant.

La théorie systémique, en insistant sur le déséquilibre de la personnalité névrotique et psychotique, en la définissant essentiellement comme trouble de la communication, conçoit la maladie mentale par manque d'issue d'une relation contradictoire et donc pathogène. Les exemples montrés prouvent en effet que le trouble de la communication est perturbateur lorsque les messages "incompréhensibles" sont répétés systématiquement sur la même personne et aboutissent à une sorte de *black-out* psychique engendrant la situation pathogène. Mais le malade "désigné" n'est pas le seul à être perturbé puisque, selon la théorie systémique, il y a une solidarité dans le symptôme qui affecte plus ou moins gravement chaque membre de la famille, en vertu de la théorie de la "rétroaction" et de la "circularité". Les auteurs américains ont prouvé qu'isoler le patient et son symptôme reviendrait à rendre impossible le traitement du "patient désigné" puisque les autres membres de la famille échapperaient à la démarche thérapeutique, continueraient à envoyer les mêmes messages et à être de ce fait les agents pathogènes. C'est donc dans le cadre du groupe familial que doit s'effectuer la psychothérapie systémique et non pas par la prise en charge d'un patient isolé de sa famille.

Les principes cliniques de la thérapie systémique

Le cadre thérapeutique

La thérapie familiale systémique pose le principe d'une possibilité de traiter la famille comme n'importe quel autre groupe. C'est pourquoi le patient n'est jamais un individu, mais un ensemble de personnes qui constituent le "groupe famille". C'est dans ce cadre groupal (parents, frères et sœurs, grands-parents) que peut être entreprise une thérapie, avec le consentement du "patient désigné" (celui qui est dit "malade") et d'au moins un des membres de la cellule familiale.

La thérapie s'accomplit avec deux thérapeutes qui analysent les modes de communication, repèrent les symptômes, découvrent le "mythe" familial, diagnostiquent les modes déficients de la communication. Ces thérapeutes doivent être formés à la thérapie systémique par des stages, mais sans être engagés eux-mêmes dans une thérapie personnelle comme c'est le cas dans de nombreuses thérapies, notamment la psychanalyse. En outre les thérapeutes systémiciens font porter leur analyse sur le vécu "ici et maintenant" et non sur le passé familial, à la différence de la thérapie familiale psychanalytique. Leur but est de faire disparaître le symptôme considéré comme une aberration de la communication afin que le "patient désigné" et les autres membres de la famille puissent retrouver une nouvelle homéostasie (un nouvel équilibre). Elle propose d'aider à l'acceptation et à la création d'un nouveau mode de communication qui sera le signe de la guérison du groupe familial à partir de laquelle chacun pourra à nouveau métacommuniquer. La thérapie systémique est en principe courte, à raison d'une ou deux séances par semaine.

La systémique : une réponse à la crise familiale ?

La thérapie systémique correspond à un besoin qu'éprouvent les familles modernes de surmonter leurs crises et leurs conflits par le biais de la communication. Elle répond aux échecs et aux difficultés qu'a connus le groupe familial à cause de l'éclatement des valeurs traditionnelles et de la dispersion de ses membres. En ce sens "la systémique", en ne prenant en compte que les valeurs de communication et d'échange, fait découvrir le caractère fonctionnel et linguistique de la pathologie familiale. Elle correspond aussi à une conception plurielle de l'individu qui n'occupe plus une place stable dans un système, mais des positions multiples où interfèrent en permanence des messages plus ou moins paradoxaux. Elle met l'accent sur le groupe plutôt que sur l'individu, sur le signe-symbole plutôt que sur l'affectif, le différent plutôt que sur l'identique, le mouvement sur la répétition. En concevant la famille comme système de signes, elle met l'accent à la fois sur "la fonctionnalité" (solidarité des éléments avec le tout) et le "formalisme". Elle répond au besoin moderne d'un mieux communiquer et d'une nouvelle construction de la famille conçue comme valeur d'échange et lieu de rencontre dans la prolifération des messages. Cet aspect fonctionnel et linguistique lui offre un nouveau modèle, celui de la transparence et de la perfection dans la communication, qui s'oppose au secret et à la dynamique relationnelle de la famille traditionnelle. Elle fait émerger un modèle de famille, l'américaine, dont elle est issue, modèle qui conçoit le groupe comme système perfectible par une technique.

Le développement de la thérapie systémique

Depuis qu'en 1960, Bateson a fondé la thérapie systémique, celle-ci a connu de très grands développements en pays anglo-saxons. Ce n'est que depuis quelques années que les milieux psychiatriques français l'utilisent dans le cadre des thérapies courtes et pour des patients ne relevant pas d'une hospitalisation lourde. Très utilisées dans les centres de consultation pour enfants, elle conquiert son terrain en faisant concurrence à sa sœur rivale, "la thérapie familiale psychanalytique". Elle peut d'ailleurs être employée en même temps qu'une psychothérapie individuelle et être utilisée notamment dans le cadre de l'analyse de groupe, à l'école et dans les petites entreprises.

Les limites de la thérapie systémique résident dans sa volonté de se vouloir "efficace" (suppression de symptôme) et dans le cadre théorique dans lequel elle agit : concevoir les relations comme système intégré et réduire l'individu à n'être qu'émetteur et récepteur de messages, ne tenant pas compte de son "intériorité" par rappport au groupe. La "métacommunication" n'est en fait qu'une autre manière de communiquer par rapport à un donné toujours déjà là qu'est le système de communication familial. C'est en raison d'une réduction de l'individu à un modèle de comportement de communication, "vide" de subjectivité, que la thérapie systémique offre des analogies avec la thérapie comportementale. Mais l'Homme n'est pas seulement un système de fonctions et de langages, il est aussi créateur et sujet de sa propre parole au sein du groupe et de la famille. C'est cette réduction du groupe et de l'individu à n'être qu'un système de signes qui apparente la thérapie systémique à un béhaviorisme relationnel dans lequel dominent les modèles de système et de signes. Elle reflète en ce sens la conception actuelle que nos sociétés se font de la relation humaine : un échange de signes totalement déterminés par une dimension purement fonctionnelle de la communication.

L'analyse transactionnelle : E. Berne (1910-1970), Américain d'origine canadienne

Une théorie originale par des influences diverses

L'analyse transactionnelle (AT) s'est développée en France en milieu psychiatrique, éducatif, d'entreprise. Si elle doit l'essentiel de ses principes à son fondateur américain, Eric Berne, elle est aussi caractérisée par un grand éclectisme psychologique et philosophique puisqu'elle a subi des influences aussi variées que celle de la bioénergie de Reich, du mouvement de "psychologie humaniste" américain, de la psychanalyse de Freud et de courants de renouveau spirituel. Elle est née d'une inquiétude sur le sens de la vie et de la mort, préoccupation constante de son fondateur. Ce mélange de psychologies différentes n'est cependant pas disparate car l'analyse s'est construite à partir d'un ensemble théorique qu'elle a elle-même élaboré, ensemble qui constitue ce que l'on appelle aujourd'hui "l'analyse transactionnelle".

Berne avait deux préoccupations qui ont motivé sa recherche : face à l'effondrement des valeurs traditionnelles comment aborder de manière nouvelle la question du sens de l'Homme qui était sa véritable hantise ? L'autre, plus technique et pragmatique, consistait à concevoir un ensemble d'outils et de procédures qui permettent au psychologue d'intervenir efficacement pour aider patients, clients, groupes et entreprises à résoudre leurs problèmes dans le sens d'une efficacité à partir d'interventions rigoureuses et simples. Ainsi efficacité et sagesse sont à l'origine d'une théorie psychologique originale qui est suffisamment rigoureuse pour énoncer ses propres lois et cependant assez souple pour s'y adjoindre d'autres courants psychologiques qui en constituent des compléments indispensables.

Les principes de l'analyse transactionnelle

Les états du moi

La notion "d'état du moi" a été la première formulée par Berne, elle est une notion centrale de l'AT. Elle est dans sa théorie psychologique l'équivalent de la topique freudienne dans la "métapsychologie". Les états du moi se caractérisent par une unité à travers trois états : chacun d'eux est spécifique, constitue un système cohérent comportant sa psychologie propre. Un "état du moi" correspond à un enregistrement de pensées, d'images, d'émotions et fonctionne en vertu d'un stockage de données constituées de nos expériences passées et présentes. Outre qu'ils sont tracés dans le psychisme ces stockages sont conservés par le corps qui en a enregistré les traces repérables et que l'on peut décrire par l'observation et l'expérimentation. Ainsi les gestes, le regard, la morphologie, les mimiques et l'énergie traduisent l'état du moi dans lequel nous sommes. L'AT en analyse les comportements à partir d'une psychologie dite fonctionnelle.

Ces états du moi sont au nombre de trois qui correspondent à trois configurations essentielles de la personnalité d'un individu ou d'un groupe.

Le "parent" est un état du moi qui dérive des personnages parentaux de la petite enfance. Notre psychisme vit, parle, agit, sent de l'intérieur l'autorité parentale qui n'est pas seulement issue des parents biologiques mais peut être représentée par l'armée, l'Eglise, l'école, des substituts parentaux, le milieu professionnel ou les institutions.

"L'adulte" est le deuxième état du moi qui consiste pour la personne à s'objectiver elle-même dans son environnement et à se donner un système d'explication de ce qui se passe à l'intérieur de soi.

"L'enfant" est le troisième état du moi constitué de ce que nous avons été dans l'enfance. Enfant tel qu'il vit en nous dans le présent.

Les états du moi

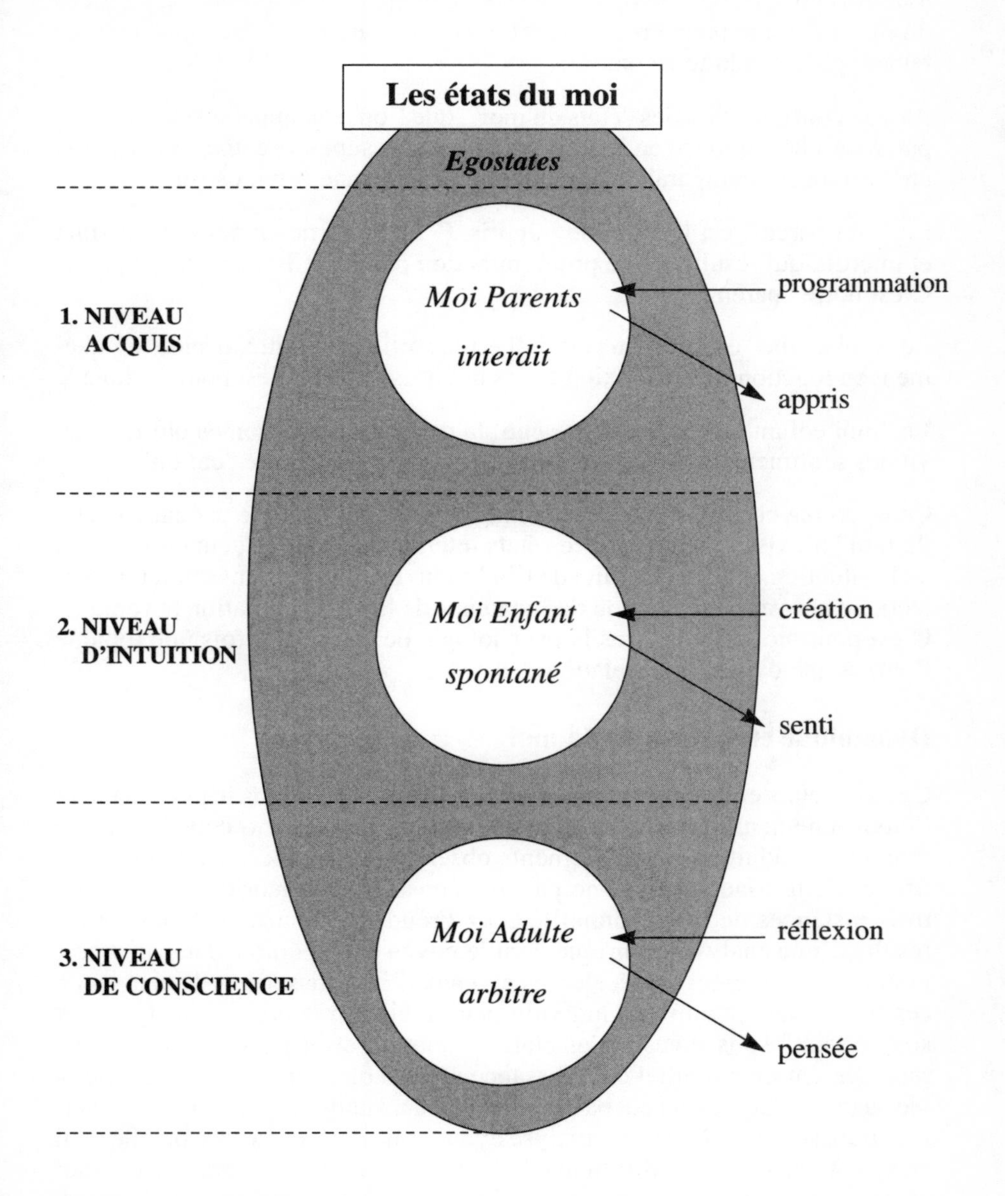

Si cette constitution ternaire du moi correspond à trois étapes de la vie (enfant, adulte, parent), il importe de préciser que pour Berne ils sont surtout trois états actuels du moi, ils ne sont donc pas de simples réminiscences du passé comme pour Freud. De telle sorte que nous sommes tous présentement parent, adulte, et enfant.

A cette configuration des "états du moi", que l'on peut appeler "structurale" parce qu'elle s'énonce en lois du psychisme, se superpose une construction en "instances" comparable à la topologie freudienne (moi, ça, surmoi).

Le "moi parent" est le siège de l'appris. C'est la partie en nous qui permet et interdit, qui résulte d'une programmation parentale issue de notre passé. C'est notre "parent".

Le "moi adulte" est celui du pensé. Il est la partie qui arbitre, décide logiquement en fonction de la réflexion et des données du réel, c'est notre "adulte".

Le "moi enfant" est le siège du senti, la partie de nous-mêmes qui ressent, vit des sentiments, des besoins et des émotions, c'est notre "enfant".

Ce tryptique constitutif de la personnalité n'est pas statique car aucun "état du moi" n'existe à l'état pur, ces états interagissent, s'excluent en fonction de la situation et de la conduite de l'individu. Ils se succèdent selon une dialectique qui varie en fonction des contenus de la programmation psychique. C'est pourquoi ils sont dans la psychologie de Berne à la fois une topique (lieu) et une dynamique (relation).

Dynamique et pathologie du moi

Ces trois états entretiennent des relations dynamiques dans le psychisme et l'environnement. Cette dynamique parent, adulte, enfant, constitue notre moi, et se traduit en comportements observables que Berne a mis en évidence. Cette triade n'est donc pas une construction théorique comme les trois instances de la personnalité chez Freud (moi, surmoi, libido) mais résulte d'une analyse empirique dont le noyau est repérable dans un "moigramme" qui permet de déceler les niveaux d'investissement de chacun de ces trois "états" : ainsi un individu peut avoir son "parent" sur-investi et son "enfant" sous-investi. Ces états ne sont en effet pas statiques car ils représentent un potentiel de croissance analysable à chaque moment de la vie au cours duquel on peut passer d'un état à un autre. C'est pourquoi l'analyse transactionnelle est une analyse dynamique dans la mesure où elle peut établir, à des moments différents de la vie d'un individu, l'état de son moi et peut en analyser la dynamique d'investissements qui sont en quelque sorte "radiographiés".

L'équilibre de la personnalité résulte d'investissements positifs du "parent", "adulte", "enfant" qui sont en nous. Mais chacun de ces trois états comporte des avantages et des inconvénients, des aspects positifs et négatifs. Quand les aspects négatifs l'emportent sur les positifs s'installe une pathologie du moi qui désorganise la personnalité. L'analyse transactionnelle a mis en évidence deux grandes pathologies du moi :

- La "contamination" qui est le processus par lequel un des états du moi se fait passer pour un autre (l'adulte par exemple se fait passer pour le parent).
- L'"exclusion" est le processus par lequel un état du moi domine et peut exclure l'autre ou les deux autres.

La thérapie transactionnelle consistera à rétablir les équilibres des états du moi pour que le patient vive de la façon la plus positive ses trois états en lui.

Les transactions ou les unités d'échanges

Si l'AT est une psychologie du moi, elle est surtout connue comme étant une thérapie des transactions, c'est-à-dire des relations entre personnes et groupes. La notion centrale de transaction désigne une unité d'échange bilatéral entre deux états du moi de personnes différentes. Berne prend l'exemple du couple qui construit sa transaction principale sur la femme dont la dominante est d'être dans sa relation à son mari, dans son "parent" et l'homme celle d'être dans son "enfant", sa fille.

Pour rendre compte de la complexité des échanges l'AT conçoit la relation comme constituée d'une série de transactions qui se succèdent dans lesquelles s'expriment les trois états du moi. Le mode d'échange dans un couple, entre personnes ou dans un groupe, sera caractérisé selon les états du moi mis en jeu dans la dynamique relationnelle. L'AT fait l'analyse précise de ces transactions, de leur enchaînement et de leur réalisation en vue de connaître et de révéler aux patients leur mode transactionnel dominant, étant donné que la relation est complexe puisque chacun connaît plusieurs états du moi.

La pratique de l'analyse transactionnelle a mis à jour deux grandes catégories de transactions, elles-mêmes divisées entre deux grands types.

- **Les transactions simples** avec type complémentaire, croisé, polaire.
- **Les transactions complexes** avec type apparent ou social, caché ou privé, tangentiel.

L'analyse de ces transactions permet de décomposer le mode de communication dans un couple, un groupe ou une famille. Des transactions sont mises en jeu avec d'autres mécanismes psychologiques que sont les comportements relationnels.

Les comportements relationnels

Ils construisent toute relation selon des modes particuliers définis par l'AT, au nombre de cinq :

– **La "symbiose"** désigne la relation vue sous l'angle d'une communication basée sur la dépendance. Celle-ci est une exigence fondamentale de sécurité psychologique, l'AT spécifie comment une personne dépend de celle de l'autre (par exemple des parents qui ont un enfant unique).

– **La "grandiosité"** est un mécanisme psychologique interne qui implique une exagération de certains aspects de soi, des autres ou de la situation.

– **La "dévalorisation"** ou méconnaissance est une minimisation ou une ignorance de certains aspects de soi, des autres ou de la situation.

– **La "redéfinition"** est une procédure qui consiste pour un individu à maintenir son cadre de référence, sa vision de soi-même, des autres et du monde. Elle permet aussi d'utiliser des défenses contre des stimuli qui ne sont pas en accord et vont à l'encontre du cadre de référence d'un individu (exemple, l'autorité d'un professeur. Il se sentira menacé si ses élèves contestent son savoir qui est son cadre de référence professionnel). L'AT aidera le patient à transformer son cadre de référence et ses stimuli pour qu'ils soient en accord avec sa personnalité.

– **Le "cadre de référence"** est un ensemble de réponses conditionnées par le milieu et qui sont intégrées par les différents états du moi. Ce cadre fournit à la personne un "système" complet de sentiments, de perception, de conceptions et d'actions utilisables pour chaque individu.

Ces cinq éléments du comportement relationnel sont des modes dominants de relations qui se combinent entre eux et dont l'AT analyse le résultat dans un comportement global appelé les "passivités".

Passivités et stimulations

L'AT fait le bilan des passivités (*skiff*) d'un individu ou d'un groupe pour établir son comportement relationnel dominant. Le concept de "passivité" est central car il désigne les comportements passifs qui sont utilisés pour établir des relations qui seront dommageables pour la personne ou le groupe. Il y a quatre sortes de comportements "passifs" :

– **"Ne rien faire"**. Ne pas répondre aux problèmes et aux stimuli. Dans ce cas l'énergie psychique est utilisée pour maintenir la symbiose et inhiber la pensée et l'action.

- **"Etre suradapté"** consiste à faire siens les buts et les objectifs des autres, cela aboutit à ne pas prendre ses responsabilités en fonction de soi-même et de ce qui arriverait mais en fonction des autres.
- **"Etre agité"** consiste à faire des activités, mais non dirigées vers un but. Il s'agit d'une compulsion qui est un compromis entre la décharge et le refoulement des émotions et des pulsions, compromis qui se traduit par des comportements d'activité brouillonne, des stéréotypies, des tics nerveux, des activités orales comme fumer, manger, sans but ni plaisir, etc.
- **"Etre incapable ou violent"**. Dans ce cas extrême cette passivité conduit à la violence (crimes, délits) au suicide, à la "maladie mentale". Cette passivité révèle la grande dépendance d'un individu à l'égard d'autrui.

Ces passivités sont elles-mêmes prises dans un autre mécanisme psychologique la "stimulation", au nombre de quatre :
- La stimulation positive qui est source de plaisir et de confiance
- La stimulation négative source de déplaisir et de souffrances
- Les stimulations conditionnelles qui sont données à la personne en vue d'obtenir quelque chose
- Les stimulations inconditionnelles données pour ce que la personne est et non pas pour ce qu'elle devrait être

Le bilan des "passivités" et des "stimulations" permet de déceler les comportements relationnels positifs ou négatifs des individus ou des groupes.

Théorie des jeux et des scénarios

Outre une théorie des comportements relationnels l'analyse transactionnelle est une théorie des jeux et des scénarios. Ceux-ci permettent aux individus et aux groupes de mettre en œuvre une série de transactions cachées vers un résultat défini et prévisible. Berne précise que les jeux ne sont pas forcément négatifs, mais sont souvent présentés négativement par les "joueurs". Ils se situent la plupart du temps à un niveau caché et leur analyse est un des domaines où s'exerce le plus l'analyse transactionnelle.

Celle-ci a mis à jour trois modes de jeux : le premier consiste à jouer à la "victime", une personne ou un groupe fait semblant de se sous-estimer. Le second consiste à jouer le "persécuteur" dans lequel on trouve des comportements de viol, de sadisme et de persécution. Le dernier étant le jeu du "sauveteur", c'est-à-dire celui qui agit à la place des autres. A cette triple classification correspondent des degrés dans le jeu. Dans le premier le résultat est un désengagement affectif, dans le second les deux joueurs sortent endommagés moralement et psychologiquement, tandis que du troisième résulte un dommage physique et psychique durable.

Enfin l'AT repère trois types de traitement des jeux qui révèlent trois attitudes à son égard :
– Dévoiler le jeu en donnant sa solution
– Jouer le jeu en le laissant se dérouler jusqu'au bout
– Ignorer le jeu, c'est-à-dire ne pas se confronter à lui.

L'analyse transactionnelle est à la fois une théorie de la personnalité (les trois états du moi), des échanges (analyse des transactions), une conception des comportements relationnels (les passivités), une théorie de l'environnement (les stimulations) et une théorie des jeux (les scénarios et les modalités du jeu). C'est pourquoi l'AT peut répondre à différents types d'intervention dont la thérapie est un des plus importants.

Les principes de la thérapie transactionnelle

Le contrat

Comme nous le présentions au début, Berne s'est préoccupé de soigner, d'aider et de guérir les malades mentaux ou les patients ayant de graves problèmes. Psychiatre de formation et analyste par choix, sa méthode thérapeutique emprunte à divers courants psychologiques, bien qu'il ait énoncé lui-même ce qui lui paraissait être la notion centrale en thérapie, le contrat, qui en est la base. La thérapie transactionnelle (TT) est une thérapie de soutien en vue de laquelle le client demande un conseil et cherche l'écoute de quelqu'un qui va l'aider à mettre en jeu sa demande thérapeutique afin qu'il puisse choisir le mode de thérapie le mieux adapté à son problème. Le thérapeute considère que la demande est mûre quand le patient parvient librement à une “décision de changement”.

Il existe en TT deux types de contrats :

- **Le contrat des “issues de secours”**. Il se situe dans des situations d'urgence (désir de tuer, de se tuer, de devenir fou, de tomber malade). Ces contrats visent à faire face à des situations graves où la vie physique ou psychique du patient ou des autres est en jeu.

- **Le contrat “thérapeutique”** est un accord libre qui vise à modifier les trois états du moi du patient en vue d'atteindre un objectif thérapeutique clairement défini à l'avance.

D'après Bill Holoway, il en existe deux autres :

- **Le contrat “social”** dont l'objectif est le changement de comportement relatif à un problème d'ordre social.

- **Le contrat "d'autonomie"** qui concerne aussi des comportements sociaux observables, mais qui supposent une redécision importante dans la vie de la personne.

Condition du contrat et processus thérapeutique

Cl. Stiener indique des conditions pour que le contrat soit valide : il doit faire l'objet d'une discussion, puis d'un accord entre le patient et le thérapeute.

Comme tout contrat il doit aboutir à un consentement mutuel, par lequel client et thérapeute se mettent d'accord sur les buts, les moyens et les conséquences du traitement.

Il suppose un échange effectif entre de l'argent donné par le patient et le service thérapeutique que ce dernier peut attendre du thérapeute.

L'objectif légal précise que le contrat thérapeutique ne peut être ni contraire à la loi du pays ni à l'éthique du client et du thérapeute.

Ces règles contractuelles définissent le cadre dans lequel deux libertés, celle du thérapeute et celle du client, énoncent leurs conditions et leurs modalités de fonctionnement, afin d'éviter les rapports arbitraires de pouvoir ou d'autorité du thérapeute sur le patient et inversement. Le processus thérapeutique peut alors s'engager à travers des pôles qui représentent les principes de la thérapie. C'est la règle des "3 P" (Permission, Protection, Puissance) :

La "permission" est l'intervention décisive du thérapeute, elle est l'autorisation donnée par le thérapeute au patient d'abandonner un comportement qu'il ne veut plus. Ces "permissions" peuvent concerner l'un des états du moi ("parent" "adulte", "enfant").

La "protection". Celle-ci est nécessaire pour un patient qui se vit comme "enfant" face à un moi-parent qui a intégré les principales injonctions parentales. La protection est importante car elle permet au patient de découvrir et d'expérimenter des comportements nouveaux, tout en n'abandonnant que progressivement ses conduites anciennes.

La "puissance" : le patient doit sentir une énergie au moins aussi forte que la sienne chez le thérapeute pour combattre son propre "parent", faute de quoi la permission et la protection sont inefficaces et source de blocage, voire d'arrêt des progrès dans la thérapie.

Les étapes du changement thérapeutique

Outre ces règles précises qui organisent la relation thérapeute-client et en font un véritable ensemble de procédures qui accompagnent le patient dans un changement librement décidé, la thérapie transactionnelle met à jour les rapports de coopération entre le thérapeute et le patient dans un "schéma thérapeutique" défini par les deux protagonistes :

- **Etablissement du contrat** dans lequel le client est amené lui-même à choisir ses objectifs.
- **Mise en œuvre du processus de "redécision"** qui consiste pour le patient à choisir entre différentes options pour définir une "autre réalité" voulue par lui.
- **Action de "parentage"** qui consiste à amener le patient à "programmer" d'autres figures parentales du passé en vue de remanier ses états du moi.
- **Intervention du thérapeute** appropriée à propos des "3 P" en vue de faciliter le changement de la personnalité.

Ce schéma obéit à des règles établies expérimentalement par E. Berne. Il représente à ce titre un cadre technique immuable de la thérapie qui se déroule selon des étapes définies à l'avance :

- Perception du blocage et de la "contamination" par le patient
- Engagement du processus de "décontamination"
- Fortification des frontières, des états du moi
- Prise de contrôle par l'état du moi "adulte" sur les autres
- Valorisation de chaque état du moi
- Intégration des trois états au service de la personne
- Etape de synthèse et de décision.

Par la clarté de ces règles et procédures le thérapeute ne vise pas à l'interprétation mais à l'analyse du comportement "ici et maintenant". Il prend en compte l'individu et son milieu social et vise à l'intégration des différentes dimensions de la personne, de ses langages et de sa souffrance. Par ces buts "réalistes" la TT démontre qu'elle est orientée vers le changement et la guérison. L'autonomie psychologique étant atteinte quand le patient acquiert ce que Berne appelle les trois "capacités" que sont la conscience sensible, la spontanéité et l'intimité.

Les Ecoles de l'analyse transactionnelle

La positivité de l'Homme et de la connaissance

Cet "optimisme" thérapeutique n'est lui-même possible que par la vision "positive" de l'homme qui sous-tend l'analyse transactionnelle, positivité que nous avons trouvée dans la conception de la personne chez Rogers. Pour Berne en effet l'être humain est fondamentalement un bien et il faut lui reconnaître une valeur positive inconditionnelle en tant qu'être capable de parvenir à son bien propre. Berne prend l'image du "prince" et du "crapaud" pour symboliser le combat qui se livre en chaque personne entre l'autonomie et la souffrance, le "prince" devant triompher comme figure du progrès psychologique. C'est pourquoi l'AT est basée sur une psychologie de la croissance indéfinie car le bien de la personne est toujours possible par la croissance indéfinie car le bien de la personne est toujours possible par intégrations successives, le thérapeute étant l'agent qui aide à cette croissance, à cette augmentation positive de soi. Il s'agit de donner au "prince" qui est en nous l'occasion de développer ses potentialités, c'est pourquoi, dans cette perspective dynamique, le symptôme n'est qu'étape et signe d'un développement toujours possible. L'analyse transactionnelle est aussi une analyse des scénarios, ce terme exprime que la vie n'est pas spontanée car elle est déjà programmée dans notre "moi parent", de telle sorte que nous voyons les choses à travers des lunettes que nous avons construites et qu'ont construites nos parents. La thérapie permet de sortir de cette programmation afin d'être créatif, c'est-à-dire conforme à notre réalité profonde, tant intérieure qu'extérieure. Elle est aussi une analyse des jeux : dans nos relations, il y a ce qui apparaît et ce qui est caché, ces derniers étant des transactions non vraies qui conduisent à des sentiments négatifs et à des conduites répétitives.

Cette philosophie positive de l'être humain se double dans l'AT d'un véritable accueil de ce qui est positif dans les autres Ecoles de la psychologie. Les emprunts à la bioénergie, à la psychologie humaniste, à la psychanalyse, à la Gestalttherapie et à la spiritualité sont nombreux. C'est pourquoi l'AT est une véritable plate-forme de courants psychologiques qui font également son originalité.

L'analyse transactionnelle en France

La France a résisté longtemps à la pénétration de l'AT puisque le premier livre de Berne traduit en français ne l'est qu'en 1966, *Des jeux et des hommes* ; puis, en 1971, *D'accord avec soi et les autres*. Le côté descriptif et apparemment peu rigoureux de la théorie de l'AT a été un élément de grande résistance des milieux psychiatriques, cliniciens et psychanalytiques dans notre pays.

Ce n'est qu'en 1975 qu'est fondé "l'lnstitut français d'analyse transactionnelle" (IFAT) par un petit groupe de disciples. L'IFAT s'est développé depuis dans des secteurs d'intervention de plus en plus larges (clinique, entreprise, social, école), avec la publication d'un bulletin trimestriel, des informations et la parution d'articles spécialisés. C'est en 1979 que l'IFAT a été reconnu part l'ITTA (Association internationale de l'analyse transactionnelle) et a défini les règles de formation des spécialistes en analyse transactionnelle sur trois ans. Il existe enfin un journal francophone publié à Bruxelles,

Actualité en analyse transactionnelle, qui est à la fois un outil d'information et de formation des intervenants et de tous ceux qui s'intéressent à l'AT.

L'originalité de l'analyse transactionnelle et ses présupposés théoriques

L'originalité de l'AT consiste à utiliser quatre méthodes psychologiques :

- **La méthode structurale** permet de comprendre ce qui se passe à l'intérieur de la personne par une psychologie du moi et de ses états qui relève à la fois de la psychologie expérimentale dans la mesure où ces états sont décrits et observés, et d'une "métapsychologie" dans la mesure où ces états du moi sont des instances théoriques qui permettent de situer le fonctionnement psychologique.
- **L'analyse transactionnelle** emprunte à la psychologie dynamique de Lewin pour analyser ce qui se passe dans la relation entre les individus, en repérant les transactions qui sont les unités d'échange d'individu à individu, de groupe à groupe.
- **Une analyse des jeux et des rackets** qui repère certains types de transactions dont le dénouement comporte des sentiments désagréables et des issues négatives aux situations du patient. Elle emprunte dans ce sens à la théorie des rôles de Moreno, mais elle en approfondit les conséquences psychologiques.
- **Une analyse du scénario** qui fait saisir le "théâtre" de la vie d'une personne, le schéma de son déroulement et le suivi qu'il implique.

L'AT est donc surtout une psychologie empirique "à l'américaine" qui a importé des modèles venant de théories qui lui sont extérieures. Mais elle n'a pas vraiment de fil conducteur qui lui soit propre. Elle décrit des comportements "de l'extérieur", ce qui explique que les "disciples" puissent combler des lacunes au fur et à mesure qu'ils enrichissent ces descriptions. Mais ces critiques, quant aux fondements de la théorie, font partie intégrante de l'AT puisque Berne ne reconnaissait à la théorie qu'une valeur pratique et empirique. Il a moins cherché à fonder qu'à "voir", à interpréter qu'à analyser. S'il fallait choisir un modèle, c'est celui du meccano qui vient à l'esprit, c'est-à-dire une psychologie conçue comme multitude d'éléments disparates, mais que l'ingéniosité pratique et clinique peut "combiner" selon les besoins de la personne, du groupe et de l'institution à aider.

L'AT : efficience ou efficacité ?

L'AT apparaît dès lors comme un outil facile à manier. Concrète, pratique, interventionniste, ludique, l'analyse transactionnelle est très séduisante pour les thérapeutes et les intervenants qui veulent une efficacité. Nous avons en outre vu à quel point la notion de contrat est capitale, elle cadre bien avec les exigences d'une apparente rigueur où il s'agit d'intervenir sur le comment, les mécanismes, et non pas sur le pourquoi, c'est-à-dire les buts.

Pour toutes ces raisons l'AT correspond à un modèle type actuel de l'intervention psychologique qui conçoit le psychisme comme une mécanique et qu'il suffit de "réparer" pour qu'il fonctionne. Avec l'AT le psychologue est un mécanicien qui passe de l'écoute à la combinatoire, du généralisable au décomposable. Par sa souplesse d'intervention en milieu clinique, comme en entreprise l'AT est un outil thérapeutique à égale distance entre la psychanalyse et la thérapie comportementale. De la psychanalyse elle relativise l'inconscient et la sexualité mais conserve l'importance décisive du passé et de l'enfance ; de la thérapie comportementale, elle nie le schéma stimuli-réponse mais s'approprie la méthode descriptive et de contrôle.

Il faut sans doute la prendre telle qu'elle est, dans ses limites et ses possibilités, n'étant ni remède magique ni théorie fermée. Elle fait date dans les Ecoles de psychologie et les nouvelles thérapies par son souci constant d'être technicienne et efficiente et dans son désir, affirmé par Berne, d'être une psychologie "humaine" c'est-à-dire fondée sur des valeurs philosophiques positives de l'être humain. Pour tout dire elle est "américaine". Elle en a la technique et l'outil que lui procure la croyance moderne en l'efficacité et l'optimisme quasi religieux que lui confère sa foi en l'homme. Tel d'ailleurs était Berne, technicien et humaniste. Mais sa méthode dominante est l'expérimentation, c'est pourquoi il nous a semblé opportun de la classer dans les thérapies comportementales.

Synthèse des thérapies comportementales

Skinner	Bateson	Berne
Thérapie comportementale	**Thérapie systémique**	**Thérapie transactionnelle**
Origines théoriques : Watson, Pavlov • Concepts : – comportements et conduites – comportements inadaptés – comportements acquis – apprentissage – conditionnement opérant – stimulus – comportementalisme – comportement animal – néobehaviorisme.	Origines théoriques : Skinner, Bateson • Concepts : – thérapie familiale systémique – système – communication – prévalence de la totalité sur les parties – système-famille – rétroaction – homéostasie – patient désigné – communication paradoxale (double lien) – injonction paradoxale.	Origine : analyse transactionnelle de Berne • Concepts : – les états du moi – les transactions – les comportements relationnels – les passivités – la stimulation – les jeux et les scénarios – les “3 P” (permission, protection, puissance) – contrat.
• La thérapie comportementale vise à déconditionner le patient de comportements inadaptés pour le reconditionner en vue d'une meilleure adaptation à lui-même et à son entourage.	• La thérapie systémique vise à rétablir la communication dans la famille en vue d'un nouvel équilibre (homéostasie) qui ne soit plus pathogène.	• La thérapie transactionnelle a pour but l'analyse des échanges (transactions) en vue de modifier les trois états du moi.
• Principe : le comportement pathologique résulte d'un mauvais conditionnement.	• Principe : le trouble dans la communication familiale est la base du comportement pathologique.	• Principe : le comportement pathologique résulte d'un déséquilibre entre le moi-adulte, le moi-enfant et le moi-parent.

Les thérapies cognitives

Les principes : Beck et Ellis

Les concepts : la croyance

La psychothérapie cognitive repose sur l'hypothèse que l'individu stocke dans sa mémoire des apprentissages issus du monde extérieur et de l'expérience intérieure. Le patient reproduit dans sa conduite des représentations (cognitions) qui ont été déformées. Ces déformations sont mémorisées et utilisées spontanément à l'insu du patient qui les utilise sous forme de croyance : elle est la représentation entièrement subjective, une manière inconsciente de se représenter soi et le monde extérieur. Plus la distorsion est importante entre la croyance du sujet et la réalité, plus le comportement est inadapté et névrotique.

Le but de la psychothérapie cognitive consiste à rendre conscients les systèmes de croyance d'un sujet pour lui permettre de réélaborer des schémas cognitifs conformes à la réalité. L'amener à la prise de conscience qu'il a un rapport illusoire et dramatisé avec lui-même et le monde extérieur. La souffrance psychique vient moins de la réalité elle-même (y compris si elle a été traumatisante) que des systèmes de croyance mis en place pour éviter cette réalité. Si bien que ce qui est à soigner ne sont pas des symptômes mais des conduites.

La notion de cognition

Les thérapies cognitives sont fondées sur une conception nouvelle des rapports entre le conscient et l'inconscient, le rationnel et l'irrationnel.

Sont inconscients deux types de cognitions.

- Celles qui sont produites par le stockage d'informations, d'apprentissages qui proviennent de l'environnement, notamment celles de l'enfance, c'est-à-dire des pensées, des perceptions, des acquisitions qui viennent de la réalité. Ce stockage n'est pas un remplissage, simple conditionnement mécanique comme dans le béhaviorisme. Mais, au contraire, ces informations subissent des transformations et des déformations par le sujet. Si bien qu'elles sont en partie inconscientes, non accessibles, non disponibles. Elles s'organisent à l'insu de la personne. Et surtout elles sont mémorisées. L'inconscient, dans la théorie cognitive, est constitué de ces "connaissances" qui échappent à la conscience. Ce sont les cognitions inconscientes mais rationnelles provenant de la réalité sous forme de représentations.

- Celles qui sont produites par le stockage d'émotions, de sensations, d'affects qui proviennent de l'expérience de la personne. Elles sont internes et ne proviennent pas de la réalité mais du vécu intérieur. Le sujet en a une représentation, elles sont des cognitions subjectives, mais il n'y accède que partiellement. La plupart sont inconscientes mais mémorisées. Les cognitions sont irrationnelles car elles ne proviennent pas de la réalité.

L'inconscient est donc construit sur la base de deux types de cognitions séparées mais solidaires : les cognitions affectives et les cognitions rationnelles.

La notion de mémoire et de schème

Nous avons vu que la caractéristique de l'intelligence d'une machine vient de ce qu'elle peut mémoriser des données. Chez l'être humain la mémoire est formelle et abstraite (nous stockons des représentations), mais elle est sélective. Elle fait subir des modifications dont la personne n'a pas conscience, mais elle en conserve toutes les traces. Celles-ci sont appelées "schèmes mentaux" dont la construction obéit à des stimuli externes et des représentations internes.

Les schèmes sont des entités cognitives organisées qui contiennent tout le savoir sur soi et sur l'environnement. Ils sont des représentations qui se structurent dans l'histoire du sujet. Si bien qu'ils sont toujours préalables, c'est-à-dire déjà là.

Beck et Emery ont mis en évidence, en 1985, la fonction psychologique des schèmes cognitifs :

- **Les schèmes cognitifs** sélectionnent les stimuli intérieurs et extérieurs, par exemple dans la peur du danger dans la phobie. Ils sont stockés dans la mémoire dite "à long terme".
- **Les distorsions cognitives** (schèmes arbitraires) : elles sont construites sur un traitement erroné de l'information concernant par exemple la sécurité, pour le phobique.
- **Les événements cognitifs** : ce sont des schèmes intérieurs et des images que le sujet rumine, qui ont pour fonction d'anticiper le danger (peur de mourir ou du danger dans la phobie).

Distinction schème cognitif, schème automatique

L'expérience thérapeutique a montré que les schèmes n'ont pas la même fonction. Le schème cognitif est une mémorisation des informations objectives dont la personne conserve la trace, mais dont elle n'a pas conscience.

Mais se pose le problème pour Beck de rendre compte de l'existence d'autres types de schèmes, tout aussi inconscients, mais que le sujet construit lui-même et dont il peut avoir conscience. Ces schèmes sont automatiques (le sujet les produit spontanément) et sont des jugements que la personne porte sur elle-même. A la différence des schèmes cognitifs, les pensées automatiques sont conscientes. Ils sont appelés "règles" ou "postulats". Celles-ci filtrent l'information, sélectionnent et traitent les stimuli. Leur fonctionnement est entièrement subjectif. Beck prend l'exemple de l'automatisme dans les phobies sociales :

- la société est menaçante
- évaluation négative de soi
- concentration des sujets sur leur propre pensée négative et "oubli" des autres
- ils ne retiennent de la société que ce qui est négatif et rejettent spontanément les aspects positifs.

Disponibles à la conscience du sujet, les schèmes automatiques produisent des conduites comme l'anxiété, l'évitement, la perte de l'estime de soi, etc. Deux types de schèmes automatiques :

- Le conditionnel : *"Si je rougis, je serai rejeté par les autres."*

- L'inconditionnel : *"Je dois toujours et tout le temps être aimé de tout le monde."*

Les schèmes automatiques sont un processus de distorsion des schèmes cognitifs.

Les distorsions

La théorie cognitive a mis en évidence que la pathologie mentale est le produit de l'écart entre les messages reçus (cognitions objectives) et les déformations qu'ils subissent (pensées automatiques). Cet écart est une distorsion. Elles forment un filtre mental qui sépare ce qui est bon et mauvais pour le sujet. L'intérêt pour Beck était d'expliquer comment s'opère le passage des schèmes cognitifs vers les pensées automatiques. Il élabore la notion de "processus cognitif distordu". Leur nature est irrationnelle, c'est-à-dire que ces schèmes n'obéissent plus à la logique, ils sont irrationnels. Par exemple : une personne a peur que le pont sur lequel elle marche ne s'écroule sur son passage. Les recherches en psychothérapie ont fait apparaître plusieurs types de distorsion chez les personnes dépressives :

- Les distorsions magnifiantes : *"Elle est trop belle"* (sous-entendu : Je suis laide).

– Les distorsions abstraites sélectives : *“Le monde entier est une galère.”*

– Les généralisations : *“Les autres sont calmes, moi je suis agressif.”*

– L'ingérence arbitraire : *“Etant triste, tous les hommes le sont également.”*

– Les minimisations : *“Le danger ne vient pas de moi, mais des travailleurs immigrés.”*

– La personnalisation : *“Le monde ne serait pas si mauvais si j'étais meilleur que je ne le suis.”*

Les distorsions sont des constructions superficielles qui n'obéissent plus à des lois rationnelles. Elles ont pour fonction de justifier pour le sujet ses peurs. Elles sont des “rationalisations”.

La pratique

Les distances prises

Les thérapies cognitives sont nées d'un double rejet.

Prise de distance théorique et pratique à l'égard du béhaviorisme et des thérapies comportementales. En substituant à la notion de conditionnement (excluant le vécu subjectif des personnes) trop réductrice, celle de conduite (ensemble de comportements finalisés), celle-ci supposant une interprétation possible des données extérieures. Mais le cognitivisme ne réintroduit pas pour autant une “intériorité” de la personne, car la cognition obéit à des lois de la représentation (lois inconscientes) que le sujet ne maîtrise pas. Si “intériorité” il y a, c'est sous la forme fallacieuse de la “déformation” des messages et de la construction de “croyances” qui entretiennent souffrance, névrose et illusion. La thérapie consistera à réadapter, remanier les systèmes de croyance, rendre conformes les représentations personnelles à la réalité.

Prise de distance théorique et pratique à l'égard des thérapies de la conscience (Brentano) et de l'inconscient (Freud), en substituant à la notion de forme (Gestalt) celle de cognition (représentation au lieu de conscience), à l'inconscient freudien irrationnel un inconscient “rationalisable”. En effet, pour Freud, l'inconscient est ce qui ne peut jamais devenir conscient, irréductible par conséquent l'un à l'autre : un non-savoir qui ne peut être connu de la personne. L'inconscient cognitiviste, lui, est de même nature que la conscience : ce qui est irrationnel peut devenir rationnel. Il y a une continuité de l'inconscient vers le conscient par le biais du préconscient. Les thérapies cognitives postulent le primat de la raison, alors que Freud met en évidence l'impuissance de la conscience.

Le but : la thérapie rationnelle. Ellis (1962)

La psychothérapie cognitive vise l'adaptation des sujets à leur environnement en modifiant les croyances et les pensées conscients et inconscientes. Beck, à l'origine psychanalyste, en est le fondateur en 1961, se tenant en marge du comportementalisme trop réducteur et de la psychanalyse pas assez empirique. Ayant intégré les apports des neurosciences, des ordinateurs et des théories cognitives, il postule qu'il n'y a de dichotomie entre émotion et raison qu'en cas de comportement névrotique. Il présuppose une intelligence chez tout être humain apte à rendre rationnels des comportements irrationnels. Ellis, autre thérapeute cognitiviste, parle à leur propos de comportements "stupides" n'obéissant ni à des règles logiques, ni au bon sens, ni à l'intelligence.

C'est lui qui, en 1962, découvre que les névroses sont des comportements aberrants qui résultent de l'idée grandiose que les gens se font d'eux-mêmes : les gens se jugent, se font une image de soi qui les amènent à porter des fardeaux affectifs qui les rendent "malades", à partir de préjugés à l'encontre d'eux-mêmes (au sens de pré-jugement). Il appelle "*schould*" et "*must*" ces représentations émotionnelles et fausses de soi. Il émet l'hypothèse que les hommes ne sont pas émus par les événements eux-mêmes mais par la perception irrationnelle qu'ils en ont. Il invente le concept de "croyance". Celle-ci consiste à construire des réponses "fausses" à des situations vraies.

La croyance

Le thérapeute aide à corriger le système de croyances irrationnelles que le patient est amené à modifier au cours des séances. Comment se construisent-elles ? A partir des distorsions des schémas cognitifs, sorte de coupures à l'égard de la réalité, car le patient la voit plus insupportable qu'elle ne l'est. Ces coupures sont tissées de peurs et d'affects négatifs sur lesquelles se construisent les croyances (en 1976, Lange et Jakubowski inventent la notion de "croyance assertive"). Ce sont des obligations inconscientes pseudo-morales que le sujet s'impose et sont à la base de ses troubles névrotiques.

Ellis, à propos de l'assertion dépressive : *"La vie est une catastrophe si les choses ne vont pas comme vous le voulez"*. Ce qui définit la croyance ici à une double polarité : l'une centrée sur la vie *"Elle est une catastrophe"*, on peut logiquement démontrer le contraire ou, du moins, relativiser ce sentiment ; l'autre centrée sur le patient *"La vie n'est pas comme il faudrait qu'elle soit"*. On peut démontrer que ce sont ses peurs à l'égard de la vie qui sont la base de sa croyance à la toute-puissance de sa volonté.

Ellis isole les croyances principales qui fonctionnent chez tous les sujets névrotiques. Le principe est socratique : amener, par le fonctionnement non-directif du thérapeute, le patient à la critique rationnelle de ses croyances par la mise en compétition des idées irrationnelles avec d'autres plus rationnelles. Et ainsi de suite, jusqu'à l'abandon des croyances les plus inhibantes qui laissent place à des modifications cognitives plus positives. Mais le patient ne le peut que s'il revit une émotion négative très forte, émotion qui est à l'origine du blocage affectif.

Les heuristiques : Le Ny (1989)

Les conduites "aberrantes" fonctionnent de manière automatique et programmée. Le Ny caractérise la névrose comme étant la transformation de la cognition représentative (réalité symbolisable) à une cognition automatisée (réalité mécanique). Plus la névrose est ancrée, plus le sujet est soumis à ses programmations : il fonctionne comme une machine, mais une machine "souffrante". Comment est-il possible de passer du sens à l'automatisme ? Le Ny a travaillé sur les réactions et les croyances de ses patients sur la base de statistiques précises. Il admet l'hypothèse que tous les apprentissages, les représentations deviennent des programmations : nous sommes tous névrosés en ce sens. Mais les plus névrosés se dégagent de leur programmation, la cassent, par l'utilisation d'inhibitions spontanées, non critiquées, dont la fonction est d'assimiler la réalité à des schèmes préétablis. Le Ny forge le concept empirique d'"heuristique". Il entend démontrer qu'il existe des cognitions non apprises, non programmées, construites par défense et peur, par résistance au changement. Ces heuristiques ont à la fois des caractères communs à tous les êtres, mais chacun les construit par lui-même. L'heuristique est un mélange de représentations affectives, dont la base est la peur ou l'affect négatif, et une auto-programmation cognitive dont les thèmes (résistance, peur, inhibition) fonctionnent automatiquement et ont un semblant de véracité et de rationalité (l'heuristique cognitive). Il ne s'agit plus là seulement d'une croyance (Ellis), mais d'un nouveau processus de connaissance par lequel chacun se "connaît" et "connaît" la réalité.

La charte émotionnelle comme connaissance

En 1962, Albert Ellis part de la dichotomie stoïcienne entre les émotions et la raison. Et retient que ce sont les émotions qui sont la base des fardeaux affectifs, émotionnellement invivables : c'est la définition cognitiviste de la névrose. Au lieu de diriger sa conduite à partir de la réalité rationnelle et logique, le névrosé supporte le poids d'une interprétation déformée de lui-même qui lui sert de jugement sur soi. Ces jugements, il les appelle "*must*" et "*schould*", ils sont négatifs et présentent des thèmes masochistes de punition, de laideur, d'incompétence, etc. Le but de la psychothérapie consiste pour le patient à ne plus se juger et à parvenir à une acceptation inconditionnelle de soi.

En 1982, Zajonc émet l'hypothèse de jugements affectifs, pré-cognitifs, non-verbaux et inévitables. Il reprend la dichotomie émotions/raison d'Ellis, mais il infléchit les recherches sur les supports cognitifs des émotions. Celles-ci ne sont jamais de purs affects mais sont indexées de représentations (ce que Freud avait démontré dans les recherches sur l'hystérie). Elles sont donc un mode de cognition, c'est-à-dire un ensemble d'images, de souvenirs, de schèmes mentaux par lesquels le patient a une pré-connaissance de la vérité comme de lui-même. Il les appelle cognitions chaudes qu'il oppose aux cognitions rationnelles, "froides". L'intérêt de cette découverte est de démontrer que les cognitions "chaudes" précèdent les "froides" dans la mesure où l'enfant les stocke et les utilise avant d'accéder aux cognitions rationnelles.

La relation de psychothérapie

Les thérapies cognitives fonctionnent sur un principe : partir de l'émotion pour chercher la cognition qui l'accompagne (schèmes de Beck, croyance de Ellis, heuristique de Le Ny, *"must"* et *"schould"* cognitives de Zajonc). Cette cognition contient des schémas anxiogènes stables fonctionnant par automatismes (Beck) que le patient reproduit et qui définit le noyau de la névrose. Mais ces schèmes sont modifiables dès lors que le patient revit ces émotions.

Le thérapeute et le patient travaillent dans un cadre de collaboration défini à l'avance. Ils sont partie prenante tous les deux car ils ont en commun un même but : chercher les croyances inhibantes. Le style de cette recherche commune est empirique car il vise une efficacité immédiate : accéder à des conduites compatibles avec la réalité, et ainsi guérir de la souffrance. Cela définit à la fois un contenu et un style relationnel. Ils sont deux explorateurs qui ont un même projet. La relation de psychothérapie se construit autour de la question de la "critique" des "croyances" du patient. D'abord les repérer, les identifier, éprouver leur consistance et leur degré de validité pour le patient : *"Je suis mauvais mais tout le monde est mauvais"*.

Ensuite expérimentation dans la vie quotidienne pour tester les croyances qui servent à interpréter le monde extérieur : *"Tiens, le facteur qui m'apporte mon courrier est sympa, il n'est peut-être pas si mauvais que ça"*. Cette remise en question des croyances n'est possible que si le thérapeute procède par questionnement indirect : *"Est-il toujours vrai que... ?"*, *"Si l'on considère le point de vue opposé, qu'est-ce qu'on pourrait dire... ?"*

Efficacité et psychothérapie

Les thérapies cognitives n'ont pas pour objet un travail en profondeur comme les thérapies analytiques ou existentielles. Leur but est plus modeste : aider les patients à supprimer des situations intérieures qui le font souffrir et qui en font un "inadapté" à la réalité. Elles traitent des distorsions et non pas des symptômes. Quelle différence ? Le symptôme est l'expression d'angoisse ou de peur : il parle, est langage, il veut dire quelque chose. Il est inséparable de la souffrance qu'il exprime, et donc le moyen d'exprimer un monde intérieur, une subjectivité, il suppose l'intériorité auquel il renvoie. Si bien que supprimer le symptôme reviendrait à interdire au patient de "parler". Pour Freud, il est l'expression de ce qui a été refoulé. La conduite est un comportement aberrant, illogique, "stupide" dit Ellis. Le symptôme n'a pas valeur de signe et d'expression mais valeur de dysfonctionnement, d'inadaptation. Elle ne suppose une "intériorité" que pour autant qu'elle produit des "croyances" qui sont des distorsions des programmations cognitives : le sujet est dans l'erreur, dans un rapport illusoire à la réalité. Il transforme les messages, il déforme tout ce qui est réglé. Il est, au sens strict, déréglé : non conforme à la règle, semblable à une machine qui n'obéit plus à son programme.

La psychothérapie cognitive présente une efficacité en supprimant les dérèglements, en amenant le patient à retrouver des conduites rationnelles et logiques. Une dizaine de séances suffisent à supprimer la peur chez les phobiques, les obsessions, l'impuissance sexuelle, l'anxiété répétitive. Elle est efficace en "supprimant" le symptôme, mais le patient est-il guéri pour autant ? La suppression du symptôme peut rendre fou. N'aboutit-on pas, en fait, à une banalisation du comportement, c'est-à-dire à la suppression de ce qui parle en première personne ?

L'opérativité

On a compris que l'efficacité thérapeutique (l'obligation de résultats rapides) est le présupposé d'un empirisme qui est la base du cognitivisme logique, scientifique, théorique. La personne est le produit de son environnement et son psychique se réduit au mental (activité de représentations programmées). Le mental n'est que le résultat de ce qui a été stocké par les apprentissages, il est une mémoire, y compris une mémoire affective, émotionnelle.

Les psychothérapies cognitives ont en commun de définir en termes opérationnels les problèmes psychologiques à partir de stratégies précises : elles visent l'action, l'efficacité, un mode opératoire d'intervention directive où il s'agit de transformer le patient. Pourquoi ? Parce que le psychothérapeute "sait" ce que le patient ne sait pas. Le savoir est action et l'action est un savoir. Il s'agit de progresser dans la connaissance de soi, connaissance déjà donnée, pré-réglée, pré-établie dans la cognition. A la différence de la psychanalyse où le patient apprend qu'il ne sait rien, le thérapeute non plus, et qu'il ne trouve jamais rien. "*Le réel est inconnaissable*" dit Freud.

L'opérativité cognitive consiste à réintégrer les affects, émotions, croyances, symptômes, à des processus de pensée, à une capacité d'assumer rationnellement nos conduites "stupides", à devenir en somme plus intelligents avec nous-mêmes. Les psychothérapies cognitives postulent le primat de la raison sur les phénomènes irrationnels. Le psychisme n'a que la complexité des ordinateurs.

Cognitivisme : actualité

La production de symptômes

Nous sommes dans une société "psy" : le mal vivre et le mal être contemporains produisent des "symptômes" toujours en augmentation. Dans la psychanalyse traditionnelle, une ligne de démarcation nette séparait les gens normaux et les fous : la folie c'était les névroses et les psychoses, les "vraies" maladies mentales.

Cette ligne s'estompe par un phénomène tout à la fois statistique et qualitatif. Les statistiques prouvent, qu'en France, 40 % de la population est sous antidépresseurs et, qu'en Amérique, 30 % des habitants consultent un "psy". Mais un changement qualitatif des symptômes s'opère : le stress, l'alcoolisme, la violence, la délinquance, la solitude, la banalisation des comportements, l'éclatement des familles, etc., produisent des symptômes nombreux qui ne sont plus l'expression d'une folie, mais, au contraire, la production d'une insupportable normalité. Loins d'être psychotiques ou névrosées les populations traduisent, par des symptômes "superficiels", une souffrance à la fois sociale et personnelle. On peut faire mentir la psychologie cognitive en disant ceci : ce n'est pas l'être humain qui est inadapté à la société, mais la société qui est inadaptée à l'homme.

Les thérapies cognitives ont pris la mesure de cette inadaptation. Elles traitent les symptômes superficiellement, dans la mesure où ils ne renvoient pas nécessairement à des comportements névrotiques ou psychotiques : alcoolisme, toxicomanie, boulimie, stress, anxiété, phobie, deuil, séparation, obsession, etc. Autant de conduites quotidiennes qui suggèrent que le symptôme est devenu "normal" (au sens du plus grand nombre et phénomène global de société).

Actualité théorique

Réponse clinique à la production de masse de symptômes "psy", le cognitivisme apporte aussi une réponse théorique en lien entre les affects et la raison, les émotions et les conduites rationnelles. En effet, la psychologie au XIXe siècle s'est construite sur la séparation entre le corps-machine et la conscience pure intériorité. Seule la psychanalyse a échappé à ce clivage.

En articulant des modèles théoriques jusque-là incompatibles entre eux (psychologie de la conscience de Brentano, comportementalisme de Watson), le cognitivisme a conservé à la fois sa démarche scientifique originelle par la neurobiologie tout en intégrant les données d'une dimension inconsciente du psychisme (affects, croyances et représentations).

Si bien que l'actualité du cognitivisme, son développement, son importance, lui viennent de cet impact théorique : tenter de relier par la science ce qui est lié dans l'expérience, l'indissociable unité du cerveau et de la représentation. Dans le champ de la psychologie, il se situe à égale distance entre le matérialisme de Watson et l'idéalisme de Brentano. C'est ce réalisme tenace qui explique le bien-fondé de sa démarche : montrer une nouvelle synthèse entre la science et l'expérience, le psychologique et le corporel. C'est en fonction de cet équilibre théorique que le cognitivisme est d'actualité : l'étude de l'activité mentale suppose ouverts deux champs : les sciences neurobiologiques et la conceptualisation de la représentation.

Synthèse des thérapies cognitives

1. Modèle des interactions psychiques

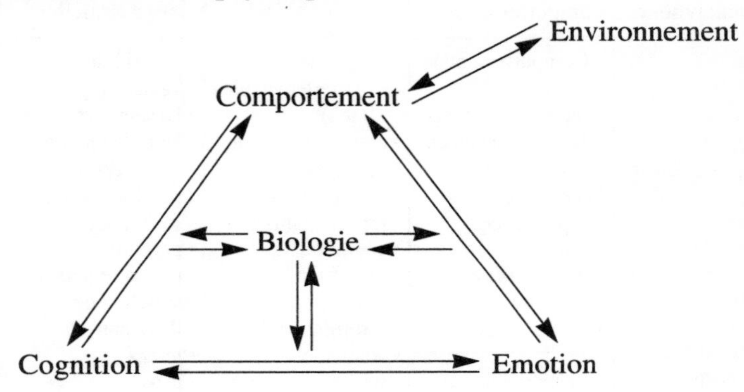

2. Schéma des conduites normales

Stimulus ⟶ Cognition ⟶ Réponse

3. Schéma des conduites aliénantes

Stimulus ⟶ Distorsions cognitives ⟶ Croyances

4. Schéma des psychothérapies cognitives

Repérage des croyances → Emotion → Mise à l'épreuve des croyances → Questionnement Argumentation → Réponses cognitives adaptées

5. Les cliniciens : leurs concepts cliniques

- Beck : la distorsion cognitive. L'automatisme.
- Lange et Jakubowski : la croyance assertive
- Ellis : la croyance : *"schould"* – *"must"*
- Zajonc : – cognitions chaudes
  – cognitions froides

Les concepts des nouvelles thérapies

Science			Humanisme	
Thérapie psychanalytique	Thérapies comportementales	Thérapies cognitives	Thérapies existentielles	Thérapies personnalistes
– Bioénergie (Lowen) • énergie • sexualité • principe de plaisir • corps • névrose • somatisation	– Comportementale (Skinner) • conditionnement • déconditionnement • modification comportementale • apprentissage • comportement • contrat thérat-peutique • néobéhaviorisme	– Cognotivo-comportementales (Beck) • conditionnement par signes • interaction émotion-représentation • cognition • distorsion • croyances • information • adaptation • schèmes • disjonction vérité-illusion • productions comportementales cognitives • inadaptation • modularité représentation-cerveau	– Dasein-analyse (Binswanger) • Dasein (présence) • ici et maintenant • comprendre • relation fondatrice soi-monde • psychologie en première personne • structure de l'existant • temps • espace • être avec • mort • présence originaire • unicité de soi et du monde	– Non-directivité (Rogers) • non-directivité • écoute empathique • acceptation inconditionnelle • conscience et perception • réponse reflet • attitude centrée sur la personne • soi actuel • congruence • considération positive • estime de soi • authenticité
– Cri primal (Janov) • cri primal • souffrance primale • traumatisme de la naissance • besoins réels • besoins symboliques • moi-réel – irréel	– Systémique (Bateson) • système • interaction • circularité • homéostasie • communication • famille comme entité groupale • patient désigné • la communication paradoxale • le double lien • trouble de la communication		– Gestalttherapie (Perls) • Gestalt (forme) • Gestalt de besoin • Gestalt du soi • maturation • expérience totalisatrice • croissance • le soi • conscience de soi • Gestalt totale	– Art-thérapie • créativité • image du corps • expression • jeux • conversion • corps besoin • corps désir • temps vécu • espace vécu
– École orthogénique (Bettelheim) • lieu thérapeutique • situation extrême • réalité • autonomie • milieu environnement	– Transactionnelle (Berne) • les états du moi enfant, parent, adulte • les transactions • les comportements relationnels • les passivités • les stimulations • jeux et scénarios • les contrats • les trois P : per-mission, protec-tion, puissance			
– Transitionnelle (Winnicott) • objet transitionnel • self et faux self • mère suffisamment bonne • identité illusoire				
– Rêve éveillé (Ré-Desoille) • rêve et symptôme • imaginaire • image et sens • rêve éveillé • libre association				

Conclusion

L'ère des cliniciens ou la fissure de la théorie

Les "nouvelles thérapies" sont issues de tous les courants qui ont fondé la psychologie et nous venons de voir qu'elles se rattachent à des écoles de pensée ; elles impliquent des choix philosophiques et une vision de l'homme dans son rapport au monde. Les grands arbres théoriques qui se sont développés avant guerre ont porté de nombreux fruits. Mais il ne faudrait pas croire que les "nouvelles thérapies" n'en sont que des applications pratiques et cliniques. Ce serait en effet trop simple pour une raison essentielle : la psychologie n'étant pas une science il n'existe aucune technique qui en découle rigoureusement. Mais l'inverse est alors également vrai. Pour être clinicien ou thérapeute il n'est pas nécessaire de fonder une doctrine ou une théorie, ni même de s'y référer.

Le clinicien en effet a à résoudre des problèmes concrets et puise dans des théories différentes les éléments de méthode ou les concepts dont il a besoin. Excepté les thérapies qui se rapportent à la psychanalyse, au béhaviorisme et à la phénoménologie qui se veulent fondatrices, nous avons pu remarquer que toutes les autres thérapies se réclament simultanément d'une multitude de théories ou d'horizons philosophiques parfois incompatibles entre eux (ainsi l'analyse transactionnelle qui conçoit le psychisme de manière à la fois expérimentale et dialectique).

Aussi existe-t-il un décalage entre le penser et l'agir, la recherche et l'expérience, la théorie et la pratique clinique. Si ce décalage s'amplifie au point que les repères théoriques deviennent multiples et hétérogènes, voire hétéroclites, on est en droit de se demander si la psychologie n'est pas devenue l'auberge espagnole où chacun ne mange que ce qu'il a apporté. Cette fâcheuse tendance à la dispersion théorique engendrerait en effet normalement un doute sur la validité des pratiques cliniques actuelles.

Introduction au cinquième chapitre

Du destin à la liberté ?

Parmi les Ecoles psychologiques qui ont une grande influence et qui suscitent des pratiques quotidiennes, certaines ont posé la personnalité de l'homme en termes d'innéité, c'est-à-dire de destin. Ainsi nous naissons avec tel caractère, tel type morpho-psychologique, avec telle écriture, sommes soumis à telles poussées pulsionnelles, etc. L'homme ne réaliserait en somme que ce que sa naissance lui a apporté, et de ce fait demeurerait identique du début jusqu'à la fin de sa vie. C'est poser le grave problème du "déterminisme" psychologique que la caractérologie, la psychologie génétique de Piaget, etc., posent chacune à leur façon. C'est une autre manière de nous demander si nous sommes libres et de quelle nature est notre liberté si nous subissons un destin individuel.

Mais la question se pose aussi à un autre niveau depuis que la psychologie, dans les années 30 aux USA, a fait la découverte que le groupe existe comme entité unique et singulière. Notre appartenance au groupe et notre relation à autrui est, elle aussi, déterminée par des lois que les théories groupales ont mises en lumière. Il ne s'agit plus là seulement de notre destin individuel mais du déterminisme social. Dans quelles mesures nos choix sont bien les nôtres et comment notre liberté s'inscrit dans la réalité collective ? C'est sur ces interrogations que portera ce cinquième et dernier chapitre : Les "Ecoles du destin", qui permettront peut-être de dégager les règles contraignantes de notre liberté.

Chapitre 5

Destin personnel, psychologie génétique et théories groupales

Le destin individuel

La caractérologie : Le Senne, Français

Vers une science du caractère

Depuis l'Antiquité les hommes ont éprouvé la nécessité de classer les individus selon des structures générales qui établissent des différences de comportement et de traits de caractère d'un individu à un autre. Les Grecs puis les Romains, avaient leurs classifications. En France dès le XVIe siècle, des écrivains et des moralistes brossent des portraits types constitués de comportements et de traits moraux propres à des groupes. En ce sens La Fontaine fut un des premiers caractérologues car, à travers la personnalité des animaux de ses fables, il dessine des portraits types des vices et des traits psychologiques appartenant aux hommes. Montaigne, La Bruyère n'hésitent pas à stigmatiser les défauts des hommes à partir de portraits qui nous livrent les ressorts psychologiques des individus typiques. Aussi ont-ils dégagé des structures typiques dont la démarche est morale, ces structures étant reliées à des attitudes (le vaniteux, le jaloux, l'avare, l'ambitieux, etc.). Dans cet essai de classification les moralistes ont tenté de comparer l'expérience individuelle à un schéma type de conduites générales.

Le XIXe siècle, rompt la tradition du portrait moral pour établir des typologies scientifiques qui repèrent des traits spécifiques du caractère, suffisamment constants et observables, pour élaborer des collections et des classifications de types caractérologiques plus ou moins purs. Voulant dégager la classification de l'anthropomorphisme (croyance que l'homme est le centre du monde) des moralistes, la typologie moderne définit des concepts, systématise ses résultats, cherche à fixer dans des modèles les traits d'une personne pour aller du particulier au général. C'est Klages qui, le premier, se désolidarise d'une pseudo-typologie anthropomorphique et non scientifique et fait œuvre de science dans le domaine du caractère.

Le premier travail a consisté à définir ce qu'est un type psychologique. Celui-ci est un regroupement de caractéristiques individuelles qui ne tiennent ni à l'âge, ni au sexe, ni à la profession, ni à la pathologie d'un individu. Les physiologues et les médecins observateurs du corps et de l'anatomie ont regroupé des individus selon leur constitution anatomique (biotype), la silhouette générale du corps (morphotype) tout en les rattachant à des traits de caractère de nature psychologique (psychotype).

Les débuts de la typologie scientifique s'ouvrent avec T. Ribot en 1882 qui discerne deux types dominants : les sensitifs et les actifs et deux types faibles : les amorphes et les instables. P. Malapert perfectionne la typologie de Ribot en classant six caractères, classification qui a fait autorité jusqu'aux travaux de Le Senne (apathique, affectif, intellectuel, actif, tempéré, volontaire).

Les écoles de la caractérologie

René Le Senne (1882-1954) : qu'est-ce que le caractère ?

Le plus grand des caractérologues est un philosophe français Le Senne. Imprégné de philosophie existentielle et de personnalisme, disciple de Bergson et d'Hamelin, il reprend les recherches typologiques et caractérologiques des Ecoles fondées par Kretschmer, W. Sheldon, Pavlov, Y. Sigaud, L. Corman et entreprend les études de caractérologie telle que nous la connaissons de nos jours. Pour Le Senne le caractère est ce qui ne varie pas dans une personnalité, la structure et le type d'une mentalité individuelle telle qu'elle se révèle dans des conduites, se dégage au cours de l'enfance et demeure identique jusqu'à la mort. Il est "*l'ensemble des dispositions congénitales qui forme le squelette mental d'un homme*", d'où sa caractéristique d'être immuable : on naît et on meurt avec le même caractère.

Le Senne a été précédé par deux psychologues hollandais (G. Heymans et E.D. Wiersma) qui ont appliqué l'analyse factorielle à l'étude du caractère dont ils distinguent trois facteurs qui lui sont constitutifs :

- L'émotivité (E) est une propriété essentielle car elle traduit la sensibilité d'ébranlement du psychisme en fonction des émotions ressenties. L'émotif est celui dont les émotions sont intenses et fréquentes, le non émotif (NE) n'étant peu ou pas troublé. L'émotivité est une des données psychiques fondamentales.

- L'activité (A) désigne une aptitude à l'action, elle indique le passage non coûteux de l'idée à sa réalisation et le goût d'accomplir des tâches, même si elles sont ennuyeuses. Par contre l'inactif (NA) agit mais à condition qu'il soit poussé par un sentiment qui motive son action. L'activité est une donnée de base du caractère.

- Le retentissement (primarité-P et secondarité-S) est la capacité physiologique, observable dans le système nerveux, d'être imprégné longuement ou non par une excitation. Selon que l'excitation est longue, permanente, durable, il y a secondarité (S), si elle est courte, rapide, fugitive, il y a primarité (P).

La combinaison de ces trois facteurs constitutifs du caractère donne une "typologie caractérologique" dont huit combinaisons sont possibles d'après Heymans :
- Les amorphes (NENAP)
- Les apathiques (NENAS)
- Les sanguins (NEAP)
- Les flegmatiques (NEAS)

– Les nerveux (ENAP)
– Les sentimentaux (ENAS)
– Les colériques (EAP)
– Les passionnés (EAS).

Cette typologie a été reprise par Le Senne et ses disciples (G. Berger, P. Mesnard, Le Gall, Mucchielli, Millet). Le caractère est obtenu par la variation au-dessous et au-dessus d'une moyenne des trois facteurs caractérologiques de Heymans. Conservant sa typologie Le Senne a ajouté des éléments qui précisent certains traits de l'activité psychique. Il emprunte à Janet la "largeur" et l'"étroitesse du champ de conscience", à G. Berger "l'avidité", "la forme de l'intelligence", à R. Maistriaux, des propriétés tendancielles (polarité Mars ou Vénus), la "tendresse", "l'intérêt sensoriel", "la passion intellectuelle".

Les caractérologies psychanalytiques

Les recherches psychanalytiques ont donné lieu à l'établissement de typologies :

- Celle de Jung est très complète et part de la distinction extraversion-introversion (1913) reprise par H. Rorschach qui couple extratension-introtension (1920). Chez Jung existe la description de quatre fonctions primordiales : intuition, sentiment, pensée, sensation, dont huit types en dérivent.
- Celle de Reich, qui inaugure en 1925 une caractérologie psychanalytique, est constituée par l'organisation de la libido et de la personnalité. Il distingue :
  - 4 caractères névrotiques : phobique, obsessionnel, hystérique, psychosomatique.
  - 4 caractères psychotiques : cyclique, schizoïde, paranoïaque, épileptique.

Une autre typologie de Reich est obtenue en considérant les troubles du mode de relation à l'objet qui se cristallisent dans la "névrose de caractère" où les facteurs du développement sexuel sont pris en compte :
– déséquilibrés et pervers
– caractère : oral, anal, phallique
– masochisme et autopunition.

Ces caractérologies psychanalytiques sont obtenues en considérant les tendances pulsionnelles des sujets où se repère une dominante par le diagnostic, un "destin des pulsions".

La caractérologie connaît actuellement de nouveaux développements par l'analyse factorielle et scientifique qu'en fait l'Ecole américaine (R. Cattell, J. Guilford, H. Eysenck), mais elle a aussi un regain de popularité car des caractérologues utilisent avec elle des données d'origine alchimique et astrologique.

Une Ecole populaire

La caractérologie a toujours connu un très net succès près du grand public. D'utilisation facile et de connaissance simple son emploi s'est répandu dans de larges couches de la population. Elle a été vulgarisée par de nombreux magazines féminins qui l'utilisent pour la prévision des événements en la conjuguant avec l'astrologie. Cette popularité de l'Ecole caractérologique ne peut faire oublier son emploi systématisé dans des secteurs très variés de l'activité sociale : connaissance du conjoint dans la relation amoureuse, éducation des enfants, meilleur choix de la profession, rapports médecin-malades, expertise judiciaire, analyse littéraire, sélection professionnelle, etc. A une époque de grand doute et de manque de confiance en soi la caractérologie offre, par une méthode simple, la possibilité à chacun de mieux se connaître et ainsi de prévoir avec plus de précision les événements personnels de la vie intime. C'est en ce sens d'emploi prévisionnel que la caractérologie relève d'une psychologie du destin individuel.

La graphologie : Klages

Les précurseurs de la graphologie

Comme sa sœur très proche, la caractérologie, la graphologie recherche à travers le graphisme de l'écriture l'expression de la personnalité qui s'y projette. Il ne s'agit pas de juger de la qualité d'une écriture mais de répertorier et de classer des types d'écriture mis en rapport avec des tempéraments, des caractères et des personnalités.

Deux écoles, l'une française, l'autre allemande, sont à l'origine des recherches sur la graphologie.

L'Ecole française

En 1872 J.-H. Michon élabore une graphologie naturelle dont le but est de déduire le caractère d'un individu de l'expression produite par son écriture. Il cherche à retrouver à travers le graphisme le portrait de la personnalité en considérant la physiologie et la psychologie de celui qui écrit. Il avait été précédé dans ses recherches par E. Hocquart en 1812 dont l'œuvre *L'art de juger de l'esprit et du caractère des hommes selon leur écriture* avait sonné le départ de ce que nous appelons aujourd'hui la graphologie. Michon étudie le mouvement graphique pour faire un diagnostic du trait et fonde une science de l'observation, de la déduction et de l'analogie entre écriture et personnalité.

Plus tard, vers 1900, S. Crépieux-Jamin organise les écritures en les classant par grandes espèces. Il repère dans le graphisme des critères qui lui permettent une approche plus systématisée : il y distingue la direction, la continuité, la forme, la vitesse, la pression, la dimension et l'ordonnance. Il propose un modèle d'analyse du graphisme pour en apprécier l'harmonie et un relevé des signes selon leur fréquence et leur intensité. C'est lui qui a rendu populaire la graphologie en publiant *L'ABC de la graphologie.*

L'Ecole allemande

W. Preyer et G. Meyer sont les véritables précurseurs de la graphologie scientifique telle qu'elle est pratiquée de nos jours. Ils étudient expérimentalement le graphisme en relevant les variations de l'écriture et observent les oscillations des tracés sur un oscillomètre. Ils constituent des dossiers en les classant par types d'écriture en fonction de critères comme le tracé, le mouvement, la vitesse, l'occupation du graphisme sur la feuille, etc. L'Ecole allemande met surtout l'accent sur le rythme physiologique de celui qui écrit en partant du principe que l'écriture ne vient pas de la main mais du cerveau et qu'elle est exprimée dans ce que nous appelons aujourd'hui un électroencéphalogramme. C'est elle en fait qui a préparé les progrès de la graphologie future.

Le fondateur de l'Ecole allemande est K.L. Klages qui s'intéresse à la classification typologique et caractérologique. En 1917 il publie une œuvre capitale *L'expression du caractère dans l'écriture*. Repérant dans les rythmes l'expression de jeux de force des mouvements du psychisme, il perçoit la psychologie de la personne à travers son graphisme. Son critère de sélection consiste en une appréciation de l'écriture non pas d'un point de vue culturel et grammatical mais d'un point de vue vital (nous disons aujourd'hui énergétique). Il est le fondateur d'une véritable Ecole dont les disciples sont M. Hardge (qui classe les aspects différents de la tension dans le trait), W. Hégar (qui différencie chaque côté du trait selon sa forme) et K. Roman (qui mesure la pression individuelle dans son tempo propre).

Après Klages, Max Pulver, fonde aussi une Ecole. Philosophe, psychanalyste et médecin il exige de ses élèves qu'ils lisent les œuvres de Freud, Jung, Adler et Steckel. Il apporte à la graphologie la dimension de l'inconscient en fonction duquel l'écriture est analysée non plus selon des critères physiologiques mais comme des lapsus ou des actes manqués. Il postule que ce sont les pulsions et les refoulements inconscients qui se projettent dans le graphisme, ceux-ci étant l'équivalent de véritables tests projectifs qui livrent la psychologie profonde des individus. Gestaltthéoricien, Pulver parle "d'intentionnalité" du graphisme, celle-ci étant une forme anticipatrice qui oriente le destin d'une écriture et livre ses qualités existentielles et non plus seulement ses rythmes cérébraux.

La graphologie aujourd'hui

Depuis une trentaine d'années on assiste à un approfondissement des œuvres des fondateurs graphologues. On met à la disposition de la graphologie des méthodes scientifiques (statistiques, médecine et psychologie) qui permettent de conceptualiser les notions de rythme, de tension du trait et de pression en les confrontant à la psychopathologie.

L'Ecole francaise

Elle a insisté sur le caractère personnel de l'écriture en élaborant des typologies qui ont permis de mettre en relation le graphisme et le caractère dans un rapport d'interprétation psychologique et psychanalytique. Ces typologies (type dilaté, rétracté, de L. Corman, actif, passif de H. Saint-Morand, type primaire, secondaire de Le Senne, volonté bloquée ou explosive de W. James) fournissent à la graphologie l'exploration du caractère en fonction d'une dualité dans la personnalité. A. Teillard, élève de Klages et de Pulver, a fondé la graphologie sur la psychologie analytique de Jung dont les polarités sont rationnel-irrationnel, conscient-inconscient, extraverti-introverti, afin de tenir compte des complexes, des fixations et des symptômes psychopathologiques qui sont inconsciemment projetés sur l'écriture.

L'Ecole allemande

Elle s'est consacrée à la construction d'échelles d'évaluation pour mesurer les aspects dynamiques de l'écriture. R. Pophal, neurophysiologiste de Hambourg, classe les traits graphiques selon leurs origines cérébrales. Il décèle le trait cortical qui est homogène et net, le trait pallidaire où se mesure le balancement de la forme, le trait strio-pallidaire où l'on repère la mollesse ou le durcissement du graphisme. R. Wieser a analysé systématiquement sept cents écritures d'escrocs et de criminels qu'il a comparées à deux cents écritures de sujets normaux. Cette étude comparative lui a permis de cerner la psychopathologie des délinquants et de fournir à la graphologie des instruments de mesure pour les expertises médico-légales.

L'Ecole anglo-saxonne

Mais c'est aux Ecoles anglaise et américaine qu'il revient d'avoir confronté la méthode statistique à la graphologie par l'emploi systématique de tests. Les fondateurs sont : G.W. Allport, P.E. Vernon, H.J. Eysenck, J. Downey, ils unifient les études de l'écriture en identifiant dans le signe graphique les indices d'implosion, d'explosion et d'inhibition motrice. C'est également la voie que suit le graphologue T. Lewinson qui recourt à l'analyse factorielle en utilisant les tests graphologiques pour des diagnostics cliniques. Il conçoit l'écriture comme une ligne formée qui se développe en trois dimensions (verticale, horizontale, profondeur) et se combine selon un processus de relations dynamiques qui permet de diagnostiquer la concentration, l'équilibre et l'expansion. Lewinson est le fondateur de la graphométrie car il a fait des études comparatives en laboratoire sur des centaines de cas où l'individu est comparé en fonction d'une norme et d'un groupe. Actuellement l'Ecole anglo-saxonne insiste sur l'expérimentation et l'emploi de la statistique.

Ainsi, de simple analyse de tracés physiologiques qu'elle était au départ pour l'Ecole allemande, la graphologie s'est enrichie des découvertes de la psychologie et de la psychanalyse des Ecoles française et anglo-saxonne. Cette orientation vers le diagnostic pathologique et l'emploi des tests a permis d'analyser parallèlement les étapes du développement de l'enfant et les études d'apprentissage de l'écriture pour en analyser les anomalies. Entreprise aux USA et en Angleterre au début du siècle par E. Lee et E. L. Thorndike, elle a mis en évidence les troubles de l'écriture (dysgraphies) et la psychopathologie de l'enfant. F. de Goodenough a particulièrement étudié le dessin chez l'enfant à partir du "test du bonhomme" qui permet de mesurer l'évolution psychique et de mettre en relation les troubles du "schéma corporel" et la projection spatiale du corps dans le dessin. En France H. de Gobineau et J. Ajuriaguerra ont procédé à l'examen de la motricité graphique en fonction des stades du développement intellectuel de l'enfant pour repérer les difficultés propres à l'écriture (dont le quotient intellectuel-QI est normal et n'ayant aucune lésion physiologique). Cette méthode clinique et expérimentale permet de mettre en évidence les déficiences dans la qualité de l'écriture et d'élaborer des méthodes d'apprentissage et de rééducation par le biais du jeu. Cette rééducation vise à obtenir une détente et la mise en confiance de l'enfant qui subit alors une graphothérapie (traitement de l'écriture comme symptôme ou déviation par rapport à une norme).

Outre cet emploi clinique la graphologie est utilisée comme un test en milieu scolaire et professionel, dans le conseil conjugal et en psychothérapie. Populaire comme la caractérologie à laquelle elle est très liée, la graphologie est également utilisée avec l'astrologie. L'examen complet d'une écriture permet désormais de connaître la personnalité d'un individu qui révèle par son graphisme son caractère, sa sensibilité, ses blocages et ses conflits. Grâce à sa facilité d'emploi et son évolution vers une rigueur scientifique la graphologie est devenue un instrument de mesure, notamment dans l'expertise médico-légale, où elle est très utilisée, et en psychiatrie où elle aide à la formulation de diagnostics.

Une démarche schématisante

La graphologie et la caractérologie sont populaires pour deux raisons : elles sont facilement accessibles à la compréhension par la méthode employée, celle de la classification et de la généralisation ; elles répondent au besoin obscur que nous avons tous en nous de connaître notre avenir à partir de traits de caractères qui seraient immuables et qui traceraient ainsi notre destin, orientant nos choix et mettant en catégories notre liberté.

Ces classifications ont répondu au XIXe siècle au souci des savants de dégager les traits généraux et communs de la personne et répondent en notre siècle à une exigence de clarification et de simplification du comportement. Cette schématisation est critiquable si l'on considère la complexité du psychisme et la singularité absolue de chaque individu. En effet la caractérologie procède par généralisation alors que chaque être humain est absolument singulier... il est difficile de lui coller une étiquette.

L'analyse du Destin (Schicksalanalyse) : **Szondi** (1893-1986), **Suisse d'origine hongroise**

Une génétique du destin

Théorie génétique des pulsions

C'est en donnant une base scientifique à la théorie freudienne des pulsions que Szondi inaugure une démarche génétique et expérimentale. A l'opposé de Freud qui parle des pulsions en termes de mythologie (il les pose comme principe de l'activité psychique mais n'en démontre pas expérimentalement l'existence), Szondi émet l'hypothèse que les gènes sont à l'origine des pulsions. Leur composition est déterminée chez tel individu précis par des gènes qui dirigent ainsi l'hérédité pulsionnelle. Il appelle "gènes pulsionnels" des gènes spécifiques qui déterminent l'action pulsionnelle et transmettent ainsi un certain nombre de caractéristiques psychologiques : chacun est porteur d'une tendance inconsciente de sa famille et la transmet à la génération suivante. D'où résulte la théorie d'un inconscient familial qui est constitué d'un bagage pulsionnel. Cette théorie génétique des pulsions démontre l'existence de besoins pulsionnels transmis héréditairement, cette hérédité étant mixte, hétérozygote ; cette découverte a conduit Szondi à penser le système pulsionnel en termes de dualité dont chaque individu est composé (existence de paires de pulsions opposées). Ces conclusions lui ont permis, sur la base de statistiques et de travaux expérimentaux, d'établir une classification des pulsions au nombre de quatre :

- pulsion sexuelle (S)
- pulsion paroxysmale (P)
- pulsion schizoforme (Sch)
- pulsion circulaire (C)

Ces quatre pulsions permettent la combinaison de quatre grandes sphères héréditaires psychiques :

- pulsion S : sphère sexuelle (S)
- pulsion P : sphère épileptiforme ou paroxysmale (P)
- pulsion Sch : sphère schizoforme (Sch)
- pulsion C : sphère circulaire ou maniaco-dépressive (C)

Chacune des quatre sphères se manifeste par deux syndromes, d'où résultent huit besoins pulsionnels (2 x 4) qui correspondent à huit maladies mentales :

	8 maladies	8 besoins pulsionnels
Sphère sexuelle (S)	homosexualité (h) →	féminité
	sadisme (S) →	masculinité
Sphère paroxysmale (P)	épilepsie (E) →	éthique
	hystérie (hy) →	morale
Sphère schizoforme (Sch)	catatonie (K) →	Rétrécissement du moi
	paranoïa (P) →	dilatation du moi
Sphère circulaire (C)	dépressif (D) →	acquisition
	maniaque (M) →	accrochage

Ces données génétiques et psychanalytiques des pulsions renouvellent la conception de la maladie mentale qui devient une "maladie pulsionnelle". Elles permettent également d'analyser les modifications et le démantèlement du moi car elles mettent à jour les formations réactionnelles consécutives à l'élaboration des mécanismes de défense. Szondi pose donc les bases d'une psychanalyse expérimentale et jette un pont entre la biologie et la psychologie. Ces recherches, orientées vers le diagnostic et le traitement des maladies mentales, apportent des vérifications cliniques à la notion de destin en psychologie. En mettant en évidence le rôle de l'hérédité et la transmission pulsionnelle sa théorie génétique permet de penser autrement les rapports entre les choix et les contraintes pour l'être humain dans des situation précises.

Le sens du "choix"

Cette liberté de choisir n'est pas à comprendre comme un choix dégagé de tout déterminisme car nos choix sont orientés par l'hérédité de telle sorte que pour Szondi l'axiome de l'analyse du destin est le suivant : le choix fait le destin. Il distingue deux sortes de "choix" :

- **Le choix "génotrope"** est entièrement gouverné par le patrimoine héréditaire, d'où son caractère inconscient. Par contre le choix, lui, est conscient car la personne sait qu'elle choisit de telle manière et non pas de telle autre. Ce type de choix est à comprendre dans le sens de la biologie héréditaire. Le généticien Joahanessen, en 1910, soupçonne déjà l'existence de l'attirance consciente ou inconsciente entre porteurs de gènes récurrents analogues.

- **Le choix "égotrope"** est orienté par le moi conscient et révèle l'existence d'un libre destin de choix ou destin conscient.

L'analyse du destin a pour but de révéler la totalité des possibilités héritées ou susceptibles d'être choisies librement. L'homme vient au monde non pas avec un seul destin unique, mais avec une pluralité de destins.

C'est pourquoi "contrainte" et "liberté" ne s'opposent pas, mais sont complémentaires. En effet l'opposé de la contrainte n'est pas la liberté mais le chaos et l'anarchie. C'est dans le concept de liberté qu'on trouve aussi le sens du mot contrainte et ce n'est qu'en comprenant dialectiquement ces deux termes qu'une analyse du destin est possible, l'individu pouvant concilier en lui deux tendances : une tendance à la répétition qui vient de l'hérédité et une tendance à la liberté qui vient du moi. On comprend alors ce que l'analyse du destin entend par "choix". Ce sont les solutions que le psychisme trouve pour résoudre ses conflits pulsionnels, d'où résultent deux attitudes à l'égard du "choix".

Choisir c'est rendre conscientes par exemple les deux tendances d'une paire de pulsions opposées (sadisme et masochisme) héréditairement et c'est prendre position librement vis-à-vis de cette opposition rendue consciente, car le choix nécessite l'intervention du moi. On appelle alors "choix" les modes de solution trouvés à partir de la dialectique moi-hérédité, liberté-contrainte.

Un principe de totalité : le moi

Mais si la vie psychologique était entièrement soumise au champ de forces antagonistes qu'est le système pulsionnel, il n'y aurait pas unité de la personnalité. Autrement dit, comment concevoir une telle liberté (même si elle est contrainte) dans un déterminisme psychique aussi important, comment être un à travers le multiple ? Pour répondre à ces questions Szondi reprend le concept freudien de "moi", il en fait l'instance qui réalise la dialectique entre les contraires. Il le conçoit comme processus de totalisation, bien qu'étant soumis au dualisme pulsionnel. Alors ce moi ne peut pas être qu'individuel. Reprenant les thèses de Jung sur la transindividualité de la personne, Szondi entend par moi tout ce qui a été désigné dans l'histoire de l'Humanité comme "sujet", "conscience", "cogito", "âme", "transcendance", etc. ; c'est-à-dire comme pouvoir d'unification et de totalisation propre à l'être humain et comme émergence de la conscience à travers les siècles. Et ce n'est que par ce processus de totalisation que le moi est "libre" à l'égard de ce qui le détermine. Ce nouvel élément, le moi, permet de penser le destin en termes de principes auxquels le fonctionnement psychique est subordonné :

- Un principe de causalité que nous voyons à l'œuvre dans l'hérédité pulsionnelle qui soumet l'homme à un destin génétique.
- Un principe de finalité que nous voyons à l'œuvre dans le "moi" qui permet l'exercice du libre-choix.

Mais ces deux principes n'introduisent-ils pas à une division dans la personnalité ? Non car Szondi pense qu'il faut postuler un troisième principe, celui de totalisation, sur lequel il fonde sa théorie du "moi pontifex". Le principe de totalité permet de comprendre les deux types de relations que nous avons avec le monde : des relations d'opposition qui intègrent des dualités complémentaires, comme la masculinité et la féminité, et des relations de contradiction dans lesquelles deux forces antinomiques s'excluent, comme les pulsions de vie et les pulsions de mort. Ainsi ce processus de totalisation intègre ce qui est complémentaire et surmonte ce qui est opposé. C'est pourquoi la théorie du moi chez Szondi permet de rendre compte de l'activité psychique sous le mode de la dialectique suivante : intégrer consiste à totaliser les oppositions et choisir consiste à les surmonter.

Les fonctions du moi

Avec cette théorie du moi Szondi a un solide argument à opposer à ceux qui lui reprochaient son déterminisme, incompatible, selon eux, avec la liberté. Nous avons vu en quel sens l'analyse du destin parle de "liberté". Mais ce moi, comment fonctionne-t-il, quelles sont les lois de son orgaisation ? Reprenant les travaux sur la dissociation schizophrénique de Bleuler (1911), il le concoit comme un système associant quatre fonctions dont on repère le bon fonctionnement dans des personnalités "saines" et le fonctionnement défaillant chez les personnes "pathologiques" :

Le moi a quatre fonctions :

- **Une fonction de participation** qui est la tendance du moi à être un et identique avec l'autre, comme dans la fusion amoureuse.
- **Une fonction d'inflation** qui est la tendance au redoublement du pouvoir, à être les deux et le tout, comme dans la domination que confère le pouvoir politique.
- **Une fonction d'introjection** qui consiste à incorporer les objets, impulsion à tout avoir et à tout savoir, comme la mère qui surprotège ses enfants.
- **Une fonction de négation** qui est la tendance du moi à inhiber, refouler, nier, comme lorsque nous ne tenons pas compte de la réalité.

Il faut noter que ces quatre fonctions avaient déjà fait l'objet d'observations de la part des psychiatres quand elles sont défaillantes chez les névrosés et les psychotiques. Celles-ci ne fonctionnent pas séparément mais sont en rapport dialectique les unes avec les autres. Elle sont des moments du moi dans sa relation complexe avec le réel. La maladie mentale survient lorsqu'il y a clivage du moi c'est-à-dire quand se réalise l'arrêt d'une de ces fonctions. Szondi emploie la notion d'intégration quand le moi les réalise normalement et celle de désintégration quand elles sont arrêtées et engendrent alors la pathologie. Cette théorie szondienne du clivage du moi permet d'autre part de distinguer les tendances de notre moi quand une de ces quatre fonctions est réellement dominante dans une personnalité : des personnes ont tendance à "introjecter", d'autres à "nier", à "inflationner" ou à "participer" ; cela permet de repérer et de classer des "modes d'être" du moi, repérage très utile en psychologie clinique pour établir un diagnostic. Szondi a enrichi la théorie du moi que l'on trouve chez Freud comme en psychopathologie, il en a apporté des précisions d'ordre fonctionnel.

Le moi pontifex

Cette théorie du moi, Szondi l'approfondit en concevant un moi totalisant qu'il appelle "moi pontifex". Celui-ci vit sous la double exigence de la coexistence de forces pulsionnelles et de leur coopération nécessaire ; c'est de la capacité de ce moi à intégrer ces forces opposées que résulte l'équilibre psychologique. Comment se détermine-t-il par rapport à elles ? D'un côté il existe des pôles opposés de pulsions qui se meuvent l'une contre l'autre (masochisme et sadisme), de l'autre il existe une coopération au sein même de cette opposition. C'est grâce à cette coexistence et à cette coopération pulsionnelle que le moi peut totaliser le réel et se vivre comme unifié. S'il y a une perturbation grave de cette complémentarité pulsionnelle, l'un des termes pulsionnels est exclu et le système pulsionnel n'est plus complémentaire. Le moi devient incapable de totaliser, ce qui rend impossible l'acte de surmonter les oppositions. N'oublions pas que c'est par la coexistence et la coopération des forces pulsionnelles qu'une vie psychique est possible.

Ce processus de totalisation réalisé par le moi se fait avec des rythmes d'ouverture et de fermeture : un mouvement égodiastolique qui est la tendance du moi à se gonfler à la dimension du tout (être homme et femme, être comme Dieu, etc.) et un mouvement égosystolique qui est une tendance au rétrécissement, à la réduction, au degré zéro de la vie psychique, que Freud exprime par la notion de pulsion de mort. Egodiastole et égosystole sont eux-mêmes deux oppositions originaires existant dans le moi ; il faut donc émettre l'hypothèse qu'il existe une instance totalisante qui surmonte les oppositions du moi lui-même. Szondi pose le principe de l'existence d'un tel moi, qu'il appelle pontifex car, c'est à lui qu'il revient de surmonter tous les pôles opposés de la vie psychologique. (Littéralement, pontifex veut dire faire le pont). Ce moi pontifex totalisant est présent à la fois dans l'individu et se réalise comme structure universelle de la conscience de l'Humanité. Il est transcendant car il va d'un pôle opposé à l'autre, intègre en totalisant les parties et se dualise tout en étant toujours un. Ce moi pontifex est donc le vecteur du destin psychologique des individus et de l'Humanité.

La pratique de l'analyse du destin

Amour, amitié, profession, maladie mentale, mort sont des domaines fortement prévisibles par l'hérédité et l'inconscient familial des individus. C'est pourquoi l'Ecole szondienne a réalisé des tests et des méthodes qui permettent de diagnostiquer, de mettre en place des actions préventives et de soigner, si nécessaire, les conflits conjugaux, ceux du travail, les personnalités à forte pathologie, les suicidants et les criminels. Le diagnostic expérimental des pulsions consiste à dresser l'arbre généalogique du patient pour chercher les causes héréditaires et psychologiques qui sont susceptibles de déterminer son choix. En effet "l'inconscient familial" agit dans la conduite du patient sous la forme de la répétition d'une génération à l'autre ; il revient ainsi à Szondi d'avoir donné une base expérimentale à l'analyse de cet inconscient familial.

Thérapie et analyse du destin

La thérapie du destin est possible en la conjugant à une cure psychanalytique puisque Szondi reconnaît la valeur des trois dimensions de la psychologie profonde : l'inconscient personnel qui résulte de l'histoire de l'individu dont Szondi reprend la théorie freudienne, l'inconscient familial qui résulte de l'hérédité qu'il a mise à jour expérimentalement et l'inconscient collectif qui révèle la dimension universelle des archétypes tels que Jung les a spécifiés. Avec Szondi la notion d'inconscient trouve toute son amplitude, elle gagne en expérimentation par rappport à celle de Freud et en valeur diagnostique par rapport à celle de Jung. Il a relié la psychanalyse et la génétique scientifique et médicale par la distinction qu'il fait et qui est cruciale entre un destin de contrainte et un destin de libre choix. Il a ainsi contribué à surmonter l'opposition entre la contrainte et le choix, qui ne sont plus antinomiques, mais sont la double condition de la destinée humaine. Les influences philosophiques de l'analyse du destin sont multiples : celle de Hegel qui permet à Szondi de démontrer le caractère dialectique de la vie pulsionnelle ; celle de la Gestalttheorie dont il puise l'idée d'activité globalisante du psychisme. Enfin la théorie du moi pontifex comme transcendance des contradictions n'a été possible qu'en s'inspirant de la psychologie existentielle de Jaspers. C'est pourquoi l'analyse du destin est un carrefour aux tendances philosophiques les plus actuelles. On a reproché à Szondi d'introduire en psychologie l'hérédité, tant détestée par les "psy", mais nous avons vu qu'elle n'est que l'une des facettes de ses travaux. En outre Szondi est d'actualité car les recherches biologiques et génétiques anglo-saxonnes veulent prouver l'hérédité de certaines maladies mentales, comme le serait la schizophrénie... vieux débat, toujours actuel, entre l'inné et l'acquis.

Synthèse du destin individuel

Le Senne	Klages	Szondi
Caractérologie	**Graphologie**	**Analyse du destin**
• Définition : on peut classer les individus à partir d'une classification générale d'éléments de caractères qui sont intangibles.	• Définition : on peut classer les individus selon une classification qui résulte d'éléments généraux de l'écriture.	• Définition : le destin psychologique est repérable au niveau des gènes.
• Facteurs du caractère : Emotivité – Activité – Retentissement • Typologie caractérologique d'après huit combinaisons : Amorphes – Apathiques – Sanguins – Flegmatiques – Nerveux – Sentimentaux – Colériques – Passionnés. • Caractérologie psychanalytique de Reich : – Caractère névrotique : phobique, obsessionnel, hystérique, psycho-somatique. – Caractère psychotique : cyclique, schizoïde, paranoïaque, épileptique.	• Facteurs de l'écriture : – rythme neurophysiologique – intentionnalité du trait – mouvement, vitesse, occupation du graphisme – fréquence et intensité • Typologie graphologique de Jung : – rationnel-irrationnel – conscient-inconscient – extraverti-introverti.	• Concepts : – dualité des pulsions – contrainte et liberté – moi comme principe de totalité – le moi pontifex comme capacité à transcender les oppositions – les choix amoureux, professionnels, pathologiques sont déterminés par les besoins pulsionnels.
• Conclusion : le caractère oriente les choix des individus.	• Conclusion : l'écriture exprime le caractère d'un individu à partir de ce qu'il projette.	• Conclusion : le choix se fait toujours en fonction de l'hérédité psychologique.
• Principe : psychologie qui repose sur des lois générales.	• Principe : psychologie qui repose sur les lois de la motricité.	• Principe : psychologie qui repose sur le destin des pulsions.

La psychologie génétique

Piaget (1896-1980), Suisse

Une notion controversée : les stades du développement de l'enfant

Les psychologues ne sont pas d'accord sur le nombre et l'importance à accorder aux "stades du développement de l'enfant". En 1955, le Genevois P. Osterrieth recense dix-huit systèmes de stades étudiés par l'ensemble des psychologues européens et américains qui recoupent soixante et une périodes chronologiques différentes. Ce fourmillement de stades traduit le manque d'unité des observations et des explications, les divergences quant au contenu de la notion de stades. Cette notion centrale exprime un ensemble d'acquisitions qu'un enfant fait à un moment donné de son développement, cet ensemble formant un tout cohérent et structuré d'où résulte une position d'équilibre provisoire dans son évolution psychologique.

Ce débat a pris l'allure d'un enjeu théorique considérable dans la querelle qui a opposé deux grands psychologues de l'enfant : Piaget et Wallon. Leurs conceptions respectives et opposées sur la notion de stades illustrent deux théories explicatives qui ont des implications philosophiques très différentes.

Les travaux de Piaget sur le développement de l'intelligence ont permis de comprendre que l'enfant a un développement continu et progressif dont chaque stade est marqué par une unité fonctionnelle ; chacun de ces stades est un "parcours" que l'enfant doit faire pour adapter ses conduites aux nouvelles exigences du milieu en vue d'atteindre différents équilibres qui le conduiront vers l'âge adulte. La conception piagétienne du stade fait de celui-ci un passage graduel et naturel par lequel l'enfant passe d'une inadaptation antérieure à une nouvelle adaptation, par un système d'intégration. Il en est ainsi du développement intellectuel, du jugement moral, de la genèse des nombres, de l'évolution psychomotrice. Chaque opération supérieure, chaque passage par un stade se fait dans une continuité et un progrès où les acquis d'un nouveau stade intègrent les acquisitions antérieures (par exemple les opérations "supérieures" – jugement et intelligence – sont en continuité avec des opérations "inférieures" – développement psychomoteur). Chacun de ces stades s'emboîte par niveaux d'intégration successifs qui permettent à l'enfant de construire ses acquisitions. Cette continuité et cette complémentarité expriment une logique d'intégration qu'on a appelé chez Piaget son "constructivisme". Cette théorie des stades se fonde sur l'hypothèse du caractère inéluctable et nécessaire de l'adaptation de l'enfant à la mentalité et à la société adulte. Pour lui cette adaptation est un fait qu'il ne remet pas en cause et correspond à un type d'explication en psychologie, celui qui consiste à chercher la genèse d'un comportement dans un système de causalité qui le précède.

A l'opposé de Piaget, le Français H. Wallon "constate" que le développement de l'enfant se fait à partir de "périodes critiques" qui expriment des états de conflits successifs et ne remarque nullement une homogénéité des stades de développement, mais au contraire une discontinuité dans laquelle chaque stade élabore des comportements radicalement nouveaux par rapport aux acquis anciens. C'est donc par bonds et par sauts qualitatifs que l'enfant quitte un stade, où il était dans un équilibre provisoire, pour s'engager dans un nouveau qu'il ne réalise pas dans une continuité mais dans des ruptures. Wallon considère que le développement de l'enfant a un caractère dialectique qui permet de penser que les processus de croissance conduisent à des changements qualitatifs et pas seulement quantitatifs.

Plutôt que la notion de stade Wallon préfère celle de "crise" qui marque le caractère conflictuel, imprévisible des différents moments du développement. Ce qu'il conçoit pour l'enfant, Wallon l'étend à l'espèce animale, aux sociétés, à l'évolution des cultures et à l'histoire. Loin d'être homogènes et continues les lois du développement traduisent des discontinuités et des crises qui font passer l'enfant d'un stade à un autre par des ruptures qualitatives qui engendrent des comportements entièrement nouveaux par rapports aux précédents.

Mais Piaget rompt avec cette théorie qu'il juge trop universalisante.

A travers les discussions vives entre les deux grands psychologues, on saisit à quel point une théorie explicative du développement de l'enfant peut servir de système de compréhension aux mille observations que peuvent recueillir les psychologues de l'enfant. En effet cette psychologie a toujours oscillé entre deux pôles extrêmes : l'un qui consistait à accumuler des faits et des descriptions des phénomènes observés sans théorie explicative globale (telle a été la position des Ecoles anglaise et américaine), tandis que l'autre (Wallon) faisait l'économie de l'observation pour construire une théorie globale. Piaget semble s'être situé à un juste point d'équilibre entre ces deux pôles.

Les thèmes de la recherche

Origines de la pensée de Piaget

J. Piaget peut être considéré comme l'un des plus grands de notre temps par la qualité et la quantité de ses observations de l'enfant et la cohérence du système explicatif qu'il propose pour comprendre des phénomènes complexes comme l'origine de la conscience morale, la genèse de la représentation, l'acquisition de la maîtrise progressive du temps et de l'espace.

Mais ce qui l'intéresse concerne la naissance des facultés intellectuelles : comment l'enfant met-il en place progressivement les outils et les principales acquisitions qui feront de lui un sujet connaissant ? Cette grande question philosophique avait été posée par Platon, Aristote, Descartes, etc., concernant l'origine de notre pensée, de nos idées. Kant notamment avait posé le problème de ses conditions de possibilité. Piaget aborde ces questions d'origine philosophique par le biais de l'observation et de la psychologie expérimentale. C'est pourquoi il ne postule pas à l'origine de la connaissance un "cogito" tout fait et construit d'avance, mais recherche les lois du développement intellectuel et démonte les mécanismes que l'enfant met en place pour devenir "sujet de connaissance". Son but consiste à trouver, à travers les conduites enfantines, les phases successives d'élaboration de la raison. Pour atteindre ce but Piaget élabore une théorie scientifique de la connaissance (épistémologie) qui recherche les lois originaires (génétiques) du développement intellectuel, non pas en les mesurant comme l'avait fait Binet avec son échelle d'intelligence, mais en démontrant comment elles s'organisent, s'engendrent et apparaissent à des moments clefs du développement enfantin.

Rigueur et expérimentation

Ce vaste projet n'a été possible que grâce à une formation pluridisciplinaire. Commençant sa carrière comme psychologue des animaux (il étudie la fixité de l'espèce, les problèmes d'adaptation au milieu, la rétroactivité de l'animal et du milieu) il est très influencé par les thèses du biologiste Baldwin à qui il emprunte les deux concepts dynamiques d'assimilation et d'accommodation qui lui serviront de schéma explicatif du développement psychomoteur et intellectuel de l'enfant. Il subit également l'influence de Bergson tout en voulant dépasser son dualisme entre le vivant et la pensée, il lit des logiciens comme A. Raymond et A. Lalande, des épistémologistes comme L. Brunschvig et des psychologues comme Janet et Binet. C'est en fonction de toutes ces influences que Piaget est non seulement un psychologue de la genèse de l'intelligence mais aussi le producteur d'une œuvre de philosophie de la connaissance (épistémologie) ; il établit en effet les rapports entre ce que lui donne l'observation psychologique expérimentale et l'analyse de l'organisation des règles qui régissent les lois fondamentales de la raison connaissante. L'œuvre de Piaget se situe au carrefour de la psychologie cognitive (étude de la genèse des structures logiques et des catégories de la pensée : causalité, nombre, espace, temps, etc.), de la méthode expérimentale et de la réflexion épistémologique qui interroge la pensée et la connaissance du point de vue des lois générales de leur organisation. Cette conjonction fait de lui un psychologue et un logicien, un savant et un philosophe et le fondateur d'une nouvelle Ecole, la psychologie génétique. C'est pourquoi il peut être considéré comme étant le symbole du chercheur moderne qui conjugue à la fois la rigueur théorique et l'observation minutieuse du comportement de l'enfant dans la plus grande tradition expérimentale.

L'œuvre théorique

Observateur de ses propres enfants, fondateur du "laboratoire de psychologie cognitive", professeur à Neuchâtel, Lausanne, Genève et Paris, Piaget produit une œuvre qui peut se décomposer en deux grandes périodes.

De 1920 à 1939 il publie quatre ouvrages qui portent sur l'origine de la représentation chez l'enfant :

- *Le jugement moral chez l'enfant* (1932) est une observation des origines de la "conscience" morale et des conditions de la représentation, il y démontre comment l'enfant accepte et fait siennes les normes morales et y étudie notamment la faute, le mensonge et le jeu.
- *La naissance de l'intelligence* (1936) et *La construction du réel* (1937) sont faits d'analyses tirées d'observations quotidiennes sur ses propres enfants. Il décrit l'évolution de l'intelligence de 0 à 4 ans (intelligence sensori-motrice) jusqu'au langage et à la représentation ; il montre que l'intelligence, à cette période n'est pas seulement pratique mais aussi théorique car les grandes catégories de la pensée (objet, espace, temps, causalité, etc.) qui apparaissent existaient à l'état latent dans le développement sensori-moteur. Pendant cette période Piaget distingue deux types d'intelligence, sensori-motrice et logique, qui correspondent à deux stades du développement de la représentation : la psychomotricité et la pensée abstraite.

A partir de 1940 ses études portent sur la fonction symbolique dans le jeu, les rêves, l'imitation, l'élaboration du langage qui se traduit en 1946 par un ouvrage clef, *La formation du symbole.*

A partir de 1947 il examine méthodiquement ce qui se construit chez l'enfant (de 4-5 ans à 12-14 ans) dans la genèse de la raison abstraite (nombre, espace, temps, vitesse, hasard, etc.). Il élabore aussi des modèles formels par lesquels il précise ses analyses sur l'origine de la connaissance : *Psychologie de l'intelligence* (1947), *Introduction à l'épistémologie génétique* (1950). Ayant succédé au psychologue A. Claparède en 1940, il s'entoure de collaborateurs disciples (A. Szeminska, B. Inhelder, A. Morf vin Bang).

En 1955, il fonde le "Centre international d'épistémologie génétique" à Genève qui devient un carrefour de recherches pluridisciplinaires où travaillent logiciens, biologistes, psychologues, épistémologues, cybernéticiens, physiciens, etc. La fondation de ce centre consacre l'importance des recherches piagétiennes et marque la naissance d'une "Ecole de Genève" qui aura un grand rayonnement dans ce que l'on appellera désormais les sciences cognitives. Piaget explore de plus en plus les grandes activités intellectuelles : sont publiés en 1959 la *Genèse des structures logiques élémentaires*, en 1961 *Les mécanismes perceptifs*, en 1966 *Image mentale* et en 1968 *Mémoire*. Parallèlement il mène des recherches sur les structures logiques avec B. Inhelder et sur l'acquisition du langage avec H. Sinclair. Grâce à lui la psychologie de l'enfant a trouvé son fondateur, car Piaget a permis d'explorer cet immense continent qu'est le psychisme enfantin. Il ouvre la voie à une explication globale et systématique du développement de l'enfant.

Les principes de la psychologie génétique

Adaptation et intelligence

Piaget découvre qu'il existe chez l'être humain une analogie entre les principaux mécanismes d'adaptation mis en place par le jeune enfant et le développement de son intelligence. Il en dégage deux notions clefs : l'intelligence et l'adaptation. La première désigne non pas une faculté mentale innée mais la forme la plus générale de la coordination des actions et des opérations. La seconde précise les réalisations concrètes et abstraites qu'effectue l'enfant pour s'adapter et ainsi mieux maîtriser le réel. L'intelligence apparaissant comme un processus qui organise économiquement l'adaptation, Piaget ne fait pas de différence essentielle entre "s'adapter" et "être intelligent". Le développement se réalise à partir de deux tendances fonctionnelles de l'enfant à s'adapter :

- Une tendance du psychisme à persister dans son être par l'habitude que Piaget nomme assimilation ; par elle le sujet tend à reproduire dans une situation nouvelle des conduites anciennes, notamment par le jeu.
- Une tendance psychologique au renouvellement qui exprime la nécessité de s'adapter aux situations nouvelles qu'il nomme accommodation ; par elle l'enfant remet en cause ses conduites antérieures pour mettre en place des mécanismes nouveaux, notamment par l'imitation.

Ces deux pôles (assimilation-accommodation) jouent de façon dynamique comme moteur du développement de l'enfant. Piaget repère dans cette évolution six grands stades qui correspondent à des périodes d'acquisition et d'adaptation que sont les premières organisations sensori-motrices du nouveau-né et du jeune enfant, jusqu'à la construction de la pensée abstraite et des apprentissages scolaires de l'adolescent.

Nous ne reviendrons pas sur sa conception des stades, ils désignent pour lui des formes générales de l'intelligence par lesquelles se repèrent des ordres de succession ; ils expliquent aussi les processus d'évolution observables et leur formalisation à partir de modèles logiques. Les stades ponctuent des "paliers du développement" dans lesquels s'emboîtent des structures d'organisation psychiques de plus en plus complexes.

La construction du réel

Cette mise en place de stades se fait par enchaînements successifs et continus et s'organise en structures. Il faut entendre par là qu'elles n'ont pas d'origine car elles s'engendrent les unes les autres dans un mouvement autogénétique (produites par elles-mêmes) dans lequel l'une précède l'autre ou la prépare dans un ordre logique de succession. Ainsi l'enfant passe d'un stade d'acquisition (par exemple motrice) à un autre (par exemple adaptation au réel).

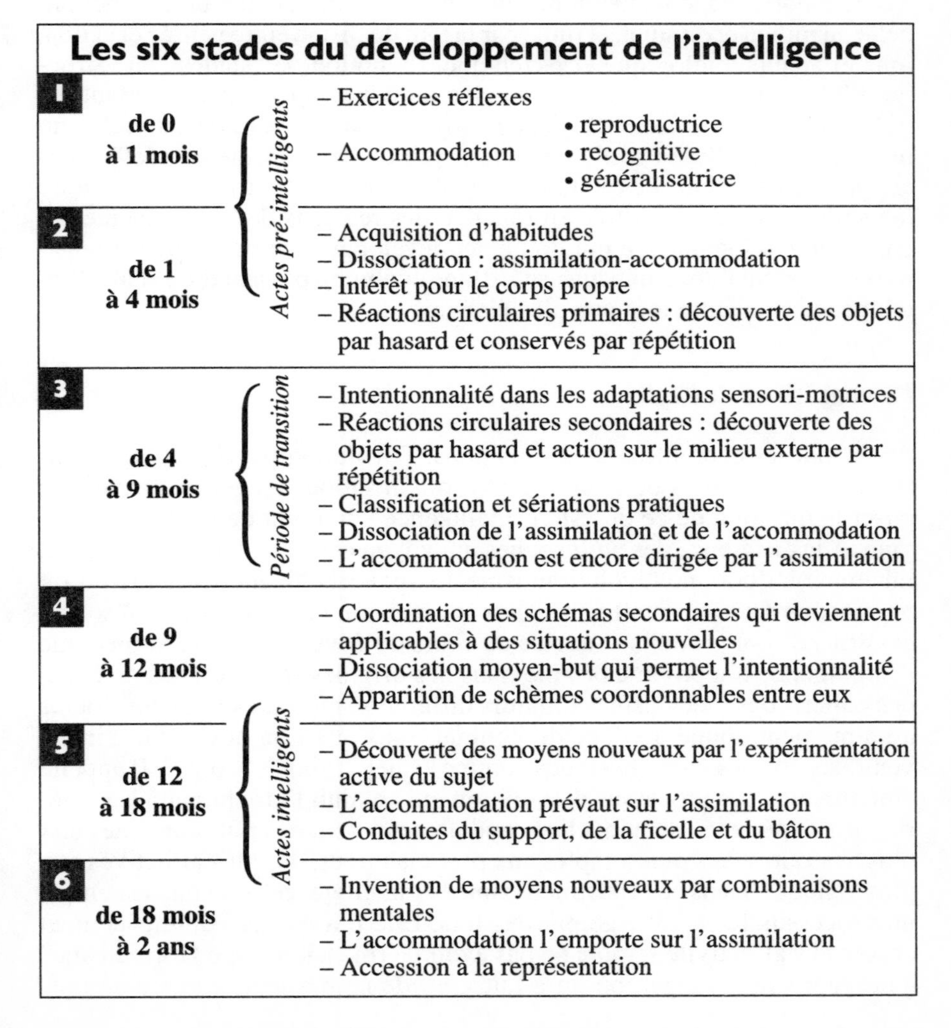

Les six stades du développement de l'intelligence

Stade	Âge	Période	Caractéristiques
1	de 0 à 1 mois	*Actes pré-intelligents*	– Exercices réflexes – Accommodation • reproductrice • recognitive • généralisatrice
2	de 1 à 4 mois	*Actes pré-intelligents*	– Acquisition d'habitudes – Dissociation : assimilation-accommodation – Intérêt pour le corps propre – Réactions circulaires primaires : découverte des objets par hasard et conservés par répétition
3	de 4 à 9 mois	*Période de transition*	– Intentionnalité dans les adaptations sensori-motrices – Réactions circulaires secondaires : découverte des objets par hasard et action sur le milieu externe par répétition – Classification et sériations pratiques – Dissociation de l'assimilation et de l'accommodation – L'accommodation est encore dirigée par l'assimilation
4	de 9 à 12 mois	*Actes intelligents*	– Coordination des schémas secondaires qui deviennent applicables à des situations nouvelles – Dissociation moyen-but qui permet l'intentionnalité – Apparition de schèmes coordonnables entre eux
5	de 12 à 18 mois	*Actes intelligents*	– Découverte des moyens nouveaux par l'expérimentation active du sujet – L'accommodation prévaut sur l'assimilation – Conduites du support, de la ficelle et du bâton
6	de 18 mois à 2 ans	*Actes intelligents*	– Invention de moyens nouveaux par combinaisons mentales – L'accommodation l'emporte sur l'assimilation – Accession à la représentation

Pour Piaget ces structures ne révèlent pas un "esprit" en action dans le développement de l'intelligence, mais une forme d'adaptation à des situations nouvelles qui sont des schémas d'organisation. C'est en ce sens concret que tout acte d'intelligence ou d'adaptation est dit "opératoire". La psychologie génétique analyse la mise en action de ces structures qui ont leur autonomie de développement par actions et opérations successives, d'où résultent les apprentissages. En effet les conduites et les acquisitions se réalisant, impliquent alors une nouvelle coordination qui crée à la fois un nouveau réel et un nouveau comportement. C'est de ce nouveau réel et de ce nouveau comportement que résulte un nouvel équilibre entre le sujet et la réalité. On voit que la théorie piagétienne du développement implique une unité fonctionnelle du milieu et du sujet, et ruine par là tout dualisme entre pensée et action, inné et acquis, biologique et psychique. La notion de "stades" ou "structures" désigne à la fois, à chaque étape du développement de l'enfant, un nouveau mode d'efficience pour le sujet et un nouvel état du réel à un moment donné. Si le fonctionnement psychique transforme le "réel" celuici ponctue à son tour l'évolution psychologique. Toute structure opératoire nouvelle est rendue possible en fonction des résultats de la précédente par emboîtement logique, ce qui donne au développement de l'enfant l'apparence d'une finalité, d'une linéarité, d'une évolution passant d'un stade d'intelligence à un autre toujours plus élaboré.

Le cognitif et l'affectif

Analysant les conduites, les acquisitions, l'évolution psychologique, l'intelligence en termes de structure et d'organisation, Piaget en arrive à se poser la question de ce qu'est "l'intelligence" du point de vue de son origine. A la différence des philosophes qui voyaient en elle une faculté innée, inhérente à l'homme (évolutionnisme de Spencer) Piaget démontre qu'on ne rencontre pas "l'intelligence" en soi mais un ensemble de stades successifs qui sont produits et acquis au cours du développement. Si bien que l'intelligence n'a pas une origine mais des origines (genèse), des niveaux, des paliers, des mécanismes toujours différents selon les stades considérés à un moment donné de l'âge de l'enfant, sans que l'on puisse faire intervenir des notions métaphysiques comme "sujet", "moi", "esprit". Il appelle "intelligence" ce processus d'évolution qui conduit l'être humain à acquérir par l'expérience de nouvelles conduites qui vont des plus concrètes aux plus abstraites, des plus simples aux plus élaborées, des plus affectives aux plus logiques. Dans ce "constructivisme" "l'intelligence" est conçue comme un processus formel dirigé par des lois. Elle n'a pas de commencement absolu et l'affectivité semble ne pas avoir de rôle à jouer. Ce "formalisme" a été reproché à Piaget, on lui a fait grief de ne pas tenir compte de l'affectivité dans le développement intellectuel, les structures s'engendrant elles-mêmes, étant "*sui generis*". Pour comprendre ce formalisme il faut admettre que, pour l'Ecole de Genève, si l'affectivité a une influence sur l'évolution de l'intelligence, celle-ci s'organise elle-même, elle est porteuse de sa propre évolution. Piaget reconnaît que l'affectif a une dynamique propre que l'on ne peut réduire à des processus intellectuels, mais il postule le primat du cognitif sur l'affectif sans que l'on puisse pour autant séparer les deux notions. Pour lui l'affectivité est un fond énergétique que l'on ne peut connaître car elle est jaillissement pur, une sorte de force à l'état brut qui, sans l'influencer, sous-tend le développement sensori-moteur et intellectuel. La psychologie génétique laisse de côté l'affectivité pour faire l'analyse des structures d'intelligence qui seules sont vraiment observables. L'intelligence n'est pas innée mais acquise, elle n'est pas à l'origine mais le résultat d'une évolution.

Principaux stades, les structures de l'intelligence selon Piaget.

0 - 2 ans : Intelligence sensori-motrice – l'objet est saisi directement par la perception – action, imitation

2 - 8 ans : Intelligence pré-opératoire ou symbolique – acquisition de l'image symbole – action, imitation intériorisée

7 - 12 ans : Intelligence opératoire concrète – représentation imagée et conceptuelle – irréversibilité des opérations

12- 15 ans : Intelligence opératoire formelle – représentation conceptuelle – accession à l'abstraction formelle.

Les principes de l'épistémologie génétique

Recherches logiques

Piaget n'est pas seulement le psychologue du développement de l'enfant dont nous venons de parler. Nous avons vu en effet qu'à partir de sa conception de la genèse de l'intelligence il touche à des questions de fond concernant la nature de la connaissance. C'est pourquoi le maître de Genève est également connu pour ses recherches sur la logique et sur l'épistémologie. La logique occupe une place centrale car elle est la structure formelle du savoir ; sans elle nous ne pourrions formuler ni énoncés ni jugements, ni raisonnements, elle représente l'organisation interne de la pensée. C'est précisément la genèse de cette pensée logique que Piaget découvre dans le développement intellectuel de l'enfant de 7 à 13 ans.

Synthèse des activités de l'enfant au cours des six stades de son développement

Age Développement	1er stade 1 mois	2e stade 1-4 mois	3e stade 4-9 mois	4e stade 9-12 mois	5e stade 12-18 mois	6e stade 18-24 mois
Intelligence	• Premiers réflexes	• Premières habitudes acquises • Dissociation assimilation/accommodation • Réactions concernant le corps propre • Regard, écoute, succion • Conservation d'un résultat se produisant par hasard	• Adaptation sensori-motrices intentionnelles • Différenciation assimilation/accommodation • Répétition et intentionnalité • Conservation des résultats d'action en milieu extérieur • Sucer, balancer, frotter	• Coordination des mouvements • Egalité entre assimilation et accommodation • Non-accessibilité du but • Dissociation moyen/fin	• Découverte de nouveaux moyens par recherches actives • Saisie des nouveautés pour elles-mêmes • L'accommodation se dirige vers l'assimilation	• Inventions de moyens nouveaux par combinaison mentale • Intelligence représentative
Objet	• Pas de conduite aux objets • Coordination des schèmes visuels et auditifs	• Idem	• Début de permanence qui prolonge les mouvements d'accommodation • Perception de la permanence de l'objet due à l'action du sujet	• Recherche active de l'objet disparu • Début de permanence objective	• Représentation des déplacements invisibles • Permanence de l'objet • L'objet est consitué	• L'enfant tient compte des déplacements successifs de l'objet • Recherche de l'objet • Objectivité de l'objet permanent
Espace	• Espace corporel et hétérogène par les sens (vue, toucher)	• Idem	• Coordination des groupes • Groupes subjectifs • Pas de retournement du biberon	• Passage aux groupes objectifs • Opérations réversibles • Grandeur constante des solides. Retournements systématiques	• Représentations spatiales entre les choses • Représentation des déplacements du corps propre	• Déplacement des objets les uns par rapport aux autres par contact direct • Homogénéité des déplacements
Causalité	• Contacts entre le milieu interne et externe • Pas de liaisons entre les espaces • Sentiment d'efficience	• Idem	• Causalité magique, efficacité du désir et de l'intention • La causalité est le résultat de l'action propre	• Extériorisation et objectivation de la causalité	• Causalité représentative	• Objectivation et spatialisation réelles • L'espace est un tout qui englobe le sujet et l'objet
Temps	• Non-permanence des séries d'objets	• Idem	• Apparition de séries subjectives avant et après et relatives à l'action propre	• Début d'objectivation • Séries et successions marquées de l'action propre du sujet	• Séries représentatives	• Séries objectives • Le temps est un cadre qui englobe le sujet et l'objet

Par son constant souci de comprendre l'origine des catégories logiques Piaget les analyse dans leur construction psychologique. En effet, si la logique est le système formel de la pensée, le psychologue doit pouvoir observer et expérimenter ses modes d'organisation. C'est en ce sens expérimental que la logique relève de l'observation psychologique, tout comme les autres phénomènes psychiques. La psychologie génétique ne se limite pas à repérer des stades de développement de la pensée mais explique aussi ses processus de construction.

Cette psychologie de la connaissance établit les formes et le devenir des catégories logiques, ce qui explique qu'elle soit aussi une méthode. Si la pensée de l'enfant se développe par emboîtements successifs, le développement de l'intelligence implique une sorte de filiation de stades formels qui organisent ce développement, ce qui a conduit Piaget à déduire de la logique ce qu'il constatait empiriquement dans le développement de l'intellect enfantin.

Cette dimension formelle explique pourquoi la psychologie de Piaget n'est pas seulement expérimentale mais aussi "logicienne", dans la mesure où il étudie les contenus de la connaissance mais surtout ses "formes *a priori*", ses contours logiques. C'est dans deux ouvrages *Traité de logique* (1942) et *Essai de logique opératoire* (1971) qu'il a tenté de formaliser les structures intellectuelles de l'enfant, et a été conduit à des recherches logiques.

Les découvertes en épistémologie

En même temps que les questions de logique Piaget est également à la recherche des conditions de la connaissance et des lois de son développement et de son organisation (épistémologie) en elle-même et pas seulement chez l'enfant. Comment en est-il arrivé à de telles recherches qui sont habituellement le domaine des philosophes et des épistémologues ? Dans la théorie piagétienne tout se tient. Si le psychologue observe le développement de l'intelligence, il rencontre nécessairement le problème de l'origine de la connaissance. En outre, nous l'avons vu, négligeant le développement affectif, Piaget est amené à interroger ce qu'est le sujet connaissant, non plus seulement chez l'enfant, mais aussi chez l'adulte en général. Ce qui l'intéresse c'est l'activité pratique et cognitive du sujet qui accède à la connaissance et construit son organisation. Cette recherche des lois de la connaissance, est appelée "sciences cognitives" ou "épistémologie génétique".

Il évite deux tendances explicatives qui sont pour lui des écueils. Il récuse que la connaissance ne soit "qu'empirique" c'est-à-dire le simple reflet du monde extérieur. L'intelligence n'est pas passive car elle conduit activement son organisation et possède ses propres lois de développement. Mais, à l'inverse, il refuse une conception "spiritualiste" du sujet connaissant qui affirme l'innéité de l'esprit et l'existence d'un "cogito pur" (Descartes) antérieur à toute pratique, à tout développement concret.

Ni empiriste ni idéaliste la position piagétienne se fonde sur la méthode historico-critique (c'est dans l'histoire que la pensée existe) et psychogénétique (le psychologue peut observer la genèse de la pensée dans ses différents moments originaires, sensori-moteur, représentatif, symbolique, etc.). Reprenant dans la connaissance en général ce qu'il a découvert dans l'élaboration de l'intelligence chez l'enfant, il conçoit une théorie, celle de "l'abstraction réfléchissante" qui comprend le développement des connaissances humaines non pas seulement comme étant une accumulation de savoirs ou une généralisation de modèles ou de lois ; elles ne sont pas davantage des découvertes soudaines, mais des constructions transhistoriques de métasystèmes. Ceux-ci désignent les progrès de la science et de la pensée sous la forme d'actions de décentration, de reconstruction et de coordination qui permettent à l'homme la prise de conscience de coupures et de sauts épistémologiques nouveaux que produit le savoir humain.

La dialectique de Piaget

Ces sauts (ou discontinuités) ne sont pas dus au hasard ni soumis à l'arbitraire, ils indiquent que la progression de la connaissance de l'humanité se fait comme le développement intellectuel chez l'enfant : chaque nouvelle étape dans le progrès de la connaissance se fait par la coordination de nouvelles structures qui engendrent un nouveau moment du savoir. On assiste ainsi à un changement d'échelle, à une réorganisation de la pensée qui rompt avec le stade précédent mais dans un processus de continuité. Nous sommes ici au centre de la dialectique de Piaget. Ni esprit comme chez Hegel, ni opposition des contraires comme chez Marx, la pensée est l'interaction constante d'un progrès de la connaissance qui produit en même temps un changement dans le réel. Pas de pensée sans réel mais pas de réel sans connaissance. Tel est le "cercle épistémologique fondamental" où pensée et réel sont relativisés l'un par rapport à l'autre dans une conception dialectique. C'est pourquoi Piaget est un généticien car chez les individus comme dans l'histoire universelle de la connaissance, il indique qu'il y a osmose, homogénéité entre ce qui est connu et ce par quoi on connaît. L'intelligence est un fonctionnement qui se découvre lui-même en expliquant le monde, en forgeant de nouveaux concepts et en se donnant un nouveau réel dans l'évolution.

Avec l'épistémologie génétique Piaget tente de résoudre, par l'approche expérimentale de l'origine de la pensée humaine, le vieux dualisme métaphysique entre sujet et objet pour le dépasser. Par une conception de l'interaction permanente des concepts (qu'ils viennent des mathématiques, de la biologie ou de la psychologie) Piaget exprime le cercle, la spirale qui traduit la non-linéarité de l'évolution cognitive. Il proclame sa foi totale dans le progrès de la raison et le développement continu des connaissances.

Les trois Piaget

Nous avons exposé les grandes figures qui symbolisent sa pensée : d'abord celle du psychologue généticien de la connaissance et du développement intellectuel de l'enfant qui montre comment des structures formelles gouvernent son développement. Ensuite celle du logicien qui cherche l'origine de la pensée dans des structures logiques dont le psychologue peut suivre expérimentalement les lois d'organisation. Enfin celle de l'épistémologue de la connaissance humaine (spécialement du progrès des sciences) qui unit dialectiquement expérience cognitive et accession à de nouveaux réels qui évoluent non par des coupures mais en continuité, sans hasard ni arbitraire. Ainsi tout semble "inscrit" dans des lois ou des structures qui organisent l'évolution et donnent un nouvel état de la connaissance et du réel.

Il ne faudrait pas croire que le psychologue, le logicien et l'épistémologue sont trois Piaget séparés, ils répondent au contraire, sous trois approches différentes, à une seule et même question : qu'est-ce que la connaissance, quelles sont ses modalités d'apparition, que sont ses mécanismes d'organisation ? Piaget répond à cette question en démontrant le caractère génétique de ces phénomènes, génétique voulant dire ici qu'il n'y a pas une genèse unique mais des genèses successives qui expliquent à un moment précis, observable, le passage d'un stade à un autre, d'une structure qui précède à une autre qui apparaît, dans un rapport de causalité circulaire. En observant les conditions de fonctionnement de la pensée, il l'a conçue non pas comme un donné inné, mais comme le résultat d'une évolution. C'est pourquoi Piaget a ouvert une voie scientifique et expérimentale de la construction de la connaissance.

Synthèse de la psychologie génétique		
Le psychologue	**Le logicien**	**L'épistémologue**
– Méthode : observation du comportement de l'enfant – But : élaboration des stades de développement – Concepts : assimilation -accommodation – Principe : chercher les lois qui organisent l'apparition du symbole et de la représentation – Concept central : intelligence sensori-motrice – Conclusion : l'enfant construit dialectiquement et simultanément le réel et l'intelligence	– Méthode : observation du développement de la raison – But : élaboration des catégories de la raison – Concepts : temps, espace, causalité – Principe : genèse des structures formelles de la pensée – Concept central : les catégories de la raison – Conclusion : l'enfant construit les lois formelles de l'intelligence par emboîtements successifs	– Méthode : historico-critique et psycho-génétique – But : élaborer les lois de la connaissance dans ce qu'elle a d'universel – Concepts : discontinuité, métasystème, activité de l'intelligence – Principe : l'intelligence se construit par développements successifs et discontinus – Concept central : coupure épistémologique – Conclusion : l'intelligence est le produit de structures universelles qui s'engendrent
La connaissance – Caractère dialectique du réel et de l'intelligence – La connaissance est le résultat d'évolutions discontinues – Dépassement de la dualité sujet-objet – La connaissance est le résultat d'une pratique individuelle et universelle – La raison n'est pas innée mais résulte d'une évolution structurale		

Les théories groupales

Vers une psychologie sociale autonome

La théorie groupale a une importance capitale dans la pratique sociale actuelle. Mais cette pratique est le résultat de recherches théoriques qui se sont déroulées pendant plus d'un siècle d'affrontements entre tendances, méthodologies et recherches qui n'ont pas été convergentes. La complexité même des phénomènes de groupe et des conduites sociales a exigé ces tâtonnements qui n'étaient pas exempts de présupposés philosophiques et idéologiques. Néanmoins, et en dépit de ces approches divergentes, les "théories groupales" ont été formulées par trois principaux théoriciens : Moreno, Freud, Lewin. Grâce à leurs analyses et à la rigueur de leurs méthodes une approche "scientifique" a pu être faite des phénomènes sociaux, en particulier de la genèse et de la structure des petits groupes.

Lorsqu'on examine les pratiques actuelles sur les groupes, la "psychologie dynamique" de Lewin a opéré une rupture méthodologique par rapport à celles du passé et a donné à la psychologie sociale sa valeur expérimentale. Il marque à lui seul une étape décisive : la constitution d'une psychologie sociale autonome à l'égard de la psychologie individuelle et de la sociologie. Il a fondé aux USA, puis en Europe, une pratique de l'analyse des conduites groupales et collectives. C'est à ce titre qu'il est le théoricien des groupes, ceux-ci étant conçus comme une réalité irréductible aussi bien à la psychologie individuelle qu'à la sociologie. C'est pourquoi Lewin apparaît comme le fondateur de la psychologie sociale.

Les précurseurs

C'est en France qu'elle naît au XIXe siècle et au début du XXe. A. Comte (1798-1857) emploie le premier le terme de "psychologie sociale". Ses principes philosophiques (positivisme) lui font postuler que le social prévaut sur l'individuel. Pour lui n'existent que deux sciences positives légitimes, celle de la vie : la biologie, et celle de la société : la sociologie. E. Durkheim (1858-1917) est plus nuancé parce que plus rigoureux que son prédécesseur : la psychologie ne peut être qu'individuelle et il appartient entièrement à la sociologie d'expliquer les phénomènes sociaux. G. Tarde a une réaction inverse, il élabore une psychologie individuelle et une psychologie sociale, mais en définitive pour lui c'est l'individuel qui explique le social car il conçoit la société comme composée d'instincts individuels primitifs qui fonderaient les comportements sociaux.

S'il revient à la France d'avoir introduit la psychologie sociale, nos psychologues n'ont pu se débarrasser entièrement de l'impasse théorique suivante : la grande dichotomie entre le social et l'individuel qui consiste soit à réduire les phénomènes sociaux à leurs composantes individuelles, soit à intégrer le psychisme individuel à des données entièrement sociales ; il existait à cette époque une "métaphysique" de l'individu provenant du cartésianisme et une vision positiviste de la sociologie qui concevait la société comme un organisme et reposant sur des "faits" jamais critiqués.

Si bien que ce sont les Anglo-Saxons qui formulèrent les premiers les méthodes scientifiques de la psychologie sociale et menèrent une recherche systématisée sur les conduites collectives de l'homme. Leur empirisme a eu gain de cause sur le dogmatisme français. Cette brèche ouverte, essentiellement américaine, sera désormais le vecteur principal de l'analyse des groupes.

Les premiers fondateurs

A la fin du XIXe siècle et au début du XXe, les Américains s'appuient sur les données de l'expérience pour formuler les lois des phénomènes sociaux. William McDougall (1871-1938) fait des recherches spécifiques sur les comportements et conduites sociales. Il parle le premier de "forces mentales" résultant "d'instincts sociaux" qui rendraient compte des comportements en groupe et en collectivité. Ses recherches ont eu une influence considérable dans les milieux universitaires où il introduisit ce que nous nommons aujourd'hui la "psychologie sociale". Une autre influence a été importante, celle du philosophe de l'éducation J. Dewey ; c'est à partir de ses conceptions que se constitue véritablement l'autonomie de la psychologie sociale.

On remarque à cette époque deux tendances dominantes aux USA :

- Une tendance "instinctiviste" qui explique les comportements collectifs en les interprétant en termes de forces sociales innées et "d'instincts déterminants" (on retrouve là l'influence des Français Tarde et Le Bon).
- Une tendance "psychopédagogique" qui s'inspire des théories behavioristes. La grande question est la socialisation de l'être humain et son accession à la "maturité sociale". Il s'agit de mesurer et d'évaluer l'influence du groupe sur l'individu sous l'angle des apprentissages des conduites sociales. Cette tendance est représentée par la pédagogie expérimentale de J. Dewey. Après cette étape "instinctiviste" et "expérimentale" se fait jour une évolution en deux temps.

A partir de 1930, les travaux de Freud sur la psychologie de groupe (*Psychologie collective et analyse du moi*, *Totem et tabou*, *Malaise dans la civilisation*) suscitent des polémiques entre psychanalystes et psychologues sociaux. Avec cette influence toute nouvelle de la psychanalyse, la psychologie sociale s'oriente (et y demeurera longtemps) vers une psychologie du *leadership* : on cherche à comprendre l'influence de l'individu sur le groupe et on analyse les mécanismes psychologiques du meneur de foule et du leader. On l'explique notamment par l'innéité des dons, une prédisposition au pouvoir, une appétence pour la domination. Les psychologues sociaux ne retiennent de Freud qu'un déterminisme social et familial dans le développement émotif et social de l'individu. On retrouve là, finalement, derrière la nouveauté de la psychanalyse, les thèses psychopédagogiques de J. Dewey !

C'est à ce moment qu'une psychologie sociale, centrée sur l'individu et son milieu, est remise en question par une science toute neuve, l'anthropologie culturelle. Elle met en évidence la relativité des cultures et veut démontrer que ce que la psychanalyse concevait comme lois universelles du psychisme était lié en fait à des systèmes de valeurs et à des variables entièrement culturelles. C'est à cette époque que les travaux de Malinowski soulignent les déterminations socio-culturelles des comportements en groupe et par là relativisent les concepts psychanalytiques (notamment le rôle du père dans le complexe d'Œdipe).

La psychanalyse et l'anthropologie culturelle influencent les milieux scientifiques et universitaires américains dont les travaux aboutissent à un "réductionnisme" qui se maintient jusqu'à K. Lewin :

- Les psychanalystes ne tiennent compte que de la dimension inconsciente des phénomènes sociaux. Le leader adopte le même comportement que le vieux mâle de la horde primitive. La psychanalyse explique les mécanismes sociaux par l'inconscient.
- Les psychologues sociaux, quant à eux, interprètent le comportement socioculturel comme déterminant majeur des groupes et des individus. L'anthropologie culturelle s'annexe la science de l'individu et du groupe.

"L'individualisme" et le "culturalisme" étaient sans doute nécessaires à la croissance de la psychologie sociale, mais n'étaient d'aucune utilité pour l'étude de la spécificité du groupe.

La psychologie dynamique : Kurt Lewin (1890-1947), Américain d'origine allemande

A la recherche d'une méthode

Une rupture nécessaire

K. Lewin rompt avec ses prédécesseurs et fixe à la psychologie sociale de nouveaux objectifs et de nouvelles méthodes. Pour élucider la dynamique des phénomènes de groupe, il s'oriente vers des buts pratiques. L'action et la recherche sociale sont orientées vers une fonctionnalité, une créativité et une efficacité entièrement nouvelle. Pour cela il propose de repenser radicalement l'expérimentation en psychologie sociale, la dichotomie entre individu et milieu étant artificielle car elle conduit à une impasse scientifique. Lewin est un des principaux théoriciens du Gestaltisme (allemand Gestalt : structure, forme).

Le postulat gestaltiste est la clef de voûte de ses options méthodologiques. Mais que dénonce-t-il à travers ce choix ? Il critique les approches atomistiques de son temps qui réduisent le corps social à n'être qu'une addition d'individus. Ce n'est pas en décomposant les phénomènes sociaux en éléments ou en segments que l'on peut trouver la dynamique interne du tissu social. Lewin pratique au contraire des coupes analytiques sociales concrètes dans une perspective pluridimensionnelle. Nous verrons que ces options de méthode ne sont pas des hypothèses provisoires mais des postulats qui fondent avec rigueur la "science sociale". La validité de son approche gestaltiste se vérifie aussi bien dans sa pratique que dans la recherche sur l'individu et les groupes.

Les principes méthodologiques

Si le Gestaltisme lui fournit une méthode il lui permet d'abord d'interpréter "scientifiquement" la complexité de la réalité sociale. Celle-ci est multidimensionnelle et il s'agit d'en repérer les constantes et d'en fixer les variables. C'est de cette complexité que lui vient son goût d'opposer en psychologie la recherche en laboratoire et la recherche sur le terrain. Critiquant le béhaviorisme comme étant artificiel et inadéquat à cause du milieu clos que représente l'expérimentation en laboratoire, il choisit le terrain social concret qui lui fournit les conditions valides d'expérimentation. Il pratique en psychologie ce que les éthologistes (K. Lorenz, Tinbergen) allemands découvrent pour leur part dans le domaine de la psychologie animale.

Pour Lewin une hypothèse n'est valable en psychologie que si les lois et les théories qu'elle élabore sont applicables, c'est-à-dire peuvent modifier concrètement les phénomènes sociaux qu'elles ont à expliquer, d'où résulte son souci pour la transformation et l'efficacité sociale. Ses hypothèses se veulent "interventionnistes" car la recherche est faite dans une optique pragmatique : la validité d'une hypothèse, la vérité d'une théorie sont proportionnelles à la justesse des pronostics qu'elles permettent de mettre en œuvre dans la société. Nous trouvons dans cette démarche la marque de l'empirisme américain qui "sévit" alors en sciences sociales. La psychologie doit permettre de diagnostiquer une situation sociale pour être efficace et elle doit formuler la dynamique propre de la vie d'un groupe. Diagnostic et dynamique groupale sont deux buts complémentaires et indissociables. Il résulte de cette première hypothèse que la psychologie sociale doit prendre son origine dans une situation sociale concrète à modifier.

En outre les phénomènes sociaux ne peuvent s'observer du dehors, pas plus qu'en laboratoire de façon statistique. Ils ne deviennent intelligibles que si on les comprend du dedans et si le théoricien consent à participer à leur devenir.

D'où la nécessité pour le chercheur de participer à la réalité sociale qu'il analyse et pour les membres du goupe étudié de consentir explicitement à cette expérimentation. Dans cette deuxième hypothèse l'influence philosophique vient de la méthode dialectique de Hegel et de l'existentialisme de K. Jaspers.

Il faut conclure sur la méthode en soulignant l'opposition profonde de Lewin à la pensée de Freud : sa psychologie tend à la mathématisation et la "dynamique de groupe" veut appréhender la dimension historique du temps groupal, dimension proche de la phénoménologie de Husserl et de Brentano, alors très influente en Allemagne dont Lewin est originaire. Il réalise une connexion de méthodes qui lui permet d'utiliser le Gestaltisme, le structuralisme et la psychologie expérimentale et fonde ainsi quelque chose de nouveau : la théorie groupale.

De la psychologie individuelle à la psychologie de groupe

La dynamique de la personnalité

Lewin élabore d'abord une psychologie de l'individu et emprunte au modèle physique la notion de "champ psychologique". Celui-ci est la résultante de la conjonction de plusieurs forces car tout se passe comme si les individus étaient mûs par des forces agissant au niveau de leur conscience. Quand ils sont sollicités de déplacer mentalement leurs conduites dans un autre champ ils s'insèrent dans une région 1 qui les mène à aller vers une région 2. Mais ce type de déplacement n'est pas physique car il fait appel à la notion centrale chez Lewin, de locomotion mentale ; celle-ci est une disposition à changer de champ pour des motifs qui poussent à aller d'une situation à une autre, alors que les lieux et les conditions sont apparemment les mêmes.

Lewin veut expliquer par là les modifications constantes d'un champ mental et des régions psychologiques qui se transforment sans manifestation extérieure (par exemple penser à autre chose). Cette "locomotion mentale" est à la base des mouvements psychologiques qui modifient un individu et son milieu. Cette modification n'est possible que si des forces, issues de la vie intérieure des individus comme du milieu, s'expriment en actes psychologiques. Quand un sujet passe d'une région à une autre sa démarche va dans une certaine direction. La locomotion psychologique consiste à passer, en “esprit”, c’est-à-dire de manière irréelle, d’un endroit à un autre. Lewin pense que l’on va d’une région 1 à une région 2 car ces régions possèdent une valeur. Notre psychologue procède à la mise en place d’une topologie psychique où chaque moment du champ est caractérisé comme situation psychologique. Les régions et les situations s’enchaînent les unes aux autres, comportant des inclusions et des exclusions. D’où la notion “d’espace vital” qui est l’ensemble des régions possibles d’un individu dans un cadre donné. Il y a toujours passage d’un lieu “irréel” à un lieu adaptatif.

La notion de force ou la méthode expérimentale

Reprenant les travaux de Bion, Lewin emprunte aussi à la physique la notion de force. Celle-ci est un processus psychologique qui agit sur un point quelconque du sujet. Ces forces sont créées (comme en physique) par une tension s’exerçant sur le sujet pour aller ou non dans telle ou telle région (par exemple sentiment du devoir à accomplir, contraintes morales ou matérielles qui agissent sur le sujet).

Ces forces dynamisent le champ individuel. L’algèbre permet à Lewin de comprendre les processus spatiaux, psychologiques et dynamiques qui meuvent un individu. Son algèbre est constituée d’un jeu de constructions et de modèles en vue d’élaborer des schémas fonctionnels. Ces “modèles mentaux” sont destinés à rendre plus maniable et plus exacte l’analyse de certaines situations psychologiques. L’individu est mû par deux sortes de forces, les unes positives et les autres négatives. Empruntant directement à la physique Lewin veut contrôler les expériences psychologiques par l’observation minutieuse des comportements, d’où un comportementalisme qu’il applique à sa recherche, mais qu’il abandonnera au fur et à mesure de ses découvertes car sa démarche fondamentale sera de chercher le point de vue du sujet. Il introduit également la notion d’approximation par laquelle l’observateur est lui-même impliqué dans le champ observé. Il élabore aussi des constructions assez exactes de ce qui se passe dans les conduites individuelles pour appréhender le mouvement psychologique lui-même en se plaçant dans le contexte même de la modification incessante de la vie psychique. La notion de force est centrale pour comprendre ce qui meut les individus, elle implique des vérifications en termes de données expérimentales.

Le modèle physique galiléen

Sa psychologie dynamique emprunte dès le départ au modèle de la physique de Galilée en recherchant les principes des combinaisons élémentaires, les lois des particules qui se combinent et donnent ainsi la clef du mouvement en physique. Il constate qu’il n’y a pas de désordre dans la nature, mais des ordres différents, d’où résulte le fait qu’il n’y a pas que de la répétition dans les phénomènes naturels : chacun d'eux est toujours nouveau, toujours différent et obéit cependant aux mêmes lois physiques. Lewin en tire des conclusions pour la psychologie : à tous les instants de la vie psychique les actes sont différents, mais ils obéissent à des lois qui, elles, sont toujours identiques. Comment rendre compte du multiple qui est régi par l'un ? Si l'on parvient à répondre à cette question on pourra comprendre la dynamique de la psyché qui est constituée de mouvements incessants dont il faut découvrir les lois.

Le concept de "champ psychologique" d'un individu permet de rendre compte de processus de forces chaque fois spécifiques qui ne transparaissent pas dans les conduites mais qui les sous-tendent. Si les forces sont constitutives de la vie psychique, le conflit est le résultat de forces antagonistes. Il peut y avoir une force positive (+) (désir d'un sujet d'aller de a à b) et une force négative (–) (interdit moral ou difficulté matérielle) qui en empêche la réalisation. Ainsi tout comportement se développe sur fond de forces en fonction d'une situation totale. C'est donc en termes de structures de forces que le comportement se construit : par exemple dans un groupe un état d'immobilisation peut résulter de l'équivalence des forces positives et négatives qui se neutralisent à un moment donné. Puis un conflit se crée qui permet une décision et une résolution de ce conflit. Pour Lewin, à la différence de Freud, il ne faut pas remonter à autre chose qu'au champ psychologique présent du sujet. Le passé n'est là qu'en tant qu'il est actualisé et résulte moins de l'inconscient que de l'actualité des forces du champ psychique qu'il met en œuvre.

Peut-on transposer de l'individu au groupe ?

Ce point de vue expérimental et physique permet de penser la psychologie en termes de "forces", de "champs", de "conflits" et de tensions actuelles. Mais il est difficile de transposer cette psychologie individuelle dans le domaine social. Pourtant Lewin part de grands principes que reprendra Gurvitch :

- Il existe une réciprocité des analyses sociales et individuelles, puisque individus et milieux forment un tout en constante interaction.
- Le groupe a aussi un champ et se comporte comme une psyché, on peut établir alors ses valeurs, ses dynamiques, ses topologies.
- Le groupe a le même comportement qu'un être vivant qui déploie un espace collectif. Il existe un "espace social vital" propre aux unités groupales et Lewin saisit alors que "les conduites du groupe doivent être considérées comme telles".
- Dans la réalité comme dans la méthode il y a correspondance entre groupe et individu par des réseaux de jeux de forces. L'espace psychosocial est un espace du groupe et l'espace individuel engage une relation de groupe.

Reprenant encore un modèle galiléen Lewin établit que le groupe obéit à une "configuration moléculaire", au même titre que l'individu obéit à des lois atomiques. Ce groupe est un noyau de particules : de même qu'en physique on ne peut dissocier les éléments du noyau constitutif de la matière, de même en psychologie groupale on ne peut dissocier les individus du champ social constitutif du psychisme.

Ainsi ce que Lewin vérifie sur l'individu il le transpose sur le groupe avec les concepts de "champ", de "région" et de "locomotion".

L'objet de la dynamique des groupes

La légitimité de la méthode ainsi établie, Lewin opte à partir de 1947 pour une exploration systématique des microphénomènes de groupe. Les petits groupes constituent les seules totalités dynamiques accessibles à l'observation et à l'expérimentation scientifique. En effet les situations concrètes des individus et des groupes dépendent de la forme globale (Gestalt) qui les enveloppe et celle-ci dépend en réciprocité des situations concrètes qui possèdent leur dynamique propre. Ces situations concrètes sont fonction des interactions des individus. La "dynamique de groupe", terme constamment mal utilisé maintenant, est cet effort de méthode qui permet d'atteindre ces "totalités concrètes" que sont les petits groupes, en les voyant du dedans. Au cours de sa recherche Lewin forme des "groupes témoins", c'est-à-dire qu'individus et groupes reçoivent une formation pour leur auto-observation. Ils constituent, selon les termes de notre psychologue, des "atomes sociaux radioactifs", devenant de ce fait des éléments propres à modifier une situation sociale. Etant dans le processus de changement ils peuvent analyser les mécanismes internes de leur propre devenir.

Comme pour la psychologie de l'individu, l'analyse des petits groupes emprunte son modèle aux sciences physiques et expérimentales et à la dialectique existentielle. C'est ainsi que le groupe est défini comme un "champ de forces" s'exerçant à l'intérieur d'une "zone de liberté" laissée par les institutions sociales. Les conduites du groupe sont la résultante de la combinaison de ces forces, selon des lois qui relèvent à la fois de la sociologie et de la psychologie. Ce modèle, à la fois physicaliste et dialectique, permet à Lewin d'expérimenter les lois sur des groupes artificiels en laboratoire (expérimental) et sur des groupes concrets dans la vie sociale (dialectique).

Les concepts clefs de la psychologie dynamique

Les principes expérimentaux

Selon la psychologie de la forme (Gestalttheorie) l'action d'un individu peut être expliquée à partir de la structure qui le dynamise et dynamise son milieu. Mais qu'est-ce qu'une structure ? Ce terme chez Lewin, à la différence de Lévi-Strauss ou de Lacan, n'a pas une valeur formelle, mais physique.

Expérimentalement le groupe est un champ dynamique que l'on peut modifier. Si l'on bouge l'un des éléments constitutifs du groupe, membres, communications, barrières du champ social, on parvient à la modification de la structure d'ensemble car on modifie le système des forces. En effet c'est dans ce système que résident les lois des actions et des inhibitions du groupe. Au moment où Lewin fait cette découverte, il pense qu'il a définitivement rompu avec la stérilité des modèles béhavioristes et culturalistes. Pas plus que la société n'est le résultat de simples forces additionnelles d'individus (loi cumulative physique) le groupe n'est pas davantage le résultat de contraintes globales venant de la société prise comme un tout. La "dynamique de groupe", en saisissant le jeu du mouvement des individus et des groupes, permet d'analyser le tissu social dans son devenir et à partir de son histoire propre. Le terme de "dynamique de groupe" exprime ce que Lewin entend par l'analyse et le mode d'intervention qui en découle, l'observation du changement et les résistances à ce changement. Il vise en fait une mobilisation concrète des structures des groupes en vue d'une nouvelle efficience. Nous retrouvons là, au niveau de l'expérimentation, ce qui avait été posé comme hypothèse : méthode d'analyse et méthode d'intervention sont liées. Lewin apporte une pierre architecturale à la psychologie pratique et empirique.

Les concepts de la théorie groupale

Les conduites individuelles et groupales ne sont ni le résultat de mécanismes extérieurs ni des actes subjectifs de la conscience. Elles sont le résultat d'une situation sociale où se fondent, en une même réalité, dynamique des groupes et dynamique individuelle. Pour chercher la genèse de la "dynamique des groupes", Lewin propose le plus important des concepts, celui de "champ social", après ceux de "totalité dynamique" et de "moi social" qui se définissent ainsi :

Une totalité dynamique est l'ensemble des éléments interdépendants, constitutifs du groupe. La personnalité comme le groupe sont un complexe de systèmes, de forces et de processus psychiques désignés sous ce concept. Cette totalité ne peut jamais s'individualiser en s'isolant puisque ce qui la définit c'est sa capacité interactionnelle. Lewin a déjà mis là en évidence ce que seront vingt ans plus tard, les principes de la théorie systémique selon laquelle le groupe est une totalité.

Le "moi social" fait partie de la personnalité et constitue une configuration de régions ayant une structure "quasi stationnaire". C'est pourquoi il est un système qui tend à se retrouver identique à lui-même dans toutes les situations. Dans son ouvrage *Théorie dynamique de la personnalité*, Lewin explore la personne en la considérant comme système de noyaux concentriques qu'il appelle le moi (self, ego), construit en trois niveaux :

- Au centre, le noyau, le “moi intime”. Ce cercle est dynamique car il est constitué par les valeurs personnelles auxquelles l’individu attache le plus de prix. C’est la sphère de la “croyance” mais ce moi est clos.
- Entourant ce noyau, se trouve le “moi social”. Il englobe les valeurs qui sont partagées par certains groupes (classe, profession, valeurs communes, infrastructure matérielle, etc.). Il médiatise le privé et le social dans une réciprocité.
- Enfin, à la périphérie, se trouve le “moi public”. Il est ouvert mais superficiel dans la mesure où il répond à des automatismes sociaux, c’est-à-dire à un conditionnement. Celui-ci est le moi des expérimentalistes et correspond au “moi cuirasse” de Reich.

Selon les situations et le jeu social le “moi public” et le “ moi social” varient. Ils ne sont jamais statiques car ils peuvent se rétrécir et se dilater. Les conduites et les comportements individuels et de groupe sont riches en fonction de cette capacité du moi à varier ses distances avec son “champ social”.

Le “champ social” est une totalité dynamique constituée de réalités sociales qui coexistent dans la personnalité mais qui ne sont pas nécessairement intégrées. Le “champ social” caractérise les positions des différents éléments qui le constituent, c’est-à-dire les groupes, sous-groupes, individus, réseaux de communication, etc. Quand Lewin cherche la structure et la genèse de la “dynamique des groupes”, il fait du concept de “champ social”, le noyau central de sa théorie comme pour sa psychologie “individuelle”. Le champ social est une “Gestalt”, c’est-à-dire un tout irréductible aux sous-groupes et aux individus qui le constituent. Quand des psychologues considèrent l’individu seul, Lewin condamne cet “*a priori* anthropocentrique” car il nous vient selon lui d’une philosophie cartésienne d’un “moi” et d’un “cogito” solitaires. Pour lui, par conséquent la notion même de “psychologie individuelle” est privée de sens. Sa “psychologie dynamique” est aux antipodes d’un tel préjugé individualiste, puisqu’elle a pour but de révéler la dynamique des liens qui constitue individu et champ social indissolublement liés (on trouve cette conception chez E. Mounier dans son *Traité du caractère*, où il considère la personne comme étant relation). On peut donc distinguer et dissocier groupe et individu, tout en sachant que ces opérations analytiques sont des abstractions car individus et groupes sont indissociables dans les faits et dans leur présence.

Le “champ social”, constitutif du groupe et de l’individu, répond à des besoins à la fois sociaux et individuels. Il a pour fonction d’insérer dans le milieu et la société dont il est le médiateur.

Le groupe constitue le terrain sur lequel l’individu se tient, et définit son appartenance sociale.

A ce titre il est une réalité d'appartenance, même pour ceux qui se sentent ignorés, rejetés ou isolés. Si le groupe subit des modifications, l'individu se modifie à son tour. Les besoins aspiratoires, attentes, gratifications, frustrations, ne sont jamais qu'individuels et n'échappent pas totalement au groupe. Ainsi loin d'être extérieur, le groupe est un élément de "l'espace vital" des individus dont il est le vecteur, c'est la partie de l'univers social qui leur est librement accessible.

La fonction de ce "champ social" est fondamentale car il est constitué d'éléments sociaux (buts, normes, représentations du milieu, divisions des rôles, statuts, etc.) et c'est par lui que le groupe se définit comme système d'interdépendance entre ses membres. La théorie lewinienne permet l'étude de nombreux phénomènes, tels que climat moral, communications, autorité, influence, prise de décision, résistance aux changements, rôles et attitudes, créativité, relation, etc. Les modifications de ces phénomènes peuvent faire l'objet d'études expérimentales sur des groupes artificiels comme sur des groupes réels (ateliers, écoles, quartiers, équipes de travailleurs sociaux, etc.).

Ces trois concepts, "totalité dynamique", "moi social" et "champ social" constituent l'ossature de la théorie groupale et ont permis d'analyser ce qu'est l'adaptation sociale.

La pratique de la dynamique de groupe

L'adaptation sociale : contrainte et liberté

A travers l'étude du groupe, Lewin a saisi les mécanismes des conduites sociales, ce qui lui a permis d'analyser deux phénomènes importants, l'adaptation et le contrôle social.

L'adaptation sociale s'établit dans les rapports entre les réalités sociales et les comportements des individus. L'observation de groupes restreints (de 10 à 12 membres) met en relief les éléments de cette contrainte sociale. A l'encontre de nombreux sociologues et anthropologues sociaux, Lewin observe que la réalité sociale n'est pas plus contraignante que l'univers physique ou géographique. L'individu en effet peut échapper à certaines pressions, refuser certaines contraintes, mais ne saurait se soustraire à certains conditionnements. D'où la nécessité pour chacun de trouver des compromis entre ce qu'exige la liberté et ce à quoi contraint la norme sociale. Néanmoins l'individu est "obligé" d'adopter tel type de comportement, se conformer à telle attitude pour répondre aux attentes de son groupe. C'est pourquoi la liberté de mouvement et de choix individuel dépend du "climat" dans le groupe, lui-même étant déterminé par la culture, l'histoire, la dynamique de la réalité sociale, qui sont autant de réalités objectives dont le groupe dépend. C'est cette totalité sociale qui le conditionne et l'oriente.

C'est pourquoi la conduite en groupe est conditionnée par deux ordres de réalité : une dynamique des faits qui s'imposent aux groupes et une dynamique des valeurs qui se choisissent. Les forces qui se dégagent de l'interaction des faits et des valeurs dépendent elles-mêmes de trois facteurs :

- Les tendances profondes du moi qui sont la manière unique dont chaque individu se perçoit.
- Les tendances du surmoi qui représentent les impératifs de la société tels que l'individu les a intériorisés dans son enfance.
- La situation sociale qui est l'ensemble de l'univers social dont dépend l'individu.

La dynamique des valeurs est donnée par le moi et le surmoi alors que celle des faits est produite par la situation sociale.

Changement et contrôle social

L'hypothèse majeure de Lewin, l'efficacité pratique de la dynamique des groupes, l'a amené à s'interroger sur les mécanismes de changement dans la société. Pour expérimenter le changement social et en dégager la dynamique on peut tenter, de l'intérieur, de le contrôler et de le planifier. Ainsi changement et contrôle social sont indissociables. En observant les petits groupes il a fait apparaître les résistances au changement, ce qui lui a permis de comprendre les mécanismes de la dynamique sociale elle-même. On trouve là, chez Lewin, la passion de saisir "l'essence" du mouvement social, le fait que, dans une société comme dans les groupes, tout est en perpétuelle transformation. Le groupe restreint représente pour cela un laboratoire irremplaçable car il permet d'observer le mouvement, cette sorte de temporalité sociale propre aux groupes et à la société.

Pour qu'il y ait changement il est nécessaire de modifier les rapports dialectiques des éléments suivants : les structures de la situation sociale, les structures des consciences, les aspirations issues de cette situation sociale. Mais le facteur déterminant du changement est toujours le "climat" du groupe, lui-même déterminé par le type d'autorité qui s'y exerce. Nous sommes là au cœur de la théorie groupale parce qu'il ressort de toutes ces expériences que le changement et l'évolution d'un groupe sont fonction d'un nouveau type d'autorité et par conséquent d'une nouvelle conception du pouvoir. Lorsqu'on sait que Lewin avait fixé des buts ambitieux à sa psychologie, la transformation constante et radicale de la société américaine, on mesure les limites réelles de la dynamique de groupe : en effet là où le pouvoir et l'autorité s'exercent de l'extérieur même du groupe, celui-ci ne peut ni évoluer ni changer par lui-même. C'est pourquoi la question de l'autorité et du pouvoir est essentielle puisque le changement se heurte aux résistances du pouvoir économique, politique et culturel et de chefs (*leader*) dont le type de pouvoir, autoritaire, s'exerce de façon pesante. D'où l'insuffisance de la psychologie qui ne peut changer, à elle seule, le pouvoir économique et politique car la dualité dominants-dominés est l'essence du fonctionnement de nos sociétés occidentales. La justification de la dynamique de groupe s'est faite pourtant sur deux thèmes chez Lewin : une lutte contre la massification et l'anonymat social, la libération des relations humaines et la suppression de la divison du travail. Le changement psychologique est en lui-même insuffisant car il se heurte à la nature d'un autre lien social, le pouvoir politique.

Groupes de diagnostic et groupes de base : la dynamique de groupe

Depuis la mort de Lewin en 1947 et le premier séminaire de dynamique de groupe en France en 1956, la psychologie groupale a restreint considérablement les objectifs ambitieux que lui avait fixés le maître. Mais elle a essaimé dans nos sociétés occidentales avec une profusion et une multiplicité de pratiques qui sont bien vivantes de nos jours. Il est difficile de mettre de l'ordre dans des pratiques aussi disparates et confuses mais néanmoins créatrice. Un premier constat s'impose : la “dynamique de groupe”, entendue dans son sens “technique” a de beaux jours devant elle. Cette pratique massive de la dynamique de groupe répond à des impératifs et à des exigences multiformes.

Elle se pratique différemment selon les types de groupes (famille, classe scolaire, bande de délinquants, groupes thérapeutiques, groupes de travail, quartier, cellules politiques, etc.). La dynamique de groupe se différencie en fonction de la variété du tissu social. C'est surtout à la base, dans de petites équipes, que l'on peut constater son efficacité. Et ceci pour deux raisons majeures qui tiennent à la nature de nos sociétés :

- **Le petit groupe est saisi sous la forme de relations interindividuelles** et a, en définitive, une fonction d'intimité. La dynamique de groupe est perçue comme étant une intimisation de la relation sociale qui apporte chaleur, affectivité et reconnaissance. Il est demandé au groupe qu'il soit une sorte de “village” ou de “famille” de substitution. A ce titre il joue un rôle de régulateur social dans la mesure où il est un lieu d'accueil, d'écoute et de reconnaissance qui permet d'éloigner de la solitude.
- **Mais il y a une résistance sociale au groupe**. Les grandes collectivités (usines, administrations, production, consommation, loisirs de masse, etc.) minimisent les particularismes et les individualités et réduisent l'importance des petits groupes. L'uniformisation actuelle s'accommode mal de groupes spontanés et de groupes de base se constituant hors des grandes collectivités.

Le “groupe de base” ou “groupe de diagnostic” connaît un succès relatif mais réel. Il a été mis au point en 1947 aux USA sous la forme, très lewinienne, d’expérimentation et d’analyse groupale. Il réunit en une douzaine de séances sur plusieurs jours une dizaine de personnes qui ne se connaissent pas. Il n’y a ni ordre du jour, ni président de séance, ni organisation des débats. Les participants parlent de ce qu’ils veulent et la seule fonction de “l’animateur” est d’analyser avec les participants les processus psychologiques qui surviennent pendant les séances. Le but consiste à sensibiliser les membres au mode de relations dans le groupe, à la place et au rôle de chacun, en vue de provoquer des changements pour des tâches concrètes à accomplir. Telle est la nature du “groupe de diagnostic” qui est non directif dans sa pratique et dont les buts sont simples : analyser et changer, se connaître et se transformer.

A partir de ces règles formelles se sont constituées trois sortes de pratiques de groupes se réclamant de la psychologie dynamique de Kurt Lewin (mais d’autres méthodes peuvent y être associées, la psychanalyse ou le psychodrame de Moreno) et dont la technique relève de ce qu’on appelle désormais la “dynamique de groupe” :

- **En milieu de travail, la dynamique de groupe vise l’efficacité et la production**. Son critère est le rendement par une meilleure approche des phénomènes psychologiques (ainsi en est-il des séminaires, week-ends, séjours qui ont pour but d’améliorer la productivité) en intégrant à la production les facteurs psychologiques qui favorisent l’efficacité économique maximale.
- **La dynamique de groupe thérapeutique**. Son champ est clinique et vise le soin et la guérison par une meilleure connaissance de soi et des autres.
- **La dynamique de groupe créative**. Son but est le changement et l’invention pour permettre une meilleure créativité des individus et des groupes.

La dynamique de groupe : création ou adaptation sociale ?

Les buts des “groupes de diagnostic” peuvent varier en fonction de ces trois finalités que sont le travail, le soin et la création. Mais ils sont tous trois une manière de s’adapter socialement, en s’adaptant à soi-même avec plus de vérité. Il s’agit, en effet, dans la dynamique de groupe, dans son sens technique et pratique, d’achever son dépassement, d’actualiser ses aspirations et ses aptitudes, d’atteindre ses fins personnelles par la médiation de cet “être unique” qu’est le petit groupe. Mais pour s’épanouir individuellement Lewin recommande qu’il ne faut jamais fausser ni rompre les liens fonctionnels avec la réalité du champ social car l’insertion sociale constitue le fondement de l’existence individuelle. C’est en ce sens, réaliste et pragmatique, qu’il convient de comprendre que la “dynamique de groupe”, avec la multitude de ses pratiques, est actuellement un puissant levier d’adaptation sociale.

Pour Lewin en effet il n'y a pas de bonne pratique de soi qui ne soit en même temps une adaptation minimale à ce que veut, pense, aspire, et vit autrui : on ne se conforme à soi qu'en se conformant aux autres.

C'est dans cette direction qu'il faut comprendre le "réalisme" américain pour lequel la norme du groupe joue toujours comme norme de soi-même. C'est pourquoi toute "dynamique de groupe" oscille entre des conduites qui visent la conservation du groupe comme réalité physique et image idéale et la progression qui amène une transformation des buts et de la structure du groupe lui-même. Avec la théorie groupale de Kurt Lewin la dynamique de groupe peut être créatrice pour des groupes de base isolés, mais elle est conformiste car elle conserve l'ordre social global. Tel est le paradoxe de la psychologie sociale qu'il a inventée : croire qu'à partir de changements individuels et psychologiques c'est l'ensemble de la société que l'on peut changer. C'est dans cette dimension politique que le changement psychologique peut être un leurre.

Le psychodrame : Moreno (1892-1974), Américain d'origine roumaine

L'invention du psychodrame

Libérer nos forces créatrices

Moreno est à la fois un clinicien et un chercheur, sa méthode et sa pratique sont fortement influencées par cette double appartenance. A ce titre il est l'un des fondateurs de la psychologie de groupe avec ses contemporains Lewin et Freud. Il est aussi le théoricien du psychodrame, de la psychothérapie de groupe et de la sociométrie.

Ayant fait des études de médecine et de philosophie à Vienne, il part en 1934 aux USA faire des recherches sur la psychothérapie des marginaux. Enseignant à New York de 1936 à 1968, il publie en 1934 l'ouvrage central de sa théorie *Fondements de la sociométrie* dans lequel il pose, comme Lewin, des questions de méthode qui l'orientent vers la mesure et la quantification des phénomènes de petits groupes et construit des "modèles" pour étudier la dynamique groupale. Le but de ses recherches est également pratique puisqu'il projette de réinsérer les marginaux et les délinquants dans la société.

Il part de l'hypothèse que les hommes dans leur vie quotidienne, sont captifs de rôles sociaux à cause de la forte pression du milieu. Pour se libérer de ces carcans l'homme doit retrouver son être "originaire" et, pour cela, se laisser guider par quelques principes pratiques.

Celui qui veut changer doit s'en remettre à son imagination créatrice par un jeu de rôles sur une scène fictive en vue de prendre conscience des forces sociales qui lui interdisent toute créativité et de se libérer du poids de la contrainte sociale. Ce principe, tout à la fois pédagogique et thérapeutique, appliqué avec des techniques appropriées, permet de redécouvrir la spontanéité et la capacité créatrice. Il s'agit de faire émerger l'enfant qui est en nous et que nous abandonnons progressivement en accédant à la maturité. Enfin, c'est dans la vie réelle que chacun doit communiquer avec sa spontanéité. Il peut le faire avec le jeu qui lui permet de vivre en théâtre permanent pour y retrouver sa liberté première.

Qu'est-ce que la sociométrie ?

En tant que pédagogue influencé par les problèmes d'adaptation des déviants, Moreno attache beaucoup d'importance aux notions d'apprentissage et de socialisation. C'est avec cette exigence qu'il élabore sa méthode d'analyse des groupes : la sociométrie.

La notion clef de la sociométrie est celle "d'atome social" qui consiste à comprendre l'individu non pas à partir de lui-même, mais pris dans un réseau de relations interpersonnelles dont chacun est le foyer. Cette perception d'une dynamique sociale permet de mieux percevoir les conduites psychologiques de groupe et donne ainsi au sociologue les moyens techniques d'intervention sociale et thérapeutique. La sociométrie a pour objectif essentiel la connaissance de l'être humain au sein du groupe, l'élaboration de modèles sur ce que sont l'individu, les relations interpersonnelles et les structures groupales. Elle permet l'interprétation de "banques de données" fournies à partir d'informations recueillies sur une grille appelée sociogramme (ensemble de questions et de règles permettant l'analyse rigoureuse des phénomènes de groupe). Ce sociogramme fournit des informations sur le groupe qui est constitué en trois éléments décomposables :

– **Les individus** : le sociogramme étant le résultat d'une enquête, aide à l'examen des modes de sociabilité dominant chez les sujets et mesure "l'acuité perceptive" de leurs propres relations. Son but est d'aider le sujet à se percevoir dans sa relation à autrui.

– **Les relations interpersonnelles** : le sociogramme analyse comment se distribuent les relations dans un petit groupe, notamment la régularité de leurs apparitions, leurs modifications et les polarités dominantes des échanges, qu'ils soient verbaux, affectifs ou corporels.

– **Les structures groupales** : la sociométrie permet l'analyse de la relation avec le problème central, celui de la cohésion de groupe. Celle-ci se réalise en fonction de la plus ou moins grande homogénéité des divers statuts, rôles et fonctions de chacun dans le groupe. La cohésion sociale a un fort coefficient de fragilité car elle ne relève pas seulement du groupe lui-même, mais des cadres et modèles socio-culturels et économiques dans lesquels tout groupe se trouve inséré.

Comme l'a fait Lewin, Moreno tend de ce fait à élucider le dynamisme propre des groupes concrets tels qu'ils s'expriment, s'expérimentent, se structurent dans leur présent.

L'analyse sociométrique fournit ainsi un ensemble de renseignements sur ce qui se passe aux trois niveaux d'analyse que sont les individus, les relations interpersonnelles et les structures groupales. Dans l'établissement du sociogramme chaque groupe et chaque individu subit un test sociométrique. Le sujet choisit, par ordre de préférence, ses amitiés et ses inimitiés. Ce test mesure le décalage qui existe entre les liens dans les groupes imposés par la contrainte (travail, temps, lieu, cadre, etc.) et les liens désirés réellement et exercés à partir d'un libre choix. La technique du sociogramme a permis à Moreno de déduire de ses recherches que les hommes sont en relation sous trois modes spécifiques : sympathie, antipathie, indifférence. Ces comportements sont mesurés à l'aide du questionnaire dont on dégage le sociogramme. Celui-ci mesure les modes et les degrés dans les relations à l'intérieur du groupe et analyse les phénomènes de désagrégation et d'unité en vue de spécifier ce qui lie le groupe. Les affinités entre les membres se fondent-elles sur des homologies de caractère et d'intérêts communs ou, au contraire, sur leur hétérogénéité ? Moreno constate que chaque partenaire dans un groupe permet ou non à l'autre la satisfaction de tendances complémentaires, conscientes et inconscientes, ce qui pose le problème de connaître quelles sont les motivations qui interviennent dans le "choix" des affinités (par exemple la recherche de partenaires similaires correspond à un souci de sécurisation du moi, tandis que la complémentarité et l'altérité correspondent à un souci d'accomplissement de soi et des autres).

Avec la théorie de la sociométrie et la méthode du sociogramme Moreno a été le premier à énoncer les lois d'organisation des petits groupes. Cette découverte l'a amené à forger un nouvel outil, le psychodrame, auquel il a assigné un rôle d'autotransformation des groupes et des individus.

La théorie du jeu dramatique

Très tôt Moreno a été séduit par les capacités libératoires de l'action théâtrale. Il crée un "théâtre spontané" en 1921 à Vienne. Et c'est sans doute de cette époque que naît ce produit mixte relevant à la fois du théâtre et de la psychologie qu'est le psychodrame.

Le théâtre semble avoir joué chez lui la même fonction que la découverte du rêve dans la théorie de Freud. "*Voie royale qui mène à l'inconscient*", ce dernier permet l'expression des désirs refoulés et la levée des censures et des interdits. Comme dans le rêve l'inconscient se met en scène dans le théâtre et mobilise les émotions, les sentiments et les pulsions. Grâce à sa spontanéité et son caractère ludique, il a une valeur de conversion de ce qui est enfoui. Moreno invente le terme de "psychodrame". Il perçoit que le jeu dramatique aide à l'improvisation de scènes de la vie personnelle et peut ainsi faire prendre conscience aux individus de leurs problèmes psychologiques. Puis il émigre en 1925 aux USA pour se livrer à des recherches sur la théorie et la pratique du "psychodrame" qui deviendra ultérieurement l'outil thérapeutique aidant à résoudre les conflits humains et la complexité des rapports sociaux. Il partage cet idéal de changement total, individuel et social, qui était aussi le rêve de Lewin, l'autre fondateur de la psychologie groupale. L'élucidation des capacités du jeu théâtral en thérapie donne l'occasion de mettre en cause de plus en plus vigoureusement la facticité et la rigidité des conduites sociales (c'est un point sur lequel il est en désaccord profond avec Lewin qui privilégie, lui, l'adaptation) qui lui permet d'opposer à celles-ci une dramatique de l'inconscient, très proche en définitive des thèses psychanalytiques. Ayant posé dès le départ la question de la socialisation de l'homme et ayant cru que la psychologie devait étudier ces phénomènes, il abandonne le souci d'adaptation sociale en inventant des techniques qui favorisent la créativité. Le "psychodrame" et le "sociodrame" sont aussi bien des instruments pédagogiques que thérapeutiques.

La théorie des rôles

L'analyse sociométrique des petits groupes et la pratique psychodramatique amènent Moreno à préciser une notion à la fois sociale et individuelle, celle de rôle. Les conduites humaines, normales ou déviantes, peuvent être interprétées comme rôle, celui-ci étant le résultat de l'interaction du sujet avec son entourage. Le rôle est une manière d'interroger le problème des statuts dans un groupe. Chacun y tient une place et polarise sur lui des effets. Il distingue les sujets polaires, les *leaders*, les isolés, les exclus et mesure la position de chacun dans une dynamique relationnelle où jouent les affinités et les clivages, les constitutions de sous-groupes et de dyades, au sein de la vie de groupe. Chacun produit une trame de temps et d'espace comme sur la scène d'un théâtre. Cette analyse, spécifique du socio-psychodramaticien, mesure la "centralité" et la "périphérie" des individus d'où émerge la popularité, le *leadership*, l'influence, le pouvoir. La fécondité d'un groupe lui vient précisément de sa capacité à faire émerger les enjeux de pouvoir. La sociométrie a permis quelques conclusions sur le fonctionnement du groupe :

- Chaque groupe possède une structure formelle et une base sociométrique qui correspondent à sa constitution consciente et inconsciente mesurable par les statistiques.
- Chaque groupe fonctionne selon des normes sociogénétiques constantes que l'on trouve dès l'origine.
- L'attraction et la répulsion entre individus jouent comme constantes et suivent les lois d'une dynamique sociologique spécifique à tout groupe social.
- Il existe des *leaders* populaires ou isolés et des groupes centrés sur le *leader*, sur le groupe lui-même ou sans *leader*.
- Chaque groupe a une cohésion définie dans laquelle se joue l'union ou l'éclatement de ses membres.

Ces lois groupales font comprendre le déplacement d'une frontière toujours mobile des rôles de chacun dans la réalité et dans l'imaginaire groupal. Le jeu de rôle, de scène et la spontanéité font découvrir l'improvisation dramatique et la structure de l'imaginaire groupal au sein duquel se jouent les possibités créatrices venant de l'improvisation théâtrale. C'est en ce sens qu'un groupe peut avoir des effets thérapeutiques (groupes d'enfants par exemple qui ont une grande capacité au jeu par l'imaginaire).

Cette notion "d'imaginaire créateur" est le point central de la théorie morénienne, elle permet en effet d'analyser les conduites groupales en termes de création et non pas de production dynamique comme chez Lewin. La différence est en effet capitale. Ce que produit quelqu'un dans l'improvisation d'un rôle n'est pas un résultat logique, un produit, mais une invention, une création pure. D'où la nécessité dans la pratique du psychodrame de dépasser les rôles sociaux qui sont stéréotypés (résultant d'un conditionnement) pour jouer un rôle imaginaire qui permet de retrouver les qualités intimes et personnelles, celles qui sont en accord et en authenticité avec soi-même.

Mettre quelqu'un en situation de jouer un rôle, c'est l'impliquer à se jouer lui-même entièrement. Ce rôle n'est thérapeutique ou aidant que s'il met à jour une logique, une psycho-logique issue du plus profond de l'être humain. Sinon le rôle n'est qu'arbitraire et demeure social, il ne permet pas la mise en jeu des capacités mobilisatrices ni la fluidité psychologique indispensable à une authentique catharsis (conversion).

La théorie des rôles chez Moreno fait basculer la pratique de groupe vers des buts thérapeutiques et créatifs car elle est issue de sa double découverte :

- Invention d'une psychosociologie des petits groupes qui permet d'analyser leurs lois de fonctionnement.

– Intuition que le théâtre et le jeu dramatique ouvrent les conduites les plus fermées vers une invention créatrice.

Cette rigueur dans la méthode sociologique et la souplesse dans les principes du psychodrame ont permis l'apparition d'une multitude de pratiques sur les petits groupes issues de la richesse des intuitions moréniennes.

La pratique du psychodrame

Technique du psychodrame en psychothérapie de groupe

Ces deux découvertes ont comme but pratique d'assurer aux participants le maximum de spontanéité dans le jeu dramatique. Le groupe dispose pour cela de deux thérapeutes et de trois phases de déroulement du psychodrame :

- Une phase "préparatoire" où sont détectés les conflits et les pathologies des membres. Pendant cette phase le groupe discute et "s'échauffe" en vue de l'improvisation quand une émotion ou un conflit a pu être évoqué. Le psychodramatiste aide à cette expression et fait découvrir par ses interprétations les enjeux des conduites des membres du groupe. Les thérapeutes ne sont là que pour aider le groupe à se mobiliser sur ce qu'il est.
- Dans une deuxième phase deux personnes ou une seule jouent un rôle à partir de ce qu'elle a évoqué dans la phase précédente. C'est le moment de l'improvisation au sein duquel quelqu'un met en jeu ce qu'il est. Une deuxième personne du groupe peut lui renvoyer en miroir sa propre réalité ou jouer l'un des personnages évoqués (cela peut être une situation, le père, la mère, l'enfant, etc.). A travers ce jeu sans *leader*, le patient produit des attitudes et des émotions qui peuvent être reproduites par le psychodramatiste. Il s'agit de révéler au groupe ce qu'il est à lui-même et d'aider chacun des membres à prendre conscience de ce qui le fait souffrir. Le psychodrame, par la médiation du psychodramaticien, doit rendre sensible au groupe certains aspects de son jeu.
- Dans une troisième phase, il y a échanges verbaux sur le jeu qui vient d'être produit et sur la manière dont chacun l'a ressenti ; là encore l'un des thérapeutes fournit des interprétations en vue d'un progrès et d'une prise de conscience qui permet à chacun et au groupe d'avancer dans la psychothérapie.

Mais le groupe chez Moreno occupe une place stratégique parmi les autres thérapies qui lui vient, nous l'avons vu, de ses capacités dynamisantes sur le plan psychique. Le thérapeute principal n'intervient pas dans le jeu par neutralité alors que le thérapeute auxiliaire peut intervenir pour aider l'expression dramatique des patients.

Autres applications du jeu de rôles

Outre la pratique psychothérapique, les techniques de Moreno peuvent être utilisées dans des situations conflictuelles non pathologiques, en couple, dans les groupes d'enfants et d'adolescents, en famille, dans les conflits sociaux ou à l'école, etc. Il trouve actuellement une application de plus en plus importante dans les techniques de formation professionnelle. Il peut préparer à des tâches professionnelles précises, permettre d'anticiper pour se préparer à une action, faire prendre conscience des projections imaginaires sur tel type de métier (le jeu de rôles est en particulier utilisé pour percevoir des situations professionnelles). Il est à noter que cette technique du psychodrame non thérapeutique est employée chez les travailleurs sociaux pour qu'ils aient une meilleure connaissance d'eux-mêmes (animateurs de groupe, psychologues, psychiatres, psychanalystes, spécialistes de la relation, éducateurs spécialisés, etc.).

Le psychodrame est aussi utilisé comme "groupe de diagnostic", celui-ci aide les sujets à bénéficier de l'expérience du groupe pour que les individus découvrent la nature des liens et des tensions qui peuvent se développer en son sein. Cela consiste à contrôler la qualité des réactions psychologiques. Le "groupe de diagnostic" morénien peut s'associer à d'autres techniques qui viennent surtout de la psychologie dynamique de Lewin et de la psychanalyse freudienne.

Les techniques de Moreno sont très utilisées en France par les psychologues, médecins, psychiatres dans le cadre de la "Société française de psychothérapie de groupe". Il existe aussi des "associations de techniciens" de groupe qui répondent à des tâches de formation variées (commerce, industrie, publicité, relations publiques, théâtre, cinéma, télévision, etc.). Des congrès nationaux et internationaux font le point sur la formation du psychodramaticien et sur l'évolution des théories et des techniques issues de l'Ecole morénienne.

Psychanalyse groupale et psychodrame de Moreno

Dès son apparition aux USA dans les années 1950 la théorie de Moreno s'est trouvée confrontée à la psychanalyse. Elle oppose la création libre à la recherche du passé, la réalisation par l'actualisation théâtrale à l'introspection analytique, le rôle joué dans la réalité aux fantasmes intérieurs. La créativité ne peut se réduire à la seule dimension inconsciente de l'imaginaire, elle postule une "liberté" que la psychanalyse ne conçoit que sous le mode très déterminé de la "libre association" d'images, de souvenirs, de fantasmes, de mots, etc.

Très vite cependant, et en dépit de ces divergences théoriques et pratiques, le psychodrame de Moreno a été associé au "psychodrame analytique" qui en est une variante freudienne. Pour le psychanalyste il n'existe pas d'opposition entre les deux méthodes. Le psychodrame est un moyen d'expression qui peut favoriser une psychothérapie analytique, le jeu de rôle pouvant être interprété comme les rêves, ainsi que nous l'avons indiqué. Pour Moreno au contraire le psychodrame analytique ne peut être qu'une variante du psychodrame, l'induction analytique s'opposant à la spontanéité morénienne. Actuellement cependant le psychanalyste est souvent l'un des thérapeutes, son rôle consiste à interpréter les effets de groupe en termes de conflits, de désirs et de défenses. La pratique du psychodrame est perçue différemment chez les psychanalystes.

Pour les uns le psychodrame n'est qu'un moyen d'expression supplémentaire. Il n'ajoute rien d'essentiel au processus de la cure analytique classique (transfert, résistance, répression, etc.).

D'autres au contraire sont sensibles aux effets spécifiques du psychodrame, ils les interprètent psychanalytiquement et les intègrent dans la totalité d'un processus thérapeutique. On constate alors une différence de techniques et d'indication thérapeutique.

L'approche pragmatique du groupe a été le souci majeur de Moreno bien que sa théorie groupale soit traversée par un conflit entre les exigences de la socialisation et celles de la création.

La psychanalyse de groupe : Freud (1856-1939), Autrichien

Le mythe fondateur de la société

Trois œuvres de Freud sont essentielles pour comprendre la conception qu'il se fait de certains phénomènes sociaux : *Totem et tabou* (1913), *Psychologie collective et analyse du moi* (1920), *Malaise dans la civilisation* (1930). A travers ces ouvrages la psychanalyse nous permet de saisir l'interdit de l'inceste, la structure du groupe, l'origine de la culpabilité et la nature de la loi dans la société. Freud établit un parallèle entre le complexe d'Œdipe comme explication de la psyché individuelle et des phénomènes de groupe à partir de la notion centrale d'inconscient. C'est pourquoi sa psychologie sociale rend compte des phénomènes inconscients des sociétés et de la culture.

Freud recourt au mythe d'Œdipe qui serait le mythe fondateur de toute société pour expliquer l'universalité de l'interdit de l'inceste. Comment explique-t-il l'origine réelle ou symbolique du "début" de la vie sociale ?

A l'origine existe la horde primitive (idée qu'il emprunte à Darwin), c'est-à-dire un groupe de mâles et de femelles sur lequel règne un vieux tyran (le père) qui se réserve la possession des femelles et chasse ses fils lorsqu'ils sont en âge de devenir ses rivaux. Puis les fils s'unissent entre eux et font un pacte qui les lie pour procéder ensemble au meurtre du tyran père. Pour Freud ce premier pacte social est donc fondé sur le "crime" puisque le lien social entre les fils n'a de raison d'être que pour tuer le père despote. De ce meurtre originaire découle toute une psychologie : les sentiments des fils sont ambivalents à l'égard du père vivant qui est aimé et détesté à la fois. Une fois le père mort ils éprouvent de la culpabilité pour avoir commis un tel meurtre, culpabilité qui a des conséquences sur l'organisation du groupe et de la société. En effet l'ambivalence des sentiments est encore plus forte quand le père est mort que de son vivant et la culpabilité est intense. Ils conjurent leur peur d'avoir tué le père par un festin où ils se partagent symboliquement le corps du père : c'est la communion totémique par laquelle ils réalisent une identification au père mort. Cette identification leur donne accès à la Loi (morale, sociale, religieuse), non plus à la loi du plus fort (celle du vieux père tyran) mais à la loi commune qui les constitue comme égaux dans le pacte les ayant unis contre le père.

Conséquences du meurtre œdipien primitif

Ce meurtre a des effets sur la constitution de la vie en société. Il existe notamment deux tabous fondamentaux qui consistent, l'un à ne pas tuer le totem (substitut du père), l'autre à ne pas se marier avec l'un des parents du sexe opposé (tabou de l'inceste qui rend interdite la relation sexuelle mère-fils ou père-fille), tabous qui nécessitent d'aller chercher des femmes ailleurs que dans son propre groupe familial. Freud y voit l'origine de la règle de l'exogamie qui organise l'échange des femmes, phénomène étudié également par Cl. Lévi-Strauss dans *Les structures élémentaires de la parenté*.

La société est donc fondée sur le meurtre du père, meurtre symbolique œdipien qui est répété dans le psychisme individuel de l'enfant au moment du complexe d'Œdipe. C'est sur lui que se fondent les interdits, celui de l'inceste notamment, et c'est donc sur eux qu'est basée la loi sur laquelle la société est fondée dans l'ordre symbolique. L'interdit est à l'origine de la loi, celle du permis et du défendu conscient et inconscient.

Par ce mythe Freud fait une transposition sociale du complexe d'Œdipe qui a valeur de structure psychique universelle (cette universalité a été cependant critiquée par Malinowski, ethnologue qui constate que dans certaines sociétés le meurtre du père n'est pas possible car le père a un rôle insignifiant comparé à celui de l'oncle maternel dans l'éducation des enfants). Ce meurtre originaire du père n'est pas seulement un mythe, il est une des composantes psychiques des groupes et des individus que chacun d'entre nous revit à travers le "complexe d'Œdipe" (rivalité symbolique mortifère père-fils). Outre les individus, tout groupe rejoue symboliquement ce meurtre du père autour du *leader*, de l'autorité ; et ce n'est qu'en accomplissant symboliquement ce meurtre qu'ils accèdent à leur propre législation et se constituent comme groupe autonome. Ils parviennent à substituer la loi et l'ordre symbolique aux rapports de force et de rivalité fratricides. La psychologie de groupe résulte de cette structure œdipienne inconsciente qui lui donne sa dynamique psychique, notamment les sentiments de haine et d'amour résultant de l'ambivalence à l'égard du *leader* et de toute instance de pouvoir.

La dimension groupale de la psychanalyse

L'interdit universel de l'inceste introduit un rapport structurel entre le totem social et le drame de l'œdipe. Tout totem (puissance magique investie d'autorité) est une structure phallique qui représente le père mort. Ce qui s'est passé entre le fils et le père dans l'enfance de l'individu et les fils et le père tyran dans la horde primitive se retrouve dans la structure névrotique de l'œdipe. il en résulte une œdipianisation des relations dans les grands et les petits groupes qui s'exprime par des phénomènes qui avaient peu été étudiés avant Freud. Tout groupe humain qui présente une structure familiale revit intensément le conflit œdipien. Le héros (celui qui a osé porter la main sur le père) est soit libérateur (il délivre du père-autorité), soit bouc émissaire. C'est à partir de ce héros-leader dans un groupe que les individus se vengent inconsciemment et libèrent leur sentiment de culpabilité inconsciente à l'égard du père *leader*, c'est-à-dire à l'égard du meurtre primitif qui est revécu par chacun.

Dans les foules (étudiées aussi par Bion et Reich) il y a une régression archaïque (panique, enthousiasme, agressivité, fusion, etc.) où chacun renonce inconsciemment à son moi propre et à ses caractéristiques individuelles. Tout le monde se laisse envahir par un sentiment collectif d'union-fusion et de communion-hypnose avec le *leader* qui s'explique par un retour inconscient à la horde primitive.

Dans une foule il y a apparition du phénomène de suggestion. Celui-ci est un processus psychique par lequel les interdits et les ordres d'une personne qui détient l'autorité sont directement mis en relation avec les structures mentales inconscientes du groupe et de chacun. Dans la foule les individus mettent le *leader* à la place de leur "moi idéal" (structure psychique qui représente les idéaux du moi de chacun dont le mécanisme est la projection). La suggestion chez Freud renvoie à la théorie libidinale (fusion amoureuse avec l'objet) et à la théorie œdipienne : le "père hypnotiseur leader" exerce une alternance de séduction et d'autorité et il n'y a d'autre loi que la sienne. Le *leader* est identifié à l'"idéal du moi". Les sujets font converger leur idéal sur le *leader*, puis il y a une identification qui se traduit par un lien entre les membres du groupe. Ce lien résulte de l'attachement au père commun et donne le sentiment d'unité dans le groupe qui traduit une commune appartenance au même groupe et au même *leader*. En termes graphiques deux types de liens existent dans les petits groupes : une union verticale qui est la fusion d'une adhésion à l'égard du même père et une union horizontale qui est le sentiment d'appartenance qui lie les membres-fils entre eux dans leur amour-haine (ambivalence) à l'égard du père *leader*. C'est pourquoi dans la structure de tout groupe se retrouvent deux types de relations :

- **Une relation amoureuse inconsciente** (théorie de la libido chez Freud) qui a toujours une dimension antisociale par ses modalités d'expression inconsciente, dans laquelle les membres du groupe sont dans l'imaginaire de leurs pulsions, leurs fantasmes, leur agressivité et leurs rivalités. A ce niveau il n'existe pas d'autre loi que celle de la dialectique haine/amour.

- **Une relation sociale consciente** (théorie de la sublimation chez Freud) où l'accord social repose toujours sur une désexualisation de la libido. L'objet sexuel est dévié de son but initial et reporté sur des normes, des idéaux, des valeurs acceptés et acceptables par la société. C'est donc l'instauration du refoulement sexuel qui permet la sublimation dans des œuvres sociales. Le désaccord fondamental entre Freud et Reich porte sur cette théorie de la sublimation dans laquelle Reich voit une négation de la théorie de la libido par la notion de refoulement nécessaire de la sexualité (sublimation) que Freud affirme et que Reich refuse.

Avec cette explication psychanalytique des phénomènes de groupe, on les comprend entièrement en termes de conflits (œdipien, névrose, pré-œdipien, psychose, avec le clivage très archaïque "bon-mauvais" qui domine chez M. Klein). De telle sorte que les relations entre membres d'un groupe s'expliquent à partir de notions comme celles de transfert, régression, refoulement et sublimation. Ces explications psychanalytiques issues directement des œuvres "sociales" de Freud sont reprises et affinées par M. Klein.

Les apports de l'Ecole kleinienne à la théorie groupale

Reprenant les travaux de Bion sur l'étude des mécanismes psychologiques des conduites collectives, l'Ecole kleinienne conserve les hypothèses de cet auteur en les appliquant à la psychanalyse. L'ouvrage à consulter étant celui de M. Klein, *L'amour et la haine*. Pour Bion ce qui caractérise l'inconscient dans les groupes résulte des comportements spécifiques suivants : dépendance très forte des membres du groupe entre eux et à l'égard du *leader*, formation dans le groupe du couple parental suscitant l'amour et la haine, apparition d'une dialectique attaque-fuite qui se traduit par des conduites d'évitement et d'agression.

En fait Bion posait, avant Freud, le problème du transfert et de ses mécanismes. Le transfert est chez M. Klein considéré comme une relation défensive, les objets fantasmés se déplaçant et se fixant sur certains membres du groupe à partir du clivage archaïque entre le "bon" et le "mauvais objet". Dans un groupe en effet le "bon objet" catalyse les puissances bénéfiques qui permettent la constitution d'un *leader*, tandis que le "mauvais objet" polarise les désirs de mort du groupe sur un individu constitué comme bouc-victime-émissaire (concept que R. Girard reprend pour expliquer le mythe originaire des sociétés, et le lynchage fondateur dans *La violence et le sacré*).

Cette dialectique entre un "bon" et un "mauvais" objet explique la dynamique fondamentale des groupes basée sur une tension qui résulte de l'économie psychique et fantasmatique groupale. C'est pourquoi l'équilibre d'un groupe n'est possible que s'il est capable de résoudre cette tension et par la plus ou moins grande souplesse des mécanismes de défense qu'il met en place. Les institutions dans une société remplissent cette fonction de défense contre les angoisses archaïques des membres d'une société. Elles sont un moyen de lutte contre la persécution et la dépression. Pour l'Ecole kleinienne le groupe est un corps dont les individus sont les membres. Il peut aussi fonctionner comme foule et chacun représente alors une menace de dévoration pour l'autre, le groupe luttant contre cette angoisse de morcellement. La théorie de M. Klein fait comprendre les réactions de défense prépsychotiques constantes dans toute situation de groupe.

La pratique psychanalytique groupale

La psychanalyse de groupe

Outre la nouvelle compréhension que donne cette conception freudienne de la société et du groupe, la pratique de la psychanalyse groupale s'est développée à partir des théories de Lewin et de Moreno auxquelles elle s'ajoute souvent dans les pratiques groupales.

Quels en sont les principes ?

Le même appareil conceptuel est applicable à la psychanalyse de groupe comme à la psychanalyse individuelle (conflits, névrose, résistances, transfert, comportements infantiles, etc.). Ce type d'analyse privilégie les données inconscientes des phénomènes et des conduites sociales et peut fonctionner comme "groupe d'analyse" ou "groupe analytique" qui est une cure en vue du traitement des névroses et des psychoses. Les travaux de R. Kaes en France en 1970 introduisent la notion "d'appareil psychique groupal" et mettent en évidence l'inter- et l'intra-psychique propre au groupe. Cet appareil psychique se différencie de l'appareil individuel dans la mesure où il est une construction commune des membres d'un groupe et sert de médiation, d'échange et de communication entre les individus et le groupe dans le conscient et l'inconscient. La psychanalyse de groupe se pratique avec deux thérapeutes analysés, dont l'un a un rôle transférentiel dominant. Le but est d'amener les patients à revivre des scènes archaïques afin qu'ils en prennent conscience et qu'ils dépassent les fixations et les conflits de l'enfance. Mais la psychanalyse de groupe permet également l'analyse de phénomènes très individuels, tel que le bouc émissaire, le *leader*, les mécanismes de défense qui appartiennent au groupe en tant que tel. Les thérapeutes analytiques représentent symboliquement le couple parental à partir duquel se développe une problématique œdipienne névrotique qui est le noyau de l'approche psychanalytique. La pratique groupale de la psychanalyse a permis d'analyser le groupe spécifique qu'est la famille.

La thérapie familiale analytique

Les apports méthodologiques et techniques de la psychanalyse appliquée au groupe ont permis de considérer la famille comme un type de groupe (voir aussi la thérapie familiale systémique) constitué à la fois par une "psyché groupale" et des psyché individuelles. Si la conceptualisation psychanalytique est fondamentale pour la connaissance des phénomènes familiaux inconscients, les apports des théories groupales lewinienne et morénienne sont également essentiels pour observer la dynamique familiale comme dynamique de groupe. Peut-on pour autant analyser la famille d'après les lois des groupes ? La famille est un groupe qui a une spécificité parmi les autres groupes puisque c'est à partir des interactions inconscientes entre ses membres que se jouent le développement de l'enfant et l'équilibre de la famille. Elle est le lieu de circulation privilégié des images et des fantasmes et, à ce titre, elle jouerait un rôle essentiel dans la constitution d'un "inconscient" propre à chaque famille. Mais cette spécificité reste actuellement à démontrer.

La thérapie familiale psychanalytique est en cours de recherche depuis une quinzaine d'années en France. On émet l'hypothèse que tout groupe fonctionne comme une famille, que la famille est la psyché la plus archaïque et donc la matrice porteuse de l'inconscient groupal. En toute hypothèse une "psyché familiale" existe comme lieu d'origine des psychés individuelles des membres familiaux. C'est en spécifiant, en différenciant de plus en plus la psyché familiale des autres psychés de groupe que l'on parviendra à l'hypothèse que la famille, objet de conceptualisation indirecte chez Freud, est bien un des lieux originaire et original où s'organise et se manifeste une psyché spécifique propre à la famille.

La méthode de la thérapie familiale analytique

La conséquence pratique de cette hypothèse d'un "appareil psychique familial" permet d'envisager la névrose et la psychose individuelle sous un angle entièrement nouveau. Non seulement la famille peut être pathogène, mais elle est le lieu où se communique et s'échange cette pathologie. Le patient individuel n'est plus à lui seul la clef du symptôme. Ce sont tous les membres de la famille qui sont à la fois acteurs et porteurs de symptômes. Si quelqu'un de désigné est fou c'est que dans toute la famille circulent, se cristallisent, se nouent les phénomènes producteurs de cette folie. Le centre de gravité de la "maladie mentale" se déplace puisque, par la famille, la folie a une mobilité qui en fait sa spécificité. Si quelqu'un dans la famille est désigné comme fou au médecin ou au thérapeute familial celui-ci aura pour tâche d'envisager cette folie dans sa distribution familiale, c'est-à-dire au père, à la mère, à la fratrie, etc. Néanmoins, à la différence de la thérapie systémique la thérapie familiale analytique considère que c'est au bénéfice de chacun des membres de la famille qu'elle se fait et non pas au bénéfice de la famille prise dans sa globalité.

Cette thérapie réunit tous les membres possibles d'une famille en présence de deux thérapeutes, dont l'un est porteur des phénomènes de transfert et auquel il revient de "psychanalyser" la famille. Le nombre des séances varie selon les thérapeutes, mais l'indication d'une par semaine est jugée souhaitable. Les règles qui s'apliquent sont celles de la psychanalyse (libre association, abstention de passage à l'acte, régularité des séances). Le lieu de la thérapie doit être neutre par rapport à la famille qui est soignée.

Le développement des thérapies familiales, qu'elles soient systémiques ou analytiques, correspond en outre à une revalorisation sociale de la famille qui s'est trouvée éclatée depuis la dernière guerre à cause des déracinements économiques, sociaux, culturels qu'elle a connus. Ce développement revient aussi, sur un plan méthodologique, à comprendre les phénomènes psychiques comme des phénomènes de groupe, dans lesquels un individu se construit comme sujet et comme relation aux autres.

Perspective psychanalytique et perspective lewinienne

Les deux théories semblent à la fois complémentaires et opposées.

Complémentaires en ce qu'elles intègrent la dimension proprement groupale de l'existence humaine, et ceci pour la première fois dans l'histoire de la psychologie qui réduisait le groupe en fonction de deux modèles également faux. L'un comprenant la société composée organiquement d'individus juxtaposés et additionnés, mais fondus dans la masse sociale. L'autre qui faisait de l'individu un être unique, seul, sans lien vraiment dynamique avec autrui, d'où il tirait une transcendance à partir de laquelle rien ne pouvait apparaître de son "être social". Ce groupe permet désormais l'apparition de cet "être social", ce "*socius*", de cette dimension groupale qui a ses lois et ses mécanismes propres. Le groupe produit sa réalité à partir de luimême, il est phénomène "*sui generis*", qu'on ne peut donc réduire ni aux individus, qui le composent ni à la société qui le détermine. La psychanalyse et la psychologie dynamique sont complémentaires en ce que Freud a élaboré les lois inconscientes constitutives du groupe alors que Lewin met l'accent sur l'aspect structural, fonctionnel du même groupe. L'un lui révèle son inconscient tandis que l'autre élucide sa conscience et son identité.

Mais ces deux théories sont également opposées. Lewin refuse en particulier les dimensions historiques et inconscientes du groupe pour l'analyser dans son "ici et maintenant" tandis que Freud néglige sa dynamique présente.

Cependant il manque à ces deux théories des éléments permettant la constitution de groupe comme objet pour l'observateur. L'approche lewinienne n'a pas de morphologie, présente dans la théorie de Moreno. La morphologie est un ensemble de descriptions, de classifications nécessaires sur le plan expérimental. Par contre chez les freudiens les caractéristiques de la vie de groupe se réfèrent à des structures stables tenant entièrement aux fantasmes et à la primauté accordée à une psyché inconsciente dont on retrouve les éléments agissants et organisateurs aussi bien dans les groupes, la société que dans la psychologie individuelle.

En outre, la psychanalyse et la théorie lewinienne ne tiennent que très peu compte du langage et des signes dans leur dimension psycholinguistique. Le théoricien systémique fait de la communication le fondement de la dynamique des groupes. Celle-ci est un processus autoréglé par des règles communicationnelles qui mettent l'accent sur le circuit demandes-réponses dans les groupes.

Différences Lewin – Moreno

Jusqu'à Lewin les psychologues sociaux américains avaient centré leurs recherches sur le problème de la socialisation de l'être humain. Tous étaient d'accord pour faire valoir qu'elle est liée à l'apprentissage des conduites sociales. Là est la différence fondamentale entre Lewin et Moreno. Pour ce dernier la psychologie a pour but d'élaborer des processus de socialisation, d'où la nécessité d'inventer des théories et des techniques qui permettent un tel apprentissage (psychodrame, jeu de rôle, sociodrame se justifient dans ce but). Moreno est constamment influencé dans ses recherches par les théories de l'apprentissage ; c'est notamment visible dans son ouvrage *Les fondements de la sociométrie*. Les psychologues sociaux américains étaient orientés, avant Lewin, à favoriser l'environnement le plus propice à l'apprentissage des attitudes sociales démocratiques. Certains voulaient même définir le système d'éducation le plus apte à former le citoyen américain parfait. Heureusement que Moreno lui-même et ses disciples ont une pratique qui ne correspond pas entièrement à ce modèle socialisateur puisqu'ils font appel aussi à la spontanéité et à la créativité qui ne se réduisent pas à l'imitation d'un modèle et à un conditionnement social. Le caractère dialectique de la méthode de Lewin permet de mettre en évidence le rapport de réciprocité entre les attitudes de l'individu et le contenu mental du milieu, et c'est ce rapport toujours en mouvement qui crée la dynamique. Celle-ci est conçue comme étant un enchaînement de phénomènes dont la résultante est le comportement de groupe. C'est pourquoi dans la théorie lewinienne il ne peut y avoir de frontière immuable entre le comportement individuel et le comportement de groupe. Les théories groupales de Lewin, Freud et Moreno sont aussi le produit d'un phénomène entièrement nouveau : la lutte contre la massification des rapports sociaux.

Synthèse des théories groupales

Lewin	Moreno	Freud
– Méthode : expérimentale et Gestalttheoricienne	– Méthode : expérimentale et créatrice	– Méthode : théoricienne et psychanalytique
– But : élaborer les lois de la psychologie du petit groupe	– But : élaborer les lois de la psychologie des petits groupes	– But : expliquer les facteurs inconscients qui fondent la société
– Invention : psychologie dynamique	– Invention : psychodrame et sociométrie	– Invention : psychanalyse de la société
– Concepts : champ social, dynamique de la personnalité, force, champ psychologique	– Concepts : sociogramme, moi-gramme, imagination créatrice, jeu dramatique, théorie des rôles	– Concepts : interdit de l'inceste, meurtre du père, culpabilité, interdit et origine de la loi
– Principe : la structure des groupes ne résulte ni de l'addition des comportements individuels ni des contraintes des grandes structures sociales	– Principe : l'homme ne trouve son être authentique que s'il libère en lui les forces créatrices et s'éloigne des rôles sociaux que lui impose la société	– Principe : la société est fondée sur le meurtre primitif du père
– Conclusion : la société est faite d'une interaction psychologique constante entre la dynamique individuelle et la dynamique groupale	– Conclusion : le goupe est un champ relationnel dans lequel chacun peut jouer ses émotions pour se transformer	– Conclusion : la société n'est possible que par le refoulement de la sexualité et par la sublimation
– Destination : transformation mutuelle des individus et de la société	– Destination : libération des forces créatrices par le jeu du psychodrame	– Destination : psychanalyse de groupe en vue de libérer les forces inconscientes des individus et de la société

Les concepts des théories du destin

Le destin individuel	La psychologie génétique (Piaget)	Les théories groupales
– La caractérologie (Le Senne) • activité • émotivité • retentissement : primarité, secondarité • caractère • typologie caractérologique	– Les principes de la logique • catégories formelles de la raison • logique = structure formelle du savoir et organisation interne de sa pensée • catégorie des jugements	– La psychologie dynamique (K. Lewin) • forces psychiques • champ mental • totalité dynamique • moi social • dynamique de groupe • contrat social • interaction : groupe, individu, milieu
– La graphologie (Klages) • écriture • grapholométrie • typologie • intentionnalité du graphisme • types d'écriture	– Les principes de la psychologie • symbole • développement psychomoteur • assimilation • accommodation • intelligence • jugement • stades de développement • psychologie cognitive • comportement opératoire	– Le psychodrame (Moreno) • rôles et statuts sociaux • sociométrie • sociogramme • jeu dramatique • imaginaire créateur • groupe de diagnostic • groupe thérapeutique • théorie du jeu et du théâtre
– L'analyse du destin (Szondi) • génétique • pulsions • choix • destin • moi pontifex • fonction du moi • hérédité	– Les principes de l'épistémologie • genèse de la pensée logique • organisation de la pensée • nouvelle conscience • lois de la connaissance • développement continu des connaissances • caractère transhistorique de la connaissance	– La psychanalyse de groupe (Freud) • interdit de l'inceste • meutre du père • culte totémique • horde primitive • ambivalence et culpabilité • interdit et loi • bouc émissaire • leader bon ou mauvais objet

La psychologie au carrefour des sciences de l'homme ?

Si la psychologie a conquis des domaines de plus en plus variés, grâce à la multiplicité de ses théories et de ses méthodes, elle n'a pu se spécialiser que grâce à l'apport de disciplines qui lui sont plus ou moins directement liées. Aussi peut-on distinguer un double mouvement qui a permis sa constitution :

- l'un qui l'a portée à collaborer de manière permanente avec les disciplines qui sont voisines et sans lesquelles elle n'aurait pu progresser dans la voie de certaines découvertes,
- l'autre qui a supposé qu'au-delà de son hyperspécialisation, la psychologie se soit confrontée à des disciplines qui relèvent de méthodes et d'objectifs entièrement différents.

C'est ce double mouvement, intra- et inter-disciplinaire, qui fait de la psychologie une science au carrefour des sciences humaines.

Les rapports intradisciplinaires

La psychophysiologie est une des branches des études de psychologie. Elle a étudié le système nerveux, le cortex cérébral, les neurones, le système végétatif, les organes des sens, les comportements psychomoteurs, les réflexes ; elle a permis de fonder l'observation de certaines conduites psychologiques sur des données scientifiques et expérimentales. Ayant longtemps dominé la psychologie à cause de la prééminence des courants scientistes de la fin du XIXe siècle et du début du XXe, la psychophysiologie est maintenant plus précise dans ses objectifs. Elle comporte aussi des découvertes concernant la biologie, la génétique, la neurologie qui ont fait ces dernières années des progrès considérables notamment aux USA avec une tendance nouvelle : la psychobiologie.

La sexologie a conquis le domaine qui lui est spécifique, celui du comportement sexuel, animal et humain. Nous avons vu à quel point la sexualité a une importance considérable dans les comportements, révélée aussi bien par la psychanalyse que par la psychologie de l'enfant. A l'émancipation sexuelle occidentale a succédé un savoir sur la sexualité qui a démystifié la relation sexuelle.

La pédagogie a fait beaucoup de ses découvertes en relation avec la psychologie depuis que Binet en France et Dewey aux USA ont mis en évidence le rôle décisif de l'affectivité dans l'évolution mentale de l'enfant. La psychopédagogie s'est orientée vers la psychologie scolaire qui a mis à jour les lois des principaux apprentissages tandis que les sciences de l'éducation ont permis de mieux saisir les phénomènes d'adaptation et d'intégration de l'enfant dans le milieu familial et social. Il a toujours existé un fort courant "pédagogiste" parmi les psychologues, dont le but est de comprendre la relation pédagogique entre le maître et l'élève et d'élaborer les méthodes non directives de l'éducation nouvelle. Pédagogie, éducation, scolarité et psychologie sont centrées sur l'observation de l'enfant dans une approche globale et renouvelée. La non-directivité qui s'est ensuivie est néanmoins très critiquée face à l'échec (lecture et écriture notamment) scolaire.

La psychiatrie a pour but l'étude de la "maladie mentale" et le vaste champ de la psychopathologie depuis que Freud et Janet ont fondé la psychologie clinique. La psychiatrie s'est développée depuis 1960 dans une double direction qui a permis de "libérer" le fou et de désenfermer la folie. Grâce aux découvertes de la chimiothérapie, le psychiatre parvient à stabiliser des comportements et à faire reculer la souffrance psychique du névrosé et du psychotique, ce qui a permis d'ouvrir "les murs de l'asile". Grâce à l'ouverture de la psychiatrie à des courants philosophiques comme la phénoménologie et l'existentialisme, et à des tendances psychologiques comme la psychanalyse et la psychologie clinique, le psychiatre a remis en cause le concept même de "maladie mentale". Le mouvement de désenfermement de la folie a culminé avec la naissance d'un courant "antipsychiatrique" chez les psychiatres qui ont repensé leur fonction sociale et médicale en suscitant un courant thérapeutique puissant qui a non seulement pour but de libérer le fou mais de le soigner : la chimiothérapie et la psychothérapie apparaissent aujourd'hui complémentaires.

La neurobiologie est la science qui a permis, dans les pays anglo-saxons, d'articuler les rapports entre le fonctionnement des neurones et la production de signes. Science maîtresse ces dernières années, elle permet une nouvelle analyse des rapports esprit-cerveau et une redéfinition conceptuelle de la représentation. Elle est une discipline essentielle à la psychologie cognitive.

Les rapports extradisciplinaires

La logique moderne a établi les principes d'une pensée qui tire les critères du vrai de lois immanentes à la pratique de la raison : la psychologie, en utilisant des modèles de plus en plus formalisables, applique avec rigueur les nécessités du raisonnement logico-mathématique, nécessaires à sa scientificité.

La linguistique a connu un grand développement depuis 1960 par la découverte des lois du langage et l'apparition en France d'un fort courant structuraliste suscité par l'anthropologue Lévi-Strauss, le psychanalyste J. Lacan et le marxiste Althusser. Les psychologues se sont ouverts à cette discipline et aux linguistes. Leurs recherches ont donné naissance à une discipline nouvelle, la psycholinguistique, qui a pour objet l'étude de la langue et de l'intelligence dans son rapport au développement affectif de l'enfant.

La sociologie s'est longtemps développée contre la psychologie à qui elle reprochait d'accorder trop d'importance à l'individu. Mais nous avons vu que, par le biais des théories groupales, une nouvelle science est apparue, la psychosociologie, qui a pour objet l'étude des interactions entre la société et l'individu. Au sein de systèmes complexes que sont devenus les techniques et les ensembles humains comme la ville, la masse, la foule, la consommation, etc., l'étude des systèmes requiert une approche à la fois sociologique et psychologique.

La psychologie du travail et de l'industrie a connu ses moments de gloire entre 1960 et 1970 par le processus de rationalisation du travail dans le développement industriel. Partie de l'hypothèse que le rendement dans la production est meilleur si l'on tient compte des motivations des hommes, elle aboutit à concevoir une meilleure adaptation du travailleur à son poste de travail. La mécanisation, la robotisation, puis, maintenant, l'informatisation, ont sécrété une aliénation dans le travail de même que le gigantisme des entreprises a rendu l'usine aliénante par la complexité des relations, la hiérarchisation, les différents statuts et rôles. Dans le cadre du travail et de la production, la psychologie a un rôle de régulateur des conflits, de sélection et d'orientation professionnelle.

Le travail social. Celui-ci s'est développé par la prise de conscience de la nécessité de réinsérer les marginaux dans la société. La montée de la criminalité et de la délinquance, l'ouverture de l'hôpital psychiatrique, le déclin des valeurs familiales et conjugales, l'aide aux handicapés mentaux, les phénomènes de marginalisation, ont eu comme conséquence la formation de "travailleurs sociaux" spécialisés et la définition d'un nouveau champ de travail : le travail social. La psychologie n'est pas étrangère à ce développement puisque, nous l'avons vu, des psychologues comme Lewin et Moreno se sont fixé comme but d'adapter déviants et marginaux à la société. C'est à cette époque qu'est née une psychologie sociale qui a donné un nouvel éclairage des phénomènes sociaux. Ainsi sont nées les pratiques que sont le travail de groupe et d'équipe, le soin du fou, l'éducation du handicapé, la réinsertion du marginal, le conseil conjugal, la rééducation du délinquant qui exigent un travail pluridisciplinaire entre le policier, le juge, l'éducateur spécialisé, l'assistante sociale, le psychologue, etc. C'est au contact de ce travail social que la psychologie a élaboré certaines de ses méthodes d'intervention telles que l'animation de groupe, l'*interview*, le conseil, les techniques d'écoute, d'aide, de psychothérapie, en même temps que s'est approfondi le concept de "relation" qui est au centre même du travail social comme de l'écoute psychologique.

La psychométrie s'est développée au fur et à mesure que la psychologie est devenue scientifique. L'introduction des mathématiques et de la méthode statistique a permis une approche quantifiable des phénomènes psychiques. Que ce soit pour l'invention de tests, la mesure des seuils de perception ou d'intelligence, pour trouver des méthodes fiables, etc., la psychologie a dû formaliser de plus en plus son objet. Si bien que la psychométrie est devenue une véritable discipline en introduisant la "mesure" dans les phénomènes sociaux, expérimentaux et cliniques.

La psychologie différentielle prend en compte les "différences" qui existent entre nous, entre classes, sexes, etc., pour dégager les lois de différenciation et mieux cerner la spécificité et l'irréductibilité de couples d'opposés tels que enfant-adulte, fou-normal, masculin-féminin, noir-blanc, cadre-ouvrier, etc. La psychologie différentielle enrichit ainsi les bases conflictuelles, antagonistes, opposées, de réalités complexes dont elle dégage précisément les lois de complexification. Très liée à la logique et aux mathématiques elle permet de saisir les mille facettes de la mosaïque psychique.

L'ethnopsychologie s'est développée autour des études des peuplades dites primitives. Elle cherche à rendre compte des phénomènes de civilisation, de culture, de langue, de mœurs et tend à établir des différences à travers la diversité des cultures. Ainsi est née l'ethnopsychanalyse, l'ethnopsychiatrie qui étudient certaines lois du psychisme à travers les règles propres à des cultures et à des civilisations spécifiques. Les travaux des grands ethnologues ont permis à la psychologie de se décentrer par rapport à sa vision trop rationnelle et occidentale de l'homme. Ainsi elle s'est déprise de certains préjugés et a appris à relativiser certaines notions comme celles de quotient intellectuel (QI), de complexe d'Œdipe, etc., qui ne tenaient pas compte des différences entre peuples et cultures.

La médecine psychosomatique. La psychologie s'est introduite dans le domaine médical par un double mouvement complémentaire dont l'un a consisté à prendre conscience de la dimension humaine de la relation malade-médecin et dont l'autre a requis la psychologie face à des techniques et à des organisations médico-hospitalières de plus en plus gigantesques, pour aider le malade dans son lieu d'hospitalisation et dans sa maladie. En outre, face aux comportements d'angoisse, d'anxiété, de stress psychologique dans lesquels beaucoup de nos contemporains se trouvent, le généraliste a dû se transformer en "psychologue", ou tout au moins a dû s'informer dans le domaine "psy". C'est pourquoi les groupes médicaux, type Balint, ont une grande importance pour maintenir la dimension médico-psychologique de la maladie organique. Mais c'est dans le domaine de la médecine psychosomatique qu'ont été étudiées les origines psychiques de certaines affections telles qu'ulcères, cancers, asthme, maladies cardiovasculaires, irrégularités respiratoires et cardiaques, douleurs abdominales, migraines, etc., de même que les psychologues ont enfin pris au sérieux les affections psychiques (névroses notamment) qui se traduisent en symptômes corporels (paralysie, mutisme, eczéma, inhibitions motrices et fonctionnelles, etc.). La médecine psychosomatique a ouvert de vastes champs de savoirs et de pratiques cliniques qui requièrent aussi bien les compétences du psychologue que celles du médecin.

La logique du "cercle de vienne" a permis de reposer la question de la représentation de manière rigoureuse et formelle, dont les conséquences ont été fructueuses pour le cognitivisme. Il permet une totale autonomie de la représentation comme processus mental ; autonomie acquise aussi bien par rapport au sujet qui se représente les choses, que par rapport à ce qui est représenté. L'ordinateur, comme système de traitement formel des signes a fait émerger la psychologie cognitive, centrée sur le couple cerveau-signe.

Les neurosciences : la génétique, la biologie, la neurobiologie ont permis à la psychologie d'adopter la méthode expérimentale dans l'étude de l'information. La psychologie cognitive a trouvé son originalité en évitant tout à la fois le matérialisme du béhaviorisme et le spiritualisme de la conscience. Une nouvelle approche de la production des symboles a été rendue possible.

La philosophie était, ainsi que nous l'avons dit, une discipline qui a longtemps maintenu la psychologie dans un statut auxiliaire, voire ancillaire. Dans notre pays à forte tradition cartésienne et moraliste, rationaliste et religieuse, les professeurs de psychologie ont dû lutter sur le plan de la recherche et à l'université contre cette tendance à la spéculation et pour se faire admettre comme des pairs. Cette tension entre philosophes et psychologues s'atténue heureusement de nos jours, bien qu'une poignée d'irréductibles se livrent toujours des combats très vifs. Néanmoins il nous paraît que les rapports entre la psychologie et la philosophie doivent se maintenir dans trois directions :

- ***Une direction de "psychologie générale"***, qui doit avoir pour objet l'étude des structures universelles de certaines facultés de l'homme comme l'intuition, la perception, le jugement, la volonté, la passion, la mémoire, l'histoire individuelle, le mouvement, le temps, etc. Ces grands concepts sont indispensables car ils requièrent certes les observations et les connaissances que nous livre la psychologie, mais supposent une pensée et une réflexion universalisante sur les structures mentales universelles du psychisme.
- ***Une direction "épistémologique"*** par laquelle est analysé et critiqué le statut de la psychologie en tant que science. Tant au niveau des méthodes, des logiques que des résultats, la psychologie doit pouvoir être confrontée à la capacité critique et organisatrice de la philosophie dans la mesure où, pour reprendre une distinction kantienne, elle est à la fois le produit d'une raison scientifique et d'une raison pratique. En outre, l'emploi de méthodes d'ori-

gine nettement philosophique comme la méthode dialectique de Hegel, les méthodes logiciennes des structuralistes et des linguistes, la méthode globaliste de la Gestalttheorie, implique toujours une démarche de type philosophique et épistémologique comme on peut le démontrer pour la psychanalyse ou pour la psychologie génétique de Piaget. Ce sont d'ailleurs les thérapeutes, comme nous l'avons vu, qui se posent ce genre de questions et qui reprennent de ce fait des questions que se posait la philosophie : qu'est-ce que le "sujet", qu'est-ce que le temps et l'espace ? Le psychologue est nécessairement confronté à ce genre d'interrogation, même si sa technique et sa théorie lui apportent des éléments de réponse. La psychologie doit admettre la valeur et la pertinence de l'interrogation philosophique dans les domaines qui sont les siens. Ainsi le sens de l'inconscient par rapport au sujet qu'a développé l'herméneutique (philosophie du sens) de P. Ricœur, le sens des sentiments moraux qu'a analysé W. Jankelevitch, la critique du complexe d'Œdipe faite par Deleuze, etc. Mais, à l'inverse, le philosophe doit accepter les résultats et les lois dégagées par l'étude psychologique sur les mêmes problèmes. Aucun philosophe ne pourra plus penser le corps sans les thèses réflexologiques et béhavioristes, l'affectivité sans les découvertes de la psychanalyse, l'intelligence sans les conclusions qui sont celles de Piaget. Dans ce domaine épistémologique la présence du philosophe est indispensable dans la mesure où la psychologie, comme toute science, a tendance à s'enfermer dans des théories et des pratiques. Le philosophe apporte sa capacité à ouvrir, questionner, interroger en vue de stimuler la recherche et de féconder des débats très délicats qui peuvent de ce fait rester largement ouverts.

- ***Une direction de "fondement" et d'"éthique"***. L'exigence de fondement est indispensable à une science humaine comme la psychologie dont l'objet est le psychisme. C'est pourquoi elle ne peut relever seulement de théories ou de techniques car une telle conception technico-scientifique de la psychologie serait un scientisme et un technocratisme desséchants pour l'homme. Nous avons vu que la psychologie naissante au XIXe siècle avait cristallisé les problèmes du fondement autour des partisans de la "conscience" comme fondatrice du psychisme, les gestaltthéoriciens comme Brentano, avec le phénoménologue Husserl et ceux qui ne concevaient la psychologie que comme une science expérimentale, voire physique, autour du problème de la perception et de la sensation. Actuellement la question d'un fondement philosophique de la psychologie reste ouverte. Et l'on a assisté à des tentatives existentiales (Heidegger), existentielles (Jaspers et Sartre), logiciennes (Ecole de Francfort) pour fonder la psychologie sur une "science de l'être" (ontologie).

L'exigence d'éthique est sans doute l'une des plus importantes. Le psychologue se trouve confronté à des problèmes de valeurs comme la liberté, l'égalité, la justice dans sa pratique. A notre avis la psychologie a développé depuis soixante ans des techniques et des méthodes, mais elle s'est peu interrogée sur les dimensions à la fois éthiques et politiques de son développement. Certes Freud s'est interrogé sur notre civilisation dans *Malaise dans la civilisation,* de même Piaget sur l'origine des "lois" génétiques de l'intelligence, mais ces essais sont limités et rares à la fois. Si le psychologue a actuellement des velléités éthiques en tant qu'individu et citoyen, aucun grand psychologue, à notre connaissance, n'a posé de façon rigoureuse le problème des rapports entre la psychologie comme science et technique et les valeurs et les idéologies qu'elle crée ou qu'elle renforce.

L'exigence de "téléologie" (finalité, but) a des rapports avec la précédente dans la mesure où cette dernière est une science des fins. Là encore aucune pensée importante n'a été menée sur la spécificité et le sens du "moyen" et de la "techné", propres à la psychologie. Et pourtant, pour qui observe l'histoire de la psychologie, c'est l'extraordinaire foisonnement de méthodes, d'outils, de principes méthodologiques, qui a contribué à réduire le psychisme humain à une série de "productions" et a élargi considérablement le champ de ses interventions dans la vie privée comme dans la société. Il existe actuellement une disproportion inquiétante entre la croissance de "l'outil psychologique" et la minceur de la réflexion sur ce "à quoi" il sert et ce "pourquoi" il est. Comment pourrait s'énoncer une réflexion philosophique sur le thème "outil, technique, psychologie" et "sens, valeur, fin"? Quelle est effectivement la finalité de la psychologie ?

Les rapports entre la psychologie et la philosophie sont très anciens mais ils sont en fait tout neufs dans leur formulation. Peut-être que la psychologie, hantée par la nécessité de devenir une science autonome, obsédée d'outils et de techniques, n'a pas eu le temps de prendre de la distance par rapport à elle-même, de "se réfléchir", non seulement en tant que science, mais en tant que "science de l'homme". Il est nécessaire qu'elle soit non seulement interdisciplinaire comme "science", mais encore qu'elle participe à une rigoureuse réflexion sur les problèmes moraux et politiques qu'elle rencontre et les questions philosophiques qu'elle suscite. Il importe que la psychologie ne soit pas uniquement le produit de sciences et de techniques mais soit en prise directe sur les valeurs d'histoire et de civilisation à promouvoir.

Où en est la psychologie aujourd'hui ?

Une discipline autonome

Nous avons pu mesurer, à travers ces pages, la difficulté qu'a eue la psychologie à rompre son lien ancestral avec la philosophie et à se dégager de la tentation d'importer ses méthodes des sciences physiques et expérimentales. Elle y est parvenue, même si le combat continue encore de nos jours entre les partisans d'une psychologie strictement scientifique et ceux d'une psychologie qui se veut humaniste et clinicienne. C'est en surmontant ce conflit qui lui a donné naissance qu'elle est devenue une discipline autonome, reconnue par les universités, les chercheurs et les spécialistes des autres disciplines en sciences humaines et par le grand public. Son autonomie se juge en fonction de sa cohérence théorique, de ses fondements et de ses principes par rapport à son objet, le psychisme. Pour toutes ces raisons il est possible aujourd'hui de dire que la psychologie est autonome et qu'elle a conquis cette autonomie par vagues successives et grâce au génie créateur et analytique de grands maîtres théoriciens comme Brentano, Charcot, Freud, Piaget, Watson, Lewin, Lacan, etc.

Elle est autonome également dans la mesure où elle a inventé des champs d'action qui lui sont spécifiques comme le groupe, l'aide à la personne, la thérapie, l'institution, le travail social, etc. à partir de méthodes et de règles qu'elle a posées. A la génération des grands précurseurs et des théoriciens du XIXe siècle a succédé celle des disciples et des praticiens, venant pour la plupart des USA, intuitifs et désireux de sortir de querelles d'Ecole comme Perls, Rogers, Moreno, Klein, Reich, Berne, Bettelheim, Winnicott, etc. Ces grands praticiens ont contribué à l'élargissement de certaines théories et ont en commun d'avoir inventé des pratiques qui se veulent à la fois efficientes et humaines. Mais ils ont souvent apporté le doute, voire la méfiance à devoir penser la psychologie comme savoir et théorie. Ils doutent à l'encontre de Freud, qu'une métapsychologie soit nécessaire.

Une multiplicité d'objets

A peine née en effet la psychologie était en crise. Celle-ci est visible dans le désengagement des "thérapeutes" à l'égard des recherches théoriques. Cette crise n'empêche pas la recherche d'avancer dans des domaines abstraits mais elle se repère par l'éclatement, la multiplicité des mouvements et des Ecoles, la volonté de chacun d'inventer de nouvelles pratiques sans en rechercher nécessairement les fondements. Si bien que l'on peut parler de véritable crise de la théorie psychologique qui multiplie ses objets à l'infini et construit une véritable mosaïque qui révèle la diversité des phénomènes observés. Cette crise théorique coïncide avec la crise de la "Théorie" en général dans des domaines voisins comme la sociologie, l'histoire ou la politique.

Cette crise affecte aussi "l'objet" de la psychologie si on le définit de manière générale comme étant le psychisme. Qu'y a-t-il de commun en effet entre la découverte du réflexe conditionné par Pavlov, la notion de pulsion chez Freud ou le concept de développement structural de l'intelligence de Piaget ? Cette diversité exprime en même temps la richesse et la complexité des phénomènes psychologiques.

Une idéologie puissante

Cet éclatement de la théorie qui est, comme nous l'avons vu, contemporain de naissance de la psychologie en tant que discipline autonome, ajouté à la consommation psychologique, amène à la question du pourquoi consomme-t-on tant de psychologie aujourd'hui ? Quel est son rôle social, son mode de fonctionnement socio-politique ? Cette question est à la fois délicate et essentielle, elle mérite au moins d'être posée. Le vieil argument qui consistait à dire, de la part des adversaires farouches de la pratique psychologique, que la psychologie démobiliserait les individus à l'égard de la dimension sociale et politique n'a pas plus de valeur que le "psy" qui s'isole comme une taupe et qui ramène tous les problèmes d'un individu à des dimensions affectives ou comportementales prises individuellement. Dans un cas comme dans l'autre une dimension irréductible à l'autre a été niée : celle de la subjectivité par le politique, celle du social par le psychologue avec des œillères.

La question, à notre avis, se pose autrement à un double niveau :

- **La pratique psychologique**, ses règles et ses méthodes, ont produit des systèmes avec des organisations, des hiérarchies, des réseaux sociaux, des professions et des clientèles qui engendrent du pouvoir. Nous assistons à la naissance d'une "techno-structure-psy", d'une bureaucratisation des esprits et des problèmes subjectifs qui représente une nouvelle aliénation par l'existence de multitudes de systèmes de dépendance que de telles structures engendrent. Ce qui amène à poser la question de la nature du pouvoir du psychologue, quelle que soit son appartenance théorique et sa pratique professionnelle. La question est : quelle est la spécificité du pouvoir du psychologue dans la question du pouvoir en général ?
- **L'emploi massif de la psychologie** et la fascination qu'elle exerce l'engage dans des voies idéologiques qui la dépassent mais qu'elle renforce : idéologie de l'adaptation, de la maturité, du conditionnement, de la normalisation, du contrôle, etc., autant de pratiques qui posent cette fois la question de son sens politique et de sa responsabilité face à l'histoire des hommes.

Psychologie et politique

Bien que ce livre ait eu pour objectif de ne faire qu'une présentation de la psychologie contemporaine, on ne peut éluder les rapports entre la psychologie et sa fonction politique. Cette question se pose avec beaucoup d'acuité car la consommation généralisée de la psychologie d'une part, puis l'emploi qui en est fait d'autre part, rendent cruciale la question de son utilisation politico-sociale à des fins d'adaptation et de contrôle des comportements.

En tant qu'idéologie elle est l'aboutissement de trois siècles d'individualisme et de libéralisme qui conçoit l'homme comme un individu coupé de son milieu. Elle renforce cet individualisme si on part du principe que toute son action produit massivement un repli sur soi, consacre le regard sur soi-même, ne perçoit de la réalité que la dimension strictement subjective. En aidant le sujet individuel à se poser comme centre, elle est l'auxiliaire efficace d'un individualisme dont l'horizon est le moi individuel : le développement prodigieux de la pratique de l'entretien individuel et de la psychothérapie est un des symptômes de cette dilution du social dans l'individuel.

En tant que système d'intégration à la société elle a une fonction de régulation sociale dans la mesure où son but est de réduire l'écart entre l'individu et son milieu. En faisant dériver les conflits sociaux potentiels sur des problèmes soi-disant personnels, elle soulage le malaise des individus forcés à l'intégration dans le système économique et social. Baudrillard dit que dans nos sociétés à forte intégration, l'explosion sociale n'est plus possible, il en résulte pour chacun la nécessité de contenir en permanence la violence qui est en lui, phénomène qui aboutit à l'implosion qui se traduit par l'élévation des suicides et de la consommation de tranquillisants. La psychologie quant à elle "répare" ce gâchis par les aides multiformes qu'elle propose actuellement. Mais cette aide, n'étant jamais pensée en termes sociaux, renforce l'idée que le malaise réside dans l'individu et non dans la société : la psychologie crée une illusion d'optique et repose constamment sur une erreur d'analyse.

En tant que système d'adaptation sociale, elle avait pour but naguère l'adaptation des marginaux qu'il fallait ramener à la norme. Le phénomène d'adaptation s'est généralisé et Michel Foucault a pu dire à juste titre que nous sommes dans une société de la norme et donc tous des déviants potentiels. La psychologie propose des modèles (moi fort, moi renforcé, psychothérapies de soutien, exploitation du potentiel psychique, gestion du moi comme d'un capital, idolâtrie de la loi, etc.) qui aboutissent à renforcer la norme et donc à inciter à la soumission. L'irrationnel, les passions, l'imaginaire, la violence sont des valeurs tout aussi humaines que la norme et la loi si nous les employons dans le sens de la créativité, or la psychologie a pour règle le vieux précepte moral platonicien de dominer ses passions.

La croissance inimaginable des méthodes, des pratiques, des dossiers, des techniques "psy" a engendré un vaste réseau qui a abouti à un contrôle généralisé de la population dans le moindre de ses comportements. La production de savoir et de pouvoir, qui caractérise nos sociétés modernes, amène les "psy" à se faire les agents de ce technocratisme. L'on peut alors parler de véritables "technologies du psychisme" qui renforcent avec leurs méthodes propres la technocratie et la bureaucratie de la société globale : nos sociétés sécrètent ce que j'appellerai une psychobureaucratie

Voici donc posés quelques problèmes qui doivent confronter la psychologie à sa responsabilité politique et les psychologues à leurs devoirs éthicopolitiques. Si l'idéal adaptateur n'a pas bougé depuis longtemps, le réseau technico-psychique mis en place à l'échelle des nations renforce l'idéologie du contrôle psychique et celle de l'adaptation sociale.

C'est pourquoi nous pensons que l'un des problèmes à résoudre concerne la déontologie et l'éthique de la pratique psychologique.

Pour une psychologie de la conscience et de la science

Le lecteur a pris conscience de la variété des courants psychologiques et a pris contact avec la réalité "psy". Cette science en pleine croissance a conquis en Occident des places fortes, des positions stratégiques, tant dans les domaines intellectuel, affectif que culturel. On n'imagine plus désormais notre société sans psychologie et sans psychologue. Parmi ces théories il y en a qui ont dominé : la psychanalyse, la non-directivité, le comportementalisme, la Gestalttheorie nouvelle mode, la caractérologie, les courants thérapeutiques, la psychologie dynamique et la psychologie génétique, soit Freud, Rogers, Watson, Brentano, Lewin, Moreno et Piaget. Ces grands noms et ces grandes théories représentent l'effort de scientificité qui s'est réalisé depuis le début du siècle. Il fallait que la psychologie devienne une science humaine et comme nous l'avons montré, elle l'est devenue. A la question de savoir si la psychologie est une "science humaine" l'on peut répondre oui.

Mais elle est aussi une pratique qui renvoie à la question du but et de la finalité. Non plus : quels phénomènes psychiques à expliquer ? Mais : que faitelle, quel est le sens de son action ? Il est intéressant de relever que c'est dans les sagesses de l'Orient que les psychologues de renom comme Jung, Perls, Berne, et bien d'autres, sont allés chercher la réponse à cette question du sens de l'emploi de la psychologie. C'est dans la sagesse la plus ancienne que va puiser la science la plus moderne pour répondre de ses finalités et rendre compte non plus de l'explication du psychisme, mais du sens de l'existence et de la place de l'homme dans l'univers. Cette fascination pour les sagesses orientales est suspecte car elle peut être un dangereux retour en arrière, mais en même temps pleine d'intérêt dans la mesure où cet emprunt à l'Orient démontre la vacuité (le vide) et notre incapacité à répondre aux questions essentielles que se pose l'homme contemporain.

Il ne peut y avoir de science sans conscience, pour la psychologie moins que pour toute autre, puisque son pouvoir s'exerce sur le secret, l'intime, le domaine privé, c'est-à-dire à la racine de l'être de l'homme. C'est pourquoi elle doit mériter son nom de "science humaine" avec toute l'ambiguïté de cette étrange juxtaposition de mots et le conflit qui s'en nourrit. Si elle s'est inventée comme science depuis cent ans, la psychologie a sûrement aujourd'hui à croître comme conscience. Il est paradoxal que ce soient les scientifiques de la nature (génétique, biologie, physique, médecine) qui posent les problèmes d'éthique alors que les psychologues, qui sont censés pourtant observer et travailler sur l'Homme, ne se concentrent que sur des questions de techniques et de savoirs. Le psychologue semble être devenu un petit technocrate coupé des problèmes de la cité.

Index des noms propres

Index

Index des Ecoles psychologiques

Index des concepts par théorie psychologique

PSYCHANALYSE : DISCIPLES ET DISSIDENTS

PSYCHANALYSE : LE COURANT APRÈS FREUD

THÉRAPIES PSYCHANALYTIQUES

THÉRAPIES EXISTENTIELLES

THÉRAPIES PERSONNALISTES

THÉRAPIES COMPORTEMENTALES

DESTIN INDIVIDUEL

PSYCHOLOGIE GÉNÉTIQUE

THÉORIES GROUPALES

COGNITIVISME

THÉRAPIE COGNITIVE

Bibliographie

Chapitre 1

– Breton S. : *Conscience et intentionnalité*, Vitte, Paris, 1956
– Deshaies G. : *Psychopathologie générale*, PUF, Paris,1972
– Fraisse P. et Piaget J. : *Traité de psychologie expérimentale*, PUF, Paris, 1963
– Freud S. : *Etudes sur l'hystérie*, PUF, Paris, 1978
– Guillaume P. : *La psychologie animale,* A. Colin, Paris, 1940
– Heidegger M. : *L'Etre et le temps*, Gallimard, Paris, 1972
– Husserl E. : *L'idée de la phénoménologie. Cinq leçons*, PUF, Paris, 1970
– Janet P. : *La force et la faiblesse psychologiques*, Maloine, Paris, 1952
– Kohler W. : *La psychologie de la forme*, NRF, Col. Idées, Paris, 1964

Chapitre 2

– Freud A. : *Le moi et les mécanismes de défense*, PUF, Paris, 1982
– Freud S. : - *La technique psychanalytique*, PUF, Paris, 1973
  - *Ma vie et la psychanalyse*, PUF, Paris, 1981
– Jung C.G. : *L'inconscient collectif et l'analyse du moi*, NRF, Col. Idées, Paris, 1886
– Klein M. : - *La psychanalyse des enfants*, PUF, Paris, 1959
  - *L'amour et la haine*, Payot, PBP n° 112, Paris, 1958
– Lacan J. : *Les quatre concepts*, Payot, PBP, Paris, 1985
– Laplanche J. et Pontalis J.B. : *Vocabulaire de la psychanalyse*, PUF, Paris, 1973
– Reich W. : *La révolution sexuelle*, PUF, Paris, 1976

Chapitre 3

– Andler D. : - *Introduction aux sciences cognitives*, Gallimard, in Folio, Paris, 1992
  - *Les sciences de la cognition*, in J. Hauberger, *La philosophie des sciences aujourd'hui*, Gauthier-Villard, Paris, 1986
  - "Connexionisme et cognition : à la recherche des bonnes questions", in *Revue de synthèse*, 1/2/1995, p. 127
– Fauconier G. : *Espaces mentaux*, Minuit, Paris, 1984
– Fodor : *La modularité de l'esprit*, Minuit, Paris, 1986
– Ganascia J.-G. : *L'âme-machine*, Seuil, Paris, 1989
– Lemoigne J.-L. : *Intelligence des mécanismes, mécanismes de l'intelligence*, Fayard, Paris, 1986

– Petitot J. : “Le physique, le morphologique, le symbolique”, in *Revue de synthèse*, Tome CXI, IV, 1.2
– Seron X. : *Psychologie du cerveau*, PUF, Paris, 1990
– Taylor Ch. : *Le langage et la nature humaine*, Gallimard, Paris, 1988
– Varela F. : *Autonomie et connaissance. Essai sur le vivant*, Seuil, Paris, 1989

Chapitre 4

– Bateson G. : *Vers une théorie de la schizophrénie,* NRF, Paris, 1980
– Berne E.: *Analyse transactionnelle*, Flammarion, Col. Champs, Paris, 1984
– Bettelheim B. : *La forteresse vide*, NRF, Paris, 1982
– Binswanger L. : *Le rêve et l'existence*, NRF, Paris, 1978
– Cottraux J. : *Les thérapies comportementales*, Payot, PBP, Paris, 1981
– Desoille R. : *Le rêve éveillé en psychothérapie*, PUF, Paris, 1972
– Janov : *Le cri primal*, Flammarion, Col. Champs, Paris, 1975
– Lowen A. : *La bio-énergie*, Lafont, Paris, 1976
– Maldiney H. : “Qu'est-ce que comprendre ?” in *Regard, parole, espace,* L'âge d'homme, Lausanne, 1982
– Perls F. S. : *La Gestalt Thérapie*, Lafont, Paris, 1977
– Rogers C. : *Psychothérapie et relations humaines*, Publications universitaires, Louvain, 1966
– Winnicott D.W. : *Self et faux self*, PUF, Paris, 1978

Chapitre 5

– Freud S. : - *Totem et tabou*, Gallimard, Col. Idées, Paris, 1976
- *Moïse et le monothéisme*, Gallimard, Col. Idées, Paris, 1980
- *Malaise dans la civilisation*, Gallimard, Col. Idées, Paris, 1982
– Klages L. : *La graphologie*, PUF, Paris, 1972
– Le Senne A. et Berger G. : *La caractérologie*, PUF, Paris, 1975
– Lewin K. : *La psychologie dynamique*, PUF, Paris, 1979
– Moreno J.-L. : *Les fondements de la sociométrie*, PUF, Paris, 1954
– Piaget J. : - *La formation du symbole chez l'enfant*, PUF, Paris, 1976
- *La construction du réel*, PUF, Paris, 1980
- *L'épistémologie génétique,* PUF, Paris, 1982
– Szondi L. : *Diagnostic expérimental des pulsions*, PUF, Paris, 1952

Cinq collections

Comprendre les personnes : Aborder la question du développement de soi et de l'autre avec l'aide des apports de la psychologie. Présenter les concepts et les courants dans leur diversité. Analyser des situations de vie à partir d'expériences vécues afin de proposer des repères concrets.

Comprendre la société : Analyser les mutations sociales, culturelles et économiques avec leurs interdépendances. Proposer des éléments pour permettre de prendre position sur les questions de société au niveau local jusqu'au niveau international pour favoriser un agir collectif.

Savoir communiquer : Mettre toutes les techniques d'expression et de communication au service du développement des personnes et des groupes.

Savoir penser : Permettre à chacun d'être capable d'analyser une situation dans sa globalité et sa complexité. Mettre à la disposition de tous les apports de la philosophie pour que chacun puisse organiser sa pensée, faire des choix conscients et se forger des opinions.

Pédagogie / Formation : Connaître, comprendre et acquérir les concepts et les pratiques favorisant l'éducation et la formation. Permettre au formateur ou à l'enseignant d'analyser ses pratiques pédagogiques pour les rendre plus pertinentes.

Trois niveaux de lecture

Eveil : Sa fonction est de mettre à la disposition de ceux qui n'ont pas de compétences particulières dans un domaine, les éléments de base nécessaires pour comprendre les problèmes abordés. Sert d'"apéritif" pour avoir envie d'aller plus loin. Démystifie en supprimant l'appréhension consistant à croire que certains domaines sont difficiles. Notre rôle est d'expliquer de façon simple les sujets complexes en conservant la rigueur du contenu.

L'essentiel : Elargit le champ d'analyse en abordant de façon plus large les problèmes concernant les sciences humaines : psychologie, sociologie, pédagogie, philosophie, ou les sciences techniques. Fait apparaître l'étendue d'un problème mais sans approfondir chacun de ses aspects. Montre les liaisons entre les différentes parties d'un problème et ses ramifications avec d'autres domaines.

Synthèse : Synthétise les éléments de pratique d'analyse et de réflexion d'un domaine de connaissance ou d'un sujet précis. Approfondit les points soulevés dans les livres des autres niveaux de lecture.

Les livres sont présentés ci-après par collection et leur niveau de lecture est indiqué par un code (Ev : Eveil, Es : Essentiel, S : Synthèse)

Nos livres par collections avec indication du niveau de lecture

Ev : Eveil   Es : Essentiel   S : Synthèse

Comprendre les personnes

Les étapes du développement de la personnalité

Ev **Albums illustrés – format : 21 x 29,7 cm - 64 pages dont 30 illustrations**

* **La naissance : grossesse et premiers mois de la vie**
  Michel Richard - Isabelle Plat - 2e édition
* **1 à 3 ans : vers une personnalité autonome**
  Jean-François Skrzypczak - Roland Burlet
  2e édition
* **3 à 6 ans : l'enfant metteur en scène de sa vie**
  Alain Guillotte - Thiébaud Lardier - 3e édition
* **14-19 ans : l'adolescence, la difficulté d'être**
  M.-F. Cote-Jallade - J. Dumonteil - M.-N. Semet
  4e édition

Ev **Livres illustrés – format : 15 x 22 cm - 30 illustrations**

* **L'œdipe. Moyen de libération**
  Charles Maccio - Claude Régnier
  104 pages - 2e édition
* **Le bébé et ses parents. 0 à 18 mois**
  Alain Guillotte 3e édition
* **5-12 ans. Les enfants et leur enfance**
  Michel Richard
  104 pages - 2e édition
* **11-15 ans. Les enjeux d'une révolution**
  Albert Donval - Odette Thibault - Raphaël Gattegno
  112 pages - 4e édition

* * *

S * **La psychologie et ses domaines**
J.-M. Fournier - M. Richard - J.-F. Skrzypczak
300 pages - 2e édition revue et augmentée

Es * **Pour une éducation de la liberté.** Les étapes du développement de la personnalité
Charles Maccio - 208 pages - 4e édition

Es * **Comprendre la sexualité aujourd'hui**
Michel Simon - 186 pages - 3e édition

Es * **Prendre sa vie en main**
André Gromolard - 128 pages - 3e édition

S * **L'inné et l'acquis**
Inégalités "naturelles" - Inégalités sociales
Jean-François Skrzypczak - 208 pages - 3e édition

Es * **Vivre un amour humain.** Amour et parole
Albert Desserprit - 120 pages

Es * **Introduction à la psychanalyse de Freud**
Michel Dethy - 152 pages - 3e édition

Es * **Introduction à la psychanalyse de Lacan**
Michel Dethy - 152 pages - 3e édition

Es * **Maladies psychosomatiques et troubles de la sexualité** - Michel Dethy - 120 pages

Es * **Parole de suicidaires**
Patrick, Annie et quelques autres - 136 pages

S * **Mères en détresse, naufrage d'enfants**
Jean-Marie Charron - 144 pages

Es * **Ecouter l'autre.** Tant de choses à dire
Alfred Vannesse - 96 pages - 3e édition

Es * **Vivre après l'accident**
Jean-Luc Simon - 152 pages

Es * **Le ballon orange** - Une relation d'aide selon C. Rogers - Nelly Verbeke - 112 pages

S * **La personne âgée**
Dr Louis Ploton - 256 pages - 3e édition

Es * **Ensemble face à la drogue** - Agir au quotidien
Françoise Mozzo-Counil - 192 pages

Es * **Mieux vivre nos désirs** - De la naissance à la fin de vie - Dr Philippe Lefèvre - 256 pages

S * **Les courants de la psychologie**
Michel Richard - 292 pages - 2e édition

Es * **Sectes** - Les manipulations mentales
Max Bouderlique - 128 pages - 3e édition

Es * **Vivre le deuil** - De la désorganisation à une réorganisation - M.-F. Augagneur - 160 pages - 3e édition

Ev * **Le temps du mépris** - Les Maghrébins de la deuxième génération - Guy Dutey - 192 pages - 2e édition

Ev * **Le temps de la différence** - À la rencontre des solitudes - Guy Dutey - Antoine Dury - 176 pages

S * **Le corps - Rôle et parole**
Mireille-Lucile Latour - 184 pages

Es * **Acupuncture sans mystère**
Dr Auguste Nguyen - 176 pages

Es * **Vivre la boulimie ordinaire** - À la recherche de son identité - Sylvette Riéty - 168 pages

Es * **Adolescents, drogues et toxicomanie**
Louis Gonet - 144 pages

S * **Autorité, responsabilité parentale et protection de l'enfant** - CER - 428 pages

Es * **La vie de la personne âgée**
Dr Albert Ladret - 128 pages

Es * **L'enfant meurtri** S'en sortir sans rancune
Genny Le Thi Mui - 160 pages

Es * **L'homme et son langage**
Introduction à la linguistique
Fred Poché - 160 pages

Es * **Parler pour exister**
Créer des espaces de parole
Claude Bizet - 208 pages

Es * **Femmes maghrébines en France**
Françoise Mozzo-Counil - 138 pages - 2e édition

Es * **S'épanouir par les activités culturelles**
Marie-Claire Harel - 144 pages

S * **Le travail social** - Théories et pratiques
Louis Fèvre - 192 pages

Es * **Vivre avec son handicap**
Josiane Criscuolo - 160 pages

Es * **Vivre avec des personnes âgées**
C. Pichaud - I. Thareau - 2e édition - 208 pages

S * **Maladie d'Alzheimer** - À l'écoute d'un langage
Dr Louis Ploton - 176 pages

Es * **Communiquer avec des adultes âgés** - La « Clé des Sens » - Martine Perron - 176 pages

Es * **Musique, thérapie et animation**
Colette Rivemale - 158 pages

Es * **Violences familiale, scolaire et sociale**
Pierre Marc - 176 pages

Es * **Re-trouver l'estime de soi**
Colette Bizouard et Danielle Roche - 128 pages

Es * **L'avortement et le lien maternel**
Isabelle Tamian-Kunégel - 144 pages

Es * **En finir avec le tabac**
Jean-Luc Nicaud -128 pages

Es * **Favoriser le développement de l'enfant**
Jean-Charles Juhel - 240 pages

S * **Femmes et santé**
Françoise Desailly - 256 pages

S * **Accompagner l'enfant trisomique**
Denis Vaginay - 240 pages

Es * **Femmes et santé**
Françoise Desailly - 256 pages

Es * **Comprendre la culture arabo-musulmane**
Xavière Remacle - 176 pages

S * **Accompagner le placement familial**
G. de l'Espinay, & C. Papalardi - 176 pages

S * **Comprendre les jeunes**
Sandra Bévillard - 112 pages

Es * **Les groupes sectaires totalitaires**
Max Bouderlique - 112 pages

Es * **Aides-soignant(e)s en gériatrie**
Anne-Marie et André Crepet - 200 pages

Comprendre la société

Es * **Combats d'un maire**
René Carême - 160 pages

Es * **Construire la démocratie**
Pierre-Yves Chereul - 176 pages

S * **Démocratie mondiale** - Une logique au service de la paix - Jean-Yves Ollivier - 264 pages

S * **Maîtriser les mutations techniques**
L'humanité face aux changements
Charles Maccio - 312 pages

S * **Valeurs pour notre temps**
L'humanité face aux changements
Charles Maccio - 260 pages

S * **Les sciences humaines en mouvement**
L'humanité face aux changements
Charles Maccio - 336 pages

S * **Culture et changement social** - Approche anthropologique - Daniel Mandon - 208 pages

S * **Les droits de l'homme** - Guide d'information et de réflexion - 2e éd - Michel Simon - 180 pages

S * **Pour une déclaration universelle des droits des peuples** - François Rigaux - 176 pages

S * **Nouveau paysage international**
Albert Samuel - 264 pages

S * **L'environnement** - Le comprendre pour le reconstruire - Thierry Poucet - 232 pages

S * **Comprendre l'écologie**
Michel Dupupet - 304 pages

S * **La biotechnologie** - Les cellules domestiquées
Dominique Padirac - 208 pages

Es * **Les nouveaux visages de l'immigration**
Pierre Lanier - 192 pages - Mise à jour 1994

S * **Israéliens et Palestiniens**
André Barthélemy - 264 pages

Es * **Militer autrement**
Michel Tozzi - 168 pages

Es * **Le travail. Regard photographique**
BIT - 104 pages

Es * **L'économie sociale** - Mythes et réalités
François Boursier - 116 pages

Es * **Le chômage d'exclusion** - Comment faire autrement ? Patrick Valentin - 96 pages

Es * **L'emploi par la formation** - Les populations en grande difficulté - Bernard Martin - 152 pages

S * **Comprendre et gérer les conflits dans les entreprises et les organisations**
Pierre Rousseau - 172 pages

Es * **Créativité et innovation dans les entreprises et les organisations**
R. Remouchamps et F. Tilman - 160 pages

Es * **Autonomie au quotidien** - Réponses à la crise ?
François Plassard - 184 pages

S * **Besoins et désirs en société de consommation**
Michel Richard - 240 pages

S * **Construire la paix - 1 Les armements détruisent l'humanité** - Jean-Marc Lavieille - 240 pages

S * **Construire la paix - 2 L'humanité détruira les armements** - Jean-Marc Lavieille - 240 pages

Es * **Notre santé** - Une école de vie
Michèle Pohier - 240 pages

S * **Les religions aujourd'hui**
Albert Samuel - 368 pages - 4e édition

S * **Méthode de recherche spirituelle en groupes**
A l'épreuve de l'autre - Louis Fèvre - 208 pages

S * **La foi affrontée aux découvertes scientifiques**
Louis Doucet - 240 pages

Es * **Comprendre la société**
J. Holland - P. Henriot - 174 pages

Es * **L'Eglise catholique pour ou contre le libéralisme ?**
Christian Baboin-Jaubert - 192 pages

Es * **Visages de Dieu. Visages de société**
Collectif - 240 pages

Es * **La coordination gérontologique**
Martine Tanguy-Mauffret - 208 pages

D * **L'entreprise démocratique**
Jacques Benoit - Damián Yurkievich - 192 pages

Es * **Le Maghreb** au cœur des crises
Michel Branciard - 176 pages

S * **Les mécanismes de l'économie politique**
Yves de Wasseige - 328 pages

Es * **Comprendre l'histoire de la Vie**
André Steiger - 224 pages

Es * **Comprendre l'action des sectes**
Max Bouderlique - 144 pages - 2e édition

S * **Les médiations du travail social**
Marie France Freynet - 304 pages - 2e édition

S * **Solidarité par le partage du travail et des revenus**
L'humanité face aux changement
Charles Maccio - 304 pages

S * **Droits de l'homme - Droits des peuples**
Philippe Richard - 184 pages

Es * **Réussir l'insertion** - Accompagner la reconnaissance sociale - Martine Buhrig - 168 pages

Es * **L'homme et la culture**
Jean Billaud - 128 pages

Es * **JAC / MRJC** - Origines et mutations
Collectif - 424 pages

Es * **Histoire des États-Unis**
Yves Bourdon et Jean Lamarre - 278 pages

Es * **Être parents**
Pierre Erny et Mi-Ree Jeong

S * **Construire des actions collectives** - Développer les solidarité - B. Dumas - M. Séguier - 232 pages

Es * **De la préhistoire aux débuts du christianisme - Culture religieuse, Tome 1**
Jacky Cordonnier - 120 pages

Es * **De l'Église des premiers siècles aux guerres de religion - Culture religieuse, Tome 2**
Jacky Cordonnier, 136 pages

Es * **La Laïcité - Une exigence pour la paix**
Albert Samuel – 208 pages

S * **Introduction à la littérature française**
Jean Beauté – 200 pages

S * **Dictionnaire des solidarités**
Pierre Ansay - Alain Goldschmidt – 264 pages

S * **Les transactions aux frontières du social**
Collectif – 256 pages

Pédagogie / Formation

S * **Apprendre l'autonomie - Apprendre la socialisation** - M.-A. Hoffmans-Gosset - 168 p. - 3e édition

Es * **Formuler et évaluer ses objectifs en formation**
Michel Barlow - 176 pages - 6e édition

S * **Apprendre à écrire le français au collège**
CEPEC - 224 pages - 5e édition

S * **Itinéraire des pédagogies de groupe**
Apprendre en groupe ? Tome 1
Philippe Meirieu - 208 pages - 6e édition

S * **Outils pour apprendre en groupe**
Apprendre en groupe ? Tome 2
Philippe Meirieu - 208 pages - 6e édition

S * **Comment faire un projet d'établissement**
Marc Broch - Françoise Cros - 216 pages - 3e éd.

Es * **Education à la paix** - Fiches pédagogiques 4-12 ans
Richard Fortat - Laurent Lintanf - 208 pages

Es * **Education aux droits de l'homme** - Fiches pédagogiques 4-12 ans - R. Fortat et L. Lintanf - 144 pages

Es * **Formation et communication**
Collectif - 224 pages

Es * **Pour une éthique de l'enseignement des sciences**
Gérard Fourez - 144 pages

Es * **La pédagogie du projet en formation**
Jean Vassileff - 160 pages - 4e édition

Es * **Prendre ma place à l'école avec l'Analyse Transactionnelle** - Bernard Riban - 104 pages

S * **Lire et écrire au collège**
Véronique Breyer - 128 pages

Es * **Le défi-lecture**
J.-J. Maga - C. Méron - 192 pages - 5e édition

S * **L'évaluation participative de la formation**
Un outil du management - B. Pique - 192 pages

S * **Pédagogie de la médiation.** Autour du PEI
208 pages - 3e édition

Es * **Conte et (ré) éducation**
Jacques Thomassaint - 104 pages

S * **Le groupe éducatif : une réalité politique**
Michel Barlow - 168 pages

S * **Autoformation et fonction de formateur**
Pascal Galvani - 170 pages

S * **Développement des capacités personnelles**
Guide d'autoformation - Ariane Kepler - 264 p.

S * **Evaluer le projet de notre organisation**
M.-H. Broch et F. Cros - 240 pages

S * **L'enseignement des langues** Théorie et exercices pratiques - F. Cormon - 224 pages

S * **Le centre-ressource.** Pourquoi ? Comment ? Ariane Kepler - 184 pages

Es * **Chef d'établissement : des métiers, une passion** France Rollin - 192 pages - 2e édition

Es * **Référentiel de métier du chef d'établissement** France Rollin - 128 pages

Es * **Ensemble faisons reculer l'échec scolaire** Michel Bourgain - 179 pages

Es * **Histoires de vie et pédagogie du projet** Jean Vassileff - 192 pages - 2e édition

Es * **Lire, écrire, grandir à l'école primaire et au collège** Marie-Françoise Fromont - 128 pages

Es * **Modules d'initiation à la méthodologie scolaire** et à la formation permanente - Guy Leperlier

Es * **Les petits groupes d'apprentissage dans la classe** - Collectif - 112 pages - 2e édition

Es * **Moi j'enseigne, mais euux apprennent-ils ?** Michel Saint-Onge - 144 pages - 3e édition

Es * **Devenir efficace dans ses études** Christian Bégin - 208 pages

S * **Vivre le lycée professionnel comme un nouveau départ** - Gérard Wiel - 192 pages

Es * **L'évaluation scolaire** - Décoder son langage Ariane Kepler - 184 pages

S * **Autoformation et développement personnel** Jean-Marie Lange - 168 pages

S * **Réussir avec la neurobiologie** - Utilisations en pédagogie - Collectif - 248 pages

Es * **À l'école des éléments** - Écoformation et classe de mer - Dominique Cottereau - 136 pages

S * **Ethique et pratique de l'audit** Michel Lecointe et Michel Rebinguet - 192 pages

Es * **Handicaps et vie scolaire** - L'intégration différenciée - P. Bonjour et M. Lapeyre - 192 pages

Es * **L'individualisation de la formation** Hervé Prévost - 194 pages

Es * **Les chemins de la pédagogie** F. Tilman et D. Grootaers - 128 pages

Es * **Les courants de la pédagogie contemporaine** Jean Beauté - 192 pages - 3e édition

Es * **Une pédagogie de l'entraide** Antoine de la Garanderie - 112 pages

S * **L'activité mentale de l'enfant en maternelle** C. Depeyre et B. Perbet - 184 pages

Es * **Une clé pour les maths** - Soutien au collège et au lycée et pour la formation continue C. Augier et Y. Raffestin - 304 pages - 2e édition

S * **Accompagner l'adolescence** C . Philibert et G. Wiel - 224 pages - 2e édition

S * **Guide du praticien en PNL** Louis Fèvre et Gustavo Soto - 272 pages - 3e édition

Es * **Élèves "difficiles", profs en difficulté** M.-T. Auger et C. Boucharlat - 136 p. - 2e édition

D * **École et société** des politiques aux pratiques Reine Goldstein - 192 pages

Es * **Le récit de vie** Danielle Coles et Bénédicte Goussault - 184 p.

S * **Médiation éducative et éducabilité cognitive** Autour du PEI - Collectif- 168 pages

S * **Former avec la sophrologie** - Une nouvelle voie pour apprendre - Bernard Blanc - 208 pages

Es * **Enseigner et apprendre dans une classe multiculturelle** - Méthodes et pratiques pour réussir Monique Honor - 176 pages

Es * **Faire participer l'élève à l'évaluation de ses apprentissages** C. Doyon et D. Legris-Juneau - 124 pages

Es * **Se (re)connaître par le théâtre** Martine Meirieu - 134 pages

Es * **Apprendre l'orthographe** - Le français par la Cible - François Le Turdu - 208 pages

Es * **L'enseignement précoce des langues** Dominique Groux - 208 pages

Es * **Construire ses savoirs, Construire sa citoyenneté** GFEN - 320 pages

Es * **Vittoz et pédagogie** Vittoz / IRDC - 176 pages

S * **Conduire un projet** Martine Chambon et Henri Pérouze - 232 pages

Es * **Manuel du responsable d'institution** Michèle garant - 98 pages

S * **Formateur d'adultes** Jean-Pierre Martin et Émile Savary - 368 pages

S * **Travailler en équipe à un projet pédagogique** Marc-Henry Broch - 224 pages

Es * **Exprimer mes désirs, Construire mon projet** Hélène Lavoie et Marc Denault - 112 pages

Es * **Apprendre et réussir ensemble** Vincent Lemière - 176 pages

S * **Guide du maître praticien en PNL** L. Fèvre, G. Soto et C. Servais - 352 pages

S * **Faire de la classe un lieu de vie** Christian Philibert et Gérard Wiel - 152 pages

Es * **Eduquer à la responsabilité** A.É.R.É. - 176 pages

Es * **Conflit, mettre hors-jeu la violence** N.V.A. - 144 pages

S * **Analyser le fait éducatif** Reine Goldstein - 224 pages

S * **Les nouveaux autodidactes** Georges Le Meur - 224 pages

Es * **Autonomie et formation** Collectif - 272 pages

Es * **(Se) former dans l'humour** Hugues Lethierry - 192 pages

S * **Les lycéens décrocheurs** Collectif - 312 pages

Es * **Intervenir en formation** Jean-Paul Martin - Emile Savary - 224 pages

S * **Théories contemporaines de l'éducation** *(4e éd.)* Yves Bertrand - 308 pages

Savoir communiquer

S * **Pratique de l'expression**
Charles Maccio - 308 pages - 5e édition

Es * **Le Français pour tous**
Régine Burfin - 248 pages - 4e édition

Ev * **Savoir rédiger** - Une possibilité pour tous
Régine Burfin - 112 pages - 5e édition

Es * **Cultiver sa mémoire**
Colette Bizouard - 176 pages - 3e édition

Es * **Savoir écrire un lire, un rapport, un mémoire...**
Charles Maccio - 176 pages - 2e édition

Es * **La grammaire expliquée** - Notions et exercices
Marcel Poirier - 240 pages

Es * **Vivre la communication**
Colette Bizouard - 184 pages - 6e édition

S * **Le code de l'information**
Pierre-Yves Chereul - 240 pages

S * **Des réunions plus efficaces**
Charles Maccio - 256 pages - 2e édition

Es * **La communication scientifique publique**
Pierre Fayard - 152 pages

Es * **Relaxation sophrologique**
Jean-Pierre Blanchet - 136 pages - 2e édition

S * **Autorité - Pouvoir - Responsabilité**
Charles Maccio - 206 pages - 3e édition

Ev * **Organisation et responsabilités**
Charles Maccio - Guy Nauche - 64 pages

Es * **Réussir l'analyse d'un texte**
André Grange - 192 pages

Es * **Réussir le résumé de texte et la note de synthèse** - Jean Profit - 144 pages - 5e édition

Es * **Archives et documentation**
CARHOP - 160 pages

Es * **Rendez votre maison accueillante** - Créez votre intérieur - Josèphe Molette - 168 pages

Es * **Invitation à l'expression orale**
Colette Bizouard - 144 pages - 6e édition

Es * **Mieux gérer son temps**
Fathi Tlatli - 164 pages - 2e édition

Es * **L'écoute** - Attitudes et techniques
Jean Artaud - 192 pages - 3e édition

Es * **Créer par la parole**
Pierre Lebar - 144 pages

Es * **Mieux prendre la parole en public**
Jean-Paul Berrou - 152 pages

Es * **Comprendre la presse** - Informer hier et demain
Jean-Jacques Coltice - 128 pages

Es * **Écrire au quotidien - Pratiques du journalisme**
Collectif - 144 pages - 2e édition

Es * **Apprendre, se distraire et créer avec le jeu**
10 jeux à fabriquer - Alain Bideau - 136 pages

Es * **Comprendre et maîtriser le bégaiement**
Collectif - 126 pages

Es * **Faire parler l'enfant retardé mental**
Jean-A. Rondal - 144 pages

S * **Animer et participer à la vie de groupe**
Charles Maccio - 312 pages

S * **Techniques de la vie en groupe**
Charles Maccio - 312 pages

Es * **Guide pratique de l'écrit**
Jean-Yves Bonnamour - 200 pages

Es * **Un parcours pour l'embauche**
Michel Bourse - 176 pages

Es * **Réussir son mémoire professionnel**
Annick Maffre - 144 pages

Savoir penser

Es * **Dieu des athées** - Marx, Sartre, Camus
Robert Coffy - 132 pages

S * **Inroduction à une philosophie de l'homme**
Roger Texier - 168 pages

S * **Le marxisme** - Théorie de la pratique révolutionnaire
Jean Guichard - 304 pages - 4e édition - 30e mille

S * **Le Socialisme** - Histoire - Courants - Pratiques
Albert Samuel - 472 pages

S * **Le personnalisme** - Sources - Fondements
Actualité - Jean Lacroix - 152 pages

Es * **Les libéralismes d'hier à aujourd'hui**
Michel Branciard - 184 pages

Es * **La pensée contemporaine** - Les grands courants
Michel Richard - 234 pages - 4e édition

S * **Les doctrines du pouvoir politique** - Du totalitarisme à la démocratie - Michel Richard - 192 p.

S * **Penseurs pour aujourd'hui**
Collectif - 198 pages

S * **Science, idéologies et foi chrétienne**
Louis Boisset - Michel Simon - 180 pages

Es * **Penser par soi-même** - Initiation à la philosophie
Michel Tozzi - 224 pages - 3e édition

Es * **Connaître le Réel** - Mythes ou réalités
Gérard Tiry - 128 pages

Es * **Penser avec Arendt et Lévinas**
Fred Poché - 128 pages

Demandez-nous notre catalogue avec descriptif complet des ouvrages

L'inné et l'acquis

S'il est un domaine qui soulève l'intérêt et parfois les passions, c'est bien celui de l'inné et de l'acquis. Il suffit, dans une discussion, même familiale, d'engager le débat sur ce thème pour que les passions se soulèvent et que des antagonismes, souvent irréductibles, apparaissent. Le problème de l'inné et de l'acquis cristallise le choix de valeurs que nous effectuons dans nos sociétés : son enjeu est donc profondément politique car il touche, en son fondement même, la façon qu'a chacun de penser l'existence sociale.

Mais avant de répondre à une question posée d'une façon si générale il est nécessaire de voir ce que les différentes sciences peuvent dire. C'est pourquoi ce livre a voulu suivre la constitution d'un être humaine à partir de sa conception jusqu'a sa maturité où il est capable de parler, d'avoir des comportements intelligents. Pour cela, les données essentielles de la biologie moléculaire, de la génétique, de l'embryologie, de l'éthologie, de l'ethnologie, de la linguistique, de la psychologie sont présentées.

Cependant, tout en reconnaissant l'apport des différentes sciences, ce livre aboutit à l'idée que ce n'est pas dans la science et par la science que les hommes peuvent répondre fondamentalement à la question des inégalités sociales et culturelles. S'il est important de savoir ce que les sciences nous disent dans leur domaine respectif de compétences, il est tout aussi indispensable de ne pas faire dire aux sciences ce qu'elles ne peuvent pas dire. Il est inutile et vain de chercher une éthique dans la science ou à partir de la science car elle ne peut répondre à la question du juste et de l'injuste. L'interrogation politique et morale fondatrice des normes et des valeurs, loin d'être annulée par la science, est plus que jamais nécessaire.

208 p. - 3e éd. – ISBN : 2-85008-105-1 – *L'essentiel*

Mieux vivre nos désirs

La vie est difficile à comprendre et à assumer. Nous manquons parfois de repères, les valeurs traditionnelles se sont effritées et la société est en crise de sens. Quel sens donner à notre vie ? Que faire de nos désirs ? Que faire de nos souffrances ?

Ce livre nous invite à un voyage à l'intérieur de nous-même. Il nous invite à explorer l'inconnu que nous sommes, à percevoir comment nous nous construisons, ou nous nous détruisons, à partir des expériences que nous propose la vie, au rythme de nos désirs, de nos plaisirs et de nos souffrances.

Afin de moins souffrir, nous avons tendance à refouler nos désirs irréalisables, mais nous nous privons de notre créativité. À rechercher une cause à nos souffrances, nous nous détournons de leur sens, sans pour autant les éliminer.

Mieux se comprendre, mieux se situer, mieux communiquer, n'est-ce pas un des enjeux de notre société d'aujourd'hui et de demain ?

Cet ouvrage apporte des repères issus d'une pratique au quotidien de l'écoute et des relations. Il rend accessible au plus grand nombre les principaux apports de la psychanalyse et utilise leur éclairage pour donner sens à nos rapports humains. Il s'adresse également à tous ceux qui assurent un accompagnement.

Ce livre s'adresse également à tous ceux qui assurent un accompagnement. La qualité de l'accompagnement est un enjeu pour une plus grande efficacité de la médecine, du travail social ou de l'enseignement.

256 p. - 2e éd. – ISBN : 2-85008-313-5 – *L'essentiel*

Chez le même éditeur

Introduction à la psychanalyse de Freud

La psychanalyse se débat aujourd'hui en place publique. Elle est totalement assimilée dans notre culture, au point qu'elle a perdu la fraîcheur de ses origines.

Ce livre introduit la psychanalyse très simplement, avec clarté, sans utiliser la langue de bois. L'ambition de cet ouvrage n'est pas de révolutionner ou d'innover, mais plutôt de faire retour aux sources. Mais peut être est-ce une innovation que parler clairement.

Cette introduction intéresse celles et ceux qui désirent s'engager dans une analyse personnelle, ainsi que les étudiants en sciences sociales, humaines, médicales, paramédicales, les éducateurs, sans oublier ceux que la démarche psychanalytique préoccupe. L'ouvrage sera tout aussi profitable aux futurs analystes ou thérapeutes qui retrouveront dans ces pages la virginité de la découverte ; en effet, si les concepts freudiens et lacaniens fondamentaux y sont abordés, c'est toujours à partir d'une expérience vécue : l'analyse de Pierre.

152 p. - 4e éd. – ISBN : 2-85008-269-4 – *L'essentiel*

Introduction à la psychanalyse de Lacan

Lacan est une des plus grandes figures de la psychanalyse moderne, aimé passionnément jusqu'à la démesure, il est aussi haï avec véhémence par ses détracteurs.

Jacques Lacan fut un être hors du commun plein de génie et de folie. Entrer dans son texte, dans sa pensée est une aventure d'un enrichissement incomparable où se côtoient une vision rigoureuse de la théorie freudienne et un questionnement personnel neuf et bouleversant.

Ce livre nous présente le principal de l'apport lacanien, sans omettre le contexte, sans éviter de parler du personnage qu'il fut et des passions qu'il souleva.

Ainsi, la durée d'une analyse, le stade du miroir, le réel, le symbolique, l'imaginaire, la résistance, le transfert, le narcissisme, le désir, l'amour, la haine, la castration, la forclusion, le "nom-du-père", entre autres concepts, vous apparaîtront en toute clarté.

Cet ouvrage est le fil d'Ariane qui permettra à ceux qui veulent enfin **comprendre le phénomène Lacan**, de trouver leur chemin dans son labyrinthe.

L'originalité de ce livre est d'être écrit avec le cœur dans un style direct et agréable, tour à tour didactique et synthétique, mordant et passionné.

L'auteur nous fait partager son plaisir à suivre Lacan dans l'aventure de la découverte de l'homme.

152 p. - 4e éd. – ISBN : 2-85008-248-1 – *L'essentiel*

Écouter l'autre
Tant de choses à dire

"Puis-je vous parler ?..." "Vous avez un peu de temps ?"...

Parler, se dire, est vital pour chacun. On ne se trouve vraiment qu'en parlant à un autre. Parler suppose donc d'être accueilli par quelqu'un qui se rend compte de ce qu'écouter veut dire. Écouter, c'est se taire, ne pas juger, c'est accepter l'autre tel qu'il est, comme il est, différent de soi, sans pourtant se renier soi-même. C'est permettre à l'autre d'aller aussi loin qu'il veut, qu'il peut, dans l'expression de ce qu'il vit.

Intervenir ? Oui, mais comment ?

L'écoute ne s'improvise pas. Elle exige d'être réfléchie, travaillée, sans quoi l'autre s'arrête très vite de parler et retombe dans le silence.

L'écoute est sans prix pour celui qui la pratique comme pour celui qui en bénéficie. Elle ouvre sur une richesse autre, sur le plaisir de l'échange, de la rencontre.

96 p. - 4e éd. – ISBN : 2-85008-235-X – *L'essentiel*

L'écoute – *Attitudes et techniques*

Apprendre à écouter est un besoin majeur des relations humaines. Nous savons combien l'écoute est difficile à instaurer.

Chacun admet qu'il n'est pas aisé d'entendre ce que l'interlocuteur veut dire sans dénaturer sa pensée : parents préoccupés par les soucis quotidiens qui écoutent difficilement leurs enfants, enseignant soucieux du programme et pas assez des élèves, formateur plus désireux de conduire le groupe que d'écouter ses demandes et clarifier ses besoins. Et encore dans le couple où l'écoute se perd avec le temps et l'habitude, et le thérapeute devant un cas, à la recherche d'un diagnostic qui néglige une authentique présence au client.

Dans ces diverses situations, l'auteur nous prévient des éventuelles dérives, nous propose des attitudes et des moyens pour établir une meilleure écoute, à partir d'exemples vécus et à l'aide d'exercices progressifs. Le lecteur pourra s'approprier les attitudes qui facilitent la compréhension et s'entraîner à leur pratique.

À l'époque des slogans simplistes sur une communication facile, l'objectif que nous propose l'auteur d'**apprendre à écouter** est d'un grand réalisme.

Ce livre sera particulièrement précieux pour tous ceux qui sont préoccupés par l'écoute : parents, enseignants, éducateurs, formateurs, thérapeutes, couples...

192 p. - 3e éd. – ISBN : 2-85008-286-4 – *L'essentiel*

Pour éducation à la liberté

Le sens. Tout se joue avant 6 ans. C'est faux, heureusement ! Certes, la période de la prime enfance marque profondément notre personnalité, mais, si tout était définitif, ce serait à désespérer des possibilités de changement et d'évolution de toute personne. A quoi servirait notre liberté s'il y avait ce déterminisme absolu des premières années ? A quoi serviraient l'éducation parentale, les pédagogies, les psycho-thérapies, s'il n'y avait pas d'espoir et aucune chance de changement. Ce livre voudrait aider chacun à se connaître, à se comprendre, c'est la démarche permettant de connaître et comprendre les autres.

Le contenu. Comprendre sans juger n'est pas facile. C'est dans cette direction qu'il est souhaitable d'aller si nous voulons nous respecter et respecter les autres. Après avoir expliqué les concepts de base, nous découvrirons les étapes du développement de la personnalité, pour ensuite comprendre les conséquences d'un manque d'amour à travers nos pertubations. Puis nous essayerons de saisir les problèmes du couple : ceux de la famille en mutation, cellule de base de toute société, derrière ses formes les plus diverses.

La forme. L'ouvrage est rédigé sous forme de fiches : chacun, en fonction de son expérience, de ses réflexions, peut compléter les problèmes soulevés, s'approprier la démarche, modifier le contenu et l'enrichir en fonction de ses besoins.

224 p. - 4e éd. – ISBN : 2-85008-109-4 – *L'essentiel*

L'œdipe – *Moyen de libération*

Un phénomène personnel

Ce livre voudrait aider chacun à comprendre un événement important de notre vie et de celle des autre : l'Œdipe, situé au plan symbolique.

L'Œdipe : deux phénomènes complémentaires :

- Le meurtre du père. Il signifie la réaction contre l'**autorité** pour accéder à l'autonomie.
- Le mariage avec la mère. Il signifie la réaction pour se dégager de l'emprise maternelle afin d'accéder à un **amour** réciproque et égalitaire conduisant à la solidarité.

C'est aussi l'ouverture à la dimension sociale. Nous dépassons la relation père/mère pour nous ouvrir aux autres.

Mais aussi un phénomène collectif

Ce mécanisme de rédaction contre l'autorité se passe aussi au niveau collectif dans la société. Ce phénomène se produit aussi bien dans les groupes, les organisations ou les institutions. Il est à l'origine de leur évolution, que l'on en soit conscient ou non.

104 p. - 2e éd. – ISBN : 2-85008-171-X – *Éveil*